W9-DGM-311

DICTIONNAIRE ORTHOGRAPHIQUE

Déjà paru :

ÉCRIRE, PARLER : les 100 difficultés du français,
par R. SCTRICK

La loi du 11 mars 1957 n'autorisant, aux termes des alinéas 2 et 3 de l'article 41, d'une part, que les « copies ou reproductions strictement réservées à l'usage privé du copiste et non destinées à une utilisation collective », et, d'autre part, que les analyses et les courtes citations dans un but d'exemple et d'illustration, « toute représentation ou reproduction intégrale, ou partielle, faite sans le consentement de l'auteur ou de ses ayants droit ou ayants cause, est illicite » (alinéa 1er de l'Article 40).

Cette représentation ou reproduction, par quelque procédé que ce soit, constituerait donc une contrefaçon sanctionnée par les articles 425 et suivants du Code pénal.

© Presses Pocket, 1982.
ISBN 2-266-01184-7

LES GUIDES PRATIQUES DU

FRANÇAIS D'AUJOURD'HUI

Collection dirigée par

Claude Aziza et Robert Sctrick

DICTIONNAIRE ORTHOGRAPHIQUE

suivi de 22 tableaux récapitulatifs
des principales difficultés,
règles d'accord et typographiques,
abréviations usuelles, etc. (page 257)

Presses Pocket

TABLE DES ABRÉVIATIONS

Les mots recensés sont suivis de remarques grammaticales abrégées de la façon suivante :

s.	désigne les noms ou **substantifs.**
sm.	indique que le nom est **masculin.**
sf.	indique que le nom est **féminin.**
	l'absence de genre (*s.* seul) signifie que l'on peut dire indifféremment *un* ou *une* selon le sexe de la personne (ex. : *donataire*) ou qu'aux deux formes recensées correspondent deux désignations (ex. : *relieur, euse*).
pl.	indique soit que le mot ne s'emploie qu'au **pluriel** (ex. : *fiançailles*), soit que l'on signale immédiatement après un pluriel spécifique.
adj.	vaut pour **adjectif**. Les catégories de l'adjectif sont parfois abrégées (dém[onstratif] ; pos[sessif]...).
adv.	pour **adverbe.**
loc. adv.	indique que l'adverbe n'est pas en un seul mot, mais forme une **locution adverbiale.**
conj.	signifie **conjonction** (catégorie d'éléments reliant deux unités, mots ou propositions, comme *ou, et, quand,* etc.).
v.	doit être lu **verbe** ; cette abréviation n'est jamais seule :
vt.	indique que le verbe, **transitif**, accepte un nom comme complément (ex. : *comporter*) et
vi.	que le verbe est **intransitif** (ex. : *marcher*). La mention « vt. *et* vi. » signale un emploi double, en homonymie par exemple *(voler)*, ou grammaticalement (*prendre* : « prends de la mayonnaise »/« la mayonnaise prend »).
vpr.	est la mention qui suit les verbes susceptibles de se conjuguer avec un pronom *(s'apercevoir)* et appelés **pronominaux.**
pr.	abrège **pronom** (*tu, [le] sien, ceci,* etc.).
intj.	est l'abréviation d'**interjection** *(aïe !, ohé !..)*

(lat.), (angl.), (esp.), etc., abrègent le nom de la langue à laquelle a été emprunté le mot, ce qui a parfois des conséquences sur la prononciation ou le pluriel.

Un mot entre parenthèses *ne donne pas de définition,* mais spécifie le champ des emplois [ex. : **office** sm. (charge) et sf. (cuisine)] ; si l'expression est en italiques, c'est le seul contexte où le mot existe [ex. : **revaloir** vt. *(je vous revaudrai cela)*].

A

à prép.
abaisse sf.
abaisse-langue sm. inv.
abaissement sm. ; ***abaisser*** vt. ; ***abaisseur*** adj. *et* sm.
abajoue sf.
abandon sm. ; ***abandonner*** vt. ; ***abandonnique*** adj.
abaque sm.
abasourdir vt. ; ***abasourdissement*** sm.
abat sm.
abâtardir vt. ; ***abâtardissement*** sm.
abatée *ou* **abattée** sf.
abat-jour sm. inv.
abats sm. pl.
abattage sm. ; ***abattant*** sm. ; ***abattement*** sm. ; ***abatteur*** sm. ; ***abattis*** sm. ; ***abattoir*** sm. ; ***abattre*** vt. ; ***abattu, e*** adj.
abat-vent sm. inv.
abat-voix sm. inv.
abbatial, e, aux adj. ; ***abbaye*** sf. ; ***abbé*** sm. ; ***abbesse*** sf.
abc sm.
abcès sm.
abdication sf. ; ***abdiquer*** vt.
abdomen sm. ; ***abdominal, e, aux*** adj.
abducteur adj. *et* sm. ; ***abduction*** sf.
abécédaire sm.
abeille sf.
abélien, enne adj.
aber sm.
aberrant, e adj. ; ***aberration*** sf.
abêtir vt. ; ***abêtissant*** adj. ; ***abêtissement*** sm.
abhorrer vt.
abîme sm.
abîmer vt. — *(s')* vpr.
ab intestat loc. adv. (lat.).
ab irato loc. adv. (lat.).
abject, e adj. ; ***abjectement*** adv. ; ***abjection*** sf.
abjuration sf. ; ***abjurer*** vt.
ablatif, ive adj. ; ***ablation*** sf.
able sm. ; ***ableret*** sm. ; ***ablette*** sf.
ablution sf.
abnégation sf.
abois sm. pl.
aboiement sm.
abolir vt. ; ***abolition*** sf. ; ***abolitionnisme*** sm. ; ***abolitionniste*** s. *et* adj.
abominable adj. ; ***abominablement*** adv. ; ***abomination*** sf. ; ***abominer*** vt.
abondamment adv. ; ***abondance*** sf. ; ***abondant, e*** adj. ; ***abonder*** vi.
abonné, e s. ; ***abonnement*** sm. ; ***abonner*** vt.
abonnir vt. — *(s')* vpr. ; ***abonnissement*** sm.
abord sm. ; ***d'abord*** loc. adv.
abordable adj. ; ***abordage*** sm. ; ***aborder*** vi. *et* vt.
aborigène adj. *et* s.
abortif, ive adj. *et* sm.
abot sm.
abouchement sm. ; ***aboucher*** vt.
abouler vt.
aboulie sf. ; ***aboulique*** adj. *et* s.
about sm. ; ***aboutement*** sm. ; ***abouter*** vt.
aboutir vi. ; ***aboutissants*** sm. pl. ; ***aboutissement*** sm.
aboyer vi. ; ***aboyeur, euse*** s.
abracadabra sm. ; ***abracadabrant, e*** adj.
abraser vt. ; ***abrasif, ive*** adj. *et* sm. ; ***abrasion*** sf.
abréaction sf.
abrégé sm. ; ***abrégement*** sm. ; ***abréger*** vt.
abreuver vt. ; ***abreuvoir*** sm.
abréviatif, ive adj. ; ***abréviation*** sf. ; ***abréviativement*** adv.
abri sm.
abricot sm. ; ***abricoté, e*** adj. ; ***abricotier*** sm.
abriter vt.
abrivent sm.
abrogatif, ive adj. ; ***abrogation*** sf. ; ***abrogatoire*** adj. ; ***abroger*** vt.
abrouti, e adj. ; ***abroutissement*** sm.
abrupt, e adj. ; ***abruptement*** adv.
abruti, e adj. *et* s. ; ***abrutir*** vt. ; ***abrutissant, e*** adj. ; ***abrutissement*** sm.
abscisse sf.
abscons, e adj.
absence sf. ; ***absent, e*** adj. *et* s. ; ***absentéisme*** sm. ; ***absentéiste*** s. ; ***absenter (s')*** vpr.
absidal, e, aux adj. ; ***abside*** sf. (archi.) ; ***absidial, e, aux*** adj. ; ***absidiole*** sf.
absinthe sf.
absolu, e adj. *et* sm. ; ***absolument***

adv.
absolution sf.
absolutisme sm. ; *absolutiste* adj. *et* s.
absolutoire adj.
absorbable adj. ; *absorbant, e* adj. ; *absorber* vt. ; *absorbeur, euse* adj. ; *absorption* sf. ; *absorptivité* sf.
absoudre vt. ; *absoute* sf.
abstème adj. *et* s.
abstenir (s') vpr. ; *abstention* sf. ; *abstentionnisme* sm. ; *abstentionniste* adj. *et* s.
abstergent, e adj.
abstinence sf. ; *abstinent, e* adj.
abstract sm. (angl.).
abstraction sf. ; *abstraire* vt. ; *abstrait, e* adj. ; *abstraitement* adv.
abstrus, e adj.
absurde adj. ; *absurdement* adv. ; *absurdité* sf.
abus sm. ; *abuser* vi. *et* vt. ; *abusif, ive* adj. ; *abusivement* adv.
abuter vi.
abyssal, e, aux adj. ; *abysse* sm. ; *abyssin, e* adj.
abyssinien, enne adj. *et* s.
acabit sm.
acacia sm.
académicien, enne s. ; *académie* sf. ; *académique* adj. ; *académiquement* adv. ; *académisme* sm.
acadien, enne adj. *et* s.
acagnarder vt. — *(s')* vpr.
acajou sm.
acalèphe sm.
acanthacées sf. pl.
acanthe sf.
acanthocéphale sm.
acanthoptérygien sm.
acanthure sm.
a cappella loc. (ital.).
acariâtre adj.
acarien sm.
acariose sf.
acarpe adj.
acarus sm.
acatalepsie sf.
acatène adj. *et* sf.
acatholique adj.
acaule adj.
accablant, e adj. ; *accablement* sm. ; *accabler* vt.
accalmie sf.
accaparement sm. ; *accaparer* vt. ; *accapareur, euse* s.
accastillage sm.
accéder vi.
accelerando adv. (ital.).
accélérateur, trice adj. *et* sm. ; *accélération* sf. ; *accéléré, e* adj. ; *accélérer* vt. *et* vi. ; *accélérographe* sm. ; *accéléromètre* sm.
accent sm. ; *accentuation* sf. ; *accentuel, elle* adj. ; *accentuer* vt.
acceptabilité sf. ; *acceptable* adj. ; *acceptation* sf. ; *accepter* vt. ; *accepteur* sm.
acception sf.
accès sm. ; *accessibilité* sf. ; *accessible* adj. ; *accession* sf.
accessit sm. (pl. *accessits*).
accessoire adj. *et* sm. ; *accessoirement* adv. ; *accessoiriste* sm.
accident sm. ; *accidenté, e* adj. *et* s.
accidentel, elle adj. ; *accidentellement* adv. ; *accidenter* vt.
acclamation sf. ; *acclamer* vt.
acclimatation sf. ; *acclimatement* sm. ; *acclimater* vt. — *(s')* vpr.
accointances sf. pl. ; *accointer (s')* vpr.
accolade sf.
accolage sm. ; *accolement* sm. ; *accoler* vt.
accombant, e adj.
accommodable adj. ; *accommodage* sm. ; *accommodant, e* adj. ; *accommodateur, trice* adj. ; *accommodation* sf. ; *accommodement* sm. ; *accommoder* vt.
accompagnateur, trice s. ; *accompagnement* sm. ; *accompagner* vt.
accomplir vt. ; *accomplissement* sm.
accord sm. ; *d'accord* loc. adv. ; *accordable* adj. ; *accordailles* sf. pl. ; *accordé, e* s. *et* adj.
accordéon sm. ; *accordéoniste* s.
accorder vt. ; *accordeur* sm. ; *accordoir* sm.
accore sm. *et* adj.
accort, e adj. ; *accortement* adv.
accostable adj. ; *accostage* sm. ; *accoster* vt.
accotement sm. ; *accoter* vt. ; *accotoir* sm.
accouchée sf. ; *accouchement* sm. ; *accoucher* vi. *et* vt. ; *accoucheur, euse* s.
accoudement sm. ; *accouder (s')* vpr. ; *accoudoir* sm.

accouer vt.
accouple sf.
accouplement sm. ; *accoupler* vt.
accourcir vt. ; *accourcissement* sm.
accourir vi.
accourse sf.
accoutrement sm. ; *accoutrer* vt. — *(s')* vpr.
accoutumance sf. ; *accoutumé, e* adj. ; *à l'accoutumée* loc. adv. ; *accoutumer* vt. *et* vi. — *(s')* vpr.
accouvage sm. ; *accouver* vt. *et* vi.
accréditer vt. ; *accréditeur* sm. ; *accréditif* sm.
accrémentitiel, elle adj.
accrescent, e adj.
accrêté, e adj.
accroc sm. ; *accrochage* sm.
accroche-cœur sm. (pl. *accroche-cœurs ou* inv.).
accrochement sm.
accroche-plat sm. inv.
accrocher vt. — *(s')* vpr. ; *accrocheur* sm.
accroire *(faire)* vt.
accroissement sm. ; *accroître* vt. — *(s')* vpr.
accroupir (s') vpr. ; *accroupissement* sm.
accru sm. ; *accrue* sf.
accu sm. (pl. *accus*).
accueil sm. ; *accueillant, e* adj. ; *accueillir* vt.
accul sm. ; *acculée* sf. ; *acculement* sm. ; *acculer* vt.
acculturation sf.
accumulateur, trice adj. *et* s. ; *accumulation* sf. ; *accumuler* vt.
accusateur, trice adj. *et* s.
accusatif sm.
accusation sf. ; *accusatoire* adj. ; *accusé, e* s. ; *accuser* vt.
acène sf.
acéphale adj.
acéracées sf. pl.
acérage sm.
acérain, e adj.
acerbe adj.
acéré, e adj.
acescence sf. ; *acescent, e* adj.
acétabule sm.
acétamide sf. ; *acétate* sm.
acétificateur sm. ; *acétification* sf. ; *acétifier* vt.
acétimètre sm. ; *acétimétrie* sf.
acétique adj.
acétomètre sm. ; *acétométrie* sf.
acétone sf. ; *acétonémie* sf. ; *acétonémique* adj. ; *acétonurie* sf.
acétylcholine sf.
acétyle sm.
acétylène sm.
acétylénique adj.
acétylsalicylique adj.
achalandage sm. ; *achalandé, e* adj.
acharné, e adj. ; *acharnement* sm. ; *acharner* vt. — *(s')* vpr.
achat sm.
ache sf.
acheminement sm. ; *acheminer* vt. — *(s')* vpr.
achetable adj. ; *acheter* vt. ; *acheteur, euse* s.
acheuléen, enne adj. *et* s.
achevé, e adj. ; *achèvement* sm. ; *achever* vt.
achillée sf.
acholie sf.
achondroplasie sf.
achoppement sm. ; *achopper* vi.
achromat sm.
achromatique adj. ; *achromatisme* sm.
achromatopsie sf.
achrome adj. ; *achromie* sf.
aciculaire adj.
acide adj. *et* sm. ; *acidifiant, e* adj. ; *acidification* sf. ; *acidifier* vt. ; *acidimétrie* sf. ; *acidité* sf. ; *acidose* sf. ; *aciduler* vt.
acier sm. ; *aciérage* sm. ; *aciérer* vt. ; *aciérie* sf.
acinus sm. (pl. *acini*).
aclinique adj.
acmé sf.
acné sf.
acologie sf.
acolyte sm.
acompte sm.
aconit sm.
a contrario loc. adv. (lat.).
acoquiner (s') vpr.
à-côté sm. (pl. *à-côtés*).
à-coup sm. (pl. *à-coups*).
acousmie sf.
acousticien, enne s. ; *acoustique* adj. *et* sf.
acquéreur, euse s. ; *acquérir* vt. ; *acquêt* sm.
acquiescement sm. ; *acquiescer* vi.
acquis adj. *et* sm. ; *acquisition* sf.
acquit sm.

acquit-à-caution sm. (pl. *acquits-à-caution*).
acquittement sm. ; *acquitter* vt. — *(s')* vpr.
acre sf. (mesure).
âcre adj. ; *âcreté* sf.
acridien sm.
acrimonie sf. ; *acrimonieux, euse* adj.
acrobate sm. ; *acrobatie* sf. ; *acrobatique* adj.
acrocéphale adj.
acroléine sf.
acromégalie sf.
acronyme sm.
acropole sf.
acrostiche sm.
acrotère sm.
actant sm. ; *actantiel, elle* adj.
acte sm.
actée sf.
acteur, trice s.
actif, ive adj. *et* sm.
acting out loc. (angl.).
actinie sf. ; *actinique* adj.
actinium sm.
actinologie sf. ; *actinomètre* sm. ; *actinomycose* sf. ; *actinothérapie* sf.
action sf. ; *actionnable* adj. ; *actionnaire* s. ; *actionnariat* sm. ; *actionner* vt.
activation sf. ; *activement* adv. ; *activer* vt. — *(s')* vpr. ; *activeur* sm. ; *activisme* sm. ; *activiste* s. *et* adj. ; *activité* sf.
actuaire sm.
actualisation sf. ; *actualiser* vt. ; *actualité* sf.
actuariat sm. ; *actuariel (taux —)* adj.
actuel, elle adj. ; *actuellement* adv.
acuité sf.
acul sm.
acuminé, e adj.
acupuncteur sm. (*ou* **ponc-**) ; *acupuncture* (*ou* **ponc-**) sf.
acutangle adj.
adac sm. ; *adacport* sm.
adage sm.
adagio adv. *et* sm. (pl. *adagios*).
adamantin, e adj.
adamique adj. ; *adamisme* sm. ; *adamite ou adamien* sm.
adaptabilité sf. ; *adaptable* adj. ; *adaptateur, trice* adj. *et* s. ; *adaptatif, ive* adj. ; *adaptation* sf. ; *adapter* vt.
addenda sm. pl.
additif, ive adj. *et* sm. ; *addition* sf. ; *additionnel, elle* adj. ; *additionner* vt.
adducteur adj. *et* sm. ; *adduction* sf.
adénite sf. ; *adénoïde* adj. ; *adénome* sm. ; *adénopathie* sf.
adent sm.
adepte s.
adéquat, e adj. ; *adéquation* sf.
adhérence sf. ; *adhérent, e* adj. *et* s. ; *adhérer* vi.
adhésif, ive adj.
adhésion sf.
adhésivité sf.
ad hoc loc. (lat.).
ad hominem loc. (lat.).
adiabatique adj. ; *adiabatisme* sm.
adieu sm.
adipeux, euse adj. ; *adipose* sf. ; *adiposité* sf.
adjacence sf. ; *adjacent, e* adj.
adjectif, ive adj. *et* sm. ; *adjectival, e* adj. ; *adjectivement* adv.
adjoindre vt. ; *adjoint, e* adj. *et* s. ; *adjonction* sf.
adjudant sm.
adjudicataire s. ; *adjudicateur, trice* s. ; *adjudicatif, ive* adj. ; *adjudication* sf. ; *adjuger* vt.
adjuration sf. ; *adjurer* vt.
adjuvant, e adj. *et* sm.
ad libitum (*abrév.* **ad lib.**) loc. (lat.).
admettre vt.
adminicule sm.
administrateur, trice s. ; *administratif, ive* adj. ; *administration* sf. ; *administrativement* adv. ; *administré, e* adj. *et* s. ; *administrer* vt.
admirable adj. ; *admirablement* adv. ; *admirateur, trice* s. ; *admiratif, ive* adj. ; *admiration* sf. ; *admirer* vt.
admissibilité sf. ; *admissible* adj. ; *admission* sf. ; *admittance* sf.
admixtion sf.
admonestation sf. ; *admonester* vt.
adolescence sf. ; *adolescent, e* adj. *et* s.
adonis sm.
adonner (s') vpr.
adoptant, e adj. *et* s. ; *adopté, e* adj. *et* s. ; *adopter* vt. ; *adoptif, ive* adj. ; *adoption* sf.
adorable adj. ; *adorablement* adv. ; *adorateur, trice* s. ; *adoration* sf. ; *adorer* vt.

ados sm. ; *adossement* sm. ; *adosser* vt.
adouber vt. ; *adoubement* sm.
adoucir vt. ; *adoucissage* sm. ; *adoucissant, e* adj. *et* sm. ; *adoucissement* sm. ; *adoucisseur, euse* s.
ad patres loc. (lat.).
adrénaline sf.
adresse sf. ; *adresser* vt.
adret sm.
adroit, e adj. ; *adroitement* adv.
adscrit, e adj.
adsorber vt. ; *adsorption* sf.
adulateur, trice s. ; *adulation* sf. ; *adulatoire* adj. ; *aduler* vt.
adulte adj. *et* s.
adultère adj. *et* sm. ; *adultérin, e* adj.
ad valorem loc. (lat.).
advection sf.
advenir vi.
adventice adj.
adventif, ive adj.
adventiste s. *et* adj.
adverbe sm. ; *adverbial, e, aux* adj. ; *adverbialement* adv.
adversaire s.
adversatif, ive adj.
adverse adj.
adversité sf.
ad vitam æternam loc. adv. (lat.).
adynamie sf. ; *adynamique* adj.
aède sm.
aérage sm. (mines) ; *aérateur* sm. ; *aération* sf. ; *aéré, e* adj. ; *aérer* vt.
aéricole adj.
aérien, enne adj.
aérifère adj.
aériforme adj.
aérium sm.
aérobie adj. *et* sm.
aérobus sm.
aéro-club sm. (pl. *aéro-clubs*).
aérocolie sf.
aérodrome sm.
aérodynamique adj. *et* sf.
aérofrein sm.
aérogare sf.
aérogastrie sf.
aéroglisseur sm.
aérogramme sm.
aérolithe sm.
aérologie sf.
aéromodélisme sm.
aéromoteur sm.
aéronaute s. ; *aéronautique* sf. *et* adj.
aéronaval, e, als adj.
aéronavigation sf.
aéronef sm.
aéronomie sf.
aérophage adj. *et* s.
aérophagie sf.
aéroplane sm.
aéroport sm.
aéroporté, e adj.
aéropostal, e, aux adj.
aérosol sm.
aérosondage sm.
aérospatial, e adj.
aérosphère sf.
aérostat sm. ; *aérostation* sf. ; *aérostatique* adj. *et* sf. ; *aérostier* sm.
aérotechnique sf. *et* adj.
aérotrain sm.
affabilité sf. ; *affable* adj. ; *affablement* adv.
affabulation sf. ; *affabuler* vi.
affadir vt. ; *affadissant, e* adj. ; *affadissement* sm.
affaiblir vt. — *(s')* vpr. ; *affaiblissement* sm.
affaire sf. ; *affairé, e* adj. ; *affairement* sm. ; *affairer (s')* vpr. ; *affairisme* sm. ; *affairiste* sm.
affaissement sm. ; *affaisser* vt. — *(s')* vpr.
affaitage *ou* **affaitement** sm. ; *affaiter* vt.
affaler vt. — *(s')* vpr.
affamé, e adj. *et* s. ; *affamer* vt. ; *affameur, euse* adj. *et* s.
affect sm.
affectation sf. ; *affecté, e* adj. ; *affecter* vt.
affectif, ive adj. ; *affection* sf. ; *affectionner* vt. ; *affectivité* sf. ; *affectueusement* adv. ; *affectueux, euse* adj.
afférent, e adj.
affermage sm. ; *affermer* vt.
affermir vt. — *(s')* vpr. ; *affermissement* sm.
affété, e adj. ; *afféterie* sf.
affetuoso adv. (ital.).
affichage sm. ; *affiche* sf. ; *afficher* vt. ; *affichette* sf. ; *afficheur* sm. ; *affichiste* s.
affidavit sm.
affidé, e s. *et* adj.
affilage sm.
affilée (d') loc. adv.
affiler vt. ; *affileur* sm.
affiliation sf. ; *affilié, e* adj. *et* s. ;

affilier vt. — *(s')* vpr.
affiloir sm.
affinage sm. (matériaux) ; *affinement* sm. (mœurs) ; *affiner* vt. — *(s')* vpr. ; *affineur* sm.
affinité sf.
affinoir sm.
affiquet sm.
affirmatif, ive adj. ; *affirmation* sf. ; *affirmativement* adv. ; *affirmer* vt.
affixe sm. (grammaire) ; sf. (math.).
affleurement sm. ; *affleurer* vt. *et* vi.
afflictif, ive adj. ; *affliction* sf. ; *affligé, e* adj. *et* s. ; *affligeant, e* adj. ; *affliger* vt.
afflouer vt.
affluence sf. ; *affluent, e* adj. *et* sm. ; *affluer* vi. ; *afflux* sm.
affolant, e adj. ; *affolé, e* adj. ; *affolement* sm. ; *affoler* vt.
affouage sm.
affouillement sm. ; *affouiller* vt.
affouragement sm. ; *affourager* vt.
affourcher vt.
affranchi, e adj. *et* s. ; *affranchir* vt. ; *affranchissement* sm.
affres sf. pl.
affrètement sm. ; *affréter* vt. ; *affréteur* sm.
affreusement adv. ; *affreux, euse* adj.
affriander vt.
affriolant, e adj. ; *affrioler* vt.
affriquée adj. *(consonne —) et* sf.
affront sm. ; *affrontement* sm. ; *affronter* vt.
affruiter vi. *et* vt.
affublement sm. ; *affubler* vt. — *(s')* vpr.
affusion sf.
affût sm. ; *affûtage* sm. ; *affûter* vt. ; *affûteur* sm. ; *affûtiaux* sm. pl.
afghan adj.
aficionado sm.
afin (de, que) loc.
a fortiori loc. adv. (lat.).
africain, e adj. ; *africanisation* sf. ; *africaniser* vt. ; *africaniste* s. ; *afro-asiatique* adj.
after-shave sm. (pl. *after-shaves*).
aga *ou* **agha** sm.
agaçant, e adj. ; *agace ou agasse* sf. ; *agacement* sm. ; *agacer* vt. ; *agacerie* sf.
agalactie *ou* **agalaxie** sf.
agami sm.
agape sf. (surtout *pl.*).
agar-agar sm. (pl. *agar-agars*).
agaric sm. ; *agaricacées* sf. pl.
agate sf. ; *agatisé, e* adj.
agavé *ou* **agave** sm.
age sm. (pièce de charrue).
âge sm. (époque) ; *âgé, e* adj.
agence sf. ; *agencement* sm. ; *agencer* vt.
agenda sm. (pl. *agendas*).
agénésie sf.
agenouillement *sm. ; agenouiller (s')* vpr. ; *agenouilloir* sm.
agent sm.
aggiornamento sm.
agglomérat sm. ; *agglomération* sf. ; *aggloméré, e* adj. *et* sm. ; *agglomérer* vt.
agglutinant, e adj. *et* sm. ; *agglutination* sf. ; *agglutiner* vt. ; *agglutinine* sf.
aggravant, e adj. ; *aggravation* sf. ; *aggraver* vt.
agile adj. ; *agilement* adv. ; *agilité* sf.
agio sm. (pl. *agios*) ; *agiotage* sm. ; *agioter* vi. ; *agioteur, euse* s.
agir vi. — *(s')* vpr. imp. ; *agissant, e* adj. ; *agissements* sm. pl.
agitateur, trice s. ; *agitation* sf. ; *agiter* vt.
agnat sm.
agnathe sm.
agneau sm. ; *agnelage* sm. ; *agneler* vi. ; *agnelet* sm. ; *agnelin* sm. ; *agneline* sf. ; *agnelle* sf.
agnosie sf.
agnosticisme sm. ; *agnostique* adj. *et* s.
agnus Dei sm. inv.
agonie sf.
agonir vt. *(d'injures).*
agonisant, e adj. *et* s. ; *agoniser* vi.
agora sf. ; *agoraphobe* adj. *et* s. ; *agoraphobie* sf.
agouti sm.
agrafage sm. ; *agrafe* sf. ; *agrafer* vt. ; *agrafeuse* sf.
agraire adj.
agrammatical, e, aux adj.
agrammatisme s.
agrandir vt. ; *agrandissement* sm. ; *agrandisseur* sm.
agraphie sf.
agrarien, enne, adj. *et* sm.
agréable adj. *et* sm. ; *agréablement* adv.
agréé sm. *et* adj. ; *agréer* vt. *et* vi.

agrégat sm. ; *agrégatif, ive* adj. ; *agrégation* sf. ; *agrégé, e* s. ; *agréger* vt.
agrément sm. ; *agrémenter* vt.
agrès sm.
agresser vt. ; *agresseur* sm. ; *agressif, ive* adj. ; *agression* sf. ; *agressivement* adv. ; *agressivité* sf.
agreste adj.
agricole adj. ; *agriculteur* sm. ; *agriculture* sf.
agripper vt. — *(s')* vpr.
agrologie sf.
agronome sm. ; *agronomie* sf. ; *agronomique* adj.
agrumes sm. pl.
aguerrir vt.
aguets sm. pl.
aguichant, e adj. ; *aguicher* vt. ; *aguicheur, euse* adj. *et* s.
ah ! intj.
ahan sm. ; *ahaner* vi.
ahuri, e adj. *et* s. ; *ahurir* vt. ; *ahurissant, e* adj. ; *ahurissement* sm.
aï sm.
aiche, èche *ou* **esche,** sf.
aide sf. (assistance) ; sm. (assistant) ; sm. pl. (impôts).
aide-comptable s. (pl. *aides-comptables*).
aide-maçon sm. (pl. *aides-maçons*).
aide-major sm. (pl. *aides-majors*).
aide-mémoire sm. inv.
aider vt.
aïe ! intj.
aïeul, e s. (pl. *aïeuls, aïeules,* les grands-parents ; — *aïeux,* les ancêtres).
aigle sm. (oiseau) *et* sf. (enseigne).
aiglefin *ou* **églefin** sm.
aiglon, onne s.
aigre adj.
aigre-doux, ce adj. (pl. *aigres-doux, aigres-douces*).
aigrefin sm.
aigrelet, ette adj. ; *aigrement* adv.
aigrette sf. ; *aigretté, e* adj.
aigreur sf. ; *aigri, e* adj.
aigrir vt. ; *aigrissement* sm.
aigu, ë adj.
aiguade sf.
aigue-marine sf. (pl. *aigues-marines*).
aiguière sf.
aiguillage sm. ; *aiguille* sf. ; *aiguillée* sf. ; *aiguiller* vt. ; *aiguillerie* sf. ; *aiguilleter* vt. ; *aiguillette* sf. ; *aiguilleur* sm. ; *aiguillier* sm. ; *aiguillon* sm. ; *aiguillonnement* sm. ; *aiguillonner* vt. ; *aiguillot* sm.
aiguisage sm. ; *aiguisement* sm. ; *aiguiser* vt. ; *aiguiseur* sm. ; *aiguisoir* sm.
aïkido sm.
ail sm. (pl. rare *aulx* ; botanique : *ails*).
ailante sm.
aile sf. ; *ailé, e* adj. ; *aileron* sm. ; *ailette* sf. ; *ailier* sm.
aillade sf.
ailleurs adv. ; *d'ailleurs* loc. adv.
ailloli *ou* **aïoli** sm.
aimable adj. ; *aimablement* adv.
aimant, e adj.
aimant sm. ; *aimantation* sf. ; *aimanter* vt.
aimer vt.
aine sf.
aîné, e adj. *et* s. ; *aînesse* sf.
ainsi adv.
air sm.
airain sm.
aire sf.
airelle sf.
airer vi. (oiseaux).
ais sm.
aisance sf. ; *aise* adj. *et* sf. ; *aisé, e* adj. ; *aisément* adv.
aisseau sm.
aisselle sf.
ajointer vt.
ajonc sm.
ajour sm. ; *ajouré, e* adj. ; *ajourer* vt.
ajournement sm. ; *ajourner* vt.
ajout sm. ; *ajouter* vt.
ajustage sm. ; *ajustement* sm. ; *ajuster* vt. ; *ajusteur* sm.
ajutage sm.
akène sm.
akinésie sf.
akkadien, enne adj *et* s.
alacrité sf.
alaire adj.
alaise *ou* **alèse** sf.
alambic sm. ; *alambiqué, e* adj.
alandier sm.
alanguir vt. — *(s')* vpr. ; *alanguissement* sm.
alarmant, e adj. ; *alarme* sf. ; *alarmer* vt. — *(s')* vpr. ; *alarmiste* adj. *et* s.
albanais, e adj. *et* s.
albâtre sm.
albatros sm.

alberge sf. ; *albergier* sm.
albigeois, e adj. *et* s.
albinisme sm. ; *albinos* s *et* adj.
album sm.
albumen sm. ; *albumine* sf. ; *albuminé, e adj. ; albumineux, euse* adj. ; *albuminoïde* adj. *et* sm. ; *albuminurie* sf. ; *albuminurique* adj.
alcade sm.
alcaïque adj. *et* s.
alcalescence sf. ; *alcalescent, e* adj.
alcali sm. ; *alcalimétrie* sf. ; *alcalin, e* adj. ; *alcalinité* sf. ; *alcalisation* sf. ; *alcaliser ou alcaliniser* vt. ; *alcaloïde* sm. ; *alcalose* sf.
alcarazas sm.
alchimie sf. ; *alchimique* adj. ; *alchimiste* sm.
alcool sm. ; *alcoolat* sm. ; *alcoolature* sf. ; *alcoolé* sm. ; *alcoolémie* sf. ; *alcoolification* sf. ; *alcoolique* adj. *et* s. ; *alcoolisation* sf. ; *alcooliser* vt. ; *alcoolisme* sm. ; *alcoolyse* sf. ; *alcoomètre* sm. ; *alcoométrie* sf. ; *alcootest* sm.
alcôve sf.
alcyon sm.
aldéhyde sm.
ale sf. (angl.).
aléa sm. (pl. *aléas*) ; *aléatoire* adj.
alémanique adj.
alêne sf.
alénois adj. m. *(cresson —).*
alentour adv. ; *alentours* sm. pl.
aleph sm.
alerte adj. ; *alertement* adv.
alerte sf. ; *alerter* vt.
alésage sm.
alèse *ou* **alaise** sf.
aléser vt. ; *aléseur* sm. ; *aléseuse* sf. ; *alésoir* sm.
alevin sm. ; *alevinage* sm. ; *aleviner* vt. ; *alevinier ou alevinière* s.
alexandrin, e adj. *et* s.
alexie sf.
alezan, e adj. *et* s.
alfa sm. (végétal).
algarade sf.
algèbre sf. ; *algébrique* adj. ; *algébriquement* adv. ; *algébriste* s.
algérien, enne adj. *et* s.
algérois, oise adj. *et* s.
algie sf.
algonkien *ou* **algonquien** sm.
algorithme sm. ; *algorithmique* adj.
alguazil sm. (pl. *alguazils*).
algue sf.
alias adv.
alibi sm. (pl. *alibis*).
aliboron sm.
aliénabilité sf. ; *aliénable* adj. ; *aliénation* sf. ; *aliéné, e* adj. *et* s. ; *aliéner* vt. ; *aliéniste* s. *et* adj.
alifère adj. ; *aliforme* adj.
alignement sm. ; *aligner* vt. — *(s')* vpr.
aligoté adj. *et* sm.
aliment sm. ; *alimentaire* adj. ; *alimentation* sf. ; *alimenter* vt. — *(s')* vpr.
alinéa sm. (pl. *alinéas*).
aliquante adj. f.
aliquote ajd. *et* sf.
alise sf. ; *alisier* sm.
alitement sm. ; *aliter* vt. — *(s')* vpr.
alizé sm. *et* adj.
alkékenge sf.
allaitement sm. ; *allaiter* vt.
allant sm.
allantoïde sf.
alléchant, e adj. ; *allèchement* sm. ; *allécher* vt.
allée sf.
allégation sf.
allège sf.
allégeance sf.
allégement sm. ; *alléger* vt.
allégorie sf. ; *allégorique* adj. ; *allégoriser* vt. ; *allégoriste* sm.
allègre adj. ; *allégrement* adv. ; *allégresse* sf.
allegretto adv. (ital.) ; *allégretto* sm. (pl. *allégrettos*).
allegro adv. (ital.) ; *allégro* sm. (pl. *allégros*).
alléguer vt.
allèle sm. ; *allélomorphe* adj.
alléluia sm. (pl. *alléluias*).
allemand, e adj. *et* s.
aller vi.
allergène adj. ; *allergie* sf. ; *allergique* adj.
alliacé, e adj.
alliage sm. ; *alliance* sf. ; *allié, e* adj. *et* s. ; *allier* vt.
alligator sm.
allitération sf.
allô ! intj.
allocataire s. ; *allocation* sf.
allocution sf.
allogène s. *et* adj.
allonge sf. ; *allongé, e* adj. ; *allonge-*

ment sm. ; *allonger* vt. — *(s')* vpr.
allopathe adj. *et* sm. ; *allopathie* sf.
allotropie sf.
allouer vt.
allumage sm.
allume-feu sm. inv.
allume-gaz sm. inv.
allumer sf. ; *allumette* sf. ; *allumettier, ère* s. ; *allumeur, euse* s. ; *allumoir* sm.
allure sf.
allusif, ive adj. ; *allusion* sf.
alluvial, e, aux adj. ; *alluvion* sf. ; *alluvionnaire* adj. ; *alluvionnement* sm.
almanach sm.
almée sf.
aloès sm. ; *aloétique* adj.
alogique adj.
aloi sm.
alopécie sf.
alors adv.
alose sf.
alouette sf.
alourdir vt. ; *alourdissement* sm.
aloyau sm.
alpaga sm.
alpage sm.
alpenstock sm.
alpestre adj.
alpha sm. (grec).
alphabet sm. ; *alphabétique* adj. ; *alphabétisation* sf. ; *alphabétiser* vt. ; *alphanumérique* adj.
alpicole adj. ; *alpin, e* adj. ; *alpinisme* sm. ; *alpiniste* s.
alsacien, enne adj. *et* s.
altaïque adj.
altérabilité sf. ; *altérable* adj. ; *altérant, e* adj. ; *altération* sf.
altercation sf.
alter ego sm. (lat.).
altérer vt.
altérité sf.
alternance sf. ; *alternant, e* adj. ; *alternat* sm. ; *alternateur* sm. ; *alternatif, ive* adj. ; *alternative* sf. ; *alternativement* adv. ; *alterne* adj. (angles, feuilles) ; *alterner* vi. *et* vt.
altesse sf.
althæa sf.
altier, ière adj.
altimètre sm.
altiste sm. *et* f.
altisurface sf.
altitude sf.
alto sm. (pl. *altos*).
altocumulus sm.
altostratus sm.
altruisme sm. ; *altruiste* adj. *et* s.
alucite sf.
aluminage sm.
aluminaire adj.
aluminate sm. ; *alumine* sf. ; *alumineux, euse* adj. ; *aluminium* sm.
alun sm. ; *alunage* sm. ; *aluner* vt. ; *alunifère* adj.
alunir vi. ; *alunissage* sm.
alunite sf.
alvéolaire adj. (*flux* — : diarrhée) ; *alvéole* sm. ; *alvéolé, e* adj. ; *alvéolite* sf.
alyte sm.
amabilité sf.
amadou sm. ; *amadouement* sm. ; *amadouer* vt. — *(s')* vpr. ; *amadouvier* sm.
amaigrir vt. *et* vi. ; *amaigrissant, e* adj. ; *amaigrissement* sm.
amalgamation sf. ; *amalgame* sm. ; *amalgamer* vt.
aman sm.
amandaie sf. ; *amande* sf. ; *amandier* sm.
amanite sf.
amant, e s.
amarante sf.
amareyeur sm.
amaril, ile adj.
amariner vt.
amarrage sm. ; *amarre* sf. ; *amarrer* vt.
amaryllis sf.
amas sm. ; *amasser* vt. ; *amasseur, euse* s.
amateur sm. ; *amateurisme* sm.
amatir vt.
amaurose sf.
amazone sf.
ambages sf.pl.
ambassade sf. ; *ambassadeur, drice* s.
ambe sm.
ambiance sf. ; *ambiant, e* adj.
ambidextre adj.
ambigu, ë adj. ; *ambiguïté* sf. ; *ambigument* adv.
ambitieusement adv. ; *ambitieux, euse* adj. *et* s. ; *ambition* sf. ; *ambitionner* vt.
ambivalence sf. ; *ambivalent, e* adj.
amble sm. ; *ambler* vi.
amblyope adj. ; *amblyopie* sf.

ambon sm.
ambre sm. ; ***ambré, e*** adj. ; ***ambrer*** vt.
ambroisie sf. ; ***ambrosiaque*** adj.
ambrosien, ienne adj.
ambulacre sm.
ambulance sf. ; ***ambulancier, ère*** s. ; ***ambulant, e*** adj. *et* s. ; ***ambulatoire*** adj.
âme sf.
améliorable adj. ; ***améliorant, e*** adj. ; ***amélioration*** sf. ; ***améliorer*** vt. — ***(s')*** vpr.
amen sm. inv.
aménagement sm. ; ***aménager*** vt.
amendable adj. ; ***amende*** sf. ; ***amendement*** sm. ; ***amender*** vt. — ***(s')*** vpr.
amène adj.
amener vt.
aménité sf.
aménorrhée sf.
amenuisement sm. ; ***amenuiser*** vt. — ***(s')*** vpr.
amer, ère adj. ; ***amèrement*** adv.
américain, e adj. *et* s. ; ***américaniser*** vt. ; ***américanisme*** sm. ; ***américaniste*** s.
amérindien, enne adj.
amerrir vi. ; ***amerrissage*** sm.
amers sm. pl.
amertume sf.
améthyste sf.
amétrope adj. *et* s. ; ***amétropie*** sf.
ameublement sm.
ameublir vt. ; ***ameublissement*** sm.
ameuter vt.
amharique sm.
ami, e adj. *et* s.
amiable adj. ; ***à l'amiable*** loc. adv.
amiante sm.
amibe *sf. ;* ***amibiase*** sf. ; ***amibien, enne*** adj. ; ***amiboïde*** adj.
amical, e, aux adj. ; ***amicale*** sf. ; ***amicalement*** adv.
amict sm.
amide sf.
amidon sm. ; ***amidonnage*** sm. ; ***amidonner*** vt. ; ***amidonnerie*** sf. ; ***amidonnier*** sm.
amincir vt. ; ***amincissement*** sm.
amine sf. ; ***aminé, e*** adj.
a minima loc. (lat.).
amiral sm. (pl. *amiraux*) ; ***amirauté*** sf.
amitié sf.
ammoniac sm. ; ***ammoniac, aque*** adj. ; ***ammoniacal, e, aux*** adj. ; ***ammoniaque*** sf.
ammonite sf.
ammonium sm.
amnésie sf. ; ***amnésique*** adj.
amnios sm. ; ***amniotique*** adj.
amnistie sf. ; ***amnistier*** vt.
amocher vt.
amodiation sf. ; ***amodier*** vt.
amoindrir vt. ; ***amoindrissement*** sm.
amok sm.
amollir vt. ; ***amollissant, e*** adj. ; ***amollissement*** sm.
amome sm.
amonceler vt. — ***(s')*** vpr. ; ***amoncellement*** sm.
amont sm.
amoral, e, aux adj. ; ***amoralisme*** sm. ; ***amoralité*** sf.
amorçage sm. ; ***amorce*** sf. ; ***amorcer*** vt.
amoroso adv. (ital.).
amorphe adj.
amortir vt. ; ***amortissable*** adj. ; ***amortissement*** sm. ; ***amortisseur*** sm.
amour sm. *(amours* sf. pl.*)* ; ***amouracher*** vt. — ***(s')*** vpr. ; ***amourette*** sf. ; ***amoureusement*** adv. ; ***amoureux, euse*** adj. *et* s. ; ***amour-propre*** sm. (pl. *amours-propres*).
amovibilité sf. ; ***amovible*** adj.
ampélidacées sf. pl. ; ***ampélographie*** sf. ; ***ampélopsis*** sm.
ampère sm. ; ***ampère-heure*** sm. (pl. *ampère-heures*) ; ***ampèremètre*** sm.
amphétamine sf.
amphibie adj. *et* sm. ; ***amphibiens*** sm. pl.
amphibole sf.
amphibologie sf. ; ***amphibologique*** adj.
amphigouri sm. ; ***amphigourique*** adj.
amphithéâtre sm.
amphitryon sm.
amphore sf.
amphotère adj. *et* sm.
ample adj.
amplectif, ive adj.
amplement adv. ; ***ampleur*** sf.
ampliation sf.
amplificateur, trice s. ; ***amplification*** sf. ; ***amplifier*** vt.
amplitude sf.
ampoule sf.

ampoulé, e adj.
amputation sf. ; *amputé, e* adj. *et* s. ; *amputer* vt.
amuïr (s') vpr. ; *amuïssement* sm.
amulette sf.
amunitionner vt.
amure sf. ; *amurer* vt.
amusable adj. ; *amusant, e* adj.
amuse-gueule sm. inv. *(ou* pl. *amuse-gueules).*
amusement sm. ; *amuser* vt. — *(s')* vpr. ; *amusette* sf. ; *amuseur, euse* s.
amygdale sf. ; *amygdalectomie* sf. ; *amygdalite* sf.
amylacé, e adj. ; *amyle* sm. ; *amylique* adj. ; *amyloïde* adj.
an sm.
ana sm. inv.
anabaptisme sm. ; *anabaptiste* s. *et* adj.
anabolisme sm.
anacarde sm. ; *anacardier* sm.
anachorète sm.
anachronique adj. ; *anachronisme* sm.
anacoluthe sf.
anaconda sm.
anaérobie adj. *et* sm.
anaglyphe sm.
anagogie sf.
anagramme sf.
anal, e, aux adj.
analectes sm. pl.
analepsie sf. ; *analeptique* adj.
analgésie sf. ; *analgésique* adj. *et* sm.
analogie sf. ; *analogique* adj. ; *analogue* adj.
analphabète adj. ; *analphabétisme* sm.
analysable adj. ; *analyse* sf. ; *analyser* vt. ; *analyseur* sm. ; *analyste* s. ; *analytique* adj. ; *analytiquement* adv.
anamnèse sf.
anamorphose sf.
ananas sm.
anapeste sm.
anaphore sf.
anaphylaxie sf.
anaplasie sf.
anaplastie sf.
anarchie sf. ; *anarchique* adj. ; *anarchiquement* adv. ; *anarchisant, e* adj. ; *anarchisme* sm. ; *anarchiste* s.
anarcho-syndicalisme sm.
anasarque sf.
anastigmat *ou* **anastigmatique** adj. *et* sm.
anastomose sf. ; *anastomoser (s')* vpr.
anastrophe sf.
anathématique adj. ; *anathématisation* sf. ; *anathématiser* vt. ; *anathème* sm.
anatidés sm. pl.
anatomie sf. ; *anatomique* adj. ; *anatomiquement* adv. ; *anatomiste* s.
ancestral, e, aux adj. ; *ancêtre* s. (surtout m. *et* mpl.).
anche sf.
anchois sm.
ancien, enne adj. *et* sm. ; *anciennement* adv. ; *ancienneté* sf.
ancillaire adj.
ancolie sf.
ancrage sm.
ancre sf. ; *ancrer* vt. — *(s')* vpr.
andain sm.
andalou, ouse adj. *et* s.
andante adv. *et* sm.
andantino adv. *et* sm.
andin, e adj.
andouille sf.
andouiller sm.
andouillette sf.
andrinople sf.
androcée sm.
androgène adj.
androgyne adj. *et* sm.
androïde sm.
andropause sf.
âne sm.
anéantir vt. — *(s')* vpr. ; *anéantissement* sm.
anecdote sf. ; *anecdotique* adj.
anémie sf. ; *anémier* vt. ; *anémique* adj. *et* s.
anémographe sm. ; *anémomètre* sm.
anémone sf.
anémophile sf.
anergie sf.
ânerie sf.
anéroïde adj. *et* sm.
ânesse sf.
anesthésiant adj. ; *anesthésie* sf. ; *anesthésier* vt. ; *anesthésique* adj. *et* sm. ; *anesthésiste* s.
aneth sm.
anévrisme sm.
anfractueux, euse adj. ; *anfractuosité*

sf.
angarie sf.
ange sm. ; *angélique* adj. *et* sf. ; *angéliquement* adv. ; *angéliser* vt. ; *angélisme,* sm. ; *angelot* sm.
angélus sm.
angevin, e adj. *et* s.
angine sf.
angiographie sf.
angiome sm.
angiospermes sf. pl.
anglais, e adj. *et* s. ; *anglaise* sf. ; *anglaiser* vt. *(un cheval).*
angle sm. ; *anglet* sm.
anglican, e adj. *et* s. ; *anglicanisme* sm.
angliciser vt. ; *anglicisme* sm. ; *angliciste* s. ; *anglomane* adj. *et* s. ; *anglomanie* sf. ; *anglo-normand, e* adj. *et* s. ; *anglophile* adj. *et* s. ; *anglophobe* adj. *et* s. ; *anglophone* adj. ; *anglo-saxon, onne* adj. *et* s.
angoissant, e adj. ; *angoisse* sf. ; *angoisser* vt.
angon sm.
angora adj. *et* s.
angstrœm *ou* **angström** sm.
anguille sf. ; *anguillère* sf.
angulaire adj. ; *anguleux, euse* adj.
anharmonique adj.
anhélation sf. ; *anhéler* vi.
anhydre adj. ; *anhydride* sm. ; *anhydrite* sf.
anicroche sf.
ânier sm.
aniline sf.
animadversion sf.
animal sm. ; *animal, e, aux* adj. ; *animalcule* sm. ; *animalier* sm. ; *animaliser* vt. ; *animalité* sf.
animateur, trice adj. *et* s. ; *animation* sf. ; *animé, e* adj. ; *animer* vt.
animisme sm. ; *animiste* adj. *et* s.
animosité sf.
anion sm.
anis sm. ; *aniser* vt. ; *anisette* sf.
anisotrope adj. ; *anisotropie* sf.
ankylose sf. ; *ankyloser* vt. — *(s')* vpr.
annal, e, aux adj. ; *annales* sf. pl. ; *annaliste* sm.
annamite adj. *et* s.
annate sf.
anneau sm.
année sf.
annelé, e adj. *et* s. ; *anneler* vt. ; *annelet* sm. ; *annélides* sm. pl.
annexe adj. *et* sf. ; *annexer* vt. ; *annexion* st. ; *annexionnisme* sm. ; *annexionniste* adj. *et* s.
annihilation sf. ; *annihiler* vt.
anniversaire sm.
annonce sf. ; *annoncer* vt. ; *annonceur* sm. ; *annonciateur, trice* adj. ; *annonciation* sf. ; *annoncier, ère* s.
annotateur sm. ; *annotation* sf. ; *annoter* vt.
annuaire sm.
annualité sf. ; *annuel, elle* adj. ; *annuellement* adv.
annuité sf.
annulabilité sf.
annulaire adj. *et* sm.
annulatif, ive adj. ; *annulation* sf. ; *annuler* vt.
anobli, e adj. *et* s. ; *anoblir* vt. ; *anoblissement* sm.
anode sf.
anodin, e adj.
anodonte sm.
anomal, e, aux adj. ; *anomalie* sf.
anomie sf.
ânon sm. ; *ânonnement* sm. ; *ânonner* vi. *et* vt. ; *ânonneur, euse* adj. *et* s.
anonymat sm. ; *anonyme* adj. *et* s. ; *anonymement* adv.
anophèle sm.
anorak sm.
anorexie sf.
anormal, e, aux adj. ; *anormalement* adv.
anoure adj. *et* sm.
anoxémie sf.
anoxie sf.
anse sf. ; *ansé, e* adj.
anspect sm.
antagonique adj. ; *antagonisme* sm. ; *antagoniste* adj. *et* s.
antalgique adj.
antan sm. *(d'—).*
antarctique adj.
antebois *ou* **antibois** sm.
antécédence sf. ; *antécédent, e* adj. *et* sm.
antéchrist sm.
antédiluvien, enne adj.
antéfixe sf.
antenais, e adj.
antenne sf.
antépénultième sf. *et* adj.
antéphélique adj.

antérieur, eure adj. ; *antérieurement* adv. ; *antériorité* sf.
anternon sm.
antérograde adj.
anthémis sm.
anthère sf.
anthérozoïde sm.
anthèse sf.
anthologie sf.
anthracène sm. ; *anthracine* sf. ; *anthracite* sm. ; *anthraciteux, euse* adj. ; *anthracnose* sf. ; *anthracose* sf. ; *anthrax* sm.
anthrène sm.
anthropocentrique adj. ; *anthropocentrisme* sm. ; *anthropoïde* adj. *et* sm. ; *anthropologie* sf. ; *anthropologique* adj. ; *anthropologiste* sm. ; *anthropométrie* sf. ; *anthropométrique* adj. ; *anthropomorphe* adj. ; *anthropomorphisme* sm. ; *anthroponymie* sf. ; *anthropophage* adj. *et* s. ; *anthropophagie* sf. ; *anthropopithèque* sm.
antiaérien, enne adj.
antialcoolique adj.
antiasthmatique adj.
antiatomique adj.
antibiotique sm.
antibrouillard adj. inv.
anticancéreux, euse adj.
anticasseurs adj. inv.
antichambre sf.
antichar adj.
anticholérique adj.
antichrèse sf.
anticipation sf. ; *anticipé, e* adj. *anticiper* vt. *et* vi.
anticlérical, e, aux adj. ; *anticléricalisme* sm.
anticlinal, e, aux adj.
anticoagulant, e adj.
anticolonialisme sm.
anticolonialiste adj. *et* s.
anticombustible adj.
anticommuniste adj. *et* s.
anticonceptionnel, elle adj. *et* sm.
anticonformiste adj.
anticonstitutionnel, elle adj. ; *anticonstitutionnellement* adv.
anticorps sm.
anticyclone sm.
antidater vt.
antidémocratique adj.
antidérapant, e adj. *et* sm.
antidétonant sm.
antidiphtérique adj.
antidote sm.
antiémétique sm.
antienne sf.
antiferment sm.
antifriction sm. *et* adj.
antigel sm. *et* adj. inv.
antigène sm.
antigoutteux, euse adj.
antigouvernemental, e, aux adj.
antihalo sm. *et* adj. inv.
antihistaminique adj. *et* sm.
antihumain, e adj.
antihygiénique adj.
anti-impérialiste adj. *et* s.
anti-inflammatoire adj. *et* s.
antijuif, ive adj. *et* s.
antillais, e adj. *et* s.
antilogarithme sm.
antilope sf.
antimatière sf.
antimigraineux, euse adj.
antimilitarisme sm. ; *antimilitariste* adj. *et* s.
antimite sm.
antimoine sm.
antineutron sm.
antinévralgique adj.
antinomie sf. ; *antinomique* adj.
antipape sm.
antiparallèle adj.
antiparasite adj. *et* sm.
antiparlementaire adj. ; *antiparlementarisme* sm.
antiparticule sf.
antipathie sf. ; *antipathique* adj.
antiphonaire sm.
antiphrase sf.
antipode sm.
antiprotectionniste adj.
antiproton sm.
antipsychiatrie sf.
antipyrétique adj.
antipyrine sf.
antiquaille sf. ; *antiquaire* sm. ; *antique* adj. *et* sm. ; *antiquité* sf.
antirabique adj.
antirachitique adj.
antiraciste adj. *et* s.
antiradar adj.
antireflet adj. inv.
antiréglementaire adj.
antireligieux, euse adj.
antirépublicain, e s. *et* adj.
antirévolutionnaire adj. *et* s.
antirides sf. *et* adj. inv.

antirouille sm. *et* adj. inv.
antiscientifique adj.
antiscorbutique adj. *et* sm.
antiscrofuleux, euse adj.
antiségrégationniste, adj. *et* s.
antisémite adj. *et* s. ; *antisémitisme* sm.
antisepsie sf. ; *antiseptique* adj. *et* sm.
antisocial, e, aux adj.
anti-sous-marin, e adj.
antisolaire adj.
antispasmodique adj. *et* sm.
antisportif, ive adj.
antistrophe sf.
antisymétrique adj.
antitétanique adj.
antithèse sf. ; *antithétique* adj.
antitrust adj. inv.
antituberculeux, euse adj.
antivénéneux, euse adj.
antivenimeux, euse adj.
antivol sm.
antonomase sf.
antonyme sm. ; *antonymie* sf.
antre sm.
anurie sf.
anus sm.
anxiété sf. ; *anxieusement* adv. ; *anxieux, euse* adj. *et* s. ; *anxiolytique* adj. *et* sm.
aoriste sm.
aorte sf. ; *aortique* adj. ; *aortite* sf.
août sm. ; *aoûtage* sm. ; *aoûtat* sm. ; *aoûtien, enne* adj.
apache sm.
apaisement sm. ; *apaiser* vt.
apanage sm.
aparté sm. (pl. *apartés*).
apartheid sm.
apathie sf.
apathique adj. *et* s. ; *apathiquement* adv.
apatite sf.
apatride adj. *et* s.
aperception sf. ; *apercevable* adj. ; *apercevoir* vt. — *(s')* vpr. ; *aperçu* sm.
apériteur sm.
apéritif, ive adj. *et* sm.
aperture sf.
apesanteur sf.
apétale adj.
à-peu-près sm. inv.
apeuré, e adj. ; *apeurer* vt.
aphasie sf. ; *aphasique* adj. *et* s.
aphélie sf.
aphérèse sf.
aphone adj. ; *aphonie* sf.
aphorisme sm.
aphrodisiaque adj. *et* sm.
aphte sm. ; *aphteux, euse* adj.
aphylle adj.
api sm. *(pomme d'—).*
à-pic sm. (pl. *à-pics*).
apical, e adj.
apicole adj. ; *apiculteur, trice* s. ; *apiculture* sf.
apiéceur, euse s.
apion sm.
apiquer vtr.
apitoiement sm. ; *apitoyer* vt. — *(s')* vpr.
aplanétique adj.
aplanir vt. ; *aplanissement* sm.
aplat sm.
aplatir vt. ; *aplatissement* sm.
aplatissoir sm. *ou* **aplatissoire** sf.
aplomb sm.
apoastre sm.
apocalypse sf. ; *apocalyptique* adj.
apocope sf.
apocryphe adj.
apocynacées *ou* **apocynées** sf. pl.
apode adj. *et* sm. pl.
apodictique adj.
apodie sf.
apodose sf.
apogée sm.
apographe adj. *et* sm.
apolitique adj. *et* s.
apolitisme sm.
apollinien, enne adj.
apologétique adj. *et* sf. ; *apologie* sf. ; *apologiste* sm.
apologue sm.
apomorphine sf.
aponévrose sf.
apophtegme sm.
apophyse sf.
apoplectique adj. *et* s. ; *apoplexie* sf.
aporie sf.
apostasie sf. ; *apostasier* vi. ; *apostat, e* adj. *et* s.
aposter vt.
a posteriori loc. adv. (lat.).
apostille sf. ; *apostiller* vt.
apostolat sm. ; *apostolique* adj.
apostrophe sf. ; *apostropher* vt.
apothème sm.
apothéose sf.
apothicaire sm.

apôtre sm.
apparaître vi.
apparat sm.
apparaux sm. pl.
appareil sm. ; *appareillage* sm. ; *appareillement* sm. ; *appareiller* vt. *et* vi. ; *appareilleur* sm.
apparemment adv. ; *apparence* sf ; *apparent, e* adj.
apparenté, e adj. ; *apparentement* sm. ; *apparenter* vt. — *(s')* vpr.
appariement sm. ; *apparier* vt.
appariteur sm.
apparition sf.
apparoir vi.
appartement sm.
appartenance sf. ; *appartenir* vi.
appas sm. pl.
appassionato adv. (ital.).
appât sm. ; *appâter* vt.
appauvrir vt. ; *appauvrissement* sm.
appeau sm.
appel sm. ; *appelant, e* adj. *et* s. ; *appelé, e* adj. *et* sm. ; *appeler* vt. ; *appellatif, ive* adj. *et* sm. ; *appellation* sf.
appendice sm. ; *appendicectomie* sf. ; *appendicite* sf. ; *appendiculaire* adj. *et* sm.
appendre vt.
appentis sm.
appert (il) v. imp. V. apparoir.
appesantir vt. — *(s')* vpr. ; *appesantissement* sm.
appétence sf. ; *appétissant, e* adj. ; *appétit* sm.
applaudimètre sm. ; *applaudir* vt. *et* vi. ; *applaudissement* sm.
applicabilité sf. ; *applicable* adj. ; *application* sf. ; *applique* sf. ; *appliqué, e* adj. ; *appliquer* vt. — *(s')* vpr.
appoggiature sf.
appoint sm. ; *appointage* sm. ; *appointements* sm. pl. ; *appointer* vt. ; *appointeur, euse* adj. *et* s.
appontage sm. ; *appontement* sm. ; *apponter* vi.
apport sm. ; *apporter* vt.
apposer vt. ; *appositif, ive* adj. *et* sm. ; *apposition* sf.
appréciable adj. ; *appréciateur, trice* s. ; *appréciatif, ive* adj. ; *appréciation* sf. ; *apprécier* vt.
appréhender vt. ; *appréhension* sf.
apprendre vt. ; *apprenti, e* s. ; *apprentissage* sm.
apprêt sm. ; *apprêtage* sm. ; *apprêté, e* adj. ; *apprêter* vt. — *(s')* vpr. ; *apprêteur, euse* s.
apprivoisable adj. ; *apprivoisement* sm. ; *apprivoiser* vt. — *(s')* vpr.
approbateur, trice s *et* adj. ; *approbatif, ive* adj. ; *approbation* sf. ; *approbativement* adv. ; *approbativité* sf.
approchable adj. ; *approchant, e* adj. *et* adv. ; *approche* sf. ; *approcher* vt. *et* vi. — *(s')* vpr.
approfondir vt. ; *approfondissement* sm.
appropriable adj. ; *appropriation* sf. ; *approprier* vt. — *(s')* vpr. ; *approprié, e* adj.
approuver vt.
approvisionnement sm. ; *approvisionner* vt. ; *approvisionneur, euse* s.
approximatif, ive adj. ; *approximation* sf. ; *approximativement* adv.
appui sm.
appui-bras sm. (pl. *appuis-bras*) *ou* **appuie-bras** sm. (pl. *appuie-bras*).
appui-main sm. (pl. *appuis-main*) *ou* **appuie-main** sm. (pl. *appuie-main*).
appui-tête sm. (pl. *appuis-tête*) *ou* **appuie-tête** (pl. *appuie-tête*).
appuyer vt. *et* vi.
apraxie sf.
âpre adj. ; *âprement* adv.
après prép.
après-demain adv.
après-guerre sf. *ou* m. (pl. *après-guerres*).
après-midi sm. inv.
après-ski sm. inv.
âpreté sf.
a priori loc. adv. (lat.) ; *apriorisme* sm.
à-propos sm. inv.
apside sf. (astron.).
apte adj.
aptère adj. *et* sm.
aptitude sf.
apurement sm. ; *apurer* vt.
aquafortiste sm.
aquaplane sm.
aquarelle sf. ; *aquarelliste* s.
aquarium sm. (pl. *aquariums*).
aquatinte sf. ; *aquatintiste* s.
aquatique adj.
aqueduc sm.

aqueux, euse adj.
à quia loc. adv. (lat.).
aquiculture sf.
aquifère adj.
aquilin adj. m.
aquilon sm.
ara sm.
arabe adj. *et* s. ; ***arabesque*** adj. *et* sf. ; ***arabique*** adj. ; ***arabisant, e*** s. ; ***arabisation*** sf. ; ***arabiser*** vt. ; ***arabisme*** sm.
arable adj.
arachide sf.
arachnéen, enne adj. ; ***arachnides*** sm. pl. ; ***arachnoïde*** sf. ; ***arachnoïdien, enne*** adj.
aragonais, e adj. *et* sf.
aragonite sf.
araignée sf.
araire sm.
arak sm.
araméen, enne adj.
aramon sm.
aranéides sm. pl.
arasement sm. ; ***araser*** vt.
aratoire adj.
araucaria sm.
arbalète sf. ; ***arbalétrier*** sm. ; ***arbalétrière*** sf.
arbitrage sm. ; ***arbitragiste*** sm. ; ***arbitraire*** adj. *et* sm. ; ***arbitrairement*** adv. ; ***arbitral, e, aux*** adj. ; ***arbitralement*** adv. ; ***arbitre*** sm. ; ***arbitrer*** vt.
arborer vt.
arborescence sf. ; ***arborescent, e*** adj. ; ***arboricole*** adj. ; ***arboriculteur*** sm. ; ***arboriculture*** sf. ; ***arborisation*** sf. ; ***arboriser*** vi.
arbouse sf. ; ***arbousier*** sm.
arbre sm. ; ***arbrisseau*** sm.
arbuste sm. ; ***arbustif, ive*** adj.
arc sm. ; ***arcade*** sf.
arcane sm.
arcanson sm.
arcature sf.
arc-boutant sm. (pl. *arcs-boutants*) ; ***arc-bouter*** vt. — ***(s')*** vpr.
arc de triomphe sm. (pl. *arcs de triomphe*).
arc-doubleau sm. (pl. *arcs-doubleaux*).
arceau sm.
arc-en-ciel sm. (pl. *arcs-en-ciel*).
archaïque adj. ; ***archaïsant*** adj. *et* s. ; ***archaïsme*** sm.
archange sm. ; ***archangélique*** adj.
arche sf.
archégone sm.
archéologie sf. ; ***archéologique*** adj. ; ***archéologue*** sm.
archéoptéryx sm.
archer sm.
archet sm.
archétype sm.
archevêché sm.
archevêque sm.
archiconfrérie sf.
archidiaconat sm. ; ***archidiacre*** sm.
archidiocésain, e adj. ; ***archidiocèse*** sm.
archiduc sm. ; ***archiduchesse*** sf.
archiépiscopal, e, aux, adj. ; ***archiépiscopat*** sm.
archifou, folle adj.
archimandrite sm.
archipel sm.
archiprêtre sm.
architecte sm. ; ***architectonique*** adj. ; ***architectural, e, aux,*** adj. ; ***architecture*** sf.
architrave sf.
archivage sm. ; ***archiver*** vt. ; ***archives*** sf. pl. ; ***archiviste*** s. ; ***archiviste-paléographe*** s.
archivolte sf.
archonte sm.
arçon sm.
arc-rampant sm. (pl. *arcs-rampants*).
arctique adj.
arcure sf.
ardemment adv. ; ***ardent, e*** adj. ; ***ardeur*** sf.
ardillon sm.
ardoise sf. ; ***ardoisé, e*** adj. ; ***ardoisier*** sm. ; ***ardoisière*** sf.
ardu, e adj.
are sm.
aréage sm.
arec sm.
arène sf. ; ***arénicole*** adj. *et* sf.
aréole sf.
aréomètre sm. ; ***aréométrie*** sf.
aréopage sm.
aréostyle sm.
aréquier sm.
arête sf. ; ***arêtier*** sm. ; ***arêtière*** sf.
argent sm. ; ***argentan*** sm. ; ***argenté, e*** adj. ; ***argenter*** vt. ; ***argenterie*** sf. ; ***argenteur*** sm. ; ***argentier*** sm. ; ***argentifère*** adj. ; ***argentin, e*** adj. ; ***argenture*** sf.

argile sf. ; *argileux, euse* adj. ; *argilifère* adj.
argon sm.
argonaute sm.
argot sm. ; *argotique* adj. ; *argotisme* sm.
argousin sm.
arguer vt. *et* vi.
argument sm. ; *argumentaire* sm. ; *argumentation* sf. ; *argumenter* vi.
argus sm.
argutie sf.
aria sf.
arianisme sm.
aride adj. ; *aridité* sf.
arien, enne adj. *et* s.
ariette sf.
arioso sm. (ital.).
aristocrate adj. *et* s. ; *aristocratie* sf. ; *aristocratique* adj. ; *aristocratiquement* adv.
aristoloche sf.
aristotélicien, enne adj. *et* s.
aristotélisme sm.
arithméticien, enne s. ; *arithmétique* sf. ; *arithmétiquement* adv. ; *arithmologie* sf. ; *arithmomancie* sf.
arlequin sm. ; *arlequinade* sf.
arlésien, enne adj. *et* s.
armada sf.
armagnac sm.
armateur sm.
armature sf.
arme sf.
armée sf.
armement sm.
arménien, enne s. *et* adj.
armer vt.
armet sm.
armillaire adj.
armistice sm.
armoire sf.
armoiries sf. pl.
armoise sf.
armon sm.
armorial, e adj. *et* sm.
armoricain, e adj.
armorier vt.
armure sf. ; *armurerie* sf. ; *armurier* sm.
arnaque sf. ; *arnaquer* vt. ; *arnaqueur* sm.
arnica sf.
aromate sm. ; *aromatique* adj. ; *aromatisation* sf. ; *aromatiser* vt. ; *arôme* sm.
aronde sf.
arpège sm. ; *arpéger* vi.
arpent sm. ; *arpentage* sm. ; *arpenter* vt. ; *arpenteur* sm. ; *arpenteuse* sf. *et* adj.
arpète s.
arpion sm.
arqué, e adj.
arquebusade sf. ; *arquebuse* sf. ; *arquebusier* sm.
arquer vt. *et* vi.
arrachage sm.
arraché sm.
arraché (à l') loc. adv.
arrache-clou sm. (pl. *arrache-clous*).
arrachement sm.
arrache-pied (d') loc. adv.
arracher vt. ; *arracheur, euse* s. ; *arrachis* sm. ; *arrachoir* sm.
arraisonnement sm. ; *arraisonner* vt.
arrangeable adj. ; *arrangeant, e* adj. ; *arrangement* sm. ; *arranger* vt. ; *arrangeur* sm.
arrérages sm. pl.
arrestation sf.
arrêt sm. ; *arrêté* sm. ; *arrêter* vt. *et* vi. ; *arrêtiste* sm. ; *arrêtoir* sm.
arrhes sf. pl.
arriération sf.
arrière adj. inv., adv. *et* sm.
arriéré, e adj.
arrière-ban sm. (pl. *arrière-bans*).
arrière-boutique (pl. *arrière-boutiques*).
arrière-cour sf. (pl. *arrière-cours*).
arrière-cuisine sf. (pl. *arrière-cuisines*).
arrière-garde sf. (pl. *arrière-gardes*).
arrière-pays sm. inv.
arrière-pensée sf. (pl. *arrière-pensées*).
arrimage sm. ; *arrimer* vt. ; *arrimeur* sm.
arriser *ou* **ariser** vt.
arrivage sm. ; *arrivant, e* s. ; *arrivée* sf. ; *arriver* vi. ; *arrivisme* sm. ; *arriviste* s.
arroche sf.
arrogamment adv. ; *arrogance* sf. ; *arrogant, e* adj. *et* s.
arroger (s') vpr.
arroi sm.
arrondi, e adj. *et* sm. ; *arrondir* vt. ; *arrondissement* sm.
arrosage sm. ; *arroser* vt. ; *arroseur, euse* s. ; *arrosoir* sm.

arrow-root sm.
arroyo sm.
ars sm.
arsenal sm.
arséniate sm. ; *arsenic* sm. ; *arsenical, aux* adj. ; *arsénieux* adj. m. ; *arsénique* adj. ; *arsénite* sm. ; *arséniure* sm.
arsin adj. m. *(bois —)*.
arsouille adj. *et* s.
art sm.
artefact sm.
artel sm.
artère sf. ; *artériectomie* sf. ; *artériel, elle* adj. ; *artériole* sf. ; *artériosclérose* sf. ; *artériotomie* sf. ; *artérite* sf.
artésien, enne adj.
arthralgie sf. ; *arthrite* sf. ; *arthritique* adj. *et* s. ; *arthritisme* sm. ; *arthropodes* sm. pl.. ; *arthrose* sf.
artichaut sm.
article sm.
articulaire adj. ; *articulation* sf. ; *articulatoire* adj. ; *articulé, e* adj. *et* sm. ; *articuler* vt.
artifice sm. ; *artificiel, elle* adj. ; *artificiellement* adv. ; *artificier* sm. ; *artificieusement* adv. ; *artificieux, euse* adj.
artillerie sf. ; *artilleur* sm.
artimon sm.
artiodactyles sm. pl.
artisan sm. ; *artisanal, e, aux* adj. ; *artisanat* sm.
artiste s. ; *artistement* adv. ; *artistique* adj. ; *artistiquement* adv.
arum sm.
aruspice *ou* **haruspice** sm.
aryen, enne adj. *et* s.
aryle sm.
arythmie sf. ; *arythmique* adj.
as sm.
asbestose sf.
ascaride *ou* **ascaris** sm.
ascendance sf. ; *ascendant, e* adj. *et* sm.
ascenseur sm.
ascension sf. ; *ascensionnel, elle* adj. ; *ascensionniste* s.
ascèse sf. ; *ascète* sm. ; *ascétique* adj. ; *ascétisme* sm.
ascidie sf.
ascite sf.
asclépiade sf. *et* adj.
ascomycètes sm. pl.
ascorbique adj.
asdic sm.
asepsie sf. ; *aseptique* adj. *et* s. ; *aseptisation* sf. ; *aseptiser* vt.
asexué, e adj.
ashram sm.
asiate s. ; *asiatique* adj. *et* s.
asilaire adj. ; *asile* sm.
asinien, enne adj.
askari sm.
asocial, e, aux adj.
asparagine sf.
asparagus sm.
aspect sm.
asperge sf.
asperger vt.
aspergille sf. ; *aspergillose* sf.
aspérité sf.
asperme adj. ; *aspermie* sf.
aspersion sf.
aspersoir sm.
asphaltage sm. ; *asphalte* sm. ; *asphalter* vt.
asphodèle sm.
asphyxie sf. ; *asphyxier* vt.
aspic sm.
aspidistra sm.
aspirant, e adj. *et* s. ; *aspirateur, trice* adj. *et* sm. ; *aspiration* sf. ; *aspiratoire* adj. ; *aspiré, e adj. ; aspirer* vt.
aspirine sf.
asque sm.
assa-fœtida sf.
assagir vt. — *(s')* vpr.
assai adv. (ital.).
assaillant, e adj. *et* s. ; *assaillir* vt.
assainir vt. ; *assainissement* sm.
assaisonnement sm. ; *assaisonner* vt.
assassin, e adj. *et* sm. sans féminin. ; *assassinant, e* adj. ; *assassinat* sm. ; *assassiner* vt.
assaut sm.
assavoir (faire) loc. verbale.
asseau sm.
assèchement sm. ; *assécher* vt.
assemblage sm. ; *assemblé* sm. (danse) ; *assemblée* sf. ; *assembler* vt. ; *assembleur, euse* adj. *et* s.
assener *ou* **asséner** vt.
assentiment sm.
asseoir vt. — *(s')* vpr.
assermenté, e adj. ; *assermenter* vt.
assertif, ive adj. ; *assertion* s. ; *assertorique* adj.
asservir vt. ; *asservissement* sm.

assesseur sm.
assez adv.
assidu, e adj. ; ***assiduité*** sf. ; ***assidûment*** adv.
assiégé, e adj. *et* s. ; ***assiégeant, e*** adj. *et* s. ; ***assiéger*** vt.
assiette sf. ; ***assiettée*** sf.
assignable adj. ; ***assignat*** sm. ; ***assignation*** sf. ; ***assigner*** vt.
assimilabilité sf. ; ***assimilable*** adj. ; ***assimilateur, trice*** adj. ; ***assimilation*** sf. ; ***assimilationniste*** adj. *et* s. ; ***assimilé*** sm. ; ***assimiler*** vt. — ***(s')*** vpr.
assis, e adj. ; ***assise*** sf.
assistanat sm. ; ***assistance*** sf. ; ***assistant, e*** adj. *et* s. ; ***assisté, e*** adj. *et* s. ; ***assister*** vi. *et* vt.
associatif, ive adj. ; ***association*** sf. ; ***associativité*** sf. ; ***associé, e*** s. *et* adj. ; ***associer*** vt.
assoiffé, e adj.
assolement sm. ; ***assoler*** vt.
assombrir vt. ; ***assombrissement*** sm.
assommant, e adj. ; ***assommer*** vt. ; ***assommeur*** sm. ; ***assommoir*** sm.
assomption sf.
assonance sf. ; ***assonancé, e*** adj. ; ***assonant, e*** adj.
assorti, e adj. ; ***assortiment*** sm. ; ***assortir*** vt.
assoupir vt. — ***(s')*** vpr. ; ***assoupissant, e*** adj. ; ***assoupissement*** sm.
assouplir vt. ; ***assouplissement*** sm.
assourdir vt. ; ***assourdissant, e*** adj. ; ***assourdissement*** sm.
assouvir vt. ; ***assouvissement*** sm.
assujettir vt. ; ***assujettissant, e*** adj. ; ***assujettissement*** sm.
assumer vt.
assurable adj. ; ***assurance*** sf. ; ***assurance-vie*** sf. (pl. *assurances-vie*) ; ***assuré, e*** adj. *et* s. ; ***assurément*** adv. ; ***assurer*** vt. — ***(s')*** vpr. ; ***assureur*** sm.
assyrien, ienne adj. *et* s. ; ***assyriologie*** sf. ; ***assyriologue*** sm.
astatique adj.
aster sm.
astérie sf.
astérisque sm.
astéroïde sm.
asthénie sf. ; ***asthénique*** adj. *et* s.
asthmatique adj. *et* s. ; ***asthme*** sm.
asti sm.
asticot sm.
asticoter vt.
astigmate adj. *et* s. ; ***astigmatisme*** sm.
astiquage sm. ; ***astiquer*** vt.
astragale sm.
astrakan sm.
astral, e, aux adj. ; ***astre*** sm.
astreignant, e adj. ; ***astreindre*** vt. — ***(s')*** vpr. ; ***astreinte*** sf.
astringence sf. ; ***astringent, e*** adj. *et* sm.
astrolabe sm. ; ***astrolâtrie*** sf. ; ***astrologie*** sf. ; ***astrologique*** adj. ; ***astrologue*** sm. ; ***astronaute*** s. ; ***astronauticien, ienne*** sm. *et* f. ; ***astronautique*** sf. ; ***astronef*** sm. ; ***astronome*** s. ; ***astronomie*** sf. ; ***astronomique*** adj. ; ***astrophysicien, enne*** s. ; ***astrophysique*** sf.
astuce sf. ; ***astucieusement*** adv. ; ***astucieux, euse*** adj.
asymétrie sf. ; ***asymétrique*** adj.
asymptote sf. ; ***asymptoptique*** adj.
asynchrone adj.
asyndète sf.
asystolie sf.
ataraxie sf.
atavique adj. ; ***atavisme*** sm.
ataxie sf. ; ***ataxique*** adj. *et* s.
atelier sm.
atellane sf.
a tempo loc. (ital.).
atermoiement sm. ; ***atermoyer*** vi.
athée adj. *et* s. ; ***athéisme*** sm.
athénée sm.
athénien, enne adj. *et* s.
athermane adj. ; ***athermique*** adj.
athérome sm. ; ***athérosclérose*** sf.
athlète sm. ; ***athlétique*** adj. ; ***athlétisme*** sm.
athymie sf.
atlante sm.
atlantique adj.
atlas sm.
atmosphère sf. ; ***atmosphérique*** adj.
atoll sm.
atome sm. ; ***atome-gramme*** sm. (pl. *atomes-grammes*) ; ***atomicité*** sf. ; ***atomique*** adj. ; ***atomisé, e*** adj. ; ***atomiser*** vt. ; ***atomiseur*** sm. ; ***atomisme*** sm. ; ***atomiste*** sm. *et* adj. ; ***atomistique*** adj. *et* sf.
atonal, e, aux adj. ; ***atonalité,*** sf.
atone adj. ; ***atonie*** sf. ; ***atonique*** adj.
atours sm. pl.
atout sm.

atrabilaire adj. *et* s.
âtre sm.
atrium sm.
atroce adj. ; *atrocement* adv. ; *atrocité* sf.
atrophie sf. ; *atrophié, e* adj. ; *atrophier* vt. - *(s')* vpr.
atropine sf.
attabler (s') vpr.
attachant, e adj. ; *attache* sf. ; *attaché* sm. ; *attaché-case* sm. (pl. *attaché-cases*) ; *attache-lettres* sm. inv. ; *attachement* sm. ; *attacher* vt.
attaquable adj. ; *attaquant, e* adj. *et* s. ; *attaque* sf. ; *attaquer* vt. — *(s')* vpr.
attardé, e adj. ; *attarder (s')* vpr.
atteindre vt. ; *atteint, e* adj. ; *atteinte* sf.
attelage sm. ; *atteler* vt. — *(s')* vpr.
attelle sf.
attenant, e adj.
attendre vt.
attendrir vt. — *(s')* vpr. ; *attendrissant, e* adj. ; *attendrissement* sm. ; *attendrisseur* sm.
attendu prép. ; *attendu que* loc. conj.
attendu sm.
attentat sm. ; *attentatoire* adj.
attente sf.
attenter vi.
attentif, ive adj. ; *attention* sf. ; *attentionné, e* adj.
attentisme sm. ; *attentiste* adj. *et* s.
attentivement adv.
atténuant, e adj. ; *atténuation* sf. ; *atténuer* vt.
atterrage sm.
atterrant, e adj. ; *atterrer* vt.
atterrir vi. ; *atterrissage* sm. (aviation) ; *atterrissement* sm. (géologie).
attestation sf. ; *attester* vt.
atticisme sm.
attiédir vt. ; *attiédissement* sm.
attifement sm. ; *attifer* vt. — *(s')* vpr.
attiger vi.
attique adj. *et* sm.
attirable adj. ; *attirail* sm. ; *attirance* sf. ; *attirant, e* adj. ; *attirer* vt. — *(s')* vpr.
attisement sm. ; *attiser* vt. ; *attisoir* sm.
attitrer vt.
attitude sf.
attorney sm. (angl.).
attouchement sm. ; *attoucher* vt.
attractif, ive adj. ; *attraction* sf. ; *attrait* sm.
attrapade *ou* **attrapage** sf.
attrape sf.
attrape-mouches sm. inv.
attrape-nigaud sm. (pl. *attrape-nigauds*).
attraper vt.
attrayant, e adj.
attribuer vt. ; *attribut* sm. ; *attributaire* s. ; *attributif, ive* adj. ; *attribution* sf.
attristant, e adj. ; *attrister* vt. — *(s')* vpr.
attrition sf.
attroupement sm. ; *attrouper* vt. — *(s')* vpr.
atypique adj.
au, aux, article contracté.
aubade sf.
aubain sm. (étranger).
aubaine sf.
aube sf.
aubépine sf.
aubère adj. *et* sm.
auberge sf.
aubergine sf.
aubergiste s.
aubier sm.
aubin sm. (trot inégal).
auburn adj. inv.
aucun, e adj. *ou* pron. indéf. ; *aucunement* adv.
audace sf. ; *audacieusement* adv. ; *audacieux, euse* adj.
au-deçà loc. adv.
au-dedans loc. adv.
au-dehors loc. adv.
au-delà loc. adv.
au-delà sm.
au-dessous loc. adv.
au-dessus loc. adv.
au-devant loc. adv.
audibilité sf. ; *audible* adj. ; *audience* sf. ; *audiencier* adj. *et* sm. ; *audiogramme* sm. ; *audiomètre* sm. ; *audiométrie* sf. ; *audio-oral, e, aux* adj. ; *audiophone* sm. ; *audiovisuel, elle* adj. ; *auditeur, trice* s. ; *auditif, ive* adj. ; *audition* sf. ; *auditionner* vt. ; *auditoire* sm. ; *auditorat* sm. ; *auditorium* sm.
auge sf. ; *augée* sf. ; *auget* sm.
augment sm. ; *augmentable* adj. ;

augmentatif, ive adj. ; *augmentation* sf. ; *augmenter* vt.
augural, e, aux adj. ; *augure* sm. ; *augurer* vt.
auguste adj. *et* sm.
augustin, e s.
augustinien, ienne adj.
aujourd'hui adv.
aulique adj.
aulnaie *ou* **aunaie** sf. ; *aulne ou aune* sm.
aumône sf. ; *aumônerie* sf. ; *aumônier* sm. ; *aumônière* sf.
aumusse sf.
aune sf. ; *aunée* sf.
auparavant adv.
auprès adv.
auquel, à laquelle, auxquels, auxquelles pr. relatifs.
aura sf.
auréole sf. ; *auréoler* vt.
auréomycine sf.
au revoir sm. inv.
auriculaire adj. *et* sm.
auricule sf.
auriculo-ventriculaire adj.
aurifère adj. ; *aurification* sf. ; *aurifier* vt.
aurige sm.
aurignacien sm.
aurique adj.
aurochs sm.
auroral, e, aux adj. ; *aurore* sf.
auscultation sf. ; *ausculter* vt.
auspices sm. pl..
aussi adv.
aussière *ou* **haussière** sf.
aussitôt adv.
auster sm.
austère adj. ; *austèrement* adv. ; *austérité* sf.
austral, e, aux adj.
australopithèque sm.
autan sm.
autant adv.
autarcie sf. ; *autarcique* adj.
autel sm.
auteur sm.
authenticité sf. ; *authentification* sf. ; *authentifier* vt. ; *authentique* adj. ; *authentiquement* adv.
autisme sm. ; *autiste ou autistique* adj. *et* s.
auto sf.
autobiographie sf. ; *autobiographique* adj.
autobus sm.
autocar sm.
autocensure sf.
autochenille sf.
autochrome adj. *et* sf.
autochtone adj. *et* s.
autoclave adj. *et* sm.
autocollant, e adj.
autocorrection sf.
auto-couchettes adj. inv.
autocrate sm. ; *autocratie* sf. ; *autocratique* adj.
autocritique sf.
autocuiseur sm.
autodafé sm. (pl. *autodafés*).
autodéfense sf.
autodestruction sf.
autodétermination sf.
autodidacte *adj. et* .
autodiscipline sf.
autodrome sm.
auto-école f. (pl. *auto-écoles*).
auto-érotisme sm.
autofécondation sf.
autofinancement sm.
autogamie sf.
autogène adj.
autogéré adj. ; *autogestion* sf.
autogire sm.
autographe adj. *et* sm.
autogreffe sf.
autoguidage sm.
auto-immunité sf.
auto-induction sf.
autolyse sf.
automate sm. ; *automaticité* sf. ; *automation* sf. ; *automatique* adj. *et* s. ; *automatiquement* adv. ; *automatisation* sf. ; *automatiser* vt. ; *automatisme* sm.
automédon sm.
automitrailleuse sf.
automnal, e, aux adj. ; *automne* sm.
automobile adj. *et* sf. ; *automobilisme* sm. ; *automobiliste* s.
automoteur, trice adj. sm. *et* sf.
autonome adj. ; *autonomie* sf. ; *autonomiste* s.
autophagie sf.
autoplastie sf.
autopompe sf.
autoporteur, euse, adj.
autoportrait sm.
autopropulsé, e adj.
autoprotection sf.
autopsie sf. ; *autopsier* vt.

autopunition sf.
autoradio sm.
autorail sm.
autoréglage sm. ; *autorégulation* sf.
autorisation sf. ; *autoriser* vt. ; *autoritaire* adj. ; *autoritairement* adv. ; *autoritarisme* sm. ; *autorité* sf.
autoroute sf. ; *autoroutier, ère* adj.
autosatisfaction sf.
autosome sm.
auto-stop sm. ; *auto-stoppeur, euse* s.
autosuggestion sf.
autotomie sf.
autotrophe adj.
autour adv.
autour sm.
autovaccin sm.
autre adj. *et* pr. ind.
autrefois adv.
autrement adv.
autruche sf.
autrui pr. ind.
auvent sm.
auvergnat, e adj. *et* s.
auxiliaire adj. *et* s. ; *auxiliariat* sm.
avachi, e adj. ; *avachir* vt. — *(s')* vpr. ; *avachissement* sm.
aval sm. (pl. *avals*).
avalanche sf.
avaler vt.
avaliser vt.
à-valoir sm. inv.
avance sf. ; *avancé, e* adj. ; *avancée* sf. ; *avancement* sm. ; *avancer* vt. *et* vi.
avanie sf.
avant prép. *et* adv.
avant sm.
avantage sm. ; *avantager* vt. ; *avantageusement* adv. ; *avantageux, euse* adj. *et* sm.
avant-bras sm.
avant-centre sm. (pl. *avant(s)-centres*).
avant-coureur, euse adj. (pl. *avant-coureurs*).
avant-derniers, ère adj. (pl. *avant-derniers*).
avant-garde sf. (pl. *avant-gardes*).
avant-goût sm. (pl. *avant-goûts*).
avant-guerre sm. *ou* f. (pl. *avant-guerres*).
avant-hier adv.
avant-main sm. (pl. *avant-mains*).
avant-poste sm. (pl. *avant-postes*).
avant-première sf. (pl. *avant-premières*).
avant-projet sm. (pl. *avant-projets*).
avant-propos sm. inv.
avant-train sm. (pl. *avant-trains*).
avant-veille sf. (pl. *avant-veilles*).
avare adj. *et* s. ; *avarice* sf. ; *avaricieux, euse* adj.
avarie sf. ; *avarié, e* adj. ; *avarier* vt.
avatar sm.
à vau-l'eau loc. adv.
avé *ou* **avé Maria** sm. inv.
avec prép.
aven sm.
avenant, e adj. *et* sm.
avènement sm.
avenir sm.
à-venir sm. inv. (droit).
avent sm.
aventure sf. ; *aventurer* vt. — *(s')* vpr. ; *aventureusement* adv. ; *aventureux, euse* adj. *aventurier, ère* adj. *et* s. ; *aventurisme* sm. ; *aventuriste* adj.
avenu, e adj.
avenue sf.
avérer vt. — *(s')* vpr.
avers sm.
averse sf.
aversion sf.
averti, e adj. ; *avertir* vt. ; *avertissement* sm. ; *avertisseur* adj. *et* sm.
aveu sm.
aveuglant, e adj. ; *aveugle* adj. *et* s. ; *aveuglement* sm. ; *aveuglément* adv. ; *aveugler* vt. ; *aveuglette (à l')* loc. adv.
aveulir vt. ; *aveulissement* sm.
aviateur, trice s. ; *aviation* sf.
avicole adj. ; *aviculteur, trice* s. ; *aviculture* sf.
avide adj. ; *avidement* adv. ; *avidité* sf.
avilir vt. — *(s')* vpr. ; *avilissant, e* adj. ; *avilissement* sm.
aviné, e adj. ; *aviner* vt. — *(s')* vpr.
avion sm. ; *avionique* sf.
aviron sm.
avis sm.
avisé, e adj. ; *aviser* vt. — *(s')* vpr.
aviso sm. (pl. *avisos*).
avitailler vt. ; *avitailleur* sm.
avitaminose sf.
avivage sm. (peinture) ; *avivement* sm. (chirurgie) ; *aviver* vt.
avocaillon sm. ; *avocasserie* sf. ; *avocassier, ère* adj. *et* sm. ; *avocat, e* s.

avocatier sm.
avocette sf.
avoine sf.
avoir sm. *et* vt.
avoisinant, e adj. ; *avoisiner* vt.
avortement sm. ; *avorter* vi. ; *avorteur, euse* s. ; *avorton* sm.
avouable adj.
avoué sm.
avouer vt. *et* vi.
avril sm.
avulsion sf.
avunculaire adj.
axe sm. ; *axer* vt. ; *axial, e, aux* adj.
axillaire adj.
axiologie sf. ; *axiomatique* sf. ; *axiomatiser* vi. ; *axiome* sm.
axis sm.
axolotl sm.
axone sm.
axonge sf.
axonométrique adj.
ayant cause sm. (pl. *ayants cause*).
ayant droit sm. (pl. *ayants droit*).
ayatollah sm.
azalée sf.
azerole sf. ; *azerolier* sm.
azimut sm. ; *azimutal, e, aux* adj. ; *azimuté, e* adj.
azoïque adj. *et* sm.
azoospermie sf.
azote sm. ; *azoté, e ou azoteux, euse* adj.
azulejo sm.
aztèque adj. *et* s.
azur sm. *et* adj. inv. ; *azuré, e* adj. ; *azuréen, enne* adj. ; *azurer* vt.
azygos sf. *et* adj.
azyme adj. *et* sm.

B

baba sm. *et* adj. inv.
babeurre sm.
babil sm. ; *babillage* sm. ; *babillard, e* adj. ; *babiller* vi.
babine sf.
babiole sf.
bâbord sm.
babouche sf.
babouin sm.
babouvisme sm.
baby sm. (pl. *babies*).
bac sm.
baccalauréat sm.
baccara sm. (jeu).
baccarat sm. (cristal).
bacchanale sf. ; *bacchante* sf.
bâchage sf. ; *bâche* sf.
bachelier, ère s.
bâcher vt.
bachique adj.
bachot sm. ; *bachotage* sm. ; *bachoter* vi.
bacillaire adj. ; *bacille* sm. ; *bacilliforme* adj. ; *bacillose* sf.
bâclage sm.
bâcle sf.
bâcler vt.
bacon sm.
bactéricide adj. ; *bactérie* sf. ; *bactérien, enne* adj. ; *bactériologie* sf. ; *bactériologique* adj. ; *bactériologiste* s. ; *bactériophage* sm. ; *bactériostatique* sm.
badaud, e adj. *et* s. ; *badauder* vi. ; *badauderie* sf.
baderne sf.
badge sm.
badiane sf.
badigeon sm. ; *badigeonnage* sm. ; *badigeonner* vt. ; *badigeonneur* sm.
badin, e adj. *et* s. ; *badinage* sm. ; *badine* sf. ; *badiner* vi. ; *badinerie* sf.
badminton sm.
baffe sf.
baffle sm.
bafouer vt.
bafouillage sm. ; *bafouille* sm. ; *bafouiller* vi. ; *bafouilleur, euse* s.
bâfrée sf. ; *bâfrer* vt. *ou* vi.
bagage sm. ; *bagagiste* sm.
bagarre sf. ; *bagarrer (se)* vpr. ; *bagarreur, euse* adj. *et* s.
bagasse sf.
bagatelle sf.
bagnard sm. ; *bagne* sm.
bagnole sf.
bagou *ou* **bagout** sm.
baguage sm. ; *bague* sf.
baguenauder vi.
baguer vt.
baguette sf.
baguier sm.
bah ! intj.
bahut sm.
bai, e adj.
baie sf.
baignade sf. ; *baigner* vt. *et* vi. — *(se)* vpr. ; *baigneur, euse* s. ; *baignoire* sf.
bail sm. (pl. *baux*).
baille sf.
bâillement sm.
bailler vt. (donner).
bâiller vi.
bailleur, eresse s. (de fonds).
bâilleur, euse s.
bailli sm. ; *bailliage* sm.
bâillon sm. ; *bâillonner* vt.
bain sm.
bain-marie sm. (pl. *bains-marie*).
baïonnette sf.
baisemain sm. ; *baisement* sm. ; *baiser* vt. *et* sm. ; *baisoter* vt.
baisse sf. ; *baisser* vt. ; *baissier* sm. ; *baissière* sf.
bajoue sf. ; *bajoyer* sm.
bakchich sm.
Bakélite sf. (nom déposé).
bal sm. (pl. *bals*).
balade sf. (promenade) ; *balader (se)* vpr. ; *baladeuse* sf.
baladin, e s.
balafon sm.
balafre sf. ; *balafré, e* adj. ; *balafrer* vt.
balai sm.
balai-brosse sm. (pl. *balais-brosses*).
balalaïka sf.
balance sf. ; *balancelle* sf. ; *balancement* sm. ; *balancer* vt. *et* vi. — *(se)* vpr. ; *balancier* sm. ; *balancine* sf. ; *balançoire* sf.
balanite sf.
balayage sm. ; *balayer* vt. ; *balayette* sf. ; *balayeur, euse* s. ; *balayeuse* sf. ; *balayures* sf. pl.

balbutiant, e adj. ; *balbutiement* sm. ; *balbutier* vi. *et* vt.
balbuzard sm.
balcon sm.
baldaquin sm.
baleine sf. ; *baleiné, e* adj. ; *baleineau* sm. ; *baleinier* sm. ; *baleinière* sf.
balisage sm. ; *balise* sf. ; *baliser* vt.
baliste sf. ; *balistique* adj. *et* sf.
baliveau sm.
baliverne sf.
balkanisation sf.
balkaniser vi.
ballade sf. (poème).
ballant, e adj. *et* sm.
ballast sm. ; *ballastage* sm. ; *ballastière* sf.
balle sf.
ballerine sf.
ballet sm.
ballon sm. ; *ballonnement* sm. ; *ballonner* vt.
ballonnet sm.
ballonnier sm.
ballon-sonde sm. (pl. *ballons-sondes*).
ballot sm.
ballote sf.
ballottage sm. (scrutin) ; *ballottement* sm. (mouvement) ; *ballotter* vt. *et* vi.
ballottine sf.
ball-trap sm. (pl. *ball-traps*).
balnéaire adj. ; *balnéothérapie* sf.
balourd, e adj. *et* s. ; *balourdise* sf.
balsamier sm.
balsamine sf.
balsamique adj.
balthazar sm.
baluchon *ou* **balluchon** sm.
balustrade sf. ; *balustre* sm.
balzan, e adj. ; *balzane* sf.
bambin, e s.
bamboche sf. ; *bambocher* vi. ; *bambocheur, euse* s.
bambou sm.
bamboula sf.
ban sm.
banal, e, aux (en histoire), **als** (ailleurs) ; *banalement* adv. ; *banalisation* sf. ; *banaliser* vt. ; *banalité* sf.
banane sf. ; *bananeraie* sf. ; *bananier* sm.
banat sm.
banc sm.
bancable *ou* **banquable** adj. ; *bancaire* adj.
bancal, e, als adj.
banche sf. ; *bancher* vt.
banco adj. *et* sm.
bancroche adj. *et* s.
bandage sm. ; *bandagiste* sm.
bande sf. ; *bandeau* sm. ; *bandelette* sf. ; *bander* vt. *et* vi.
banderille sf. ; *banderillero* sm.
banderole sf.
bande-son sf. (pl. *bandes-son*).
bande-vidéo sf. (pl. *bandes-vidéo*).
bandit sm. ; *banditisme* sm.
bandonéon sm.
bandoulière sf.
banian sm.
banjo sm.
banlieue sf. ; *banlieusard, e* s.
banne sf.
banneret sm.
banni, e adj. *et* s.
bannière sf.
bannir vt. ; *bannissement* sm.
banque sf. ; *banquer* vi.
banqueroute sf.
banquet sm. ; *banqueter* vi.
banquette sf.
banquier, ère s.
banquise sf.
baobab sm.
baptême sm. ; *baptiser* vt. ; *baptismal, e, aux* adj. ; *baptistaire* adj. *et* sm. *(registre) ; baptistère* sm. (chapelle).
baquet sm.
bar sm. (comptoir *et* poisson).
baragouin sm. ; *baragouinage* sm. ; *baragouiner* vt. *et* vi. ; *baragouineur, euse* s.
baraka sf.
baraque sf. ; *baraqué, e* adj. ; *baraquement* sm. ; *baraquer* vt. *et* vi.
baraterie sf.
baratin sm. ; *baratiner* vi. ; *baratineur, euse* adj.
barattage sm. ; *baratte* sf. ; *baratter* vt.
barbacane sf.
barbant, e adj.
barbaque sf.
barbare adj. *et* s. ; *barbaresque* adj. ; *barbarie* sf. ; *barbarisme* sm.
barbe sf.
barbe adj. *et* sm. (cheval).
barbeau sm.
barbecue sm.

barbe-de-capucin sf. (pl. *barbes-de-capucin*).
barbelé, e adj.
barber vtr.
barbet, ette s. *et* adj.
barbette sf.
barbiche sf. ; ***barbichette*** sf. ; ***barbier*** sm.
barbille sf.
barbillon sm.
barbiturique adj. *et* s.
barbon sm.
barbotage sm. ; ***barboter*** vt. ; ***barboteuse*** sf.
barbouillage sm. ; ***barbouiller*** vt. ; ***barbouilleur, euse*** s.
barbouze sf.
barbu, e adj.
barbue sf.
barcarolle sf.
barcasse sf.
bard sm. (civière).
barda sm.
bardane sf.
barde sm. *et* sf.
bardé, e adj.
barder vt.
bardot *ou* **bardeau** sm.
barège sm.
barème sm.
barge sf.
barguiner vi.
barigoule sf.
baril sm. ; ***barillet*** sm.
barine sm. (russe).
bariolage sm. ; ***bariolé, e*** adj. ; ***barioler*** vt.
barlong, gue adj.
barlotière sf.
barmaid sf.
barman sm.
barn sm.
barnabite sm.
baromètre sm. ; ***barométrique*** adj.
baron, onne s. ; ***baronnet*** sm. ; ***baronnie*** sf.
baroque adj.
baroud sm. ; ***baroudeur*** sm.
barouf sm.
barque sf. ; ***barquette*** sf.
barrage sm. ; ***barre*** sf. ; ***barré, e*** adj. ; ***barreau*** sm. ; ***barrement*** sm. (chèque) ; ***barrer*** vt. — ***(se)*** vpr. ; ***barrette*** sf. ; ***barreur, euse*** s.
barricade sf. ; ***barricader*** vt.
barrière sf.
barrique sf.
barrir vi. ; ***barrit*** *ou* ***barrissement*** sm.
barycentre sm.
barye sf.
barysphère sf.
baryte sf.
baryton sm.
baryum sm.
bas, basse adj. *et* sm.
basal, e, aux adj.
basalte sm. ; ***basaltique*** adj.
basane sf. ; ***basané, e*** adj. ; ***basaner*** vt.
bas-bleu sm. (pl. *bas-bleus*).
bas-côté sm. (pl. *bas-côtés*).
basculant, e adj. ; ***bascule*** sf. ; ***basculement*** sm. ; ***basculer*** vi. *et* vt. ; ***basculeur*** sm.
base sf.
base-ball sm. (angl.).
baser vt.
bas-fond sm. (pl. *bas-fonds*).
basicité sf.
basidiomycète sm.
basilic sm.
basilical, e adj. ; ***basilique*** sf.
basin sm.
basique adj.
basket-ball sm. ; ***basketteur, euse*** s.
basoche sf.
basquais, e adj. *et* sm.
basque sf.
bas-relief sm. (pl. *bas-reliefs*).
basse sf.
basse-contre sf. (pl. *basses-contre*).
basse-cour sf. (pl. *basses-cours*).
basse-fosse sf. (pl. *basses-fosses*).
bassement adv. ; ***bassesse*** sf.
basset sm.
basse-taille sf. (pl. *basses-tailles*).
bassin sm. ; ***bassine*** sf. ; ***bassiner*** vt. ; ***bassinet*** sm. ; ***bassinoire*** sf.
bassiste sm.
basson sm.
bastaing sm.
baste intj.
bastide sf. ; ***bastidon*** sm. ; ***bastille*** sf.
bastingage sm.
bastion sm.
bastonnade sf.
bastringue sm.
bas-ventre sm.
bât sm.
bataclan sm.
bataille sf. ; ***batailler*** vi. ; ***batailleur, euse*** adj. *et* s. ; ***bataillon*** sm.

bâtard, e adj. *et* s. ; ***bâtardise*** sf.
batavia sf.
batayole sf.
bat' d'Af sm.
bâté, e adj.
bateau sm. ; ***batelage*** sm.
bateler vt. *et* vi. ; ***bateleur, euse*** s.
batelier, ère s. ; ***batellerie*** sf.
bâter vt.
bat-flanc sm. inv.
bath adj. inv.
bathymétrie sf.
bathyscaphe sm.
bâti sm.
batifolage sf. ; ***batifoler*** vi. ; ***batifoleur, euse*** s.
batik sm.
bâtiment sm. ; ***bâtir*** vt. ; ***bâtisse*** sf. ; ***bâtisseur*** sm.
batiste sf.
bâton sm. ; ***bâtonnat*** sm. ; ***bâtonner*** vt. ; ***bâtonnet*** sm. ; ***bâtonnier*** sm.
batracien sm.
battage sm. ; ***battant, e*** adj. *et* sm. ; ***batte*** sf. ; ***battement*** sm. ; ***batterie*** sf. ; ***batteur, euse*** s. ; ***batteuse*** sf. ; ***battoir*** sm. ; ***battre*** vt. ; ***battue*** sf.
bau sm. (pl. *baux*) (poutre).
baud sm. (physique).
baudet sm.
baudrier sm.
baudroie sf.
baudruche sf.
bauge sf.
baume sm.
baumé sm.
baumier sm.
bauxite sf.
bavard, e adj. *et* s. ; ***bavardage*** sm. ; ***bavarder*** vi.
bavaroise sf.
bave sf. ; ***baver*** vi. ; ***bavette*** sf. ; ***baveux, euse*** adj. ; ***bavocher*** vi. ; ***bavoir*** sm.
bavolet sm.
bavure sf.
bayadère sf.
bayer vi. *(aux corneilles).*
bazar sm. ; ***bazarder*** vt.
bazooka sm.
beagle sm.
béant, e adj.
béat, e adj. ; ***béatement*** adv. ; ***béatification*** sf. ; ***béatifier*** vt. ; ***béatifique*** adj. ; ***béatitude*** sf.
beatnik sm.
beau *ou* **bel, belle** adj. *et* sm.
beaucoup adv.
beau-fils sm. (pl. *beaux-fils*).
beau-frère sm. (pl. *beaux-frères*).
beaujolais sm.
beau-père sm. (pl. *beaux-pères*).
beaupré sm.
beauté sf.
beaux-arts sm. pl.
beaux-parents sm. pl.
bébé sm.
be-bop sm.
bec sm.
bécane sf.
bécard sm.
bécarre sm.
bécasse sf. ; ***bécasseau*** sm. ; ***bécassine*** sf.
bec-de-cane sm. (pl. *becs-de-cane*).
bec-de-lièvre sm. (pl. *becs-de-lièvre*).
becfigue sm.
bec-fin sm. (pl. *becs-fins*).
bêchage sm.
béchamel sf.
bêche sf. ; ***bêcher*** vt.
becher sm. (chimie).
bêcheur, euse s.
béchique adj. *(sirop —).*
bécot sm. ; ***bécoter*** vt. ; ***becquée*** *ou* ***béquée*** sf.
becqueter *ou* **béqueter** vt. — ***(se)*** vpr.
bedaine sf.
bedeau sm.
bedon sm. ; ***bedonnant, e*** adj.
bédouin, e sm. *et* sf.
bée (*bouche — :* loc.).
beffroi sm.
bégaiement sm. ; ***bégayer*** vi.
bégonia sm.
bègue adj. *et* s.
béguètement sm. ; ***bégueter*** vt.
bégueule sf. ; ***bégueulerie*** sf.
béguin sm. ; ***béguinage*** sm. ; ***béguine*** sf.
bégum sf.
béhaviorisme *ou* **béhaviourisme** sm.
beige adj.
beigne sf.
beignet sm.
bel sm.
bel canto sm. (ital.).
bêlement sm.
bélemnite sf.
bêler vi.
belette sf.
belge adj. *et* s. ; ***belgicisme*** sm.

bélier sm. ; ***bélière*** sf.
belinogramme sm.
bélître sm.
belladone sf.
bellâtre adj. *et* sm.
belle-de-jour sf. (pl. *belles-de-jour*).
belle-de-nuit sf. (pl. *belles-de-nuit*).
belle-fille sf. (pl. *belles-filles)*.
belle-mère sf. (pl. *belles-mères*).
belles-lettres sf. pl.
belle-sœur sf. (pl. *belles-sœurs*).
bellicisme sm. ; ***belliciste*** adj. *et* s.
belligérance sf. ; ***belligérant, e*** adj. *et* s.
belliqueux, euse adj.
belluaire sm.
belon sm.
belote sf.
belvédère sm.
bémol sm.
bénédicité sm. (pl. *bénédicités*).
bénédictin, e adj. *et* s.
bénédiction sf.
bénéfice sm. ; ***bénéficiaire*** adj. *et* s. ; ***bénéficier*** vt. ; ***bénéfique*** adj.
benêt adj. *et* sm.
bénévolat sm. ; ***bénévole*** adj. ; ***bénévolement*** adv.
bengali sm.
bénignité sf. ; ***bénin, igne*** adj.
bénir vt. ; ***bénit, e*** adj. (liturgie) ; ***bénitier*** sm.
benjamin sm.
benjoin sm.
benne sf.
benoît, e adj. ; ***benoîtement*** adv.
benzène sm. ; ***benzénique*** adj. ; ***benzine*** sf. ; ***benzoate*** sm. ; ***benzoïque*** adj. ; ***benzol*** sm.
béotien, enne adj. *et* s.
béquet sm.
béquille sf. ; ***béquiller*** vi.
berbère adj. *et* s.
bercail sm. (pas de pl.).
berceau sm. ; ***bercelonnette*** sf. ; ***bercement*** sm. ; ***bercer*** vt. ; ***berceuse*** sf.
béret sm.
bergamasque sf.
bergamote sf.
berge sf.
berger, ère s. ; ***bergerie*** sf. ; ***bergeronnette*** sf.
béribéri sm.
berkélium sm.
berline sf.
berlingot sm.
berlue sf.
berme sf.
bermuda sm.
bernardin, e s.
bernard-l'ermite sm. inv.
berne sf.
berner vt.
bernicle *ou* **bernique** sf.
bernique intj.
berrichon, onne adj.
bertillonnage sm.
béryl sm. ; ***béryllium*** sm.
besace sf.
besant sm.
besicles sf. pl.
bésigue sm.
besogne sf. ; ***besogner*** vi. ; ***besogneux, euse*** s. *et* adj. ; ***besoin*** sm.
bestiaire sm.
bestial, e, aux adj. ; ***bestialement*** adv. ; ***bestialité*** sf. ; ***bestiaux*** sm. pl. ; ***bestiole*** sf.
best-seller sm. (pl. *best-sellers*).
bêta sm. (lettre).
bêta, asse adj. *et* s.
bétail sm. ; ***bétaillère*** sf.
bêtatron sm.
bête sf. *et* adj. ; ***bêtement*** adv. ; ***bêtifiant*** adv. ; ***bêtifier*** vt. ; ***bêtise*** sf.
bétel sm.
béton sm. ; ***bétonnage*** sm. ; ***bétonner*** vt. ; ***bétonnière*** sf.
bette sf. ; ***betterave*** sf. ; ***betteravier, ère*** adj.
bétyle sm.
beuglant sm. ; ***beuglement*** sm. ; ***beugler*** vi.
beurre sm. ; ***beurré*** sm. (poire) ; ***beurrée*** sf. (pain) ; ***beurrer*** vt. ; ***beurrerie*** sf. ; ***beurrier, ère*** s. *et* adj.
beuverie sf.
bévue sf.
bey sm. ; ***beylical, e, aux*** adj.
beylisme sm.
biais sm. ; ***biaiser*** vi.
bibelot sm.
biberon sm.
bible sf.
bibliobus sm.
bibliographe sm. ; ***bibliographie*** sf.
bibliomane sm. ; ***bibliomanie*** sf.
bibliophile sm. ; ***bibliophilie*** sf.
bibliothécaire s. ; ***bibliothèque*** sf.
biblique adj.
bicamérisme *ou* **bicaméralisme** sm.

bicarbonate sm.
bicarré, ée adj.
bicéphale adj. *et* s.
biceps sm.
biche sf. ; ***bichette*** sf.
bichon, onne s. ; ***bichonner*** vt.
bichromate sm.
bickford sm.
bicolore adj.
biconcave adj.
biconvexe adj.
bicoque sf.
bicorne sm.
bicot sm.
bicycle sm. ; ***bicyclette*** sf.
bidasse sm.
bident sm.
bidet sm.
bidoche sf.
bidon sm. ; ***bidonner (se)*** vpr. ; ***bidonville*** sm.
bidule sm.
bief sm.
bielle sf.
bien sm. *et* adv.
bien-aimé, e adj. *et* s.
bien-être sm.
bienfaisance sf. ; ***bienfaisant, e*** adj. ; ***bienfait*** sm. ; ***bienfaiteur, trice*** s.
bien-fondé sm.
bien-fonds sm. (pl. *biens-fonds*).
bienheureux, euse adj. *et* s.
bien-jugé sm. (pl. *bien-jugés*).
biennal, e, aux adj.
bienséance sf. ; ***bienséant, e*** adj.
bientôt adv.
bienveillance sf. ; ***bienveillant, e*** adj.
bienvenu, e adj. *et* s. ; ***bienvenue*** sf.
bière sf.
biffage sm. ; ***biffer*** vt. ; ***biffure*** sf.
bifide adj.
bifocal, e, aux adj.
bifteck sm. (pl. *biftecks*).
bifurcation sf. ; ***bifurquer*** vi.
bigame adj. *et* s. ; ***bigamie*** sf.
bigarade sf. ; ***bigaradier*** sm.
bigarré, e adj. ; ***bigarreau*** sm. ; ***bigarrer*** vt. ; ***bigarrure*** sf.
bigle adj. *et* s. ; ***bigler*** vi.
bigophone sm.
bigorne sf. ; ***bigorneau*** sm.
bigot, e adj. *et* s. ; ***bigoterie*** sf.
bigouden sm. (chapeau) *et* sf. (femme).
bigoudi sm.
bigre intj. ; ***bigrement*** adv.
bigue sf.
biguine sf.
bihebdomadaire adj.
bijou sm. (pl. *bijoux*) ; ***bijouterie*** sf. ; ***bijoutier, ère*** s.
bikini sm.
bilabiale adj. *et* sf.
bilame sf.
bilan sm.
bilatéral, e, aux adj.
bilboquet sm.
bile sf.
bilharziose sf.
biliaire adj. ; ***bilieux, euse*** adj.
bilingue adj. ; ***bilinguisme*** sm.
bilirubine sf.
bill sm.
billard sm.
bille sf.
billet sm.
billette sf.
billetterie sf.
billevesée sf.
billion sm.
billon sm. (agricult.) ; ***billonnage*** sm.
billot sm.
bimane adj.
bimbeloterie sf.
bimensuel, elle adj.
bimestriel, elle adj.
bimétallique adj. ; ***bimétallisme*** sm.
bimoteur sm.
binage sm.
binaire adj.
biner vt. *et* vi. ; ***binette*** sf. ; ***bineuse*** sf.
biniou sm.
binocle sm.
binoculaire adj.
binôme sm.
biochimie sf.
biographe sm. ; ***biographie*** sf. ; ***biographique*** adj.
biologie sf. ; ***biologique*** adj. ; ***biologiste*** sm.
bionique adj. *et* sf.
biophysique sf.
biopsie sf.
biosphère sf.
biosynthèse sf.
biotite sf.
biotope sm.
bioxyde sm.
biparti, ie *ou* **bipartite** adj. ; ***bipartisme*** sm. ; ***bipartition*** sf.
bipède adj. *et* s.

biplace adj. *et* s.
biplan adj. *et* sm.
bipolaire adj.
bique sf. ; *biquet* sm. ; *biquette* sf.
biquotidien, enne adj.
biréacteur sm.
biréfringence sf. ; *biréfringent, te* adj.
biribi sm.
bis intj.
bis, e adj.
bisaïeul, e s. (pl. *bisaïeuls, les*).
bisannuel, elle adj.
bisbille sf.
biscaïen, enne sm. *et* adj.
biscornu, e adj.
biscotte sf.
biscuit sm. ; *biscuiterie* sf.
bise sf.
biseau sm. ; *biseautage* sm. ; *biseauter* vt.
biser vt. *et* vi.
biset sm.
bismuth sm.
bison sm.
bisque sf.
bisquer vi.
bissac sm.
bissecteur, trice adj. *et* sf.
bisser vt.
bissextile adj. fém.
bissexué, e adj.
bissexuel, elle adj.
bistouri sm.
bistourner vt.
bistre sm. *et* adj. ; *bistrer* vt.
bistrot *ou* **o** sm.
bisulfite sm. ; *bisulfure* sm.
bitte sf.
bitter sm.
bitumage sm. ; *bitume* sm. ; *bitumer* vt. ; *bitumineux, euse* adj.
biunivoque adj.
bivalent, e adj.
bivalve adj. *et* sm.
biveau sm.
bivouac sm. ; *bivouaquer* vi.
bizarre adj. *et* sm. ; *bizarrement* adv. ; *bizarrerie* sf.
bizut *ou* **bizuth** sm. ; *bizutage ou bizuthage* sm.
blackbouler vt.
black-out sm.
black-rot sm.
blafard, e adj.
blague sf. ; *blaguer* vi. *et* vt. ; *blagueur, euse* adj.
blaireau sm.
blairer vt.
blâmable adj. ; *blâme* sm. ; *blâmer* vt.
blanc, che adj. *et* s.
blanc-bec sm. (pl. *blancs-becs*).
blanchâtre adj. ; *blanche* sf. ; *blanchet* sm. ; *blancheur* sf. ; *blanchiment* sm. ; *blanchir* vt. *et* vi. ; *blanchissage* sm. ; *blanchissement* sm. ; *blanchisserie* sf. ; *blanchisseur, euse* s.
blanc-seing sm. (pl. *blancs-seings*).
blanquette sf.
blasé, e adj. ; *blaser* vt.
blason sm. ; *blasonner* vt.
blasphémateur, trice s. ; *blasphématoire* adj. ; *blasphème* sm. ; *blasphémer* vt. *et* vi.
blastomycètes sm. pl.
blastula sf.
blatérer vi.
blatte sf.
blazer sm.
blé sm.
bled sm.
blême adj. ; *blêmir* vi.
blende sf.
blennorragie sf.
blépharite *sf.*
blésement sm. ; *bléser* vi.
blessant, e adj. ; *blessé, e* adj. *et* s. ; *blesser* vt. ; *blessure* sf.
blet, ette adj. ; *blettir* vi.
bleu, e adj. *et* sm. ; *bleuâtre* adj. ; *bleuet ou bluet* sm. ; *bleuir* vt. *et* vi. ; *bleuissement* sm. ; *bleuté, e* adj.
blindage sm. ; *blinder* vt.
blizzard sm.
bloc sm. ; *blocage* sm.
blockhaus sm. inv.
bloc-notes sm. (pl. *blocs-notes*).
blocus sm.
blond, e adj. ; *blondasse* adj. ; *blondeur* sf. ; *blondin, e* adj. ; *blondinet, ette* adj. *et* s. ; *blondir* vi.
bloquer vt.
blottir (se) vpr.
blouse sf. ; *blouser* vt. ; *blouson* sm.
blue-jean sm. (pl. *blue-jeans*).
blues sm.
bluet *ou* **bleuet** sm.
bluette sf.
bluff sm. ; *bluffer* vi. *et* vt. ; *bluffeur,*

euse s.
blutage sm. ; ***bluter*** vt. ; ***bluterie*** sf. ; ***blutoir*** sm.
boa sm.
bobard sm.
bobèche sf.
bobinage sm. ; ***bobine*** sf. ; ***bobiner*** vt. ; ***bobinette*** sf. ; ***bobineur, euse*** s.
bobo sm.
bobsleigh sm.
bocage sm.
bocal sm. (pl. *bocaux*).
bock sm.
Boers s. pl.
boëtte *ou* **boitte** sf.
bœuf sm.
bogie *ou* **boggie** sm.
bogue sf.
bohème adj. *et* s.
bohémien, enne adj. *et s.*
boire vt. *et* sm.
bois sm. ; ***boisage*** sm. ; ***boisé, e*** adj. ; ***boisement*** sm. ; ***boiser*** vt. ; ***boiserie*** sf.
boisseau sm. ; ***boisselier*** sm. ; ***boissellerie*** sf.
boisson sf.
boîte sf.
boitement sm. ; ***boiter*** vi. ; ***boiterie*** sf. ; ***boiteux, euse*** adj. *et* s.
boîtier sm.
boitillant, ante adj. ; ***boitillement*** sm. ; ***boitiller*** vi.
bol sm.
bolchevik *ou* **bolchevique** sm. ; ***bolchevisation*** sf. ; ***bolchevisme*** sm.
bolée sf.
boléro sm.
bolet sm.
bolide sm.
bolier *ou* **boulier** sm. (filet).
bombance sf.
bombarde sf. ; ***bombardement*** sm. ; ***bombarder*** vt. ; ***bombardier*** sm.
bombe sf. ; ***bombé, e*** adj. ; ***bomber*** vt. *et* vi.
bombyx sm.
bon, bonne adj. *et* sm.
bonace sf.
bonapartisme sm. ; ***bonapartiste*** adj. *et* s.
bonasse adj.
bonbon sm.
bonbonne sf.
bonbonnière sf.
bon-chrétien sm. (pl. *bons-chrétiens*).
bond sm.
bonde sf. ; ***bondé*** adj.
bondieuserie sf.
bondir vi. ; ***bondissement*** sm.
bon enfant adj. inv.
bonheur sm.
bonheur-du-jour sm. (pl. *bonheurs-du-jour*).
bonhomie sf.
bonhomme sm. (pl. *bonshommes*) *et* adj. inv.
boni sm.
bonification sf. ; ***bonifier*** vt. — ***(se)*** vpr.
boniment sm.
bonite sf.
bonjour sm.
bon marché adj. inv.
bonne sf.
bonnement adv.
bonnet sm.
bonneteau sm.
bonneterie sf.
bonneteur sm.
bonnetier sm. ; ***bonnetière*** sf.
bonnette sf.
bonniche sf.
bonsoir sm.
bonté sf.
bonus sm.
bonze sm. ; ***bonzerie*** sf.
bookmaker sm.
boom sm.
boomerang *ou* **boumerang** sm.
boqueteau sm.
borborygme sm.
bord sm. ; ***bordage*** sm.
bordeaux sm.
bordée sf.
bordel sm.
bordelais, e adj. *et* sf.
border vt.
bordereau sm.
bordure sf.
bore sm.
boréal, e, als, *ou* **aux** adj.
borgne adj. *et* s.
bornage sm. ; ***borne*** sf.
borné, e adj. ; ***borner*** vt.
bornoyer vt.
bortsch sm. (russe).
bosco sm.
bosquet sm.
bossage sm. ; ***bosse*** sf. ; ***bosselage*** sm. ; ***bosseler*** vt. ; ***bosselure*** sf. ;

bosser vi. ; *bossette* sf. ; *bossoir* sm. ; *bossu, e* adj. *et* s. ; *bossuer* vt.
boston sm.
bostryche sm.
bot, e adj.
botanique sf. *et* adj. ; *botaniste* sm.
botte sf. ; *bottelage* sm. ; *botteler* vt. ; *botteleur, euse* s.
botter vt. ; *bottier* sm. ; *bottillon* sm.
bottin sm.
bottine sf.
botulisme sm.
boubou sm.
bouc sm.
boucan sm. ; *boucanage* sm. ; *boucaner* vt. ; *boucanier* sm.
bouchage sm.
boucharde sf. ; *boucharder* vt.
bouche sf. ; *bouché, e* adj. ; *bouchée* sf. ; *boucher* vt.
boucher, ère s. ; *boucherie* sf.
bouche-trou sm. (pl. *bouche-trous*).
bouchon sm. ; *bouchonnement* sm. ; *bouchonner* vt. ; *bouchonnier* sm.
bouchot sm.
bouchoteur *ou* **boucholeur** sm.
bouclage sm. ; *boucle* sf. ; *boucler* vt. *et* vi. ; *bouclette* sf.
bouclier sm.
bouddhique adj. ; *bouddhisme* sm. ; *bouddhiste* s. *et* adj.
bouder vi. *et* vt. ; *bouderie* sf. ; *boudeur, euse* adj. *et* s.
boudin sm. ; *boudinage* sm. ; *boudiner* vt. ; *boudineuse* sf.
boudoir sm.
boue sf.
bouée sf.
boueur sm. ; *boueux, euse* adj.
bouffant, e adj. ; *bouffarde* sf. ; *bouffe* adj. *et* sm. ; *bouffée* sf. ; *bouffer* vi. ; *bouffette* sf. ; *bouffi, e* adj. ; *bouffir* vt. *et* vi. ; *bouffissure* sf.
bouffon, onne adj. *et* sm. ; *bouffonner* vi. ; *bouffonnerie* sf.
bougainvillée sf.
bouge sm.
bougeoir sm.
bougeotte sf.
bouger vi. *et* vt.
bougie sf.
bougnat sm.
bougon, onne adj. *et* s. ; *bougonner* vt.
bougre, esse sm. *et* sf. ; *bougrement* adv.
boui-boui sm. (pl. *bouis-bouis*).
bouillabaisse sf.
bouillant, e adj.
bouille sf.
bouilleur sm.
bouilli sm. (viande) ; *bouillie* sf. (farine) ; *bouillir* vi. ; *bouilloire* sf. ; *bouillon* sm. ; *bouillonnant, e* adj. ; *bouillonné* sm. ; *bouillonnement* sm. ; *bouillonner* vt. *et* vi. ; *bouillotte* sf.
boulaie sf.
boulange sf. ; *boulanger* vt. ; *boulanger, ère* s. ; *boulangerie* sf.
boule sf.
bouleau sm.
boule-de-neige sf. (pl. *boules-de-neige*).
bouledogue sm.
bouler vi. ; *boulet* sm. ; *boulette* sf.
boulevard sm. ; *boulevardier, ère* adj. *et* s.
bouleversant, e adj. ; *bouleversement* sm. ; *bouleverser* vt.
boulier sm.
boulimie sm. ; *boulimique* adj.
boulingrin sm.
bouliste adj. *et* sm.
boulon sm. ; *boulonner* vt. ; *boulonnerie* sf.
boulot, otte adj. *et* s.
bouquet sm. ; *bouquetière* sf.
bouquetin sm.
bouquin sm. ; *bouquiner* vt. ; *bouquinerie* sf. ; *bouquineur, euse* s. ; *bouquiniste* s.
bourbe sf. ; *bourbeux, euse* adj. ; *bourbier* sm.
bourbillon sm.
bourbonien, enne adj.
bourde sf.
bourdon sm. ; *bourdonnant, e* adj. ; *bourdonnement* sm. ; *bourdonner* vi. *et* vt.
bourg sm. ; *bourgade* sf. ; *bourgeois, e* s. ; *bourgeoisement* adv. ; *bourgeoisie* sf.
bourgeon sm. ; *bourgeonné, e* adj. ; *bourgeonnement* sm. ; *bourgeonner* vi.
bourgeron sm.
bourgmestre sm.
bourgogne sm.
bourguignon, onne adj. *et* s.
bourlinguer vi.

bourrache sf.
bourrade sf.
bourrage sm.
bourrasque sf.
bourratif, ive adj.
bourre sf.
bourré, e adj.
bourreau sm.
bourrée sf.
bourrelé adj. *(— de remords).*
bourrèlement sm.
bourrelet sm.
bourrelier sm. ; ***bourrellerie*** sf.
bourrer vt.
bourriche sf. ; ***bourrichon*** sm.
bourricot sm. ; ***bourrin*** sm. ; ***bourrique*** sf. ; ***bourriquet*** sm.
bourru, e adj.
bourse sf. ; ***boursicoter*** vi. ; ***boursicotier, ère*** *ou* ***boursicoteur, euse*** s. *et* adj.
boursier, ère s.
boursouflage sm. ; ***boursouflé, e*** adj. ; ***boursouflement*** sm. ; ***boursoufler*** vt. ; ***boursouflure*** sf.
bousculade sf. ; ***bousculer*** vt.
bouse sf. ; ***bouseux*** sm. ; ***bousier*** sm.
bousillage sm. ; ***bousiller*** vi. *et* vt. ; ***bousilleur, euse*** s.
bousin sm.
boussole sf.
boustifaille sf.
bout sm.
boutade sf.
boute-en-train sm. inv.
boutefeu sm.
bouteille sf. ; ***bouteiller*** *ou* ***boutillier*** sm. ; ***bouteillon*** sm.
boute-selle sm. inv.
bouteur sm.
boutique sf. ; ***boutiquier, ère*** s.
boutoir sm.
bouton sm. ; ***boutonnage*** sm.
bouton-d'or sm. (pl. *boutons-d'or*).
boutonner vi. *et* vt. ; ***boutonneux, euse*** adj. ; ***boutonnière*** sf.
bouton-pression sm. (pl. *boutons-pression*).
boutre sm.
bouts-rimés sm. pl.
bouturage sm. ; ***bouture*** sf. ; ***bouturer*** vi. *et* vt.
bouverie sf. ; ***bouvet*** sm. ; ***bouvier, ère*** s. ; ***bouvillon*** sm.
bouvreuil sm.
bouvril sm.
bovarysme sm.
bovidés sm. pl. ; ***bovin, e*** adj. ; ***bovinés*** sm. pl.
bowling sm.
bow-window sm. (pl. *bow-windows*).
box sm. (pl. *boxes*).
box-calf sm.
boxe sf. ; ***boxer*** vi. *et* vt. ; ***boxeur, euse*** s.
boy sm. (angl.) (pl. *boys*).
boyard sm.
boyau sm.
boycottage sm. ; ***boycotter*** vt. ; ***boycotteur, euse*** s.
bracelet sm.
brachial, e, aux adj.
brachiopodes sm. pl.
brachycéphale adj. *et* s.
braconnage sm. ; ***braconner*** vi. ; ***braconnier*** sm.
bractée sf.
brader vt. ; ***braderie*** sf. ; ***bradeur*** sm.
bradycardie sf.
bradypepsie sf.
braguette sf.
brahmane sm.
brai sm.
braillard, e adj. *et* s.
braille sm.
braillement sm. ; ***brailler*** vi. *et* vt. ; ***brailleur, euse*** s.
braiment sm.
brainstorming sm.
brain-trust sm. (pl. *brain-trusts*).
braire vi. *et* déf.
braise sf. ; ***braiser*** vt. ; ***braisière*** sf.
brame *ou* **bramement** sm. ; ***bramer*** vi.
bran sm.
brancard sm. ; ***brancardier*** sm.
branchage sm. ; ***branche*** sf. ; ***branchement*** sm. ; ***brancher*** vt. *et* vi. ; ***branchette*** sf.
branchial, e, aux adj. ; ***branchies*** sf. pl.
branchu, e adj.
brandade sf.
brande sf.
brandebourg sm.
brandir vt.
brandon sm.
brandy sm.
branlant, e adj. ; ***branle*** sm.
branle-bas sm. inv.
branlement sm. ; ***branler*** vt. *et* vi.
braquage sm.

braque sm. *et* adj.
braquer vt.
braquet sm.
bras sm.
braser vt.
brasero sm.
brasier sm. ; ***brasillement*** sm. ; ***brasiller*** vt. *et* vi.
brassage sm.
brassard sm.
brasse sf.
brassée sf.
brasser vt. ; ***brasserie*** sf. ; ***brasseur, euse*** s.
brassière sf.
brasure *sf.*
bravache sm. *et* adj.
bravade sf.
brave adj. *et* sm. ; ***bravement*** adv. ; ***braver*** vt.
bravo sm. (pl. *bravos,* applaudissements ; pl. *bravi,* spadassins).
bravoure sf.
brayer sm.
break sm.
brebis sf.
brèche sf.
bréchet sm.
bredouillage sm.
bredouille sf. *et* adj.
bredouillement sm. ; ***bredouiller*** vt. *et* vi. ; ***bredouilleur, euse*** s.
bref sm. ; ***bref, ève*** adj.
bréhaigne adj. f.
breitschwanz sm.
brelan sm.
brêler vt.
breloque sf.
brème sf.
brésiller vt.
bretèche sf.
bretelle sf.
brette sf. ; ***bretteur*** sm.
bretzel sm. *et* sf.
breuvage sm.
brevet sm. ; ***breveté, e*** adj. ; ***breveter*** vt.
bréviaire sm.
bréviligne adj.
brévité sf.
briard sm.
bribe sf.
bric-à-brac sm. inv.
bric et de broc (de) loc. adv.
brick sm.
bricolage sm. ; ***bricole*** sf. ; ***bricoler*** vt. ; ***bricoleur, euse*** sm. *et* sf.
bride sf. ; ***brider*** vt.
bridge sm. ; ***bridger*** vi. ; ***bridgeur, euse*** s.
brie sm.
briefing sm.
brièvement adv. ; ***brièveté*** sf.
brigade sf. ; ***brigadier*** sm.
brigand sm. ; ***brigandage*** sm. ; ***brigander*** vi.
brigantin sm. ; ***brigantine*** sf.
brigue sf. ; ***briguer*** vt.
brillamment adv. ; ***brillance*** sf. ; ***brillant, e*** adj. ; ***brillanter*** vt. ; ***brillantine*** sf. ; ***briller*** vi.
brimade sf.
brimbalement sm. ; ***brimbaler*** vt.
brimborion sm.
brimer vt.
brin sm. ; ***brindille*** sf.
bringue sf.
bringuebaler vi.
brio sm.
brioche sf. ; ***brioché, ée*** adj.
brique sf. ; ***briquer*** vt. ; ***briquet*** sm. ; ***briquetage*** sm. ; ***briqueter*** vt. ; ***briqueterie*** sf. ; ***briqueteur*** sm. ; ***briquetier*** sm. ; ***briquette*** sf.
bris sm.
brisant sm.
briscard sm.
brise sf.
brisé, e adj.
brisées sf. pl.
brise-glace sm. inv.
brise-jet sm. inv.
brise-lames sm. inv.
brisement sm.
briser vt.
brise-tout s. inv.
briseur, euse s.
brise-vent sm. inv.
brisque sf.
bristol sm.
brisure sf.
britannique adj. *et* s.
broc sm.
brocante sf. ; ***brocanter*** vi. ; ***brocanteur, euse*** s.
brocard sm. (raillerie) ; ***brocarder*** vt.
brocart sm. (tissu) ; ***brocatelle*** sf.
brochage sm.
broche sf.
broché sm.
brocher vt.
brochet sm.

brochette sf.
brocheur, euse s. ; *brochure* sf.
brocoli sm.
brodequin sm.
broder vt. ; *broderie* sf. ; *brodeur, euse* s.
broiement sm.
bromate sm. ; *brome* sm. ; *bromique* adj. ; *bromure* sm.
broméliacées sf. pl.
bronche sf.
broncher vi.
bronchiole sf. ; *bronchique* adj. ; *bronchite* sf. ; *bronchitique* adj. ; *broncho-pneumonie* sf. ; *broncho-scopie* sf.
bronzage sm. ; *bronze* sm. ; *bronzé, e* adj. ; *bronzer* vt.
broquette sf.
brossage sm. ; *brosse* sf. ; *brosser* vt. ; *brosserie* sf. ; *brossier* sm.
brou sm.
brouet sm.
brouette sf. ; *brouettée* sf. ; *brouetter* vt.
brouhaha sm.
brouillage sm.
brouillamini sm.
brouillard sm. ; *brouillasser* vi.
brouille sf. ; *brouiller* vt. ; *brouillerie* sf. ; *brouillon, onne* s. *et* adj. ; *brouillon* sm.
broussaille sf. ; *broussailleux, euse* adj.
broussard sm. ; *brousse* sf.
broussin sm.
broutard sm.
broutement *ou* **broutage** sm. ; *brouter* vt.
broutille sf.
brownien adj. m.
browning sm.
broyage sm. ; *broyer* vt. ; *broyeur, euse* s.
bru sf.
bruant sm.
brucelles sf. pl.
brucellose sf.
brugnon sm. ; *brugnonier* sm.
bruine sf. ; *bruiner* v. imp.
bruire vi. *et* déf. ; *bruissant, e* adj. ; *bruissement* sm. ; *bruit* sm. ; *bruitage* sm. ; *bruiter* vt. ; *bruiteur* sm.
brûlage sm. ; *brûlant, e* adj. ; *brûlé* sm. ; *brûlement* sm. ; *brûle-parfum* sm. inv. ; *brûle-pourpoint (à)* loc. adv. ; *brûler* vt. *et* vi. ; *brûlerie* sf. ; *brûle-tout* sm. inv. ; *brûleur, euse* s. ; *brûlis* sm. ; *brûloir* sm. ; *brûlot* sm. ; *brûlure* sf.
brumaire sm. ; *brumasse* sf. ; *brumasser* vi. ; *brume* sf. ; *brumeux, euse* adj.
brun, brune adj. *et* s. ; *brunâtre* adj.
brune sf.
brunet, ette adj. *et* s.
brunir vi. *et* vi. ; *brunissage* sm. ; *brunisseur, euse* s. ; *brunissoir* sm. ; *brunissure* sf.
brusque adj. ; *brusquement* adv. ; *brusquer* vt. ; *brusquerie* sf.
brut, e adj. ; *brutal, e, aux* adj. ; *brutalement* adv. ; *brutaliser* vt. ; *brutalité* sf. ; *brute* sf.
bruyamment adv. ; *bruyant, e* adj.
bruyère sf.
buanderie sf.
bubale sm.
bubon sm. ; *bubonique* adj.
buccal, e, aux adj.
buccin sm.
buccinateur sm. *et* adj.
bûche sf. ; *bûcher* sm. ; *bûcher* vt. *et* vi. ; *bûcheron, onne* s. ; *bûchette* sf. ; *bûcheur, euse* s.
bucolique adj. *et* sf.
bucrane sm.
buddleia sm.
budget sm. ; *budgétaire* adj. ; *budgétisation* sf. ; *budgétiser* vt. ; *budgétivore* adj. *et* s.
buée sf.
buffet sm. ; *buffetier, ère* s.
buffle sm. ; *buffleterie* sf.
buggy sm.
bugle sm.
buglosse sf.
bugrane sf.
building sm.
buis sm.
buisson sm. ; *buissonneux, euse* adj. ; *buissonnier, ère* adj.
bulbe sm. ; *bulbeux, euse* adj. ; *bulbille* sf.
bullaire sm.
bulldozer sm.
bulle sf. *et* adj. inv.
bulletin sm.
bulleux, euse adj. inv.
buna sm.
bungalow sm.
bunker sm.

buraliste s.
bure sf.
bureau sm. ; *bureaucrate* sm. ; *bureaucratie* sf. ; *bureaucratique* adj. ; *bureaucratisation* sf. ; *bureaucratisme* sm.
burette sf.
burgrave sm.
burin sm. ; *burinage* sm. ; *buriner* vt. ; *burineur* sm.
burlesque adj.
burnous sm.
bus sm.
busard sm.
busc sm.
buse sf.
business sm. ; *businessman* sm. (angl.) (pl. *businessmen*).
busqué, e adj.
buste sm. ; *bustier* sm.
but sm.
butadiène sm.
butane sm. ; *butanier* sm.
buté, e adj.
butée sf.
buter vi. *et* vt. — *(se)* vpr.
buteur sm.
butin sm. ; *butiner* vi. *et* vt.
butoir sm.
butor sm.
butte sf. ; *butter* vi. *et* vt. ; *buttoir ou butteur* sm.
butylène sm.
butyrique adj.
buvable adj.
buvard sm.
buvée sf.
buvetier, ère s. ; *buvette* sf.
buveur, euse s.
byssus sm.
byzantin, e adj. *et* s.

C

ça pr. dém. pour *cela, et* sm.
çà adv. *et* intj.
cab sm.
cabale (intrigue) *ou* **kabbale** sf. ; ***cabaliste*** sm. ; ***cabalistique*** adj.
caban sm.
cabane sf. ; ***cabanon*** sm.
cabaret sm. ; ***cabaretier, ère*** s.
cabas sm.
cabernet sm.
cabestan sm.
cabillaud sm. (poisson).
cabillot sm. (marine).
cabine sf. ; ***cabinet*** sm.
câblage sm. ; ***câble*** sm. ; ***câbler*** vt. ; ***câbleur, euse*** s.
câblier sm. ; ***câbliste*** sm. ; ***câblogramme*** sm.
caboche sf. ; ***cabochon*** sm.
cabosser vt.
cabot sm.
cabotage sm.
caboter vi. ; ***caboteur*** adj. *et* sm.
cabotin, e s. ; ***cabotinage*** sm. ; ***cabotiner*** vi.
caboulot sm.
cabrer (se) vpr. ; ***cabri*** sm. ; ***cabriole*** sf. ; ***cabrioler*** vi. ; ***cabriolet*** sm.
cabus adj. m. *(chou —).*
cacaber vi.
cacahuète *ou* **cacahouète** sf.
cacao sm. ; ***cacaoyer*** *ou* ***cacaotier*** sm. ; ***cacaoyère ou cacaotière*** sf.
cacarder vi.
cacatoès sm. (oiseau) ; ***cacatois*** sm. (voile).
cachalot sm.
cache sf. (cachette) ; sm. (écran).
cache-cache sm. inv.
cache-col sm. inv.
cache-corset sm. inv.
cachectique adj. *et* s.
cache-entrée sm. inv.
cache-flammes sm. inv.
cachemire sm.
cache-mouchoir sm. inv.
cache-nez sm. inv.
cache-pot sm. inv.
cache-poussière sm. inv.
cacher vt.
cache-radiateur sm. inv.
cache-sexe sm. inv.
cachet sm. ; *cachetage* sm.
cache-tampon sm. inv.
cacheter vt.
cachette sf.
cachexie sf.
cachot sm.
cachotterie sf. ; ***cachottier, ère*** adj. *et* s.
cachou sm.
cacique sm.
cacochyme adj. *et* s.
cacographie sf.
cacophonie sf.
cactacées *ou* **cactées** sf. pl.
cactus sm.
cadastral, e, aux adj. ; ***cadastre*** sm. ; ***cadastrer*** vt.
cadavéreux, euse adj. ; ***cadavérique*** adj. ; ***cadavre*** sm.
caddie sm.
cade sm.
cadeau sm.
cadenas sm. ; ***cadenasser*** vt.
cadence sf. ; ***cadencer*** vt.
cadet, ette adj. *et* s.
cadi sm.
cadmium sm.
cadrage sm.
cadran sm.
cadrat sm. ; ***cadratin*** sm.
cadrature sf. (horlogerie).
cadre sm. ; ***cadrer*** vi. ; ***cadreur*** sm.
caduc, uque adj. *et* sf.
caducée sm.
caducité sf.
cæcum sm.
cæsium *ou* **césium** sm.
cafard, e adj. *et* s. ; ***cafardage*** sm. ; ***cafarder*** vi. ; ***cafardeux, euse*** adj.
café sm. ; ***café-concert*** sm. (pl. *cafés-concerts*) ; ***caféier*** sm. ; ***caféière*** sf. ; ***caféine*** sf.
cafetan *ou* **caftan** sm.
cafétéria sf. ; ***cafetier*** sm. ; ***cafetière*** sf.
cafouiller vt.
cage sf. ; ***cageot*** sm.
cagibi sm.
cagna sf.
cagnard, e adj.
cagne *ou* **khâgne** sf.
cagneux, euse adj. *et* s.
cagnotte sf.
cagot, e adj. *et* s. ; ***cagoterie*** sf.
cagoule sf.

cahier sm.
cahin-caha loc. adv.
cahot sm. (saut) ; ***cahotant, e*** adj. ; ***cahotement*** sm. ; ***cahoter*** vt. *et* vi. ; ***cahoteux, euse*** adj.
cahute sf.
caïd sm.
caillasse sf.
caille sf.
caillé s. *et* adj.
caillebotis sm.
caillebotte sf.
caille-lait sm. inv.
cailler vt. *et* vi.
caillette sf.
caillot sm.
caillou sm. (pl. *cailloux*) ; ***cailloutage*** sm. ; ***caillouter*** vt. ; ***caillouteux, euse*** adj. ; ***cailloutis*** sm.
caïman sm.
caïque sm.
cairn sm.
caisse sf. ; ***caissette*** sf. ; ***caissier, ère*** s. ; ***caisson*** sm.
cajoler vt. ; ***cajolerie*** sf. ; ***cajoleur, euse*** s. *et* adj.
cajou sm.
cake sm.
cal sm. (pl. *cals*).
calage sm. (de machine) ; ***calaison*** sf. (d'un bateau).
calame sm.
calamine sf.
calamistrer vt.
calamité sf. ; ***calamiteux, euse*** adj.
calandre sf. ; ***calandreur, euse*** s.
calanque sf.
calao sm.
calcaire adj. *et* sm.
calcanéum sm.
calcédoine sf.
calcémie sf.
calcéolaire sf.
calcicole adj.
calcification sf. ; ***calcifié, e*** adj.
calcin sm.
calcination sf. ; ***calciner*** vt.
calcique adj. ; ***calcite*** sf. ; ***calcium*** sm.
calcul sm. ; ***calculateur, trice*** adj. *et* s. ; ***calculer*** vt.
calculeux, euse adj.
cale sf. ; ***calé, e*** adj.
calebasse sf. ; ***calebassier*** sm.
calèche sf.
caleçon sm.
calédonien, enne adj. *et* s.
caléfaction sf.
calembour sm. ; ***calembredaine*** sf.
calendes sf. pl. ; ***calendrier*** sm.
cale-pied sm. (pl. *cale-pieds*).
calepin sm.
caler vt. *et* vi.
calfat sm. ; ***calfatage*** sm. ; ***calfater*** vt.
calfeutrage sm. ; ***calfeutrer*** vt.
calibrage sm. ; ***calibre*** sm. ; ***calibrer*** vt.
calice sm.
calicot sm.
califat sm. ; ***calife*** sm.
califourchon (à) loc. adv.
câlin, e adj. ; ***câliner*** vt. ; ***câlinerie*** sf.
calisson sm.
calleux, euse adj.
call-girl sf.
calligraphe s. ; ***calligraphie*** sf. ; ***calligraphier*** vt.
callipyge adj.
callosité sf.
calmant, e adj. *et* sm.
calmar sm.
calme adj. *et* sm. ; ***calmer*** vt.
calomel sm.
calomniateur, trice s. *et* adj. ; ***calomnie*** sf. ; ***calomnier*** vt. ; ***calomnieusement*** adv. ; ***calomnieux, euse*** adj.
calorie sf. ; ***calorifère*** sm. ; ***calorification*** sf. ; ***calorifique*** adj. ; ***calorifuge*** adj. *et* s. ; ***calorifugeage*** sm. ; ***calorifuger*** vt. ; ***calorimètre*** sm. ; ***calorimétrie*** sf. ; ***calorimétrique*** adj. ; ***calorique*** sm.
calot sm.
calotin sm. ; ***calotte*** sf. ; ***calotter*** vt.
calque sm. ; ***calquer*** vt.
calumet sm.
calvados sm.
calvaire sm.
calville sm. *ou* sf.
calvinisme sm. ; ***calviniste*** s. *et* adj.
calvitie sf.
camaïeu sm.
camail sm. (pl. *camails*).
camarade s. ; ***camaraderie*** sf.
camard, e adj. *et* sf.
camarilla sf.
cambial, e, aux adj. ; ***cambiste*** sm.
cambouis sm.
cambré, e adj. ; ***cambrer*** vt. — ***(se)*** vpr.
cambrien, enne adj.

cambriolage sm. ; *cambrioler* vt. ; *cambrioleur, euse* s.
cambrousse sf.
cambrure sf.
cambuse sf.
came sf.
camée sm.
caméléon sm.
camélia sm.
camélidés sm. pl.
camelot sm. ; *camelote* sf.
camembert sm.
caméra sf.
camérier sm.
camériste sf.
camerlingue sm.
camion sm. ; *camion-citerne* sm. (pl. *camions-citernes*) ; *camionnage* sm. ; *camionner* vt. ; *camionnette* sf. ; *camionneur* sm.
camisard sm.
camisole sf.
camomille sf.
camouflage sm. ; *camoufler* vt.
camouflet sm.
camp sm.
campagnard, e s. *et* adj.
campagne sf.
campagnol sm.
campanile sm.
campanule sf.
campé, e adj.
campêche sm.
campement sm. ; *camper* vi. *et* vt. — *(se)* vpr. ; *campeur, euse* adj. *et* s.
camphre sm. ; *camphré, e* adj. ; *camphrier* sm.
camping sm. (angl.).
campos sm.
campus sm. inv. (lat.).
camus, e adj.
canada sf. inv. (pommes) ; *canadianisme* sm. ; *canadien, enne* adj., s. *et* sf.
canaille sf. *et* adj. ; *canaillerie* sf.
canal sm. (pl. *canaux*) ; *canalisation* sf. ; *canaliser* vt.
cananéen, enne adj.
canapé sm.
canard sm. ; *canardeau* sm. ; *canarder* vt. *et* vi. ; *canardière* sf.
canari sm.
canasson sm.
canasta sf.
cancan sm. ; *cancaner* vi. ; *cancanier, ère* s. *et* adj.
cancer sm. ; *cancéreux, euse* s. *et* adj. ; *cancérigène* adj. ; *cancérisation* sf. ; *cancérologie* sf. ; *cancérologue* s.
cancoillotte sf.
cancre sm.
cancrelat sm.
cancroïde sm.
candela sf.
candélabre sm.
candeur sf.
candi adj. *et* sm.
candidat, e s. ; *candidature* sf.
candide adj. ; *candidement* adv.
candir (se) vpr.
cane sf.
canéphore sf.
caneton sm. ; *canette* sf.
canevas sm.
caniche sm.
caniculaire adj. ; *canicule* sf.
canidés sm. pl.
canif sm.
canin, e adj. ; *canine* sf.
caniveau sm.
cannage sm. ; *cannaie* sf. ; *canne* sf. ; *canné, e* adj.
cannelé, e adj.
cannelle *ou* **cannette** sf. (robinet) ; *cannelle* sf. (arôme).
cannelloni sm.
cannelure sf.
canner vt. ; *canneur, euse* s.
cannibale adj. *et* s. ; *cannibalisme* sm.
cannisse *ou* **canisse** sf.
canoë sm. ; *canoéiste* s.
canon sm.
cañon sm. (sp.).
canonial, e, aux adj. ; *canonicat* sm. ; *canonicité* sf. ; *canonique* adj. ; *canonisation* sf. ; *canoniser* vt.
canonnade sf. ; *canonnage* sm. ; *canonner* vt. ; *canonnier* sm. ; *canonnière* sf.
canope sm.
canot sm. ; *canotage* sm. ; *canoter* vi. ; *canotier* sm.
cantabile sm. (ital.).
cantal sm.
cantaloup sm.
cantate sf.
cantatrice sf.
canter sm.
cantharide sf.
cantilène sf.

cantine sf. ; *cantinier, ère* s.
cantique sm.
canton sm.
cantonade sf.
cantonal, e, aux adj. ; *cantonnement* sm. ; *cantonner* vi. *et* vt. ; — *(se)* vpr. ; *cantonnier* sm. ; *cantonnière* sf.
canular sm.
canule sf.
canuler vt.
canut sm.
canyon *ou* **cañon** sm.
caoutchouc sm. ; *caoutchoutage* sm. ; *caoutchouter* vt. ; *caoutchoutier, ère* adj.
cap sm.
capable adj.
capacitaire sm. ; *capacité* sf.
caparaçon sm. ; *caparaçonner* vt.
cape sf.
capelage sm. ; *capeler* vt.
capeline sf.
capétien, enne adj. *et* s.
capharnaüm sm.
cap-hornier sm. (pl. *cap-horniers*).
capiliculteur sm. ; *capillaire* adj. *et* sm. ; *capillarité* sf.
capilotade sf.
capitaine sm. ; *capitainerie* sf.
capital sm. ; *capital, e, aux* adj. ; *capitale* sf. ; *capitalisable* adj. ; *capitalisation* sf. ; *capitaliser* vt. *et* vi. ; *capitalisme* sm. ; *capitaliste* s. *et* adj.
capitation sf.
capité, e adj.
capiteux, euse adj.
capitolin, e adj.
capiton sm. ; *capitonnage* sm. ; *capitonner* vt.
capitulaire adj.
capitulard, arde adj. ; *capitulation* sf.
capitule sm.
capituler vi.
capon, onne s.
caporal sm. ; *caporalisme* sm.
capot adj. inv. *et* sm. ; *capotage* sm. ; *capote* sf. ; *capoter* vi.
câpre sf.
capricant, e adj. ; *caprice* sm. ; *capricieusement* adv. ; *capricieux, euse* adj. ; *capricorne* sm.
câprier sm.
caprin, e adj.
capsulage sm. ; *capsulaire* adj. ; *capsule* sf.
captage sm. ; *captateur, trice* s. ; *captation* sf. ; *captatoire* adj. ; *capter* vt. ; *capteur* sm.
captieux, euse adj.
captif, ve adj. *et* s. ; *captivant, e* adj. ; *captiver* vt. ; *captivité* sf. ; *capture* sf. ; *capturer* vt.
capuce sm. ; *capuche* sf. ; *capuchon* sm. ; *capuchonner* vt.
capucin sm.
capucine sf.
caque sf. ; *caquer* vt.
caquet sm. ; *caquetage* sm. ; *caqueter* vi.
car conj.
car sm. (angl.).
carabin sm.
carabine sf. ; *carabiné, e* adj. ; *carabinier* sm.
caraco sm.
caracole sf. ; *caracoler* vi.
caractère sm. ; *caractériel, elle* adj. ; *caractériser* vt. ; *caractéristique* adj. *et* sf. ; *caractérologie* sf.
caracul sm.
carafe sf. ; *carafon* sm.
caraïbe adj. *et* s.
carambolage sm. ; *caramboler* vi.
carambouillage sm. *ou* **carambouille** sf. ; *carambouilleur* sm.
caramel sm. ; *caramélisation* sf. ; *caraméliser* vt.
carapace sf.
carapater (se) vpr.
caraque sf.
carat sm.
caravane sf. ; *caravanier* sm.
caravaning sm.
caravansérail sm.
caravelle sf.
carbogène sm.
carbonade sf.
carbonaro sm. (ital.) (pl. *carbonari*).
carbonate sm. ; *carbone* sm. ; *carboné, e* adj. ; *carbonifère* adj. ; *carbonique* adj. ; *carbonisation* sf. ; *carboniser* vt.
carburant sm. *et* adj. ; *carburateur* sm. ; *carburation* sf. ; *carbure* sm. ; *carburé, e* adj.
carcailler vi.
carcajou sm.
carcan sm.
carcasse sf.
carcéral, e adj.

carcinome sm.
cardage sm.
cardamome sf.
cardan sm.
carde sf.
carder vt.
cardère sf.
cardeur, euse s.
cardia sm.
cardialgie sf. ; *cardiaque* adj. *et* s.
cardigan sm.
cardinal sm. ; *cardinal, e, aux* adj. ; *cardinalat* sm. ; *cardinalice* adj.
cardiogramme sm. ; *cardiographie* sf. ; *cardiologie* sf. ; *cardiologue* sm. ; *cardiopathie* sf. ; *cardio-vasculaire* adj. ; *cardite* sf.
cardon sf.
carême sm. ; *carême-prenant* sm. (pl. *carêmes-prenants*).
carénage sm.
carence sf.
carène sf. ; *caréner* vt.
carentiel, elle adj.
caressant, e adj. ; *caresse* sf. ; *caresser* vt.
cargaison sf.
cargo sm.
cargue sf. ; *carguer* vt.
cari, cary, *ou* **curry** sm.
cariatide *ou* **caryatide** sf.
caribou sm.
caricatural, e, aux adj. ; *caricature* sf. ; *caricaturer* vt. ; *caricaturiste* sm.
carie sf. ; *carier* vt.
carillon sm. ; *carillonner* vi. *et* vt. ; *carillonneur* sm.
carlin sm.
carlingue sf.
carmagnole sf.
carme sm. ; *carmélite* sf.
carmin sm. ; *carminé, e* adj.
carnage sm.
carnassier, ère adj. ; *carnassière* sf.
carnation sf.
carnaval sm. (pl. *carnavals*) ; *carnavalesque* adj.
carne sf. ; *carné, e* adj.
carneau sm.
carnet sm.
carnier sm.
carnivore adj. *et* s.
carolingien, ienne adj. *et* s.
carolus sm.
caroncule sf.
carotène sm.
carotide adj. *et* sf.
carottage sm. ; *carotte* sf. ; *carotter* vi. *et* vt. ; *carotteur, euse ou carottier, ère* s. ; *carottier* sm.
caroube *ou* **carouge** sf. ; *caroubier* sm.
carpe sf. (poisson) *et* sm. (os).
carpeau sm.
carpelle sm.
carpette sf.
carquois sm.
carrare sm.
carre sf.
carré, e adj. *et* sm.
carreau sm.
carrée sf.
carrefour sm.
carrelage sm. ; *carreler* vt.
carrelet sm.
carrelette sf. ; *carreleur* sm.
carrément adv.
carrer vt.
carrier sm. ; *carrière* sf. ; *carriériste* s. *et* adj.
carriole sf.
carrossable adj. ; *carrosse* sm. ; *carrosser* vt. ; *carrosserie* sf. ; *carrossier* sm.
carrousel sm.
carrure sf.
cartable sm.
carte sf.
cartel sm.
carte-lettre sf. (pl. *cartes-lettres*).
cartellisation sf.
carter sm.
carterie sf.
cartésianisme sm. ; *cartésien, enne* adj. *et* s.
cartilage sm. ; *cartilagineux, euse* adj.
cartographe sm. ; *cartographie* sf.
cartomancie sf. ; *cartomancien, enne* s.
carton sm. ; *cartonnage* sm. ; *cartonner* vt. ; *cartonnerie* sf. ; *cartonnier, ère* s. et sm.
cartouche sm. (cadre) *et* sf. (explosif) ; *cartoucherie* sf. ; *cartouchière* sf.
cartulaire sm.
carvi sm.
caryotype sm.
cas sm.
casanier, ère adj.
casaque sf.

casbah sf.
cascade sf. ; *cascader* vi. ; *cascadeur, euse* s.
case sf.
caséeux, euse adj. ; *caséification* sf. ; *caséifier* vt. ; *caséine* sf.
casemate sf.
caser vt.
caserne sf. ; *casernement* sm. ; *caserner* vt.
cash adv.
casher adj. (hébreu).
casier sm.
casino sm.
casoar sm.
casque sm. ; *casqué, e* adj. ; *casquette* sf. ; *casquettier, ère* s.
cassage sm. ; *cassant, e* adj.
cassate sf.
cassation sf.
casse sf.
cassé, e adj. *et* sm.
casse-cou sm. inv.
casse-croûte sm. inv.
cassement sm.
casse-noisette *ou* **casse-noisettes** sm. inv.
casse-noix sm. inv.
casser vt. *et* vi.
casserole sf.
casse-tête sm. inv.
cassette sf.
casseur, euse s.
cassine sf.
cassis sm.
cassolette sf.
cassonade sf.
cassoulet sm.
cassure sf.
castagnettes sf. pl.
caste sf.
castel sm.
castillan, e adj. *et* s.
castor sm.
castrat sm. ; *castration* sf. ; *castrer* vt.
casuiste sm. ; *casuistique* sf.
casus belli sm. inv. (lat.).
catabolisme sm.
catachrèse sf.
cataclysme sm.
catacombes sf. pl.
catadioptre sm.
catafalque sm.
cataire sf.
catalan, e adj. *et* s.
catalepsie sf. ; *cataleptique* adj. *et* s.
catalogue sm. ; *cataloguer* vt.
catalpa sm.
catalyse sf. ; *catalyser* vt. ; *catalyseur* sm. ; *catalytique* adj.
catamaran sm.
cataphote sm.
cataplasme sm.
catapultage sm. ; *catapulte* sf. ; *catapulter* vt.
cataracte sf.
catarrhe sm. ; *catarrheux, euse* adj.
catastrophe sf. ; *catastrophé, ée* adj. ; *catastrophique* adj.
catch sm. ; *catcheur* sm.
catéchèse sf. ; *catéchiser* vt. ; *catéchisme* sm. ; *catéchiste* sm. ; *catéchumène* s.
catégorie sf. ; *catégorique* adj. ; *catégoriquement* adv.
caténaire adj. *et* sf.
catgut sm.
catharsis sf. ; *cathartique* adj. *et* sm.
cathédrale sf.
cathéter sm.
cathode sf. ; *cathodique* adj.
catholicisme sm. ; *catholicité* sf. ; *catholique* adj. *et* s.
catimini (en) loc. adv.
catin sf.
cation sm.
catir vt.
catogan *ou* **cadogan** sm.
cattleya sm.
cauchemar sm. ; *cauchemardesque* adj.
caudal, e, aux adj.
caulescent, e adj.
causal, e, aux adj. ; *causalité* sf.
causant, e adj.
causatif, ive adj.
cause sf.
causer vt. *et* vi. ; *causerie* sf. ; *causette* sf. ; *causeur, euse* s. *et* adj.
causse sm.
causticité sf. ; *caustique* adj. *et* s.
cautèle sf. ; *cauteleux, euse* adj.
cautère sm. ; *cautérisation* sf. ; *cautériser* vt.
caution sf. ; *cautionnement* sm. ; *cautionner* vt.
cavaillon sm.
cavalcade sf. ; *cavalcader* vi.
cavale sf. ; *cavaler* vi. — *(se)* vpr. ; *cavalerie* sf. ; *cavaleur* sm. ; *cavalier, ère* s. *et* adj. ; *cavalièrement* adv.

cavatine sf.
cave sf.
cave adj.
caveau sm.
caver vt. *et* vi.
caverne sf. ; *caverneux, euse* adj.
caviar sm. ; *caviarder* vt.
caviste sm.
cavité sf.
ce, cet adj. dém. m. sg. ; — *cette* f. sg. ; — *ces* pl. m. *et* f. ; — *ce* pr. dém.
céans adv.
ceci pr. dém.
cécité sf.
cédant, e s. ; *céder* vt. *et* vi.
cédille sf.
cédrat sm. ; *cédratier* sm.
cèdre sm.
cédulaire adj. ; *cédule* sf.
cégétiste adj. *et* s.
ceindre vt. ; *ceinturage* sm. ; *ceinture* sf. ; *ceinturer* vt. ; *ceinturon* sm.
cela pr. dém.
céladon sm.
célébrant sm. ; *célébration* sf.
célèbre adj. ; *célébrer* vt. ; *célébrité* sf.
celer vt.
céleri sm.
célérité sf.
célesta sm.
céleste adj.
célibat sm. ; *célibataire* adj. *et* s.
cella sf. (pl. *cellae*).
cellier sm.
cellophane sf.
cellulaire adj.
cellule sf. ; *cellulite* sf. ; *celluloïd* sm. ; *cellulose* sf. ; *cellulosique* adj.
celtique adj. *et* sm.
celui, celle pr. dém. (pl. *ceux, celles*).
cément sm. ; *cémentation* sf. ; *cémenter* vt. ; *cémenteux, euse* adj.
cénacle sm.
cendre sf. ; *cendré, e* adj. ; *cendrée* sf. ; *cendreux, euse* adj. ; *cendrier* sm. ; *cendrillon* sf.
cène sf.
cénesthésie sf.
cénobite sm.
cénotaphe sm.
cens sm.
censé, e adj. ; *censément* adv.
censeur sm.
censitaire s. *et* adj.
censorial, e, aux adj.
censure sf. ; *censurer* vt.
cent adj. numéral *et* sm. *(quatre cents francs ; huit cent deux mètres ; en mille neuf cent ; page trois cent) ; centaine* sf.
centaure sm.
centaurée sf.
centenaire adj. *et* s.
centésimal, e, aux adj.
centiare sm.
centibar sm.
centième adj. *et* sm.
centigrade adj.
centigramme sm.
centilitre sm.
centime sm.
centimètre sm.
centon sm. (mosaïque de textes).
centrage sm. ; *central, e, aux* adj. ; *centrale sf. ; centralisateur, trice* adj. *et* s. ; *centralisation* sf. ; *centraliser* vt. ; *centre* sm. ; *centrer* vt. — *(se)* vpr. ; *centreur* sm.
centrifugation sf. ; *centrifuge* adj. ; *centrifuger* vt. ; *centrifugeur, euse* sm. *et* sf.
centripète adj.
centriste adj.
centuple adj. *et* sm. ; *centupler* vt.
centurie sf. ; *centurion* sm.
cep sm. (vigne) ; *cépage* sm.
cèpe sm. (champignon).
cependant adv.
céphalée sf.
céphalopodes sm. pl.
céphalo-rachidien adj. *(liquide —).*
cérame sm. ; *céramique* adj. *et* sf. ; *céramiste* s. *et* adj.
céraste sm.
cérat sm.
cerbère sm.
cerceau sm.
cerclage sm. ; *cercle* sm. ; *cercler* vt.
cercopithèque sm.
cercueil sm.
céréale sf. ; *céréalier, lière* adj.
cérébelleux, euse adj. ; *cérébral, e, aux* adj. ; *cérébro-spinal, e, aux* adj.
cérémonial sm. ; *cérémonie* sf. ; *cérémoniel, elle* adj. ; *cérémonieusement* adv. ; *cérémonieux, euse* adj.
cerf sm.
cerfeuil sm.
cerf-volant sm. (pl. *cerfs-volants*).

cerisaie sf. ; *cerise* sf. ; *cerisette* sf. ; *cerisier* sm.
cérithe *ou* **cérite** sm. (mollusque).
cérite sf. (minerai).
cérium sm.
cerne sm. ; *cerné, e* adj. ; *cerner* vt.
cerneau sm.
certain, e adj. *et* pr. ind. (au plur.) ; *certainement* adv. ; *certes* adv.
certificat sm. ; *certificateur* sm. ; *certification* sf. ; *certifier* vt. ; *certitude* sf.
céruléen, enne adj.
cérumen sm.
céruse sf.
cerveau sm.
cervelas sm.
cervelet sm.
cervelle sf.
cervical, e, aux adj.
cervidés sm. pl.
cervoise sf.
césarien, enne adj.
césarienne sf.
césarisme sm.
césium *ou* **cæsium** sm.
cessant, e adj. ; *cessation* sf. ; *cesse* sf. ; *cesser* vt. *et* vi. ; *cessez-le-feu* sm. inv.
cessibilité sf. ; *cessible* adj. ; *cession* sf. ; *cessionnaire* s.
c'est-à-dire loc.
ceste sm.
césure sf.
cétacé sm.
cétoine sf.
cétone sf.
chabichou sm.
chablis sm.
chabot sm.
chabrot sm. (faire).
chacal sm. (pl. *chacals*).
chaconne *ou* **chacone** sf.
chacun, e pr. ind.
chadburn sm.
chafouin, e adj.
chagrin, e adj. *et* sm. ; *chagriner* vt.
chah *ou (mieux)* **shah** sm.
chahut sm. ; *chahuter* vi. ; *chahuteur, euse* s. *et* adj.
chai sm. (pl. *chais*).
chaînage sm. ; *chaîne* sf. ; *chaîner* vt. ; *chaînette* sf. ; *chaîneur* sm. ; *chaînon* sm.
chair sf.
chaire sf.
chaise sf. ; *chaisier, ère* s.
chaland sm. (bateau).
chaland, e s. (client).
chalaze sf.
chalcographie sf.
chaldéen, enne adj.
châle sm.
chalet sm.
chaleur sf. ; *chaleureusement* adv. ; *chaleureux, euse* adj.
châlit sm.
challenge sm. ; *challengeur* sm.
chaloupe sf. ; *chaloupé, e* adj. ; *chalouper* vi.
chalumeau sm.
chalut sm. ; *chalutage* sm. ; *chalutier* sm.
chamade sf.
chamailler *(se)* vpr. ; *chamaillerie* sf. ; *chamailleur, euse* adj.
chamanisme sm.
chamarrer vt. ; *chamarrure* sf.
chambard sm. ; *chambardement* sm ; *chambarder* vt.
chambellan sm.
chambouler vt.
chambranle sm.
chambre sf. ; *chambrée* sf. ; *chambrer* vt. ; *chambrette* sf. ; *chambrière* sf.
chameau sm. ; *chamelier* sm. ; *chamelle* sf.
chamito-sémitique adj.
chamois sm. ; *chamoiser* vt. ; *chamoiserie* sf.
champ sm.
champagne sm. ; *champagnisation* sf. ; *champagniser* vt.
champêtre adj.
champignon sm. ; *champignonnière* sf.
champion sm. ; *championnat* sm.
chamsin sm.
chance sf.
chancelant, e adj. ; *chanceler* vi.
chancelier sm. ; *chancelière* sf.
chancellement sm.
chancellerie sf.
chanceux, euse adj.
chancre sm.
chandail sm.
chandeleur sf.
chandelier sm. ; *chandelle* sf.
chanfrein sm. ; *chanfreiner* vt.
change sm. ; *changeable* adj. ; *changeant, e* adj. ; *changement* sm. ;

changer vt. ; *changeur, euse* s.
chanoine, esse s.
chanson sf. ; *chansonner* vt. ; *chansonnette* sf. ; *chansonnier, ère* s.
chant sm. ; *chantage* sm. ; *chantant, e* adj.
chanteau sm.
chantefable sf.
chanter vt. *et* vi.
chanterelle sf.
chanteur, euse s.
chantier sm.
chantonnement sm. ; *chantonner* vi. *et* vt.
chantoung sm.
chantourner vt.
chantre sm.
chanvre sm. ; *chanvrier, ère* s. *et* adj.
chaos sm. ; *chaotique* adj.
chapardage sm. ; *chaparder* vt. ; *chapardeur, euse* adj.
chape sf.
chapeau sm. ; *chapeauter* vt.
chapelain sm.
chapelet sm.
chapelier, ère s.
chapelle sf.
chapellerie sf,
chapelure sf.
chaperon sm. ; *chaperonner* vt.
chapiteau sm.
chapitre sm. ; *chapitrer* vt.
chapon sm.
chaptaliser vt.
chaque adj. ind.
char sm.
charabia sm.
charade sf.
charançon m. ; *charançonné, e* adj.
charbon sm. ; *charbonnage* sm. ; *charbonner* vt. *et* vi. ; *charbonneux, euse* adj. ; *charbonnier, ère* s. *et* adj. ; *charbonnière* sf.
charcuter vt. ; *charcuterie* sf. ; *charcutier, ère* s.
chardon sm. ; *chardonneret* sm.
charge sf. ; *chargement* sm. ; *charger* vt. ; *chargeur* sm. ; *chargeuse* sf.
chariot sm.
charismatique adj.. ; *charisme* sm.
charitable adj. ; *charitablement* adv. ; *charité* sf.
charivari sm.
charlatan sm. ; *charlatanisme* sm.
charleston sm.
charlotte sf.
charmant, e adj. ; *charme* sm. ; *charmer* vt. ; *charmeur, euse* adj. *et* s. ; *charmille* sf.
charnel, elle adj. ; *charnellement* adv.
charnier sm.
charnière sf.
charnu, e adj.
charognard sm. ; *charogne* sf.
charpentage sm. ; *charpente* sf. ; *charpenté, e* adj. ; *charpenter* vt. ; *charpenterie* sf. ; *charpentier* sm.
charpie sf.
charretée sf. ; *charretier, ère* s. *et* adj. ; *charrette* sf.
charriage sm. ; *charrier* vt. *et* sm.
charroi sm.
charron sm. ; *charronnage* sm.
charroyer vt. ; *charroyeur* sm.
charrue sf.
charte sf.
charter sm.
chartiste sm.
chartreuse sf. (lieu).
chartreux, euse s. (personne).
chas sm.
chasse sf. (poursuite).
châsse sf. (coffre).
chassé sm.
chasse-clou sm. (pl. *chasse-clous*).
chassé-croisé sm. (pl. *chassés-croisés*).
chasselas sm.
chasse-mouches sm. inv.
chasse-neige sm. inv.
chassepot sm.
chasser vt. ; *chasseresse* adj. *et* sf. ; *chasseur, euse* s.
chassie sf. ; *chassieux, euse* adj.
châssis sm.
chaste adj. ; *chastement* adv. ; *chasteté* sf.
chasuble sf.
chat, tte s.
châtaigne sf. ; *châtaigneraie* sf. ; *châtaignier* sm.
châtain, e adj. *et* sm.
château sm.
chateaubriand sm.
châtelain, e s.
châtelet sm.
chat-huant sm. (pl. *chats-huants*).
châtier vt.
chatière sf.
châtiment sm.
chatoiement sm.
chaton sm.

chatouillement sm. ; *chatouiller* vt. ; *chatouilleux, euse* adj.
chatoyant, e adj. ; *chatoyer* vi.
châtrer vt.
chattemite sf. ; *chatterie* sf.
chatterton sm.
chaud, e adj. *et* s. ; *chaudement* adv. ; *chaud-froid* sm. (pl. *chauds-froids*) ; *chaudière* sf.
chaudron sm. ; *chaudronnée* sf. ; *chaudronnerie* sf. ; *chaudronnier, ère* s.
chauffage sm. ; *chauffard* sm. ; *chauffe* sf. ; *chauffe-bain* sm. (pl. *chauffe-bains*) ; *chauffe-eau* sm. inv. ; *chauffe-pieds* sm. inv. ; *chauffe-plat* sm. (pl. *chauffe-plats*) ; *chauffer* vt. ; *chaufferette* sf. ; *chaufferie* sf. ; *chauffeur* sm. ; *chauffeuse* sf.
chaufour sm. ; *chaufournier* sm.
chaulage sm. ; *chauler* vt.
chaumage sm. ; *chaume* sm. ; *chaumer* vt. *et* vi. ; *chaumière* sf.
chaussée sf.
chausse-pied sm. (pl. *chausse-pieds*).
chausser vt. *et* vi.
chausse-trape sf. (pl. *chausse-trapes*).
chaussette sf. ; *chausseur* sm. ; *chausson* sm. ; *chaussure* sf.
chaut *(peu me —)* loc.
chauve adj. *et* s.
chauve-souris sf. (pl. *chauves-souris*).
chauvin, e adj. *et* s. ; *chauvinisme* sm.
chauvir vt.
chaux sf.
chavirement sm. ; *chavirer* vi.
chèche sm.
chéchia sf.
check-list sf.
check-up sm. inv.
cheddite sf.
chef sm.
chef-d'œuvre sm. (pl. *chefs-d'œuvre*).
chefferie sf.
chef-lieu sm. (pl. *chefs-lieux*).
cheftaine sf.
cheik sm.
cheire sf. (lave).
chelem *ou* **schelem** sm. inv.
chélidoine sf.
chelléen, enne adj. *et* sm.
chéloniens sm. pl.
chemin sm. ; *chemineau* sm. (vagabond).
cheminée sf.
cheminement sm. ; *cheminer* vi.
cheminot sm. (employé des chemins de fer).
chemise sf. ; *chemiser* vt. ; *chemiserie* sf. ; *chemisette* sf. ; *chemisier, ère* s.
chênaie sf.
chenal sm.
chenapan sm.
chêne sm. ; *chêneau* sm. (jeune chêne).
chéneau sm. (gouttière).
chêne-liège sm. (pl. *chênes-lièges*).
chenet sm.
chènevière sf.
chènevis sm.
chenil sm.
chenille sf. ; *chenillé, ée* adj. ; *chenillette* sf.
chenu, e adj.
cheptel sm.
chèque sm. ; *chéquier* sm.
cher, ère adj. *et* adv.
chercher vt. ; *chercheur, euse* s. *et* adj.
chère sf. (nourriture).
chèrement adv.
chergui sm.
chéri, e adj.
chérif sm. (prince arabe). ; *chérifien, ienne* adj.
chérir vt.
cherry sm.
cherté sf.
chérubin sm.
chester sm.
chétif, ive adj.
cheval sm. ; *chevaleresque* adj. ; *chevalerie* sf. ; *chevalet* sm. ; *chevalier* sm. ; *chevalière* sf. ; *chevalin, e* adj. ; *cheval-vapeur* sm. (pl. *chevaux-vapeur*) ; *chevauchée* sf. ; *chevauchement* sm. ; *chevaucher* vi. ; *chevau-léger* sm. (pl. *chevau-légers*).
chevêche sf.
chevelu, e adj. ; *chevelure* sf.
chevesne sm.
chevet sm.
chevêtre sm.
cheveu sm.
chevillage sm. ; *chevillard* sm. ; *cheville* sf. ; *cheviller* vt.
cheviotte sf.

chèvre sf. ; *chevreau* sm.
chèvrefeuille sm.
chevrette sf.
chevreuil sm.
chevrier, ère s.
chevron sm. ; *chevronner* vt.
chevrotant, e adj. ; *chevrotement* sm. ; *chevroter* vi.
chevrotin sm. ; *chevrotine* sf.
chewing-gum sm.
chez prép.
chiader vt. *et* vi.
chialer vi.
chianti sm.
chiasme sm.
chiasse sf.
chibouque, chibouk *ou* **chiboule** sf.
chic sm. *et* adj. inv. en genre.
chicane sf. ; *chicaner* vi. *et* vt. ; *chicanerie* sf. ; *chicaneur, euse* adj. *et* s. ; *chicanier, ère* adj. *et* s. ; *chiche* adj. ; *chichement* adv.
chichi sm. ; *chichiteux, euse* adj.
chicon sm.
chicorée sf.
chicot sm.
chicotin sm.
chien sm. ; *chien-assis* sm. (pl. *chiens-assis*) ; *chiendent* sm.
chienlit sf.
chien-loup sm. (pl. *chiens-loups*).
chienne sf.
chier vi.
chiffe sf. ; *chiffon* sm. ; *chiffonnade* sf. ; *chiffonnage* sm. ; *chiffonné, e* adj. ; *chiffonner* vt. ; *chiffonnier, ère* s.
chiffrage sm. ; *chiffre* sm. ; *chiffrement* sm. ; *chiffrer* vi. *et* vt. ; *chiffreur, euse* s.
chignole sf.
chignon sm.
chimère sf. ; *chimérique* adj.
chimie sf. ; *chimiothérapie* sf. ; *chimique* adj. ; *chimiquement* adv. ; *chimiste* s.
chimpanzé sm.
chinage sm.
chinchilla sm.
chiner vi. *et* vt. ; *chineur, euse* s.
chinois, e adj. *et* s. ; *chinoiserie* sf.
chiot sm.
chiottes sf. pl.
chiourme sf.
chiper vt.
chipie sf.
chipolata sf.
chipoter vt. *et* vi.
chips sf. pl.
chique sf.
chiqué sm.
chiquenaude sf.
chiquer vi.
chirographaire adj.
chiromancie sf. ; *chiromancien, enne* s.
chiroptères sm. pl.
chiropracteur sm. ; *chiropractie* *ou* **chiropraxie** sf.
chirurgical, e, aux adj.
chirurgie sf. ; *chirurgien* sm.
chistera sf.
chitine sf. ; *chitineux, euse* adj.
chiure sf.
chlamyde sf.
chleuh adj. *et* s.
chloral sm. ; *chloramphénicol* sm. ; *chlorate* sm. ; *chlore* sm. ; *chloreux, euse* adj. ; *chlorhydrate* sm. ; *chlorhydrique* adj. ; *chlorique* adj. ; *chloroforme* sm. ; *chloroformer* vt. ; *chloroformisation* sf. ; *chlorométrie* sf.
chlorophylle sf.
chlorose sf. ; *chlorotique* adj.
chlorure sm.
choc sm.
chocolat sm. ; *chocolaterie* sf. ; *chocolatier, ère* s. *et* adj. ; *chocolatière* sf.
choéphore s.
chœur sm.
choir vi.
choisi, e adj. ; *choisir* vt. ; *choix* sm.
cholagogue adj. *et* sm. ; *cholédoque* adj. ; *cholémie* sf.
choléra sm. ; *cholérique* adj. *et* s.
cholécystite sf.
cholestérol sm. ; *cholestérolémie* sf.
choline sf.
chômable adj. ; *chômage* sm. ; *chômer* vi. *et* vt. ; *chômeur, euse* s.
chondriome sm.
chope sf. ; *chopine* sf.
choper vt.
choquant, e adj. ; *choquer* vt.
choral, e, aux adj. sm. (pl. *chorals*) *et* sf.
chorée sf.
chorège sm. ; *chorégraphie* sf. ; *chorégraphique* adj.
chorion sm.

choriste s.
choroïde adj. *et* sf.
chorus sm.
chose sf.
chott sm.
chou sm. (pl. *choux*).
chouan sm. ; ***chouannerie*** sf.
choucas sm.
chouchou, oute s. ; ***chouchouter*** vt.
choucroute sf.
chouette sf. *et* adj.
chou-fleur sm. (pl. *choux-fleurs*).
chou-rave sm. (pl. *choux-raves*).
chow-chow sm. (pl. *chows-chows*).
choyer vt.
chrême sm.
chrestomathie sf.
chrétien, enne adj. *et* s. ; ***chrétiennement*** adv. ; ***chrétienté*** sf.
christ sm. ; ***christianisation*** sf. ; ***christianiser*** vt. ; ***christianisme*** sm.
chromage sm.
chromatique adj. ; ***chromatisme*** sm.
chromatographie sf.
chrome sm. ; ***chromer*** vt.
chromolithographie sf. (abrégé en **chromo** sm.).
chromosome sm.
chronaxie sf.
chronicité sf. ; ***chronique*** adj. *et* sf. ; ***chroniqueur*** sm.
chronographe sm.
chronologie sf. ; ***chronologique*** adj. ; ***chronologiquement*** adv.
chronométrage sm. ; ***chronomètre*** sm. ; ***chronométrer*** vt. ; ***chronométreur*** sm.
chrysalide sf.
chrysanthème sm.
chrysomèle sf.
chrysoprase sf.
chthonien, enne adj.
chuchotement sm. ; ***chuchoter*** vi. *et* vt. ; ***chuchoterie*** sf. ; ***chuchoteur, euse*** s.
chuintant, ante adj. *et* sf. ; ***chuintement*** sm. ; ***chuinter*** vi.
chut ! intj.
chute sf. ; ***chuter*** vi. *et* vt.
chyle sm.
chyme sm.
ci adv.
ciao intj. (ital.).
ci-après loc. adv.
cible sf.
ciboire sm.
ciboule sf. ; ***ciboulette*** sf.
cicatrice sf. ; ***cicatriciel, elle*** adj. ; ***cicatrisation*** sf. ; ***cicatriser*** vt.
cicéro sm.
cicérone sm. (pl. *cicérones*).
cicéronien, enne adj.
ci-contre loc. adv.
ci-dessous, ci-dessus loc. adv.
ci-devant loc. adv. *et* s. inv.
cidre sm.
ciel sm. (pl. *cieux,* firmament ; *ciels* de lit, de tableau).
cierge sm.
cigale sf.
cigare sm. ; ***cigarette*** sf. ; ***cigarière*** sf.
cigogne sf. ; ***cigogneau*** sm.
ciguë sf.
ci-inclus, e adj. ; ***ci-joint, e*** adj. inv. devant un nom sans article ou en début de phrase.
cil sm. ; ***ciliaire*** adj.
cilice sm.
cilié, e adj.
cillement sm. ; ***ciller*** vt. *et* vi.
cimaise *ou* **cymaise** sf.
cime sf.
ciment sm. ; ***cimenter*** vt. ; ***cimenterie*** sf. ; ***cimentier*** sm.
cimeterre sm.
cimetière sm.
cimier sm.
cinabre sm.
cincle sm.
cinéaste sm.
ciné-club sm. (pl. *ciné-clubs*).
cinéma sm. ; ***cinémascope*** sm. (nom déposé) ; ***cinémathèque*** sf.
cinématique sf.
cinématographe sm. ; ***cinématographier*** vt. ; ***cinématographique*** adj.
cinéphile adj. *et* s.
cinéraire adj. *et* sf.
cinétique adj. *et* s.
cingalais *ou* **cinghalais, e** adj. *et* s.
cinglant, e adj. ; ***cingler*** vt. *et* vi.
cinnamome sm.
cinq adj. numéral *et* sm.
cinquantaine sf. ; ***cinquante*** adj. inv. *et* sm. ; ***cinquantenaire*** adj. *et* s. ; ***cinquantième*** adj. *et* s.
cinquième adj. *et* s. ; ***cinquièmement*** adv.
cintrage sm. ; ***cintre*** sm. ; ***cintrer*** vt.
cipaye sm.
cippe sf.
cirage sm.

circaète sm.
circompolaire *ou* **circumpolaire** adj.
circoncire vt. ; *circoncis* adj. ; *circoncision* sf.
circonférence sf.
circonflexe adj.
circonlocution sf.
circonscription sf. ; *circonscrire* vt.
circonspect, e adj. ; *circonspection* sf.
circonstance sf. ; *circonstancié, e* adj. ; *circonstanciel, elle* adj.
circonvallation sf.
circonvenir vt.
circonvolution sf.
circuit sm.
circulaire adj. *et* sf.
circulation sf. ; *circulatoire* adj. ; *circuler* vi.
circumduction sf.
circumnavigation sf.
cire sf. ; *ciré, e* adj. *et* sm. ; *cirer* vt. ; *cireur, euse* s. ; *cireux, euse* adj.
ciron sm.
cirque sm.
cirrhose sf.
cirrus sm.
cisaille sf. ; *cisaillement* sm. ; *cisailler* vt.
cisalpin, ine adj.
ciseau sm. ; *ciseler* vt. ; *ciseleur* sm. ; *ciselure* sf.
cistercien, enne s. *et* adj.
cistre sm.
citadelle sf.
citadin, e s.
citation sf.
cité sf.
citer vt.
citérieur, e adj.
citerne sf.
cithare sf. ; *cithariste* adj. *et* s.
citoyen, enne s. ; *citoyenneté* sf.
citrate sm. ; *citrin, e* adj. ; *citrique* adj.
citron sm. ; *citronnade* sf. ; *citronné, e* adj. ; *citronnelle,* sf. ; *citronnier* sm.
citrouille sf.
cive *ou* **ciboule** sf. ; *civet* sm.
civette *ou* **ciboulette** sf.
civière sf.
civil, e adj. *et* sm. ; *civilement* adv. ; *civilisateur, trice* s. *et* adj. ; *civilisation* sf. ; *civiliser* vt. ; *civiliste* s. ; *civilité* sf. ; *civique* adj. ; *civisme* sm.

clabaud sm. ; *clabaudage* sm. ; *clabauder* vi. ; *clabauderie* sf. ; *clabaudeur, euse* s.
claboter vt.
clac intj.
clafoutis sm.
claie sf.
clair, e adj. ; *clair-obscur* sm. (pl. *clairs-obscurs*).
claire *(fines de)* inv.
clairet, ette adj. *et* sf.
claire-voie sf. (pl. *claires-voies*).
clairière sf.
clairon sm. ; *claironnant, e* adj. ; *claironner* vt. *et* vi.
clairsemé adj.
clairvoyance sf. ; *clairvoyant, e* adj.
clam sm.
clamer vt. ; *clameur* sf.
clan sm.
clandestin, e adj. ; *clandestinité* sf.
clapet sm.
clapier sm.
clapotement sm. ; *clapoter* vi. ; *clapotis* sm.
clappement sm. ; *clapper* vi.
claquage sm. ; *claque* sf. ; *claquemurer* vt. — *(se)* vpr. ; *claquer* vi. *et* vt. ; *claqueter* vi. ; *claquette* sf.
clarification sf. ; *clarifier* vt.
clarine sf.
clarinette sf. ; *clarinettiste* s.
clarisse sf.
clarté sf.
classe sf. ; *classement* sm. ; *classer* vt. ; *classeur* sm.
classicisme sm.
classificateur, trice adj. *et* s. ; *classification* sf. ; *classifier* vt.
classique adj.
claudicant adj. ; *claudication* sf. ; *claudiquer* vi.
clause sf.
claustral, e, aux adj. ; *claustration* sf. ; *claustrer* vt. ; *claustrophobie* sf.
clavaire sf.
clavecin sm. ; *claveciniste* s.
claveter vt. ; *clavette* sf.
clavicule sf.
clavier sm.
clayon sm.
clef *ou* **clé** sf.
clématite sf.
clémence sf. ; *clément, e* adj.
clémentine sf.

clenche sf.
clepsydre sf.
clerc sm. ; *clergé* sm. ; *clergyman* sm. (pl. *-men*) ; *clérical, e, aux* adj. ; *cléricature* sf.
clic intj. ; *clic clac* onomatopée ; *clic-clac* sm.
cliché sm. ; *clicher* vt.
client, e s. ; *clientèle* sf.
clignement sm. ; *cligner* vi. *et* vt. ; *clignotant* sm. ; *clignotement* sm. ; *clignoter* vi.
climat sm. ; *climatique ou climatérique* adj. ; *climatisation* sf. ; *climatiser* vt. ; *climatiseur* sm. ; *climatologie* sf. ; *climatologique* adj. ; *climatologue* s.
clin sm. *(d'œil)* loc.
clinicat sm. ; *clinicien, enne* s. ; *clinique* adj. *et* sf.
clinquant, e adj.
clip sm.
clipper sm.
clique sf.
cliquet sm. ; *cliqueter* vi. ; *cliquetis* sm.
clisse sf.
clitoridien, ienne adj. ; *clitoris* sm.
clivage sm. ; *cliver* vt.
cloaque sm.
clochard, e s.
cloche sf.
cloche-pied (à) loc. adv.
clocher vi.
clocher sm. ; *clocheton* sm. ; *clochette* sf.
cloison sf. ; *cloisonnage* sm. ; *cloisonné, e* adj. ; *cloisonnement* sm. ; *cloisonner* vt.
cloître sm. ; *cloîtrer* vt.
clone sm. ; *clonique* adj.
clopin-clopant loc. adv. ; *clopiner* vi.
cloporte sm.
cloque sf. ; *cloquer* vi. *et* vt.
clore vt. ; *clos* sm. *et* adj. ; *closerie* sf. ; *clôture* sf. ; *clôturer* vt.
clou sm. ; *clouage* sm. ; *clouer* vt. ; *cloutage* sm. ; *clouter* vt. ; *clouterie* sf. ; *cloutier* sm.
clovisse sf.
clown sm. ; *clownerie* sf. ; *clownesque* adj.
club sm.
clunisien, enne adj.
cluse sf.
clystère sm.
cnémide sf.
coaccusé, e s.
coacquéreur sm.
coadjuteur, trice s.
coagulation sf. ; *coaguler* vt.
coalisé, e adj. *et* sm. ; *coaliser (se)* vpr. ; *coalition* sf.
coaltar sm.
coassement sm. ; *coasser* vi.
coassurance sf.
coauteur sm.
coaxial, le, aux adj.
cob sm.
cobalt sm.
cobaye sm.
cobelligérant, e adj. *et* s.
cobra sm.
coca sf.
cocagne sf.
cocaïne sf. ; *cocaïnomane* s. ; *cocaïnomanie* sf.
cocarde sf. ; *cocardier, ère* adj. *et* s.
cocasse adj. ; *cocasserie* sf.
coccinelle sf.
coccyx sm.
coche sm. (transport) *et* sf. (entaille).
cochenille sf.
cocher vt.
cocher sm. ; *cochère (porte)* adj.
cochet sm.
cochon sm. ; *cochonnaille* sf. ; *cochonner* vt. ; *cochonnerie* sf. ; *cochonnet* sm.
cocker sm.
cockpit sm.
cocktail sm.
coco sm.
cocon sm.
cocorico sm.
cocotier sm.
cocotte sf.
cocu, e adj. *et* s. ; *cocuage* sm. ; *cocufier* vt.
coda sf. (ital.).
codage sm. ; *code* sm.
codéine sf.
codemandeur, eresse s.
coder vt.
codétenteur, trice s.
codétenu, e s.
codex sm.
codicille sm.
codification sf. ; *codifier* vt.
codirection sf.
coefficient sm.
cœlacanthe sm.

cœlentérés sm. pl.
cœliaque adj.
coéquipier, ière s.
coercibilité sf.
coercitif, ive adj. ; ***coercition*** sf.
cœur sm.
coexistence sf. ; ***coexister*** vi.
coffrage sm. ; ***coffre*** sm. ; ***coffre-fort*** sm. (pl. *coffres-forts*) ; ***coffrer*** vt. ; ***coffret*** sm.
cogérance sf. ; ***cogérer*** vt. ; ***cogestion*** sf.
cogitation sf. ; ***cogiter*** vi.
cognac sm.
cognassier sm.
cognat sm. ; ***cognation*** sm.
cognée sf. ; ***cognement*** sm. ; ***cogner*** vt. *et* vi.
cognitif, ive adj. ; ***cognition*** sf.
cohabitation sf. ; ***cohabiter*** vi.
cohérence sf. ; ***cohérent, e*** adj.
cohériter vi. ; ***cohéritier, ère*** s.
cohésif, ive adj. ; ***cohésion*** sf.
cohorte sf.
cohue sf.
coi, coite adj.
coiffe sf. ; ***coiffer*** vt. ; ***coiffeur, euse*** s. ; ***coiffure*** sf.
coin sm.
coincement sm. ; ***coincer*** vt.
coïncidence sf. ; ***coïncider*** vi.
coïnculpé, e s.
coing sm.
coït sm.
coke sm. ; ***cokéfaction*** sf. ; ***cokéfier*** vt. ; ***cokerie*** sf.
col sm.
cola *ou* **kola** sm.
colature sf.
colback sm.
colchicine sf.
colchique sm.
colcotar sm.
cold-cream sm. (pl. *cold-creams*).
col-de-cygne sm. (pl. *cols-de-cygne*).
colégataire s.
coléoptère sm.
colère sf. *et* adj. ; ***coléreux, euse*** adj. ; ***colérique*** adj.
colibacille sm. ; ***colibacillose*** sf.
colibri sm.
colifichet sm.
colimaçon sm.
colin sm.
colin-maillard sm.
colin-tampon sm.
colique sf.
colis sm.
colisée sm.
colistier sm.
colite sf.
collaborateur, trice s. ; ***collaboration*** sf. ; ***collaborer*** vi.
collage sm. ; ***collagène*** sm. ; ***collant, e*** adj. *et* sm. ; ***collante*** sf.
collapsus sm.
collargol sm.
collatéral, e, aux adj. *et* s.
collation sf. ; ***collationnement*** sm. ; ***collationner*** vi.
colle sf.
collectage sm. (ramassage) ; ***collecte*** sf. (recueil) ; ***collecter*** vt. ; ***collecteur, trice*** adj. *et* sm.
collectif, ive adj. *et* sm. ; ***collection*** sf. ; ***collectionner*** vt. ; ***collectionneur, euse*** s. ; ***collectivement*** adv. ; ***collectivisation*** sf. ; ***collectivisme*** sm. ; ***collectiviste*** s. *et* adj. ; ***collectivité*** sf.
collège sm. ; ***collégial, e, aux*** adj. ; ***collégien, enne*** s.
collègue s.
coller vt.
collerette sf.
collet sm. ; ***colleter*** vt. *et* vi.
colleur, euse s.
collier sm.
colliger vt.
collimateur sm.
colline sf.
collision sf.
collodion sm.
colloïdal, e, aux adj. ; ***colloïde*** sm.
colloque sm.
collusion sf.
collutoire sm.
collyre sm.
colmatage sm. ; ***colmater*** vt.
colocataire s.
cologarithme sm.
colombage sm.
colombe sf. ; ***colombier*** sm. ; ***colombin, e*** adj. *et* s. ; ***colombophile*** adj. *et* s. ; ***colombophilie*** sf.
colon sm. (cultivateur).
côlon sm. (intestin).
colonel sm.
colonial, e, aux adj. *et* s. ; ***colonialisme*** sm. ; ***colonialiste*** adj. *et* s. ; ***colonie*** sf. ; ***colonisateur, trice*** s. *et* adj. ; ***colonisation*** sf. ; ***coloniser***

vt.
colonnade sf. ; *colonne* sf. ; *colonnette* sf.
colophane sf.
coloquinte sf.
colorant, e adj. *et* sm. ; *coloration* sf. ; *colorature* sf. ; *colorer* vt. ; *coloriage* sm. ; *colorier* vt. ; *coloris* sm. ; *colorisation* sf. ; *coloriste* s.
colossal, e, aux adj. ; *colossalement* adv. ; *colosse* sm.
colostrum sm.
colportage sm. ; *colporter* vt. ; *colporteur, euse* s.
colt sm.
coltiner vt.
columbarium sm.
colvert ou **col-vert** sm. (pl. *cols-verts*).
colza sm.
coma sm. (agonie) ; *comateux, euse* adj.
combat sm. ; *combatif, ive* adj. ; *combativité* sf. ; *combattant* sm. ; *combattre* vt. *et* vi.
combe sf.
combien adv.
combinaison sf.
combinat sm.
combinateur sm.
combinatoire adj.
combiné sm. ; *combiner* vt.
comblanchien sm.
comble sm. *et* adj. ; *comblement* sm. ; *combler* vt.
comburant, e adj. ; *combustibilité* sf. ; *combustible* adj. *et* sm. ; *combustion* sf.
comédie sf. ; *comédien, enne* s.
comédon sm.
comestible adj. *et* sm.
comète sf.
comices sm. pl.
comique adj. *et* sm. ; *comiquement* adv.
comité sm.
comma sm. (musique).
commandant sm. ; *commande* sf. ; *commandement* sm. ; *commander* vt. ; *commandeur* sm.
commanditaire sm. ; *commandite* sf. ; *commanditer* vt.
commando sm.
comme conj.
commedia dell'arte sf.
commémoratif, ive adj. ; *commémoration* sf. ; *commémorer* vt.
commençant, e s. *et* adj. ; *commencement* sm. ; *commencer* vt. *et* vi.
commensal, e, aux s.
commensurable adj.
comment adv.
commentaire sm. ; *commentateur, trice* s. ; *commenter* vt.
commérage sm.
commerçant, e adj. *et* s. ; *commerce* sm. ; *commercer* vi. ; *commercial, e, aux* adj. ; *commercialement* adv. ; *commercialisable* adj. ; *commercialisation* sf. ; *commercialiser* vt.
commère sf.
commettant sm. ; *commettre* vt.
comminatoire adj.
commis sm.
commisération sf.
commissaire sm. ; *commissariat* sm.
commission sf. ; *commissionnaire* sm. ; *commissionner* vt.
commissure sf.
commode adj. *et* sf. ; *commodément* adv. ; *commodité* sf.
commodo et incommodo (de) loc. (lat.).
commodore sm.
commotion sf.
commuable *ou* **commutable** adj. ; *commuer* vt.
commun, e adj. *et* sm.
communal, e, aux adj.
communard, e s. *et* adj.
communautaire adj. ; *communauté* sf.
commune sf.
communément adv.
communiant, e s.
communicable adj. ; *communicant, e* adj. ; *communicateur, trice* adj. ; *communicatif, ive* adj. ; *communication* sf.
communier vi. ; *communion* sf.
communiqué sm. ; *communiquer* vt.
communisant, e adj. *et* s. ; *communisme* sm. ; *communiste* s. *et* adj.
commutateur sm. ; *commutatif, ive* adj. ; *commutation* sf. ; *commutatrice* sf. ; *commuter* vi.
compacité sf. ; *compact, e* adj. ; *compactage* sm. ; *compacter* vt.
compagne sf. ; *compagnie* sf. ; *compagnon* sm. ; *compagnonnage* sm.
comparable adj. ; *comparaison* sf.

comparaître vi.
comparant, e adj. *et* s.
comparatif, ive adj. *et* sm. ; *comparatiste* s. ; *comparativement* adv. ; *comparer* vt.
comparse s.
compartiment sm. ; *compartimentage* sm. ; *compartimenter* vt.
comparution sf.
compas sm.
compassé, e adj.
compassion sf.
compatibilité sf. ; *compatible* adj.
compatir vi. ; *compatissant, e* adj.
compatriote s.
compendieusement adv. ; *compendieux, euse* adj. ; *compendium* sm.
compénétration sf.
compensable adj. ; *compensateur, trice* adj. *et* s. ; *compensation* sf. ; *compenser* vt.
compère sm.
compère-loriot sm. (pl. *compères-loriots*).
compétence sf. ; *compétent, e* adj.
compétiteur, trice s. ; *compétitif, ive* adj. ; *compétition* sf. ; *compétitivité* sf.
compilateur, trice s. ; *compilation* sf. ; *compiler* vi.
complainte sf.
complaire vi. *et* vpr. ; *complaisamment* adv. ; *complaisance* sf. ; *complaisant, e* s. *et* adj.
complanter vt.
complément sm. ; *complémentaire* adj. ; *complémentarité* sf.
complet, ète adj. *et* sm. ; *complètement* adv. ; *compléter* vt. ; *complétif, ive* adj. ; *complet-veston* sm. (pl. *complets-veston*).
complexe adj. *et* sm. ; *complexé, ée* adj. ; *complexion* sf. ; *complexité* sf.
complication sf.
complice adj. *et* s. ; *complicité* sf.
complies sf. pl.
compliment sm. ; *complimenter* vt. ; *complimenteur, euse* adj. *et* s.
compliqué, e adj. ; *compliquer* vt.
complot sm. ; *comploter* vt. ; *comploteur* sm.
componction sf.
comporte sf.
comportement sm. ; *comporter* vt. — *(se)* vpr.
composant, e adj. *et* s. ; *composé, e* adj. *et* s. ; *composées ou composacées* sf. pl. ; *composer* vt. *et* vi. — *(se)* vpr. ; *composeuse* sf. ; *composite* adj. ; *compositeur, trice* s. ; *composition* sf.
compost sm.
compostage sm. ; *composter* vt. ; *composteur* sm.
compote sf. ; *compotier* sm.
compound adj. *et* sf.
compréhensible adj. ; *compréhensif, ive* adj. ; *compréhension* sf. ; *comprendre* vt.
compresse sf. ; *compresseur* sm. ; *compressibilité* sf. ; *compressible* adj. ; *compressif, ive* adj. ; *compression* sf.
comprimé, e adj. *et* sm. ; *comprimer* vt.
compris, e adj.
compromettant, e adj. ; *compromettre* vt. ; *compromis* sm. ; *compromission* sf.
comptabiliser vt. ; *comptabilité* sf. ; *comptable* adj. *et* s. ; *comptage* sm. ; *comptant* adj. m. *et* sm. ; *compte* sm.
compte-fils sm. inv.
compte-gouttes sm. inv.
compter vt. *et* vi. (calculer).
compte rendu sm. (pl. *comptes rendus*).
compte-tours sm. inv.
compteur, euse s. ; *comptine* sf. ; *comptoir* sm.
compulser vt. ; *compulsif* adj. ; *compulsion* sf.
comput sm.
comtadin, e adj. *et* s. ; *comtal, e, aux* adj. ; *comtat* sm. ; *comte, esse* s. ; *comté* sm.
concasser vt. ; *concasseur* sm.
concaténation sf.
concave adj. ; *concavité* sf.
concéder vt.
concélébration sf. ; *concélébrer* vt.
concentration sf. ; *concentrationnaire* adj. ; *concentré, e* adj. ; *concentrer* vt. — *(se)* vpr.
concentrique adj.
concept sm. ; *concepteur* sm. ; *conception* sf. ; *conceptualisation* sf. ; *conceptualiser* vt. ; *conceptualisme* sm. ; *conceptuel, elle* adj.
concernant prép. ; *concerner* vt.

concert sm. ; *concertant, e* s. *et* adj.
concerter vt. — *(se)* vpr.
concertiste s.
concerto sm. (pl. *concertos*).
concessif, ive adj. ; *concession* sf. ; *concessionnaire* sm. *et* adj.
concetti sm. pl.
concevable adj. ; *concevoir* vt.
conchyliologie sf.
concierge s. ; *conciergerie* sf.
concile sm.
conciliable adj.
conciliabule sm.
conciliaire adj.
conciliant, e adj. ; *conciliateur, trice* s. ; *conciliation* sf. ; *conciliatoire* adj. ; *concilier* vt.
concis, e adj. ; *concision* sf.
concitoyen, enne s. *et* adj. ; *concitoyenneté* sf.
conclave sm.
concluant, e adj. ; *conclure* vt. *et* vi. ; *conclusion* sf.
concombre sm.
concomitance sf. ; *concomitant, e* adj.
concordance sf. ; *concordant, e* adj. ; *concordat* sm. ; *concordataire* adj. *et* s.
concorde sf. ; *concorder* vi.
concourant, e adj. ; *concourir* vi. ; *concours* sm.
concret, ète adj. ; *concrètement* adv. ; *concréter* vt. ; *concrétion* sf. ; *concrétiser* vt.
concubin, e adj. *et* s. ; *concubinage* sm.
concupiscence sf. ; *concupiscent, e* adj.
concurremment adv. ; *concurrence* sf. ; *concurrencer* vt. ; *concurrent, e* adj. *et* s. ; *concurrentiel, elle* adj.
concussion sf. ; *concussionnaire* sm. *et* adj.
condamnable adj. ; *condamnation* sf. ; *condamné, e* s. *et* adj. ; *condamner* vt.
condensabilité sf. ; *condensable* adj. ; *condensateur* sm. ; *condensation* sf. ; *condensé, ée* adj. *et* sm. ; *condenser* vt. ; *condenseur* sm.
condescendance sf. ; *condescendant, e* adj. ; *condescendre* vi.
condiment sm.
condisciple sm.
condition sf. ; *conditionné, e* adj. ; *conditionnel, elle* adj. *et* sm. ; *conditionnellement* adv. ; *conditionnement* sm. ; *conditionner* vt. ; *conditionneur, euse* adj. *et* s.
condoléances sf. pl.
condominium sm.
condor sm.
condottiere sm. (pl. *condottieres*).
conductance sf. ; *conducteur, trice* s. *et* adj. ; *conductibilité* sf. ; *conductible* adj. ; *conduction* sf. ; *conductivité* sf.
conduire vt. *et* vi. ; *conduit* sm. ; *conduite* sf.
condyle sm.
cône sm.
confection sf. ; *confectionner* vt. ; *confectionneur, euse* s.
confédéral, e, aux adj. ; *confédération* sf. ; *confédéré, e* adj. ; *confédérer (se)* vpr.
conférence sf. ; *conférencier, ère* s. ; *conférer* vt. *et* vi.
confesse sf. ; *confesser* vt. ; *confesseur* sm. ; *confession* sf. ; *confessionnal* sm. ; *confessionnel, elle* adj.
confetti sm. inv. (parfois pl. *confettis*).
confiance sf. ; *confiant, e* adj.
confidence sf. ; *confident, e* s. ; *confidentiel, elle* adj. ; *confidentiellement* adv.
confier vt.
configuration sf.
confinement sm. ; *confiner* vi. *et* vt. ; *confins* sm. pl.
confire vt.
confirmation sf. ; *confirmer* vt.
confiscation sf.
confiserie sf. ; *confiseur, euse* s.
confisquer vt.
confit, e adj. *et* sm.
confiteor sm. inv.
confiture sf. ; *confiturerie* sf. ; *confiturier, ère* s. *et* adj.
conflagration sf.
conflit sm.
confluence sf. ; *confluent, e* adj. *et* sm. ; *confluer* vi.
confondant, ante adj. ; *confondre* vt.
conformation sf. ; *conforme* adj. ; *conformé, e* adj. ; *conformément* adv. ; *conformer* vt. ; *conformisme* sm. ; *conformiste* s. *et* adj. ; *conformité* sf.

confort sm. ; *confortable* adj. ; *confortablement* adv.
conforter vt.
confraternel, elle adj. ; *confraternité* sf. ; *confrère* sm. ; *confrérie* sf.
confrontation sf. ; *confronter* vt.
confucianisme sm.
confus, e adj. ; *confusément* adv. ; *confusion* sf. ; *confusionnisme* sm.
congé sm. ; *congédiable* adj. ; *congédiement* sm. ; *congédier* vt.
congélateur sm. ; *congélation* sf. ; *congeler* vt. — *(se)* vpr.
congénère adj. *et* s.
congénital, e, aux adj. ; *congénitalement* adv.
congère sf.
congestion sf. ; *congestionner* vt.
conglomérat sm.
conglutiner vt.
congolais, aise adj. *et* sm.
congratulation sf. ; *congratuler* vt.
congre sm.
congréganiste adj. ; *congrégation* sf.
congrès sm. ; *congressiste* s.
congru, e adj. ; *congruence* sf. ; *congruent, e* adj. ; *congrûment* adv.
conifère adj. *et* sm.
conique adj.
conjectural, e, aux adj. ; *conjecture* sf. ; *conjecturer* vt.
conjoindre vt. ; *conjoint, e* s. *et* adj. ; *conjointement* adv. ; *conjoncteur* sm. ; *conjonctif, ive* adj. ; *conjonction* sf. ; *conjonctive* sf. ; *conjonctivite* sf. ; *conjoncture* sf. ; *conjoncturel, elle* adj.
conjugable adj. ; *conjugaison* sf. ; *conjugal, e, aux* adj. ; *conjugalement* adv. ; *conjugué, e* adj. ; *conjuguer* vt. — *(se)* vpr.
conjungo sm. (lat.).
conjurateur sm. ; *conjuration* sf. ; *conjuré, e* adj. *et* s. ; *conjurer* vt. — *(se)* vpr.
connaissable adj. ; *connaissance* sf. ; *connaissement* sm. ; *connaisseur, euse* s. ; *connaître* vt.
connard sm. ; *connasse* sf.
connecter vt. ; *connecteur* sm. ; *connectif, ive* adj.
connerie sf.
connétable sm.
connexe adj. ; *connexion* sf.
connivence sf.
connotatif, ive adj. ; *connotation* sf. ; *connoter* vt.
connu, e adj.
conoïde adj. *et* sm.
conque sf.
conquérant, e adj. *et* s. ; *conquérir* vt. ; *conquête* sf. ; *conquis, e* adj.
conquistador sm. (pl. *conquistadores*).
consacrer vt.
consanguin, e adj. ; *consanguinité* sf.
consciemment adv. ; *conscience* sf. ; *consciencieusement* adv. ; *consciencieux, euse* adj. ; *conscient, e* adj.
conscription sf. ; *conscrit* sm.
consécrateur sm. ; *consécration* sf.
consécutif, ive adj.
conseil sm. ; *conseiller* vt. ; *conseiller, ère* s. ; *conseilleur, euse* s.
consensuel, elle adj.
consensus sm.
consentant, e adj. ; *consentement* sm. ; *consentir* vi. *et* vt.
conséquemment adv. ; *conséquence* sf. ; *conséquent, e* adj. *et* sm.
conservateur, trice s. *et* adj. ; *conservation* sf. ; *conservatisme* sm. ; *conservatoire* adj. *et* sm. ; *conserve* sf. ; *conserver* vt. ; *conserverie* sf.
considérable adj. ; *considérablement* adv. ; *considérant* sm. ; *considération* sf. ; *considéré, e* adj. ; *considérer* vt.
consignation sf. ; *consigne* sf. ; *consigner* vt.
consistance sf. ; *consistant, e* adj. ; *consister* vi. ; *consistoire* sm. ; *consistorial, e, aux* adj.
consœur sf.
consolant, e adj. ; *consolateur, trice* adj. *et* s. ; *consolation* sf.
console sf.
consoler vt.
consolidation sf. ; *consolidé, e* adj. *et* sm. ; *consolider* vt.
consommable adj. ; *consommateur, trice* s. ; *consommation* sf. ; *consommé, e* adj. *et* sm. ; *consommer* vt.
consomption sf.
consonance sf.
consonantique adj. ; *consonne* sf.
consort adj. m.
consortium sm.
conspirateur, trice s. ; *conspiration*

sf. ; *conspirer* vt. *et* vi.
conspuer vt.
constable sm.
constamment adv. ; *constance* sf. ; *constant, e* adj.
constat sm. ; *constatation* sf. ; *constater* vt.
constellation sf. ; *constellé, e* adj. ; *consteller* vt.
consternant, ante adj. ; *consternation* sf. ; *consterné, e* adj. ; *consterner* vt.
constipation sf. ; *constiper* vt.
constituant, e adj. *et* sf. (avec majuscule).
constituer vt. ; *constitutif, ive* adj. ; *constitution* sf. ; *constitutionnaliser* vt. ; *constitutionnalité* sf. ; *constitutionnel, elle* adj. ; *constitutionnellement* adv.
constricteur adj. *(boa —) et* **constrictor** sm. ; *constriction* sf. sm.
constructeur sm. ; *constructif, ive* adj. ; *construction* sf. ; *construire* vt.
consubstantialité sf. ; *consubstantiel, elle* adj.
consul sm. ; *consulaire* adj. ; *consulat* sm.
consultant, e adj. *et* s. ; *consultatif, ive* adj. ; *consultation* sf. ; *consulter* vt.
consumer vt.
contact sm. ; *contacteur* sm.
contagieux, ieuse adj. ; *contagion* sf.
container sm. (angl. pour *conteneur*).
contamination sf. ; *contaminer* vt.
conte sm.
contemplateur, trice s. ; *contemplatif, ive* adj. *et* s. ; *contemplation* sf. ; *contempler* vt.
contemporain, e adj. *et* s. ; *contemporanéité* sf.
contempteur, trice adj. *et* s.
contenance sf. ; *contenant, e* adj. *et* sm. ; *conteneur* sm. ; *contenir* vt. — *(se)* vpr.
content, e adj. ; *contentement* sm. ; *contenter* vt. — *(se)* vpr.
contentieux, ieuse adj. *et* sm.
contention sf.
contenu, e adj. *et* sm.
conter vt. (narrer).
contestable adj. ; *contestataire* sm. *et* adj. ; *contestation* sf. ; *conteste* sf. *(sans —)* loc. adv. ; *contester* vt.
conteur, euse s.
contexte sm. ; *contextuel, elle* adj.
contexture sf.
contigu, ë adj. ; *contiguïté* sf.
continence sf. ; *continent, e* adj. *et* sm.
continental , e, aux adj.
contingence sf. ; *contingent, e* adj. *et* sm. ; *contingentement* sm. ; *contingenter* vt.
continu, e adj. ; *continuateur, trice* s. ; *continuation* sf. ; *continuel, elle* adj. ; *continuellement* adv. ; *continuer* vt. *et* vi. ; *continuité* sf. ; *continûment* adv. ; *continuo* sm. (ital.) ; *continuum* sm. (lat.).
contondant, e adj.
contorsion sf. ; *contorsionner (se)* vpr.
contour sm.
contournable adj. *contourné, e* adj. ; *contourner* vt.
contraceptif, ive adj. ; *contraception* sf.
contractant, e adj. *et* s ; *contracté, e* adj. ; *contracter* vt. ; *contractile* adj. ; *contractilité* sf. ; *contraction* sf.
contractuel, elle adj.
contracture sf.
contradicteur sm. ; *contradiction* sf. ; *contradictoire* adj.
contraignant, e adj. ; *contraindre* vt. ; *contraint, e* adj. ; *contrainte* sf.
contraire adj. *et* sm. ; *contrairement* adv.
contralto sm. (pl. *contraltos*).
contrapontiste *ou* **contrapuntiste** sm. ; *contrapuntique* adj.
contrariant, e adj. ; *contrarier* vt. ; *contrariété* sf.
contraste sm. ; *contrasté, ée* adj. ; *contraster* vi. *et* vt. ; *contrastif, ive* adj.
contrat sm.
contravention sf.
contre prép. *et* sm.
contre-à-contre adv.
contre-allée sf.
contre-amiral sm.
contre-attaque sf. ; *contre-attaquer* vt.
contrebalancer vt.
contrebande sf. ; *contrebandier, ère* s.

contrebas (en) loc. adv.
contrebasse sf. ; *contrebassiste* sm.
contrebatterie sf.
contre-biais (à) loc. adv.
contre-bouter *ou* **contrebuter** vt.
contrecarrer vt.
contrechamp sm.
contre-chant sm.
contrechâssis sm.
contreclef sf.
contrecœur (à) loc. adv.
contrecoup sm.
contre-courant sm.
contredanse sf.
contredire vt. ; *contredit* sm. *(sans —).*
contrée sf.
contre-écrou sm.
contre-enquête sf.
contre-espionnage sm.
contre-essai sm.
contre-expertise sf.
contrefaçon sf. ; *contrefacteur* sm. ; *contrefaction* sf. ; *contrefaire* vt. ; *contrefait, e* adj.
contre-feu sm.
contre-fil sm.
contre-filet sm.
contrefort sm.
contre-haut (en) loc. adv.
contre-indication sf. ; *contre-indiquer* vt.
contre-jour sm.
contremaître, esse s.
contremander vt.
contre-manifestant, e s. ; *contre-manifestation* sf. ; *contre-manifester* vi.
contremarche sf.
contremarque sf.
contre-mur sm.
contre-offensive sf.
contrepartie sf.
contre-pente sf.
contrepèterie sf.
contre-pied sm.
contre-plaqué sm.
contre-plongée sf.
contrepoids sm.
contre-poil sm.
contrepoint sm.
contrepoison sm.
contre-porte sf.
contreprojet *ou* **contre-projet** sm.
contreproposition *ou* **contre-proposition** sf.
contrer vt. *et* vi.
contre-révolution sf. ; *contre-révolutionnaire* adj. *et* s.
contrescarpe sf.
contreseing sm.
contresens sm.
contresigner vt.
contretemps sm.
contre-torpilleur sm.
contretype sm.
contrevallation sf.
contrevenant, e s. ; *contrevenir* vi.
contrevent sm.
contre-vérité *ou* **contrevérité** sf.
contre-visite sf.
contre-voie sf.
contribuable s. ; *contribuer* vi. ; *contributif, ive* adj. ; *contribution* sf.
contrister vt.
contrit, e adj. ; *contrition* sf.
contrôlable adj. ; *contrôle* sm. ; *contrôler* vt. ; *contrôleur, euse* s.
contrordre sm.
controuvé, e adj.
controverse sf. ; *controverser* vt.
contumace sf. ; *contumax ou contumace* adj. *et* s.
contus, e adj. ; *contusion* sf. ; *contusionner* vt.
conurbation sf.
convaincant, e adj. ; *convaincre* vt. ; *convaincu, e* adj.
convalescence sf. ; *convalescent, e* adj.
convection sf.
convenable adj. ; *convenance* sf. ; *convenant, e* adj. ; *convenir* vi.
convent sm. ; *convention* sf. ; *conventionné, ée* adj. ; *conventionnel, elle* adj. *et* sm. ; *conventualité* sf. ; *conventuel, elle* adj.
convenu, e adj.
convergence sf. ; *convergent, e* adj. *converger* vi.
convers, e adj.
conversation sf.
converse adj. *et* sf.
converser vi.
conversion sf. ; *converti, e* adj. *et* s. ; *convertibilité* sf. ; *convertible* adj. *et* sm. ; *convertir* vt. — *(se)* vpr. ; *convertissable* adj. ; *convertissage* sm. ; *convertissement* sm. ; *convertisseur* sm.
convexe adj. ; *convexité* sf.

convict sm.
conviction sf.
convier vt.
convive s.
convocation sf.
convoi sm. ; ***convoiement*** *ou* ***convoyage*** sm. ; ***convoyer*** vt. ; ***convoyeur*** sm.
convoitable adj. ; ***convoiter*** vt. ; ***convoitise*** sf.
convoler vt.
convoquer vt.
convulser vt. — ***(se)*** vpr. ; ***convulsif, ive*** adj. ; ***convulsion*** sf. ; ***convulsionnaire*** s. *et* adj. ; ***convulsivement*** adv.
cooccupant, e s.
coolie sm.
coopérant sm. *et* adj. ; ***coopérateur, trice*** s. ; ***coopératif, ive*** adj. ; ***coopération*** sf. ; ***coopératisme*** sm. ; ***coopérative*** sf. ; ***coopérer*** vi.
cooptation sf. ; ***coopter*** vt.
coordinateur, trice adj. ; ***coordination*** sf. ; ***coordonnateur, trice*** s. ; ***coordonné, e*** adj. *et* sf. ; ***coordonnées*** sf. pl. ; ***coordonner*** vt.
copain sm.
copal sm.
copartage sm.
coparticipant sm. ; ***coparticipation*** sf.
copayer sm.
copeau sm.
copermutation sf.
copie sf. ; ***copier*** vt.
copieusement adv. ; ***copieux,euse*** adj.
copilote sm.
copinage sm. ; ***copine*** sf. ; ***copiner*** vi.
copiste s.
coplanaire adj.
coprah *ou* **copra** sm.
coproduction sf.
coprophage adj. *et* s. ; ***coprophagie*** sf.
copropriétaire s. ; ***copropriété*** sf.
copte adj. *et* s.
copulatif, ive adj. ; ***copulation*** sf. ; ***copule*** sf. ; ***copuler*** vi.
copyright sm. (angl.).
coq sm.
coq-à-l'âne sm. inv.
coque sf.
coquecigrue sf.
coquelet sm.
coquelicot sm.
coqueluche sf. ; ***coquelucheux, euse*** adj.
coquet, ette adj. *et* s. ; ***coqueter*** vi.
coquetier sm. ; ***coquetière*** sf.
coquettement adv. ; ***coquetterie*** sf.
coquillage sm. ; ***coquillart*** sm. ; ***coquille*** sf. ; ***coquiller*** vi. ; ***coquillettes*** sf. pl. ; ***coquillier, ère*** adj.
coquin, e adj. *et* s. ; ***coquinerie*** sf.
cor sm.
corail sm. (pl. *coraux*) ; ***corailleur*** sm. ; ***corallien, enne*** adj. ; ***corallifère*** adj. ; ***corallin, e*** adj. ; ***coralline*** sf.
coran sm. ; ***coranique*** adj.
corbeau sm.
corbeille sf.
corbillard sm.
corbillon sm.
cordage sm. ; ***corde*** sf. ; ***cordeau*** sm. ; ***cordé, ée*** adj. ; ***cordée*** sf. ; ***cordeler*** vt. ; ***cordelette*** sf. ; ***cordelier*** sm. ; ***cordelière*** sf. ; ***corder*** vt. ; ***corderie*** sf.
cordial, e, aux adj. *et* sm. ; ***cordialement*** adv. ; ***cordialité*** sf.
cordier, ère s. *et* adj.
cordiforme adj.
cordillère sf.
cordite sf.
cordon sm.
cordon-bleu sm. (pl. *cordons-bleus*).
cordonnerie sf.
cordonnet sm.
cordonnier, ère s.
coreligionnaire s.
coriace adj.
coriandre sf.
corinthien, enne s. *et* adj.
corme sf. ; ***cormier*** sm.
cormoran sm.
cornac sm.
cornard adj. *et* sm. ; ***corne*** sf. ; ***corné, e*** adj.
corned beef sm. (angl.).
cornée sf. ; ***cornéen, éenne*** adj.
corneille sf.
cornélien, enne adj.
cornemuse sf.
corner vi. ; ***cornet*** sm. ; ***cornette*** sf. *et* sm. ; ***cornettiste*** sm.
corniaud sm.
corniche sf.
cornichon sm.
cornier, ère adj. *et* sf.
corniste sm.
cornouille sf.

cornouiller sm.
cornu, e adj. ; *cornue* sf.
corollaire sm.
corolle sf.
coron sm.
coronaire adj.
coronal, e, aux adj.
coronarien, enne adj.
corozo sm.
corporal sm.
corporatif, ive adj. ; *corporation* sf. ; *corporatisme* sm. ; *corporatiste* adj. *et* s.
corporel, elle adj.
corps sm. ; *corpulence* sf. ; *corpulent, e* adj.
corpus sm.
corpusculaire adj. ; *corpuscule* sm.
correct, e adj. ; *correctement* adv. ; *correcteur, trice* s. *et* adj. ; *correctif* sm. ; *correction* sf. ; *correctionnel, elle* adj. *et* sf.
corrégidor sm.
corrélatif, ive adj. ; *corrélation* sf. ; *corrélativement* adv.
correspondance sf. ; *correspondancier, ère* s. ; *correspondant, e* adj. *et* s. ; *correspondre* vi.
corrida sf.
corridor sm.
corrigé sm. ; *corriger* vt.
corroboratif, ive adj. *corroborer* vt.
corroder vt.
corroi sm. ; *corroierie* sf.
corrompre vt.
corrosif, ive adj. *et* sm. ; *corrosion* sf.
corroyage sm. ; *corroyer* vt. ; *corroyeur* sm.
corrupteur, trice adj. *et* s. ; *corruptibilité* sf. ; *corruptible* adj. ; *corruption* sf.
corsage sm.
corsaire sm.
corsé, e adj.
corselet sm.
corser vt.
corset sm. ; *corsetier, ère* s. *et* adj.
corso sm.
cortège sm.
cortex sm. ; *cortical, e, aux* adj. ; *cortico-surrénale* sf.
cortisone sf.
corton sm.
coruscant, e adj.
corvéable adj. ; *corvée* sf.
corvette sf.
corvidés sm. pl.
corybante sm.
coryphée sm.
coryza sm.
cosaque sm.
cosécante sf.
cosignataire s. *et* adj.
cosinus sm.
cosmétique adj. *et* s. ; *cosmétologie* sf.
cosmique adj. ; *cosmogonie* sf. ; *cosmogonique* adj. ; *cosmographie* sf. ; *cosmologie* sf. ; *cosmonaute* sm. ; *cosmopolite* s. *et* adj. ; *cosmopolitisme* sm. ; *cosmos* sm.
cossard, e adj. *et* s.
cosse sf.
cossu, e adj.
costal, e, aux adj.
costaud adj. *et* sm.
costière sf.
costume sm. ; *costumé, e* adj. ; *costumer* vt. ; *costumier, ère* s.
cosy-corner *ou* **cosy** sm.
cotangente sf.
cotation sf. ; *cote* sf. (valeur).
côte sf. (os, littoral).
côté sm.
coteau sm.
côtelé, e adj.
côtelette sf.
coter vt.
coterie sf.
cothurne sm.
côtier, ère adj. *et* sm.
cotillon sm.
cotinga sm.
cotisation sf. ; *cotiser* vt. - *(se)* vpr.
coton sm. ; *cotonnade* sf. ; *cotonner (se)* vpr. ; *cotonnerie* sf. ; *cotonneux, euse* adj. ; *cotonnier* sm. ; *cotonnier, ère* adj.
côtoyer vt.
cotre sm.
cottage sm.
cotte sf.
cotuteur, trice s.
cotyle sf. ; *cotylédon* sm. ; *cotylédoné, e* adj.
cou *ou* **col** sm.
couac sm.
couard, e adj. *et* s. ; *couardise* sf.
couchage sm. ; *couchant, e* adj. *et* sm. ; *couche* sf. ; *couchée* sf. ; *coucher* vt. *et* vi. ; *coucher* sm. ; *coucherie* sf. ; *couchette* sf. ; *cou-*

cheur, euse s. ; *couchis* sm.
couci-couça loc. adv.
coucou sm.
coucoumelle sf.
coude sm. ; *coudée* sf.
cou-de-pied sm. (pl. *cous-de-pied*).
couder vt. ; *coudoiement* sm. ; *coudoyer* vt.
coudraie sf.
coudre vt.
coudrier sm.
couenne sf. ; *couenneux, euse* adj.
couette sf.
couffin sm.
couille sf. ; *couillon* sm. ; *couillonner* vt.
couiner vi.
coulage sm. ; *coulant, e* adj. *et* sm. ; *coulé* sm. ; *coulée* sf.
coulemelle sf.
couler vi. *et* vt.
couleur sf.
couleuvre sf. ; *couleuvreau* sm. ; *couleuvrine* sf.
coulis sm. *et* adj. m.
coulisse sf. ; *coulisseau* sm. ; *coulissement* sm. ; *coulisser* vt. *et* vi. ; *coulissier* sm.
couloir sm.
coulomb sm.
coulommiers sm.
coulpe sf.
coulure sf.
coup sm.
coupable adj. *et* s.
coupage sm.
coupant, e adj. *et* sm.
coup-de-poing sm. (pl. *coups-de-poing).*
coupe sf.
coupé sm.
coupe-choux sm. inv.
coupe-cigares sm. inv.
coupe-circuit sm. inv.
coupe-coupe sm. inv.
coupée sf.
coupe-faim sm. inv.
coupe-feu sm. inv.
coupe-file sm. inv.
coupe-gorge sm. inv.
coupe-jarret sm. inv.
coupelle sf.
coupe-papier sm. inv.
couper vt. *et* vi.
couperet sm.
couperose sf.
coupeur, euse s.
coupe-vent sm. inv.
couplage sm. ; *couple* sf. (choses) et sm. (humains). ; *coupler* vt.
couplet sm.
coupleur sm.
coupole sf.
coupon sm. ; *coupure* sf.
couque sf.
cour sf.
courage sm. ; *courageusement* adv. ; *courageux, euse* adj.
courailler vi.
couramment adv. ; *courant, e* adj. *et* sm. ; *courante* sf.
courbatu, e adj. ; *courbature* sf. ; *courbaturer* vt.
courbe adj. *et* sf. ; *courber* vt. — *(se)* vpr. ; *courbette* sf. ; *courbure* sf.
courcaillet sm.
courette sf.
coureur, euse s. ; *courir* vt. *et* vi.
courge sf. ; *courgette* sf.
courlis sm.
couronne sf. ; *couronné, e* adj. ; *couronnement* sm. ; *couronner* vt.
courre vi. *et* vt. *(chasse à).*
courrier, ère s. ; *courriériste* sm.
courroie sf.
courroucer vt. ; *courroux* sm.
cours sm.
course sf. ; *coursier* sm. ; *coursive* sf.
court sm.
court, e adj.
courtage sm.
courtaud, e adj. *et* s.
court-bouillon sm. (pl. *courts-bouillons).*
court-circuit sm. (pl. *courts-circuits).*
courtepointe sf.
courtier, ère s.
courtil sm.
courtilière sf.
courtine sf.
courtisan, e s. ; *courtisanerie* sf. ; *courtiser* vt. ; *courtois, e* adj. ; *courtoisement* adv. ; *courtoisie* sf.
court-vêtu, e adj. (pl. *court-vêtus).*
couscous sm.
couseuse sf.
cousin, e s. ; *cousinage* sm.
coussin sm. ; *coussinet* sm.
coût sm. ; *coûtant.*
couteau sm. ; *coutelas* sm. *coutelier* sm. ; *coutellerie* sf.
coûter vi. *et* vt. ; *coûteusement* adv. ;

coûteux, euse adj.
coutil sm.
coutre sm.
coutume sf. ; *coutumier, ère* adj. *et* sm.
couture sf. ; *couturer* vt.
couturier, ère s.
couvain sm. ; *couvaison* sf. ; *couvée* sf.
couvent sm.
couver vt. *et* vi.
couvercle sm.
couvert, e adj. *et* s. ; *couverture* sf.
couveuse sf. ; *couvi* adj. m. *(œuf —) ; couvoir* sm.
couvre-chef sm. (pl. *couvre-chefs).*
couvre-feu sm. inv.
couvre-lit sm. (pl. *couvre-lits).*
couvre-pieds sm.
couvreur sm. ; *couvrir* vt.
covariance sf.
cover-girl sf. (angl.).
cowboy sm. (pl. *cowboys).*
coxal, e, aux adj. ; *coxalgie* sf. ; *coxalgique* adj.
coyote sm.
crabe sm.
crabier sm.
crabot sm.
crac intj.
crachat sm. ; *crachement* sm. ; *cracher* vt. *et* vi. ; *cracheur, euse* s. ; *crachin* sm. ; *crachoir* sm. ; *crachotement* sm. ; *crachoter* vi.
crack sm.
craie sf.
crailler vi.
craindre vt. ; *crainte* sf. ; *craintif, ive* adj. ; *craintivement* adv.
crambe *ou* **crambé** sm.
cramoisi, e adj. *et* sm.
crampe sf.
crampon sm. ; *cramponner* vt. — *(se)* vpr.
cran sm.
crâne sm.
crâne adj. ; *crânement* adv. ; *crânerie* sf.
crânien, enne adj. ; *craniologie* sf.
cranter vt.
crapahuter *ou* **crapaüter** vi.
crapaud sm. ; *crapaudine* sf. ; *crapouillot* sf.
crapule sf. ; *crapuleusement* adv. ; *crapuleux, euse* adj.
craquage sm.
craque sf.
craquelage sm. ; *craquelé, e* adj. ; *craqueler* vt. ; *craquelure* vt.
craquement sm. ; *craquer* vi.
craquètement sm. ; *craqueter* vi.
craqueur, euse s.
crase sf.
crassane sf.
crasse adj. *et* sf. ; *crasseux, euse* adj. ; *crassier* sm.
cratère sm.
craterelle sf.
cravache sf. ; *cravacher* vt.
cravate sf. ; *cravater* vt.
crawl sm.
crayeux, euse adj.
crayon sm. ; *crayonnage* sm. ; *crayonner* vt.
créance sf. ; *créancier, ère* s.
créateur, trice adj. *et* s. ; *créatif, ive* adj.
créatine sf. ; *créatinine* sf.
création sf. ; *créativité* sf. ; *créature* sf.
crécelle sf.
crèche sf.
crédence sf.
crédibilité sf. ; *crédible* adj. ; *crédit* sm. ; *crédit-bail* sm. (pl. *crédits-bails*) ; *créditer* vt. ; *créditeur, trice* s. *et* adj.
credo sm. inv. (lat.).
crédule adj. ; *crédulité* sf.
créer vt.
crémaillère sf.
crémant sm. *et* adj. m.
crémation sf. ; *crématoire* adj.
crème sf. ; *crémer* vi. *et* vt. ; *crémerie* sf. ; *crémeux, euse* adj. ; *crémier, ère* s.
crémone sf.
créneau sm. ; *crénelage* sm. ; *crénelé, e* adj. ; *créneler* vt. ; *crénelure* sf.
créole s. *et* adj.
créosote sf.
crêpage sm.
crêpe sm. (étoffe) *et* sf. (galette).
crêpelé, e *ou* **crêpelu, e** adj. ; *crêpelure* sf. ; *crêpé* sm. ; *crêper* vt.
crépi sm.
crêpière sf.
crépine sf.
crépir vt. ; *crépissage* sm. ; *crépissure* sf.
crépitant, e adj. ; *crépitation* sf. ; *crépitement* sm. ; *crépiter* vi.

crépon sm.
crépu, e adj.
crépure sf.
crépusculaire adj. ; ***crépuscule*** sm.
crescendo adv. *et* sm. inv.
crésol sm.
cresson sm. ; ***cressonnière*** sf.
crésus sm. inv.
crésyl sm.
crêt sm.
crétacé, e adj.
crête sf. ; ***crêté, e*** adj.
crête-de-coq sf. (pl. *crêtes-de-coq).*
crétin sm. ; ***crétiniser*** vt. ; ***crétinisme*** sm.
crétois, e adj.
cretonne sf.
creusage *ou* **creusement** sm. ; ***creuser*** vt. ; ***creuset*** sm. ; ***creux, euse*** adj. *et* sm.
crevaison sf. ; ***crevasse*** sf. ; ***crevasser*** vt. — ***(se)*** vpr. ; ***crevé*** sm. ; ***crève-cœur*** sm. inv. ; ***crever*** vt. *et* vi. ; ***crève-vessie*** sm. inv.
crevette sf.
cri sm. ; ***criaillement*** sm. ; ***criailler*** vi. ; ***criaillerie*** sf. ; ***criailleur, euse*** s. ; ***criant, e*** adj. ; ***criard, e*** adj. *et* s.
criblage sm. ; ***crible*** sm. ; ***cribler*** vt. ; ***cribleur, euse*** s. ; ***criblure*** sf.
cric sm.
cricket sm.
cri-cri sm. inv.
criée sf. ; ***crier*** vi. *et* vt. ; ***crieur, euse*** s.
crime sm. ; ***criminaliser*** vt. ; ***criminaliste*** sm. ; ***criminalité*** sf. ; ***criminel, elle*** adj. *et* s. ; ***criminologie*** sf. ; ***criminologiste*** sm.
crin sm.
crincrin sm.
crinière sf.
crinoline sf.
criocère sm.
crique sf.
criquet sm.
crise sf.
crispant, e adj. ; ***crispation*** sf. ; ***crisper*** vt.
crispin sm.
criss *ou* **kriss** sm.
crissement sm. ; ***crisser*** vi.
cristal sm. (pl. *cristaux) ;* ***cristallerie*** sf. ; ***cristallier*** sm. ; ***cristallin*** sm. ; ***cristallin, e*** adj. ; ***cristallisable*** adj. ; ***cristallisation*** sf. ; ***cristallisé, e*** adj. ; ***cristalliser*** vt. ; ***cristallisoir*** sm. ; ***cristallographie*** sf. ; ***cristalloïde*** adj.
critère sm.
critérium sm. (pl. *critériums).*
criticisme sm. ; ***critiquable*** adj. ; ***critique*** adj. *et* s. ; ***critiquer*** vt. ; ***critiqueur*** sm.
croassement sm. ; ***croasser*** vi.
croc sm.
croc-en-jambe sm. (pl. *crocs-en-jambe).*
croche sf.
croche-pied sm. (pl. *croche-pieds).*
crochet sm. ; ***crochetable*** adj. ; ***crochetage*** adj. ; ***crocheter*** vt. ; ***crocheteur*** sm.
crochu, e adj.
crocodile sm.
crocus sm.
croire vt. *et* vi.
croisade sf. ; ***croisé, e*** adj. *et* sm. ; ***croisée*** sf. ; ***croisement*** sm. ; ***croiser*** vt. *et* vi. — ***(se)*** vpr. ; ***croisette*** sf. ; ***croiseur*** sm. ; ***croisière*** sf. ; ***croisillon*** sm.
croissance sf. ; ***croissant*** sm. ; ***croissant, e*** adj. ; ***croître*** vi.
croix sf.
cromlech sm.
croquant, e adj. *et* sm. ; ***croquante*** sf. ; ***croque au sel (à la)*** loc. adv. ; ***croque-mitaine*** sm. (pl. *croque-mitaines) ;* ***croque-mort*** sm. (pl. *croque-morts) ;* ***croque-monsieur*** sm. inv. ; ***croque-note*** sm. (pl. *croque-notes) ;* ***croquer*** vt. *et* vi.
croquet sm.
croquette sf.
croqueur, euse s.
croquignole sf.
croquis sm.
crosne sm.
cross-country sm. (pl. *cross-countries).*
crosse sf.
crotale sm.
croton sm.
crotte sf. ; ***crotter*** vt. ; ***crottin*** sm.
crouler vi.
croup sm.
croupade sf. ; ***croupe*** sf. ; ***croupetons (à)*** loc. adv.
croupi, e adj.
croupier sm. ; ***croupière*** sf. ; ***crou-***

pion sm.
croupir vi. ; *croupissant, e* adj. ; *croupissement* sm.
croupon sm.
croustade sf.
croustillant, e adj. ; *croustiller* vi.
croûte sf. ; *croûteux, euse* adj. ; *croûton* sm.
croyable adj. ; *croyance* sf. ; *croyant, e* adj. *et* s.
cru sm.
cru, e adj.
cruauté sf.
cruche sf. ; *cruchon* sm.
crucial, e, aux adj.
crucifère adj.
crucifier vt. ; *crucifix* sm. ; *crucifixion* sf.
cruciforme adj.
cruciverbiste s.
crudité sf.
crue sf.
cruel, elle adj. ; *cruellement* adv.
crûment adv.
crural, e, aux adj.
crustacés sm. pl.
cryogène adj.
cryolithe sf.
cryométrie sf.
cryoscopie sf.
crypte sf.
cryptogame adj. *et* sf. ; *cryptogamie* sf. ; *cryptogamique* adj.
cryptogénétique adj.
cryptogramme sm. ; *cryptographie* sf.
csardas *ou* **czardas** sf.
cubage sm.
cubain, e adj. *et* s.
cube sm.
cubèbe sm.
cuber vt.
cubique adj.
cubisme sm. ; *cubiste* adj. *et* s.
cubital, e, aux adj.
cubiteneur sm.
cubitus sm.
cuculle sf.
cucurbitacées sf. pl.
cue-bid sm. (angl.).
cueillaison sf. ; *cueillette* sf. ; *cueilleur, euse* s. ; *cueillir* vt. ; *cueilloir* sm.
cuesta sf.
cuiller *ou* **cuillère** sf. ; *cuillerée* sf.
cuir sm.
cuirasse sf. ; *cuirassé, e* adj. *et* sm. ; *cuirassement* sm. ; *cuirasser* vt. ; *cuirassier* sm.
cuire vt. et *vi. ; cuisant, e* adj. ; *cuisine* sf. ; *cuisiner* vi. *et* vt. ; *cuisinette* sf. ; *cuisinier, ère* s. ; *cuisinière* sf.
cuissard sm.
cuisse sf. ; *cuisseau* sm. (veau). ; *cuisson* sf. ; *cuissot* sm. (gibier).
cuistot sm.
cuistre sm. ; *cuistrerie* sf.
cuit, e adj. ; *cuite* sf.
cuivrage sm. ; *cuivre* sm. ; *cuivré, e* adj. ; *cuivreux, euse* adj. ; *cuivrique* adj.
cul sm. ; *culasse* sf.
cul-blanc sm. (pl. *culs-blancs).*
culbute sf. ; *culbuter* vt. *et* vi. ; *culbuteur* sm.
cul-de-basse-fosse sm. (pl. *culs-de-basse-fosse).*
cul-de-four sm. (pl. *culs-de-four).*
cul-de-jatte sm. (pl. *culs-de-jatte).*
cul-de-lampe sm. (pl. *culs-de-lampe).*
cul-de-sac sm. (pl. *culs-de-sac).*
culée sf.
culex sm.
culière sf.
culinaire adj.
culminant, e adj. *culmination* sf. ; *culminer* vi.
culot sm. ; *culottage* sm. ; *culotte* sf. ; *culotter* vt. ; *culottier, ère* s.
culpabilisant, e adj. ; *culpabiliser* vt. ; *culpabilité* sf.
culte sm.
cul-terreux sm. (pl. *culs-terreux).*
cultivable adj. ; *cultivateur, trice* adj. *et* s. ; *cultivé, e* s. ; *cultiver* vt.
cultuel, elle adj. (de *culte).*
cultural, e, aux adj. ; *culture* sf. ; *culturel, elle* adj. (de *culture) ; culturisme* sm. ; *culturiste* s.
cumin sm.
cumul sm. ; *cumulard* sm. ; *cumulatif, ive* adj. ; *cumulativement* adv. ; *cumuler* vt.
cumulo-nimbus sm. inv.
cumulo-stratus sm. inv.
cumulus sm.
cunéiforme adj.
cunnilinctus sm. (lat.).
cupide adj. ; *cupidité* sf.
cuprifère adj.
cuprique adj.
cupronickel sm.

cupule sf. ; *cupulifère* adj. *et* sf.
curabilité sf. ; *curable* adj.
curaçao sm.
curage sm.
curare sm.
curateur, trice s.
curatif, ive adj.
curcuma sm.
cure sf.
curé sm.
cure-dent sm. (pl. *cure-dents).*
curée sf.
cure-ongles sm. inv.
cure-oreille sm. (pl. *cure-oreilles).*
cure-pipe sm. (pl. *cure-pipes).*
curer vt.
curetage sm. ; *cureter* vt.
curie sf. *et* sm. ; *curiethérapie* sf.
curieusement adv. ; *curieux, euse* adj. *et* s. ; *curiosité* sf.
curiste s.
curriculum vitae sm. (latin) (pl. *curriculums vitae).*
curseur sm.
cursif, ive adj. *et* sf.
curule adj.
curviligne adj.
curvimètre sm.
cuspide sf.
custode sf. *et* sm.
cutané, e adj.
cuticule sf.
cuti-réaction sf.
cuvage sm. ; *cuvaison* sf. ; *cuve* sf. ; *cuveau* sm. ; *cuvée* sf. ; *cuvelage* sm. ; *cuveler* vt. ; *cuver* vt. *et* vi. ; *cuvette* sf. ; *cuvier* sm.
cyanhydrique adj. ; *cyanogène* sm. ; *cyanose* sf. ; *cyanure* sm.
cybernéticien, enne adj. ; *cybernétique* sf.
cyclamen sm.
cycle sm. ; *cyclique* adj. ; *cyclisme* sm. ; *cycliste* s. *ou* adj. ; *cyclo-cross* sm. ; *cycloïdal, e, aux* adj. ; *cycloïde* sf. ; *cyclomoteur* sm.
cyclonal *ou* **cyclonique** adj. ; *cyclone* sm.
cyclope sm. ; *cyclopéen, enne* adj.
cyclothymie sf. ; *cyclothymique* adj.
cyclotourisme sm.
cyclotron sm.
cygne sm.
cylindraxe sm.
cylindre sm. ; *cylindrée* sf. ; *cylindrer* vt. ; *cylindrique* adj.
cymbale sf. ; *cymbalier* sm.
cynégétique adj. *et* sf.
cynique adj. *et* sm. ; *cyniquement* adv. ; *cynisme* s.
cynocéphale sm. ; *cynodrome* sm. ; *cynophile* adj. *et* s.
cypho-scoliose sf. ; *cyphose* sf.
cyprès sm.
cyprin sm.
cypriote *ou* **chypriote** adj. *et* s.
cyrénaïque adj. *et* s.
cyrillique adj.
cystectomie sf. ; *cystique* adj. ; *cystite* sf. ; *cystographie* sf.
cytise sm.
cytologie sf. ; *cytologiste* s. ; *cytolyse* sf. ; *cytoplasme* sm.

D

da intj *(oui-da).*
da capo loc. adv.
dactyle sm.
dactylographe s. *et* adj. ; ***dactylographie*** sf. ; ***dactylographier*** vt.
dactyloscopie sf.
dada sm.
dadais sm.
dadaïsme sm.
dague sf.
daguerréotype sm.
daguet sm.
dahlia sm.
daigner vt.
daim, daine s.
daïmio sm.
dais sm.
dallage sm. ; ***dalle*** sf. ; ***daller*** vt.
dalmatien, enne adj. *et* s.
dalmatique sf.
dalot sm.
daltonien, enne adj. *et* s. ; ***daltonisme*** sm.
dam sm. *(au — de)*
damage sm.
damas sm.
damasquinage sm. ; ***damasquiner*** vt.
damassé, e adj. *et* sm. ; ***damasser*** vt. ; ***damassure*** sf.
dame sf.
dame ! intj.
dame-jeanne sf. (pl. *dames-jeannes*).
damer vt. ; ***damier*** sm.
damnation sf. ; ***damné, e*** adj. *et* s. ; ***damner*** vt.
damoiseau sm.
danaïde sf.
dancing sm.
dandinement sm. ; ***dandiner*** vi. — ***(se)*** vpr.
dandy sm. (pl. *dandys*) ; ***dandysme*** sm.
danger sm. ; ***dangereusement*** adv. ; ***dangereux, euse*** adj.
danois, e adj. *et* s.
dans prép.
dansant, e adj. ; ***danse*** sf. ; ***danser*** vi. *et* vt. ; ***danseur, euse*** s.
dantesque adj.
daphné sm.
daphnie sf.
dard sm. ; ***darder*** vt. ; ***dardillon*** sm.
dare-dare loc. adv.
darne sf.
darse sf.
dartre sf. ; ***dartreux, euse*** adj. ; ***dartrose*** sf.
darwinisme sm.
dataire sm.
datation sf. ; ***date*** sf. ; ***dater*** vt. *et* vi. ; ***dateur, euse*** adj.
datif sm.
datif, ive adj.
dation sf.
datte sf. ; ***dattier*** sm.
datura sm. inv.
daube sf. ; ***dauber*** vt. ; ***daubière*** sf.
dauphin sm. (cétacé *et* héritier royal) ; ***dauphine*** sf. (femme du dauphin).
daurade sf. (poisson comestible).
davantage adv.
davier sm.
de prép.
dé sm.
déambulation sf. ; ***déambulatoire*** adj. *et* sm. ; ***déambuler*** vi.
débâcle sf.
débâcler vt. *et* vi.
déballage sm. ; ***déballer*** vt. ; ***déballeur*** sm.
débandade sf.
débander vt. — ***(se)*** vpr.
débaptiser vt.
débarbouillage sm. ; ***débarbouiller*** vt. — ***(se)*** vpr.
débarcadère sm.
débardage sm. ; ***débarder*** vt. ; ***débardeur*** sm.
débarquement sm. ; ***débarquer*** vt. *et* vi.
débarras sm. ; ***débarrasser*** vt.
débat sm.
débâter vt.
débâtir vt.
débattement sm. ; ***débatteur*** sm. ; ***débattre*** vt. — ***(se)*** vpr.
débauchage sm. ; ***débauche*** sf. ; ***débauché, e*** adj. *et* s. ; ***débaucher*** vt. ; ***débaucheur, euse*** s.
débet sm.
débile adj. ; ***débilitant, e*** adj. ; ***débilitation*** sf. ; ***débilité*** sf. ; ***débiliter*** vt.
débine sf. ; ***débiner*** vt. — ***(se)*** vpr.
débirentier, ère s.
débit sm. ; ***débitage*** sm. ; ***débitant, e*** s. ; ***débiter*** vt. ; ***débiteur, euse*** s. ;

débiteur, trice s. *et* adj.
déblai sm. ; *déblaiement* sm. ; *déblayer* vt.
déblatérer vi.
déblocage sm. ; *débloquer* vt.
débobiner vt.
déboire sm.
déboisement sm. ; *déboiser* vt.
déboîtement sm. ; *déboîter* vt. *et* vi.
débonder vt.
débonnaire adj.
débord sm. ; *débordant, e* adj. ; *débordé, e* adj. ; *débordement* sm. ; *déborder* vt. *et* vi.
débosseler vt.
débotté (au) loc. adv.
débotter vt.
débouchage sm. ; *débouché* sm. ; *débouchement* sm. ; *déboucher* vt. ; *débouchoir* sm.
déboulé (au) loc. adv.
débouler vi.
déboulonnage sm. ; *déboulonnement* sm. ; *déboulonner* vt.
débouquement sm.
débourbage sm. ; *débourber* vt.
débourrage sm. ; *débourrer* vt.
débours sm. ; *débourser* vt.
déboussoler vt.
debout adv.
débouté sm. ; *déboutement* sm. ; *débouter* vt.
déboutonner vt.
débraillé, e adj. *et* sm. ; *débrailler (se)* vpr.
débranchement sm. ; *débrancher* vt.
débrayage sm. ; *débrayer* vt.
débridement sm. ; *débrider* vt.
débris sm.
débrochage sm. ; *débrocher* vt.
débrouillard, e adj. *et* s. ; *débrouillardise* sf. ; *débrouillement* sm. ; *débrouiller* vt. — *(se)* vpr.
débroussailler vt.
débucher vt. *et* vi.
débudgétiser vt.
débusquement sm. ; *débusquer* vt.
début sm. ; *débutant, e* s. *et* adj. ; *débuter* vi.
deçà adv.
décachetage sm. ; *décacheter* vt.
décade sf.
décadence sf. ; *décadent, e* adj. *et* sm.
décadi sm.
décaèdre sm.
décaféiné, e adj. ; *décaféiner* vt.
décagone sm.
décagramme sm.
décaissement sm. ; *décaisser* vt.
décalage sm.
décalaminer vt.
décalcification sf. ; *décalcifier* vt. — *(se)* vpr.
décalcomanie sf.
décaler vt.
décalitre sm.
décalogue sm.
décalotter vt.
décalque sm. ; *décalquer* vt.
décamètre sm.
décamper vi.
décan sm.
décanal, e, aux adj.
décanat sm.
décaniller vi.
décantage sm. *ou* **décantation** sf. ; *décanter* vt. — *(se)* vpr. ; *décanteur* sm.
décapage sm. ; *décapant* sm. ; *décapement* sm. ; *décaper* vt. *et* vi. ; *décapeur* sm. ; *décapeuse* sf.
décapitation sf. ; *décapiter* vt.
décapotable adj. ; *décapoter* vt.
décapsuler vt. ; *décapsuleur* sm.
décapuchonner vt.
décarreler vt.
décasyllabe adj. *et* sm.
décathlon sm.
décatir vt. ; *décatissage* sm. ; *décatisseur, euse* s.
décaver vt.
décédé, e adj. *et* s. ; *décéder* vi.
décèlement sm. ; *déceler* vt.
décélération sf. ; *décélérer* vi.
décembre sm.
décemment adv. ; *décence* sf.
décennal, e, aux adj. ; *décennie* sf.
décent, e adj.
décentrage sm.
décentralisateur, trice adj. *et* sm. ; *décentralisation* sf. ; *décentraliser* vt.
décentrement sm. ; *décentrer* vt.
déception sf.
décercler vt.
décérébrer vt.
décerner vt.
décès sm.
décevant, e adj. ; *décevoir* vt.
déchaînement sm. ; *déchaîner* vt. — *(se)* vpr.
déchanter vi.

décharge sf. ; *déchargement* sm. ; *déchargeoir* sm. ; *décharger* vt. ; *déchargeur* sm.
décharner vt.
déchaumage sm. ; *déchaumer* vt. ; *déchaumeuse* sf.
déchaussage sm. ; *déchaussement* sm. ; *déchausser* vt. ; *déchausseuse* sf. ; *déchaussoir* sm.
déchaux adj. m. *(carme —).*
déchéance sf.
déchet sm.
déchiffrable adj. ; *déchiffrement* sm. ; *déchiffrer* vt. ; *déchiffreur, euse* s.
déchiqueter vt.
déchirage sm. ; *déchirant, e* adj. ; *déchirement* sm. ; *déchirer* vt. ; *déchirure* sf.
déchlorurer vt.
déchoir vi.
déchristianiser vt. ; *déchristianisation* sf.
déchu, e adj.
décibel sm.
décidé, e adj. ; *décidément* adv. ; *décider* vt.
décigramme sm.
décile sm.
décilitre sm.
décimal, e, aux adj.
décimation sf.
décime sm.
décimer vt.
décimètre sm.
décintrage sm. ; *décintrement* sm. ; *décintrer* vt.
décisif, ive adj. ; *décision* sf. ; *décisionnel, elle* adj. ; *décisivement* adv.
déclamateur sm ; *déclamation* sf. ; *déclamatoire* adj. ; *déclamer* vt. *et* vi.
déclaratif, ive adj. ; *déclaration* sf. ; *déclaratoire* adj. ; *déclaré, e* adj. ; *déclarer* vt.
déclassé, e adj. *et* s. ; *déclassement* sm. ; *déclasser* vt.
déclencher vt. ; *déclencheur* sm.
déclic sm.
déclin sm. ; *déclinable* adj. ; *déclinaison* sf. ; *déclinant, e* adj. ; *déclination* sf. ; *déclinatoire* adj. *et* sm. ; *décliner* vt. *et* vi.
décliqueter vt.
déclive adj. ; *déclivité* sf.
décloisonnement sm. ; *décloisonner* vt.
déclouer vt.
décocher vt.
décoction sm.
décodage sm ; *décoder* vt.
décoffrage sm ; *décoffrer* vt.
décoiffer vt.
décoincer vt.
décolérer vi.
décollage sm.
décollation sf. (décapitation).
décollement sm. ; *décoller* vt.
décolletage sm. ; *décolleté* sm. *et* adj. ; *décolleter* vt.
décolonisation sf. ; *décoloniser* vt.
décolorant, e adj. *et* sm. ; *décoloration* sf. ; *décoloré, e* adj. ; *décolorer* vt.
décombres sm. pl.
décommander vt.
décomposer vt. ; *décomposition* sf.
décompresseur sm ; *décompression* sf.
décomprimer vt.
décompte sm. ; *décompter* vt. *et* vi.
déconcentration sf.
déconcertant, e adj. ; *déconcerter* vt.
déconfit, e adj. ; *déconfiture* sf.
décongeler vt.
décongestionner vt.
déconseiller vt.
déconsidération sf. ; *déconsidéré, e* adj. ; *déconsidérer* vt. — *(se)* vpr.
déconsigner vt.
décontenancer vt.
décontracté, e adj. ; *décontracter* vt. — *(se)* vpr. ; *décontraction* sf.
déconvenue sf.
décor sm. ; *décorateur, trice* s. ; *décoratif, ive* adj. ; *décoration* sf.
décorder vt.
décoré, e adj. *et* s. ; *décorer* vt.
décorner vt.
décorticage sm. ; *décortication* sf. ; *décortiquer* vt.
décorum sm.
décote sf.
découcher vi.
découdre vt. *et* vi.
découlement sm. ; *découler* vi.
découpage sm. ; *découpe* sf. ; *découper* vt. ; *découpeur, euse* s.
découplé, e adj. ; *découpler* vt.
découpure sf.
décourageant, e adj. ; *découragement*

sm. ; *décourager* vt. — *(se)* vpr.
découronnement sm. ; *découronner* vt.
décours sm.
décousu, e adj.
découvert, e adj. ; *découverte* sf. ; *découvreur, euse* s. ; *découvrir* vt.
décrassage sm. ; *décrassement* sm. ; *décrasser* vt.
décréditer vt.
décrépi, e adj. (mur) ; *décrépir* vt. ; *décrépit, e* adj. (homme) ; *décrépitude* sf.
decrescendo adv. *et* sm. (ital.).
décret sm. ; *décréter* vt. ; *décret-loi* sm. (pl. *décrets-lois*).
décrier vt.
décrire vt.
décrochage sm. ; *décrochement* sm. ; *décrocher* vt. *et* vi. ; *décrochez-moi-ça (au)* loc. adv.
décroiser vt.
décroissance sf. ; *décroissant, e* adj. ; *décroissement* sm. ; *décroît* sm. ; *décroître* vi.
décrottage sm. ; *décrotter* vt. ; *décrotteur* sm. ; *décrottoir* sm.
décrue sf.
décrypter vt.
déçu, e adj.
décubitus sm.
de cujus sm. inv. (lat.).
déculasser vt.
déculottée sf. ; *déculotter* vt.
déculturation sf.
décuple adj. *et* sm. ; *décuplement* sm. ; *décupler* vt.
décurie sf. ; *décurion* sm.
décuvage sm. *ou* **décuvaison** sf. ; *décuver* vt.
dédaigner vt. ; *dédaigneusement* adv. ; *dédaigneux, euse* adj. ; *dédain* sm.
dédale sm.
dedans adv. *et* sm.
dédicace sf. ; *dédicacer* vt. ; *dédicatoire* adj.
dédier vt.
dédire vt. — *(se)* vpr. ; *dédit* sm.
dédommagement sm ; *dédommager* vt.
dédorer vt.
dédouanement sm ; *dédouaner* vt.
dédoublage sm. ; *dédoublement* sm. ; *dédoubler* vt.
déduction sf. ; *déduire* vt.
déduit sm.
déesse sf.
de facto loc. adv. (lat.).
défaillance sf. ; *défaillant, e* adj. *et* s. ; *défaillir* vi.
défaire vt. ; *défait, e* adj. ; *défaite* sf. ; *défaitisme* sm. ; *défaitiste* sm.
défalcation sf ; *défalquer* vt.
défaufiler vt.
défausser vt. — *(se)* vpr.
défaut sm.
défaveur sf. ; *défavorable* adj. ; *défavorablement* adv. ; *défavoriser* vt.
défécation sf.
défectif, ive adj. ; *défection* sf. ; *défectueusement* adv. ; *défectueux, euse* adj. ; *défectuosité* sf.
défendable adj. ; *défendeur, eresse* s.; *défendre* vt.
défenestration sf.
défense sf. ; *défenseur* sm. ; *défensif, ive* adj. *et* sf.
déféquer vt.
déférence sf. ; *déférent, e* adj.
déférer vt. *et* vi.
déferlement sm. ; *déferler* vt. *et* vi.
déferrage sm. ; *déferrement* sm. ; *déferrer* vt.
défet sm.
défeuillaison sf.
défeuiller vt.
défi sm.
défiance sf. ; *défiant, e* adj.
défiancer vt. — *(se)* vpr.
défibreur, euse s.
déficeler vt.
déficience sf. ; *déficient, e* adj. ; *déficit* sm. (pl. *déficits*) ; *déficitaire* adj.
défier vt. — *(se)* vpr.
défigurer vt.
défilade sf.
défilage sm.
défilé sm.
défilement sm. ; *défiler* vt. *et* vi.
défini, e adj. ; *définir* vt. ; *définissable* adj. ; *définitif, ive* adj. ; *définition* sf. ; *définitivement* adv.
déflagrateur sm. ; *déflagration* sf.
déflation sf. ; *déflationniste* adj.
déflecteur sm.
défleuraison *ou* **défloraison** sf. (fleurs).
défleurir vi. *et* vt.
déflexion sf.
défloration sf. (d'une vierge) ; *déflo-*

rer vt.
défoliant sm. ; *défoliation* sf.
défonçage sm. *ou* **défoncement** sm. ; *défoncer* vt. ; *défonceuse* sf.
déformation sf. ; *déformer* vt.
défoulement sm. ; *défouler (se)* vpr.
défourner vt.
défraîchir vt.
défrayer vt.
défrichage sm. ; *défrichement* sm. ; *défricher* vt. ; *défricheur* sm.
défriper vt.
défriser vt.
défroisser vt.
défroncer vt.
défroque sf. ; *défroqué, e* adj. *et* s. ; *défroquer (se)* vpr.
défunt, e adj. *et* s.
dégagé, e adj. ; *dégagement* sm. ; *dégager* vt.
dégaine sf. ; *dégainer* vt.
déganter vt.
dégarnir vt.
dégât sm.
dégauchir vt. ; *dégauchissement* sm. ; *dégauchisseuse* sf.
dégazage sm.
dégel sm. ; *dégelée* sf. ; *dégeler* vt. *et* vi. — *(se)* vpr.
dégénéré, e adj. ; *dégénérer* vi. ; *dégénérescence* sf. ; *dégénérescent, e* adj.
dégermer vt.
dégingandé, e adj.
dégivrage sm. ; *dégivrer* vt.
déglacer vt.
déglutir vt. ; *déglutition* sf.
dégoiser vt. *et* vi.
dégommage sm. ; *dégommer* vt.
dégonflement sm. ; *dégonfler* vt.
dégorgement sm. ; *dégorgeoir* sm. ; *dégorger* vt. *et* vi.
dégoter *ou* **dégotter** vt.
dégouliner vi.
dégourdi, e adj. *et* s. ; *dégourdir* vt. ; *dégourdissement* sm.
dégoût sm ; *dégoûtant, e* adj. *et* s. ; *dégoûté, e* adj. ; *dégoûter* vt.
dégouttant, e adj. ; *dégouttement* sm. ; *dégoutter* vi.
dégradant, e adj. ; *dégradation* sf. ; *dégrader* vt. — *(se)* vpr.
dégrafer vt. — *(se)* vpr.
dégraissage sm. ; *dégraisser* vt. ; *dégraisseur, euse* s.
degré sm.
dégréer vt.
dégressif, ive adj.
dégrèvement sm. ; *dégrever* vt.
dégringolade sf. ; *dégringoler* vi. *et* vt.
dégrisement sm. ; *dégriser* vt. — *(se)* vpr.
dégrossir vt. ; *dégrossissage* sm. ; *dégrossisseur* sm.
déguenillé, e adj.
déguerpir vi. *et* vt. ; *déguerpissement* sm.
déguisé, e adj. *et* s. ; *déguisement* sm. ; *déguiser* vt. — *(se)* vpr.
dégustateur sm. ; *dégustation* sf. ; *déguster* vt.
déhaler vt. — *(se)* vpr.
déhanché, e adj. ; *déhanchement* sm. ; *déhancher (se)* vpr.
déhiscence sf. ; *déhiscent, e* adj.
dehors adv. *et* sm.
déicide adj. *et* s.
déification sf. ; *déifier* vt.
déisme sm. ; *déiste* s. *et* adj.
déité sf.
déjà adv.
déjanter vt.
déjauger vi.
déjection sf.
déjeter vt. — *(se)* vpr.
déjeuner vi. *et* sm.
déjouer vt.
déjucher vt. *et* vi.
déjuger (se) vpr.
de jure loc. adv. (lat.).
delà prép. ; *au-delà* loc. adv. *et* sm.
délabré, e adj. ; *délabrement* sm. ; *délabrer* vt. — *(se)* vpr.
délacer vt. (dénouer).
délai sm.
délainage sm. ; *délainer* vt.
délaissé, e adj. *et* sm. ; *délaissement* sm. ; *délaisser* vt.
délarder vt.
délassant, e adj. ; *délassement* sm. ; *délasser* vt. (distraire) — *(se)* vpr.
délateur, trice s. ; *délation* sf.
délavage sm. ; *délaver* vt.
délayage sm. ; *délayer* vt.
Delco sm. (nom déposé).
deleatur sm. inv. (lat.).
délectable adj. ; *délectation* sf. ; *délecter* vt. — *(se)* vpr.
délégataire s. ; *délégateur, trice* s. ; *délégation* sf. ; *délégué, e* adj. *et* s. ; *déléguer* vt.

délestage sm. ; ***délester*** vt. ; ***délesteur*** sm.
délétère adj.
déliaison sf.
délibérant, e adj. ; ***délibératif, ive*** adj. ; ***délibération*** sf. ; ***délibératoire*** adj. ; ***délibéré, e*** adj. ; ***délibéré*** sm.; ***délibérément*** adv. ; ***délibérer*** vi. *et* vt.
délicat, e adj. ; ***délicatement*** adv. ; ***délicatesse*** sf.
délice sm. au sing. *et* sm. *ou* f. au pl. ; ***délicieusement*** adv. ; ***délicieux, euse*** adj.
délictueux, euse adj.
délié, e adj. *et* sm. ; ***délier*** vt.
délimitation sf. ; ***délimiter*** vt.
délinéament sm.
délinquance sf. ; ***délinquant, e*** s.
déliquescence sf. ; ***déliquescent, e*** adj.
délirant, e adj. ; ***délire*** sm. ; ***délirer*** vi.
delirium tremens sm. (lat.).
délit sm.
délitage *ou* **délitement** sm. ; ***déliter*** vt. ; ***délitescence*** sf.
délivrance sf. ; ***délivre*** sm. ; ***délivrer*** vt.
délogement sm. ; ***déloger*** vt.
déloyal, e, aux adj. ; ***déloyauté*** sf.
delphinidés sm. pl.
delta sm. ; ***deltaïque*** adj. ; ***deltoïde*** adj. *et* sm.
déluge sm.
déluré, e adj.
délustrer vt.
délutage sm. ; ***déluter*** vt.
démagnétiser vt.
démagogie sf. ; ***démagogique*** adj. ; ***démagogue*** sm.
démaillage sm. ; ***démailler*** vt.
démailloter vt.
demain adv.
démanchement sm. ; ***démancher*** vt.
demandant, e adj. ; ***demande*** sf. ; ***demander*** vt. ; ***demandeur, eresse*** s.
démangeaison sf. ; ***démanger*** vi.
démantèlement sm. ; ***démanteler*** vt.
démantibuler vt.
démaquiller vt.
démarcatif, ive adj. ; ***démarcation*** sf.
démarchage sm. ; ***démarche*** sf. ; ***démarcheur*** sm.
démarier vt. — ***(se)*** vpr.
démarquage sm. ; ***démarque*** sf. ; ***démarquer*** vt. — ***(se)*** vpr.
démarrage sm. ; ***démarrer*** vt. *et* vi. ; ***démarreur*** sm.
démasquer vt.
démâtage sm. ; ***démâter*** vt.
démêlage sm. ; ***démêlé*** sm. ; ***démêler*** vt. ; ***démêloir*** sm.
démembrement sm. ; ***démembrer*** vt.
déménagement sm. ; ***déménager*** vt. *et* vi. ; ***déménageur*** sm.
démence sf.
démener (se) vpr.
dément, e adj. *et* s.
démenti sm.
démentiel, elle adj.
démentir vt.
démerdard adj. *et* sm. ; ***démerder (se)*** vpr.
démérite sm. ; ***démériter*** vi.
démesure sf. ; ***démesuré, e*** adj. ; ***démesurément*** adv.
démettre vt. — ***(se)*** vpr.
démeubler vt.
demeurant, e adj. *et* sm. ; ***demeure*** sf. ; ***demeurer*** vi.
demi, e adj. *et* s. ; ***à demi*** loc. adv.
demi-cercle sm.
demi-deuil sm.
demi-dieu sm.
demi-douzaine sf.
demi-droite sf.
demi-finale sf.
demi-fond sm.inv.
demi-frère sm.
demi-gros sm. inv.
demi-heure sf.
demi-mesure sf.
démilitarisation sf. ; ***démilitariser*** vt.
demi-mot sm. — ***(à)*** loc. adv.
déminage sm. ; ***déminer*** vt.
déminéralisation sf. ; ***déminéraliser*** vt.
demi-pension sf. ; ***demi-pensionnaire*** adj. *et* s.
démission sf. ; ***démissionnaire*** s. *et* adj. ; ***démissionner*** vi.
démiurge sm.
démobilisation sf. ; ***démobiliser*** vt.
démocrate adj. *et* s. ; ***démocratie*** sf. ; ***démocratique*** adj. ; ***démocratiquement*** adv. ; ***démocratisation*** sf. ; ***démocratiser*** vt.
démodé adj. ; ***démoder (se)*** vpr.
démographie sf.
demoiselle sf.
démolir vt. ; ***démolisseur, euse*** s. ;

démolition sf.
démon sm.
démonétisation sf. ; *démonétiser* vt.
démoniaque adj. *et* s. ; *démonologie* sf.
démonstrateur, trice s. ; *démonstratif, ive* adj. ; *démonstration* sf. ; *démonstrativement* adv.
démontable adj. ; *démontage* sm. ; *démonte-pneu* sm. (pl. *démonte-pneus*) ; *démonter* vt.
démontrable adj. ; *démontrer* vt.
démoralisant, e adj. ; *démoralisateur, trice* adj. *et* s. ; *démoralisation* sf. ; *démoraliser* vt.
démordre vi.
démoulage sm. ; *démouler* vt.
démoustiquer vt.
démultiplication sf. ; *démultiplier* vt.
démunir vt. — *(se)* vpr.
démystification sf. ; *démystifier* vt.
démythifier vt.
dénatalité sf.
dénationalisation sf. ; *dénationaliser* vt.
dénaturalisation sf. ; *dénaturaliser* vt.
dénaturant, e adj. *et* sm. ; *dénaturation* sf. ; *dénaturé, e* adj. ; *dénaturer* vt.
dendrite sf.
dénégation sf.
dengue sf. (fièvre).
déni sm.
déniaiser vt.
dénicher vt. ; *dénicheur, euse* s.
dénicotiniser vt.
denier sm.
dénier vt.
dénigrement sm. ; *dénigrer* vt. ; *dénigreur* sm.
dénitrifier vt.
déniveler vt. ; *dénivellation* sf.
dénombrable adj. ; *dénombrement* sm. ; *dénombrer* vt.
dénominateur sm.
dénomination sf. ; *dénommer* vt.
dénoncer vt. ; *dénonciateur, trice* s. *et* adj. ; *dénonciation* sf.
dénotation sf. ; *dénoter* vt.
dénouement sm. ; *dénouer* vt.
dénoyauter vt. ; *dénoyauteur* sm.
denrée sf.
dense adj. ; *densimètre* sm. ; *densité* sf.
dent sf. ; *dentaire* adj. ; *dental, e, aux* adj. *et* sf. ; *dent-de-lion* sf. (pl. *dents-de-lion)* ; *denté, e* adj. ; *dentée* sf. ; *dentelé, e* adj. ; *denteler* vt.
dentelle sf. ; *dentellerie* sf. ; *dentellier, ère* s. *et* adj.
dentelure sf.
denter vt.
denticule sm.
dentier sm. ; *dentifrice* adj. *et* sm. ; *dentiste* s. ; *dentition* sf. ; *denture* sf.
dénudation sf. ; *dénudé, e* adj. ; *dénuder* vt.
dénué, e adj. ; *dénuement* sm. ; *dénuer* vt.
dénutrition sf.
déodorant sm.
déontologie sf. ; *déontologique* adj.
dépaillage sm ; *dépailler* vt.
dépannage sm. ; *dépanner* vt. ; *dépanneur* sm. ; *dépanneuse* sf.
dépaquetage sm. ; *dépaqueter* vt.
dépareiller vt. *ou* **déparier** vt.
déparer vt.
départ sm.
départager vt.
département sm. ; *départemental, e, aux* adj.
départir vt. — *(se)* vpr.
dépassement sm ; *dépasser* vt.
dépassionner vt.
dépavage sm. ; *dépaver* vt.
dépaysé, e adj. ; *dépaysement* sm. ; *dépayser* vt.
dépeçage sm. *ou* **dépècement** sm. ; *dépecer* vt. ; *dépeceur* sm.
dépêche sf. ; *dépêcher* vt. — *(se)* vpr.
dépeigner vt.
dépeindre vt.
dépenaillé, e adj.
dépendance sf. ; *dépendant, e* adj. ; *dépendre* vi. *et* vt.
dépens sm. pl. ; *dépense* sf. ; *dépenser* vt. — *(se)* vpr. ; *dépensier, ère* adj. *et* s.
déperdition sf.
dépérir vi. ; *dépérissement* sm.
dépersonnalisation sf. ; *dépersonnaliser* vt.
dépêtrer vt. — *(se)* vpr.
dépeuplement sm. ; *dépeupler* vt. — *(se)* vpr.
déphasage sm. ; *déphasé, e* adj.
dépiauter vt.
dépilation sf. ; *dépilatoire* adj. *et* sm. ; *dépiler* vt.
dépiquage sm. ; *dépiquer* vt.

dépistage sm. ; *dépister* vt.
dépit sm. ; *dépiter* vt. — *(se)* vpr.
déplacé, e adj. ; *déplacement* sm. ; *déplacer* vt. — *(se)* vpr.
déplafonner vt.
déplaire vi. — *(se)* vpr. ; *déplaisant, e* adj. ; *déplaisir* sm.
déplantage sm. *ou* **déplantation** sf. ; *déplanter* vt. ; *déplantoir* sm.
déplâtrer vt.
dépliage sm. ; *dépliant* sm. ; *déplier* vt.
déplissage sm. ; *déplisser* vt.
déploiement sm.
déplomber vt.
déplorable adj. ; *déplorablement* adv. ; *déplorer* vt.
déployer vt.
déplumer vt. — *(se)* vpr.
dépoétiser vt.
dépoitraillé, e adj.
dépolarisant, e adj. ; *dépolarisation* sf. ; *dépolariser* vt.
dépoli sm. ; *dépolir* vt. ; *dépolissage* sm.
dépolitisation sf. ; *dépolitiser* vt.
déponent, e adj. *et* sm.
dépopulation sf.
déport sm.
déportation sf. ; *déporté, e* s. *et* adj. ; *déportement* sm. ; *déporter* vt.
déposant, e adj. *et* s. ; *dépose* sf. ; *déposer* vt. *et* vi. ; *dépositaire* s. ; *déposition* sf.
déposséder vt. ; *dépossession* sf.
dépôt sm.
dépotage sm. ; *dépoter* vt. ; *dépotoir* sm.
dépouille sf. ; *dépouillement* sm. ; *dépouiller* vt. — *(se)* vpr.
dépourvu, e adj.
dépoussiérage sm. ; *dépoussiérer* vt.
dépravation sf. ; *dépravé, e* adj. *et* s. ; *dépraver* vt.
déprécation sf. ; *déprécatoire* adj.
dépréciateur, trice s. ; *dépréciation* sf. ; *déprécier* vt.
déprédateur, trice s. *et* adj. ; *déprédation* sf.
déprendre (se) vpr.
dépressif, ive adj. ; *dépression* sf.
déprimé, e adj. ; *déprimer* vt.
de profundis sm. (lat.).
depuis prép.
dépuratif, ive adj. *et* sm.
députation sf. ; *député* sm. ; *députer* vt.
déqualification sf. ; *déqualifier* vt.
déraciné, e adj. *et* s. ; *déracinement* sm. ; *déraciner* vt.
déraillement sm. ; *dérailler* vi. ; *dérailleur* sm.
déraison sf. ; *déraisonnable* adj. ; *déraisonnablement* adv. ; *déraisonnement* sm. ; *déraisonner* vi.
dérangement sm. ; *déranger* vt. — *(se)* vpr.
dérapage sm. ; *déraper* vi.
dératé, e adj. *et* s.
dératisation sf. ; *dératiser* vt.
derby sm.
derechef adv.
déréglé, e adj. ; *dérèglement* sm. ; *dérégler* vt.
déréliction sf.
dérider vt. — *(se)* vpr.
dérision sf. ; *dérisoire* adj. ; *dérisoirement* adv.
dérivateur sm. ; *dérivatif, ive* adj. *et* sm. ; *dérivation* sf.
dérive sf. ; *dérivé, e* adj. *et* sm. ; *dériver* vi. *et* vt. ; *dériveur* sm.
dermatite *ou* **dermite** sf. ; *dermatologie* sf. ; *dermatologue* s. ; *dermatose* sf. ; *derme* sm. ; *dermique* sm.
dernier, ère adj. *et* s.
dernièrement adv.
dernier-né, dernière-née s. (pl. *derniers-nés, dernières-nées).*
dérobade sf. ; *dérobé, e* adj. — ; *dérobée (à la)* loc. adv. ; *dérober* vt. — *(se)* vpr.
dérogation sf. ; *dérogatoire* adj. ; *déroger* vi.
dérouillée sf. ; *dérouiller* vt.
déroulage sm. ; *déroulement* sm. ; *dérouler* vt. — *(se)* vpr. ; *dérouleuse* sf.
déroute sf. ; *déroutement* sm. ; *dérouter* vt.
derrick sm.
derrière prép., adv. *et* sm.
derviche sm.
des art. pl.
dès prép.
désabonner vt. — *(se)* vpr.
désabuser vt. — *(se)* vpr.
désaccord sm. ; *désaccorder* vt.
désaccoupler vt.
désaccoutumance sf. ; *désaccoutumer* vt. — *(se)* vpr.
désacralisation sf. ; *désacraliser* vt.

désadaptation sf. ; *désadapter* vt.
désaffectation sf. ; *désaffecter* vt.
désaffection sf. ; *désaffectionner (se)* vpr.
désagréable adj. ; *désagréablement* adv.
désagrégation sf. ; *désagréger* vt.
désagrément sm.
désaltérant, e adj. ; *désaltérer* vt. — *(se)* vpr.
désamorçage sm. ; *désamorcer* vt.
désannexer vt.
désapparier vt.
désappointement sm. ; *désappointer* vt.
désapprendre vt.
désapprobateur, trice adj. *et* s. ; *désapprobation* sf.
désapproprier vt.
désapprouver vt.
désapprovisionner vt.
désarçonner vt.
désargenter vt.
désarmant, e adj. ; *désarmer* vt. *et* vi. ; *désarmement* sm.
désarrimage sm. ; *désarrimer* vt.
désarroi sm.
désarticulation sf. ; *désarticuler* vt.
désassemblage sm. ; *désassembler* vt.
désassimiler vt.
désassocier vt.
désassortir vt.
désastre sm. ; *désastreusement* adv. ; *désastreux, euse* adj.
désavantage sm. ; *désavantager* vt. ; *désavantageusement* adv. ; *désavantageux, euse* adj.
désaveu sm. ; *désavouable* adj. ; *désavouer* vt.
désaxer vt.
descellement sm. ; *desceller* vt.
descendance sf. ; *descendant, e* adj. et s. ; *descendre* vi. *et* vt. ; *descendeur* sm. ; *descente* sf.
descripteur sm. ; *descriptible* adj. ; *descriptif, ive* adj. *et* sm. ; *description* sf.
désembourber vt.
désemparer (sans) loc. adv.
désemplir vt. *et* vi.
désenchantement sm. ; *désenchanter* vt.
désenclaver vt. *et* sm.
désencombrer vt.
désengagement sm. ; *désengager* vt.
désenivrer vt. *et* vi.
désennuyer vt. — *(se)* vpr.
désensabler vt.
désensibilisateur sm. ; *désensibilisation* sf. ; *désensibiliser* vt.
désensorceler vt.
désentoilage sm. ; *désentoiler* vt.
déséquilibre sm. ; *déséquilibré, e* adj. *et* s. ; *déséquilibrer* vt.
désert, e adj. *et* sm. ; *déserter* vt. *et* vi. ; *déserteur* sm. ; *désertion* sf. ; *désertique* adj.
désespérance sf. ; *désespérant, e* adj. ; *désespéré, e* adj. *et* s. ; *désespérément* adv. ; *désespérer* vi. *et* vt. — *(se)* vpr. ; *désespoir* sm.
déshabillage sm. ; *déshabillé* sm. ; *déshabiller* vt. — *(se)* vpr.
déshabituer vt. — *(se)* vpr.
désherbage sm. ; *désherber* vt.
déshérence sf.
déshérité, e adj. *et* s. ; *déshériter* vt.
déshonnête adj. ; *déshonnêteté* sf.
déshonneur sm. ; *déshonorant, e* adj. ; *déshonorer* vt.
déshydratation sf. ; *déshydrater* vt.
desiderata sm. pl. (lat.).
design sm. (angl.).
désignation sf. ; *désigner* vt.
désillusion sf. ; *désillusionner* vt.
désincarné, e adj.
désincrustant sm. ; *désincrustation* sf. ; *désincruster* vt.
désinence sf.
désinfectant, e adj. *et* sm. ; *désinfecter* vt. ; *désinfection* sf.
désintégration sf. ; *désintégrer* vt. — *(se)* vpr.
désintéressé, e adj. ; *désintéressement* sm. ; *désintéresser* vt. — *(se)* vpr. ; *désintérêt* sm. (indifférence).
désintoxication sf. ; *désintoxiquer* vt.
désinvolte adj. ; *désinvolture* sf.
désir sm. ; *désirable* adj. ; *désiré, e* adj. ; *désirer* vt. ; *désireux, euse* adj.
désistement sm. ; *désister (se)* vpr.
désobéir vi. ; *désobéissance* sf. ; *désobéissant, e* adj. *et* s.
désobligeamment adv. ; *désobligeance* sf. ; *désobligeant, e* adj. ; *désobliger* vt.
désobstruer vt.
désodorisant sm. ; *désodoriser* vt.
désœuvré, e adj. ; *désœuvrement* sm.
désolant, e adj. ; *désolation* sf. ; *désolé, e* adj. ; *désoler* vt. — *(se)* vpr.

désolidariser (se) vpr.
désopilant, e adj.
désordonné, e adj. ; *désordre* sm.
désorganisateur, trice adj. *et* s. ; *désorganisation* sf. ; *désorganiser* vt.
désorientation sf. ; *désorienté, e* adj. ; *désorienter* vt.
désormais adv.
désossement sm. ; *désosser* vt.
désoxydant adj. *et* sm. ; *désoxydation* sf. ; *désoxyder* vt.
désoxyribonucléique adj.
despote sm. ; *despotique* adj. ; *despotiquement* adv. ; *despotisme* sm.
desquamation sf. ; *desquamer* vt.
dessabler vt.
dessaisir vt. — *(se)* vpr. ; *dessaisissement* sm.
dessalage sm. ; *dessalaison* sf. *ou dessalement* sm. ; *dessalé, e* adj. ; *dessaler* vt.
dessèchement sm. ; *dessécher* vt. — *(se)* vpr.
dessein sm.
desseller vt.
desserrage sm. ; *desserrer* vt.
dessert sm. ; *desserte* sf.
dessertir vt. ; *dessertissage* sm.
desservant sm. ; *desservir* vt.
dessiccatif, ive adj. ; *dessiccation* sf.
dessiller vt.
dessin sm. ; *dessinateur* sm. ; *dessiner* vt.
dessouder vt.
dessouler vt. *et* vi.
dessous adv. *et* sm.
dessous-de-bras sm. inv.
dessous-de-plat sm. inv.
dessous-de-table sm. inv.
dessus adv. *et* sm.
destin sm. ; *destinataire* adj. *et* s. ; *destination* sf. ; *destinée* sf. ; *destiner* vt.
destituable adj. ; *destituer* vt. ; *destitution* sf.
destrier sm.
destroyer sm.
destructeur, trice s. *et* adj. ; *destructibilité* sf. ; *destructible* adj. ; *destructif, ive* adj. ; *destruction* sf.
déstructurer vt.
désuet, ète adj. ; *désuétude* sf.
désuni, e adj. ; *désunion* sf. ; *désunir* vt.
détachable adj. ; *détachage* sm. ; *détaché, e* adj. ; *détachement* sm. ; *détacher* vt. — *(se)* vpr.
détail sm. ; *détaillant, e* s. ; *détailler* vt.
détaler vt. *et* vi.
détartrage sm. ; *détartrant* sm. ; *détartrer* vt.
détaxation sf. ; *détaxe* sf. ; *détaxer* vt.
détecter vt. ; *détecteur* sm. ; *détection* sf. ; *détective* sm.
déteindre vi.
dételage sm. ; *dételer* vt. *et* vi.
détendeur sm. ; *détendre* vt. ; *détendu, e* adj.
détenir vt.
détente sf.
détenteur, trice s. *et* adj. ; *détention* sf. ; *détenu, e* adj. *et* s.
détergent, e adj. *et* sm.
déterger vt.
détérioration sf. ; *détériorer* vt.
déterminable adj. ; *déterminant, e* adj. *et* sm. ; *déterminatif, ive* adj. ; *détermination* sf. ; *déterminé, e* adj. ; *déterminer* vt. ; *déterminisme* sm. ; *déterministe* s. *et* adj.
déterré, e adj. *et* s. ; *déterrer* vt.
détersif, ive adj. *et* sm. ; *détersion* sf.
détestable adj. ; *détestablement* adv. ; *détestation* sf. ; *détester* vt.
détirer vt.
détonant, e adj. ; *détonateur* sm. ; *détonation* sf. ; *détoner* vi. (exploser).
détonner vi. (jurer).
détordre vt.
détortiller vt.
détour sm.
détourage sm. ; *détourer* vt.
détourné, e adj. ; *détournement* sm. ; *détourner* vt.
détoxication sf.
détracter vt. ; *détracteur, trice* s. *et* adj.
détraqué, e adj. *et* s. ; *détraquement* sm. ; *détraquer* vt.
détrempe sf. ; *détremper* vt.
détresse sf.
détriment sm.
détritique adj. ; *détritus* sm.
détroit sm.
détromper vt. — *(se)* vpr.
détrôner vt.
détrousser vt. ; *détrousseur, euse* s.
détruire vt.
dette sf.
détumescence sf.

deuil sm.
deutérium sm.
deux adj. numéral *et* sm. ; *deuxième* adj. *et* sm. ; *deuxièmement* adv.
deux-mâts sm.
deux-pièces sm.
deux-points sm.
deux-roues sm.
deux-temps sm.
dévaler vt. *et* vi.
dévaliser vt.
dévalorisation sf. ; *dévaloriser* vt.
dévaluation sf. ; *dévaluer* vt.
devancer vt. ; *devancier, ère* s. ; *devant* prép., adv. *et* sm. ; *devanture* sf.
dévastateur, trice adj. *et* s. ; *dévastation* sf. ; *dévaster* vt.
déveine sf.
développante sf. ; *développé* sm. ; *développement* sm. ; *développer* vt.
devenir vi. *et* sm.
dévergondage sm. ; *dévergondé, e* adj. *et* s. ; *dévergonder (se)* vpr.
déverrouiller vt.
devers (par) prép.
dévers, e adj. *et* sm.
déversement sm. ; *déverser* vt *et* vi. ; *déversoir* sm.
dévêtir vt. — *(se)* vpr.
déviance sf. ; *déviant, e* adj. ; *déviateur, trice* adj. *et* sm. ; *déviation* sf. ; *déviationnisme* sm. ; *déviationniste* adj.
dévidage sm. ; *dévider* vt. ; *dévideur, euse* s. ; *dévidoir* sm.
dévier vt. *et* vi.
devin, eresse s. *et* adj. ; *deviner* vt. ; *devinette* sf.
dévirer vi.
devis sm.
dévisager vt.
devise sf.
deviser vi.
dévissage sm. ; *dévisser* vt. *et* vi.
de visu loc. adv. (lat.)
dévitalisation sf. ; *dévitaliser* vt.
dévitrification sf. ; *dévitrifier* vt.
dévoiement sm.
dévoilement sm. ; *dévoiler* vt.
devoir vt. *et* sm.
dévolter vt.
dévolu, e adj. *et* sm. ; *dévolutif, ive* adj. ; *dévolution* sf.
devon sm.
dévonien, enne adj. *et* sm.
dévorant, e adj. ; *dévorateur, trice* adj. ; *dévorer* vt.
dévot, e adj. *et* s. ; *dévotement* adv. ; *dévotion* sf.
dévoué, e adj. ; *dévouement* sm. ; *dévouer* vt. — *(se)* vpr.
dévoyé, e adj. *et* s. ; *dévoyer* vt.
dextérité sf.
dextralité sf.
dextre sf.
dextrine sf.
dextrocardie sf.
dextrogyre adj.
dextrose sm.
dey sm.
dia ! intj.
diabète sm. ; *diabétique* adj. *et* s.
diable sm. ; *diablement* adv. ; *diablerie* sf. ; *diablesse* sf. ; *diablotin* sm. ; *diabolique* adv. ; *diaboliquement* adv.
diabolo sm.
diachronie sf.
diacide sm.
diaclase sf.
diaconal, e, aux adj. ; *diaconat* sm. ; *diaconesse* sf. ; *diacre* sm.
diacritique adj.
diadème sm.
diagnostic sm. ; *diagnostique* adj. ; *diagnostiquer* vt.
diagonal, e, aux adj. ; *diagonale* sf. ; *diagonalement* adv.
diagramme sm.
dialectal, e, aux adj. ; *dialecte* sm.
dialecticien, enne s. ; *dialectique* sf. *et* adj. ; *dialectiquement* adv.
dialectologie sf.
dialogue sm. ; *dialoguer* vi. *et* vt. ; *dialoguiste* s.
dialyse sf.
diamant sm. ; *diamantaire* sm. ; *diamanté, e* adj. ; *diamanter* vt. ; *diamantifère* adj.
diamétral, e, aux adj. ; *diamétralement* adv. ; *diamètre* sm.
diane sf.
diantre ! intj.
diapason sm.
diaphane adj.
diaphorèse sf.
diaphragme sm. ; *diaphragmer* vt.
diaphyse sf.
diapositive sf.
diapré, e adj. ; *diaprer* vt. ; *diaprure* sf.

diarrhée sf. ; *diarrhéique* adj.
diaspora sf.
diastase sf.
diastole sf.
diathermie sf.
diathèse sf.
diatomée sf.
diatomique adj.
diatonique adj.
diatribe sf.
diazoïque adj. *et* sm.
dichotomie sf.
dicotylédone adj. *et* sf.
dictame sm.
Dictaphone sm. (nom déposé).
dictateur sm. ; *dictatorial, e, aux* adj. ; *dictature* sf.
dictée sf. ; *dicter* vt.
diction sf.
dictionnaire sm.
dicton sm.
didactique adj.
dièdre adj. *et* sm.
diélectrique adj. *et* sm.
diencéphale sm.
diérèse sf.
dièse sm.
diesel sm.
diéser vt.
diète sf. ; *diététicien, enne* s. ; *diététique* adj. *et* sf.
dieu sm. (pl. *dieux*).
diffamant, e adj. ; *diffamateur, trice* s. *et* adj. ; *diffamation* sf. ; *diffamatoire* adj. ; *diffamer* vt.
différé, e adj.
différemment adv.
différence sf. ; *différenciation* sf. ; *différencier* vt.
différend sm. ; *différent, e* adj. ; *différentiel, elle* adj. ; *différer* vt. *et* vi.
difficile adj. *et* s. ; *difficilement* adv. ; *difficulté* sf. ; *difficultueux, euse* adj.
difforme adj. ; *difformité* sf.
diffracter vt. ; *diffraction* sf.
diffus, e adj. ; *diffusément* adv. ; *diffuser* vt. ; *diffuseur* sm. ; *diffusible* adj. ; *diffusion* sf.
digérer vt.
digest sm. (angl.).
digeste sm. (droit).
digestibilité sf. ; *digestible* adj. ; *digestif, ive* adj. *et* sm. ; *digestion* sf.
digital, e, aux adj. ; *digitale* sf. ; *digitaline* sf.
digitigrade adj. *et* sm.
digne adj. ; *dignement* adv. ; *dignitaire* sm. ; *dignité* sf.
digression sf.
digue sf.
diktat sm.
dilacération sf. ; *dilacérer* vt.
dilapidateur, trice s. *et* adj. ; *dilapidation* sf. ; *dilapider* vt.
dilatabilité sf. ; *dilatable* adj. ; *dilatant, e* adj. *et* sm. ; *dilatateur, trice* adj. *et* sm. ; *dilatation* sf. ; *dilatatoire* adj. ; *dilater* vt. — *(se)* vpr.
dilatoire adj.
dilection sf.
dilemme sm.
dilettante sm. (pl. *dilettantes*) ; *dilettantisme* sm.
diligemment adv.
diligence sf. ; *diligent, e* adj.
diluer vt. ; *dilution* sf.
diluvien, enne adj.
dimanche sm.
dîme sf.
dimension sf.
diminuendo adv.
diminué, e adj. *et* s. ; *diminuer* vt. *et* vi. ; *diminutif, ive* adj. *et* sm. ; *diminution* sf.
dimorphe adj. ; *dimorphisme* sm.
dinanderie sf.
dinar sm.
dînatoire adj.
dinde sf. ; *dindon* sm. ; *dindonneau* sm.
dîner vi. *et* sm. ; *dînette* sf. ; *dîneur, euse* sf.
dinghy sm.
dingo sm.
dingue adj.
dinguer vi.
dinosaure sm.
diocésain, e adj. *et* s. ; *diocèse* sm.
diode sf.
dionysiaque adj.
dioptre sm. ; *dioptrie* sf. ; *dioptrique* sf. *et* adj.
diorama sm.
dipétale adj.
diphasé, e adj.
diphtérie sf. ; *diphtérique* adj.
diphtongaison sf. ; *diphtongue* sf.
diplodocus sm.
diploïde adj.
diplomate sm. ; *diplomatie* sf. ; *di-*

plomatique adj. *et* sf. ; *diplomatiquement* adv.
diplôme sm. ; *diplômé, e* adj. *et* s. ; *diplômer* vt.
dipode adj. *et* sm.
dipôle sm.
dipsomane s. ; *dipsomanie* sf.
diptère adj. *et* sm.
diptyque sm.
dire vt. *et* sm.
direct, e adj. *et* sm. ; *directement* adv.
directeur, trice s. *et* adj.
direction sf. ; *directionnel, elle* adj. ; *directif, ive* adj. ; *directive* sf.
directoire sm.
directorial, e, aux adj.
dirigeable adj. *et* sm. ; *dirigeant, e* adj. *et* s. ; *diriger* vt. — *(se)* vpr. ; *dirigisme* sm. ; *dirigiste* s. *et* adj.
dirimant, e adj.
discal, e, aux adj.
discernable adj. ; *discernement* sm. ; *discerner* vt.
disciple sm.
disciplinable adj. ; *disciplinaire* adj. *et* sm. ; *discipline* sf. ; *discipliné, e* adj. ; *discipliner* vt.
discobole sm.
discomycètes sm. pl.
discontinu, e adj. ; *discontinuation (sans)* loc. ; *discontinuer* vt. *et* vi. ; *discontinuité* sf.
disconvenance sf. ; *disconvenir* vi.
discophile s.
discordance sf. ; *discordant, e* adj. ; *discorde* sf. ; *discorder* vi.
discothèque sf.
discoureur, euse s. ; *discourir* vi. ; *discours* sm.
discourtois, e adj. ; *discourtoisement* adv. ; *discourtoisie* sf.
discrédit sm. ; *discréditer* vt.
discret, ète adj. ; *discrètement* adv. ; *discrétion* sf. ; *discrétionnaire* adj.
discriminant, e adj. *et* sm. ; *discrimination* sf. ; *discriminatoire* adj. ; *discriminer* vt.
disculpation sf. ; *disculper* vt. — *(se)* vpr.
discursif, ive adj.
discussion sf.
discutable adj. ; *discutailler* vt. ; *discuter* vt.
disert, e adj.
disette sf.
diseur, euse s.
disgrâce sf. ; *disgracié, e* adj. ; *disgracier* vt. ; *disgracieux, euse* adj.
disjoindre vt. ; *disjoint, e* adj. ; *disjoncteur* sm. ; *disjonctif, ive* adj. ; *disjonction* sf.
dislocation sf. ; *disloquer* vt.
disparaître vi.
disparate adj. *et* sf.
disparité sf.
disparition sf. ; *disparu, e* adj. *et* s.
dispendieusement adv. ; *dispendieux, euse* adj.
dispensaire sm.
dispensateur, trice s. ; *dispense* sf. ; *dispenser* vt. — *(se)* vpr.
dispersement sm. ; *disperser* vt. — *(se)* vpr. ; *dispersion* sf.
disponibilité sf. ; *disponible* adj.
dispos, e adj.
disposer vt. *et* vi. — *(se)* vpr. ; *dispositif* sm. ; *disposition* sf.
disproportion sf. ; *disproportionné, e* adj.
disputailler vt. ; *dispute* sf. ; *disputer* vi. *et* vt. — *(se)* vpr. ; *disputeur, euse* s.
disquaire sm.
disqualification sf. ; *disqualifier* vt.
disque sm.
dissection sf.
dissemblable adj. ; *dissemblance* sf.
dissémination sf. ; *disséminer* vt.
dissension sf. ; *dissentiment* sm.
disséquer vt.
dissertation sf. ; *disserter* vi.
dissidence sf. ; *dissident, e* adj. *et* s.
dissimilation sf.
dissimilitude sf.
dissimulateur, trice s. *et* adj. ; *dissimulation* sf. ; *dissimulé, e* adj. ; *dissimuler* vt.
dissipateur, trice s. *et* adj. ; *dissipation* sf. ; *dissipé, e* adj. *et* s. ; *dissiper* vt. — *(se)* vpr.
dissociable adj. ; *dissociation* sf. ; *dissocier* vt.
dissolu, e adj.
dissoluble adj. ; *dissolution* sf. ; *dissolvant, e* adj. *et* sm.
dissonance sf. ; *dissonant, e* adj. ; *dissoner* vi.
dissoudre vt. ; *dissous, oute* adj.
dissuader vt. ; *dissuasif, ive* adj. ; *dissuasion* sf.
dissyllabique adj.
dissymétrie sf. ; *dissymétrique* adj.

distance sf. ; *distancer* vt. ; *distanciation* sf. ; *distant, e* adj.
distendre vt. ; *distension* sf.
distillat sm. ; *distillateur* sm. ; *distillation* sf. ; *distiller* vt. ; *distillerie* sf.
distinct, e adj. ; *distinctement* adv. ; *distinctif, ive* adj. ; *distinction* sf. ; *distinctivement* adv. ; *distingué, e* adj. ; *distinguer* vt.
distinguo sm. (pl. *distinguos).*
distique sm.
distordre vt. ; *distorsion* sf.
distraction sf. ; *distraire* vt. ; *distrait, e* adj. *et* s. ; *distraitement* adv. ; *distrayant, e* adj.
distribuable adj. ; *distribuer* vt. ; *distributaire* adj. *et* s. ; *distributeur, trice* s. ; *distributif, ive* adj. ; *distribution* sf. ; *distributionalisme* sm. ; *distributionnel, elle* adj. ; *distributivité* sf. ; *distributivement* adv.
district sm.
dit sm.
dithyrambe sm. ; *dithyrambique* adj.
dito mot inv. (abrév. *d°).*
diurèse sf. ; *diurétique* adj.
diurne adj.
diva sf.
divagation sf. ; *divaguer* vi.
divan sm.
divergence sf. ; *divergent, e* adj. ; *diverger* vi.
divers, e adj. ; *diversement* adv.
diversification sf. ; *diversifier* vt.
diversion sf.
diversité sf.
diverticule sm.
divertir vt. — *(se)* vpr. ; *divertissant, e* adj. ; *divertissement* sm.
dividende sm.
divin, e adj. *et* sm.
divinateur, trice adj. ; *divination* sf. ; *divinatoire* adj.
divinement adv. ; *divinisation* sf. ; *diviniser* vt. ; *divinité* sf.
divis, e adj. *et* sm. ; *diviser* vt. ; *diviseur* sm. *et* adj. ; *divisibilité* sf. ; *divisible* adj. ; *division* sf. ; *divisionnaire* adj. *et* sm.
divorce sm. ; *divorcé, e* adj. *et* s. ; *divorcer* vi.
divulgateur, trice s. *et* adj. ; *divulgation* sf. ; *divulguer* vt.
dix adj. numéral *et* sm. ; *dixième* adj. *et* sm. ; *dixièmement* adv. ; *dizain* sm. ; *dizaine* sf.
djebel sm. (arabe).
djellaba sf. (arabe).
djinn sm.
do sm. inv.
docile adj. ; *docilement* adv. ; *docilité* sf.
docimologie sf.
dock sm. ; *docker* sm.
docte adj. ; *doctement* adv. ; *docteur* sm. ; *doctoral, e, aux* adj. ; *doctoralement* adv. ; *doctorat* sm. ; *doctoresse* sf.
doctrinaire sm. ; *doctrinal, e, aux* adj. ; *doctrine* sf.
document sm. ; *documentaire* adj. *et* sm. ; *documentaliste* s. ; *documentation* sf. ; *documenter* vt. — *(se)* vpr.
dodécaèdre sm.
dodécagone sm.
dodécaphonisme sm. ; *dodécaphoniste* adj.
dodécasyllabe sm.
dodelinement sm. ; *dodeliner* vt. *et* vi.
dodo sm.
dodu, e adj.
doge sm.
dogmatique adj. *et* s. ; *dogmatiquement* adv. ; *dogmatisme* sm. ; *dogme* sm.
dogue sm.
doigt sm. ; *doigté ou doigter* sm. ; *doigter* vi. *et* vt. ; *doigtier* sm.
doit sm.
dol sm.
dolce adv. (ital.)
doléances sf. pl.
dolent, e adj.
dolichocéphale adj. *et* s.
dollar sm.
dolman sm.
dolmen sm. (pl. *dolmens*).
doloire sf.
dolomite sf.
dolorisme sm.
dom sm. (clergé).
domaine sm. ; *domanial, e, aux* adj.
dôme sm.
domestication sf. ; *domesticité* sf. ; *domestique* adj. *et* s. ; *domestiquer* vt.
domicile sm. ; *domiciliaire* adj. ; *domiciliataire* sm. ; *domiciliation* sf. ;

domicilié, e adj. ; *domicilier* vt. — *(se)* vpr.
dominance sf. ; *dominant, e* adj. *et* sf. ; *dominateur, trice* s. *et* adj. ; *domination* sf. ; *dominer* vi. *et* vt.
dominicain, e s.
dominical, e, aux adj.
dominion sm.
domino sm.
dommage sm. ; *dommageable* adj.
domptable adj. ; *dompter* vt. ; *dompteur, euse* s.
don sm. inv. (*des don juans).*
don sm. (cadeau) ; *donataire* s. ; *donateur, trice* s. ; *donation* sf.
donc conj.
dondon sf.
donjon sm.
donne sf. ; *donnée* sf. ; *donner* vt. *et* vi. ; *donneur, euse* s.
dont pr. rel. inv.
donzelle sf.
dopage sm. ; *doper* vt.
dorade sf. (poisson de bassin).
dorage sm. ; *doré, e* adj.
dorénavant adv.
dorer vt. ; *doreur, euse* s. *et* adj.
dorique adj. *et* sm.
doris sf. (gastéropode).
doris sm. (bateau).
dorloter vt.
dormant, e adj. ; *dormeur, euse* s. *et* adj. ; *dormeuse* sf. (bijou) ; *dormir* vi. ; *dormitif, ive* adj. *et* sm.
dorsal, e, aux adj.
dortoir sm.
dorure sf.
doryphore sm.
dos sm.
dosable adj. ; *dosage* sm. ; *dose* sf. ; *doser* vt. ; *doseur* sm.
dossard sm. ; *dosse* sf. ; *dosseret* sm. ; *dossier* sm.
dot sf. ; *dotal, e, aux* adj. ; *dotation* sf. ; *doter* vt.
douaire sm. ; *douairière* sf.
douane sf. ; *douanier, ère* adj. *et* sm.
douar sm. (arabe).
doublage sm. ; *double* sm. ; *doublé* sm. ; *doubleau* sm. ; *doublement* adv. *et* sm. ; *doubler* vt. *et* vi. ; *doublet* sm. ; *doublon* sm. ; *doublure* sf.
douce-amère sf. (pl. *douces-amères).*
douceâtre adj.
doucement adv.
doucereusement adv. ; *doucereux, euse* adj.
doucette sf. ; *doucettement* adv. ; *douceur* sf.
douche sf. ; *doucher* vt.
doucine sf.
doucir vt. ; *doucissage* sm.
doué, e adj.
douelle sf.
douer vt.
douille sf.
douillet, ette adj. ; *douillette* sf. ; *douillettement* adv.
douleur sf. ; *douloureusement* adv. ; *douloureux, euse* adj.
douma sf.
doute sm. ; *douter* vi. ; *douteusement* adv. ; *douteux, euse* adj.
douve sf.
doux, douce adj.
douzain sm. ; *douzaine* sf. ; *douze* adj. *et* sm. ; *douzième* adj. *et* sm. ; *douzièmement* adv.
doyen, enne s. ; *doyenné* sm.
drachme sf.
draconien, enne adj.
dragage sm.
dragée sf. ; *dragéifier* vt. ; *drageoir* sm.
dragon sm. ; *dragonne* sf.
drague sf. ; *draguer* vt. ; *dragueur, euse* adj. *et* s.
draille sf.
drain sm. ; *drainable* adj. ; *drainage* sm. ; *drainer* vt.
draisienne sf.
draisine sf.
dramatique adj. ; *dramatiquement* adv. ; *dramatiser* vt. ; *dramaturge* s. ; *dramaturgie* sf. ; *drame* sm.
drap sm. ; *drapage* sm. ; *drapé* sm.
drapeau sm.
draper vt. — *(se)* vpr. ; *draperie* sf. ; *drapier, ère* s. *et* adj.
drastique adj. *et* sm.
dravidien, enne adj. *et* sm.
drêche sf.
drège sf.
dressage sm. ; *dresser* vt. ; *dresseur, euse* s. ; *dressoir* sm.
dribble sm. (angl.) ; *dribbler* vt.
drill sm. (singe).
drille sm. (*joyeux* —).
drisse sf.
drogue sf. ; *droguer* vt. *et* vi. ; *droguerie* sf. ; *droguiste* s.

droit sm. ; ***droit, e*** adj. ; ***droite*** sf. ; ***droitement*** adj. ; ***droitier, ère*** adj. *et* s. ; ***droiture*** sf.
drolatique adj. ; ***drôle*** adj. *et* sm. ; ***drôlement*** adv. ; ***drôlerie*** sf. ; ***drôlesse*** sf.
dromadaire sm.
drosera sm.
drosophile sf.
drosse sf. ; ***drosser*** vt.
dru, e adj.
drugstore sm.
druide, esse s. ; ***druidique*** adj.
drupe sf.
dryade sf.
du art. m.
dû sm. ; ***dû, due, dus, dues*** adj.
dualisme sm. ; ***dualiste*** adj. *et* s. ; ***dualité*** sf.
dubitatif, ive adj. ; ***dubitativement*** adv.
duc sm. ; ***ducal, e, aux*** adj.
ducasse sf.
ducat sm.
duché sm. ; ***duchesse*** sf.
ducroire sm.
ductile adj. ; ***ductilité*** sf.
duègne sf.
duel sm. ; ***duelliste*** sm.
duettiste s.
duffle-coat sm. (pl. *duffle-coats*).
dulcinée sf.
dum-dum sf. inv.
dûment adv.
dumping sm. (angl.).
dundee sm.
dune sf. ; ***dunette*** sf.
duo sm.
duodécimal, e, aux adj.
duodénum sm.
dupe sf. *et* adj. ; ***duper*** vt. ; ***duperie*** sf. ; ***dupeur, euse*** s.
duplex sm.
duplicata sm. inv. (lat.) ; ***duplicateur*** sm. ; ***duplicatif, ive*** adj. ; ***duplication*** sf. ; ***duplice*** sf. ; ***duplicité*** sf.
duquel, de laquelle, desquels, desquelles pr. rel.
dur, e adj. *et* s.
durable adj. ; ***durablement*** adv.
duralumin sm.
durant prép. ; ***duratif, ive*** adj.
durcir vt. — ***(se)*** vpr. ; ***durcissement*** sm.
durée sf.
durement adv.
dure-mère sf.
durer vi.
dureté sf.
durillon sm.
Durit sf. (nom déposé).
duumvir sm. ; ***duumvirat*** sm.
duvet sm. ; ***duveté, e*** adj. ; ***duveteux, euse*** adj.
dyade sf.
dyarchie sf.
dynamique adj. *et* sf. ; ***dynamisme*** sm.
dynamitage sm. ; ***dynamite*** sf. ; ***dynamiter*** vt. ; ***dynamiteur, euse*** s.
dynamo sf.
dynamographe sm. ; ***dynamomètre*** sm.
dynastie sf. ; ***dynastique*** adj.
dyne sf.
dysenterie sf. ; ***dysentérique*** adj.
dysfonctionnement sm.
dysharmonie sf.
dyslexie sf. ; ***dyslexique*** s. *et* adj.
dysménorrhée sf.
dysorthographique adj.
dyspepsie sf. ; ***dyspeptique*** *ou* ***dyspepsique*** adj. *et* s.
dyspnée sf.

E

eau sf.
eau-de-vie sf. (pl. *eaux-de-vie).*
eau-forte sf. (pl. *eaux-fortes).*
ébahi, e adj. ; *ébahir* vt. ; *ébahissement* sm.
ébarbage sm. ; *ébarber* vt. ; *ébarboir* sm.
ébats sm. pl. ; *ébattre (s')* vpr.
ébaubi, e adj.
ébauchage sm. ; *ébauche* sf. ; *ébaucher* vt. ; *ébaucheur* sm. ; *ébauchoir* sm.
ébaudir (s') vpr.
ébène sf. ; *ébénier* sm. ; *ébéniste* sm. ; *ébénisterie* sf.
éberlué, e adj.
éblouir vt. ; *éblouissant, e* adj. ; *éblouissement* sm.
ébonite sf.
éborgnage sm. (horticulture).
éborgnement sm. ; *éborgner* vt.
éboueur sm.
ébouillantage sm. ; *ébouillanter* vt.
éboulement sm. ; *ébouler (s')* vpr. ; *éboulis* sm.
ébourgeonnement sm. ; *ébourgeonner* vt.
ébouriffé, e adj. ; *ébouriffer* vt.
ébourrer vt.
ébouter vt.
ébranchage sm. ; *ébrancher* vt. ; *ébranchoir* sm.
ébranlable adj. ; *ébranlement* sm. ; *ébranler* vt. — *(s')* vpr.
ébrasement sm. *ou* **ébrasure** sf. ; *ébraser* vt.
ébrécher vt. — *(s')* vpr. ; *ébréchure* sf.
ébriété sf.
ébrouement sm. ; *ébrouer (s')* vpr.
ébruitement sm. ; *ébruiter* vt.
ébullition sf.
éburné, e *ou* **éburnéen, enne** adj.
écaillage sm. ; *écaille* sf. ; *écailler* vt. — *(s')* vpr. ; *écailler, ère* s. ; *écailleux, euse* adj. ; *écaillure* sf.
écale sf. ; *écaler* vt.
écanguer vt.
écarlate sf. *et* adj.
écarquillement sm. ; *écarquiller* vt.
écart sm. ; *écartable* adj. ; *écarté, e* adj. *et* sm.
écartèlement sm. ; *écarteler* vt.
écartement sm. ; *écarter* vt. — *(s')* vpr. ; *écarteur* sm.
ecce homo sm. inv. (lat.).
eccéité sf.
ecchymose sf.
ecclésiastique adj. *et* sm. ; *ecclésial, aux* adj.
écervelé, e adj. *et* s.
échafaud sm. ; *échafaudage* sm. ; *échafauder* vt. *et* vi.
échalas sm.
échalier sm.
échalote sf.
échancrer vt. ; *échancrure* sf.
échange sm. ; *échangeable* adj. ; *échanger* vt. ; *échangeur* sm. ; *échangiste* sm.
échanson sm.
échantillon sm. ; *échantillonnage* sm. ; *échantillonner* vt.
échappatoire sf. ; *échappée* sf. ; *échappement* sm. ; *échapper* vi. — *(s')* vpr.
écharde sf.
échardonnage sm. ; *échardonner* vt.
écharnage sm. ; *écharner* vt.
écharpe sf.
écharper vt.
échasse sf. ; *échassier* sm.
échaudage sm. ; *échaudé* sm. ; *échauder* vt. ; *échaudoir* sm.
échauffant, e adj. ; *échauffé* sm. ; *échauffement* sm. ; *échauffer* vt.
échauffourée sf.
échauguette sf.
échéance sf. ; *échéancier* sm. ; *échéant, e* adj.
échec sm.
échelle sf. ; *échelon* sm. ; *échelonnement* sm. ; *échelonner* vt.
échenillage sm. ; *écheniller* vt. ; *échenilloir* sm.
écheveau sm.
échevelé, e adj.
échevette sf.
échevin sm. ; *échevinage* sm.
échidné sm.
échiffre sm.
échine sf. ; *échiner (s')* vpr.
échinodermes sm. pl.
échiquier sm.
écho sm.
échoir vi. *et* défectif.
écholalie sf.

échoppe sf.
échopper vt.
échotier sm.
échouage sm. (délibéré) ; ***échouement*** sm. (accidentel) ; ***échouer*** vt. *et* vi. — ***(s')*** vpr.
écimage sm. ; ***écimer*** vt.
éclaboussement sm. ; ***éclabousser*** vt. ; ***éclaboussure*** sf.
éclair sm. ; ***éclairage*** sm. ; ***éclairagiste*** sm. *et* adj. ; ***éclairant, e*** adj.
éclaircie sf. ; ***éclaircir*** vt. ; ***éclaircissage*** sm. (agriculture) ; ***éclaircissement*** sm. (explication).
éclairé, e adj. ; ***éclairement*** sm. ; ***éclairer*** vt. ; ***éclaireur*** sm.
éclampsie sf.
éclat sm. ; ***éclatant, e*** adj. ; ***éclatement*** sm. ; ***éclater*** vi.
éclectique adj. *et* sm. ; ***éclectisme*** sm.
éclipse sf. ; ***éclipser*** vt. — ***(s')*** vpr. ; ***écliptique*** sf. auj. masculin.
éclisse sf. ; ***éclisser*** vt.
éclopé, e adj. *et* s.
éclore vi. ; ***éclosion*** sf.
éclusage sm. ; ***écluse*** sf. ; ***éclusée*** sf. ; ***écluser*** vt. ; ***éclusier, ère*** adj. *et* s.
écobuage sm. ; ***écobuer*** vt.
écœurant, e adj. ; ***écœurement*** sm. ***écœurer*** vt.
écoinçon sm.
écolâtre sm. ; ***école*** sf. ; ***écolier, ère*** s.
écologie sf. ; ***écologique*** adj. ; ***écologiste*** s.
éconduire vt.
économat sm. ; ***économe*** adj. *et* sm. ; ***économétrie*** sf. ; ***économie*** sf. ; ***économique*** adj. ; ***économiquement*** adv. ; ***économiser*** vt. ; ***économiseur*** sm. ; ***économiste*** s.
écope sf. ; ***écoper*** vt. *et* vi.
écorçage sm. ; ***écorce*** sf. ; ***écorcer*** vt.
écorché sm. ; ***écorchement*** sm. ; ***écorcher*** vt. ; ***écorcherie*** sf. ; ***écorcheur*** sm. ; ***écorchure*** sf.
écorner vt.
écornifler vt. ; ***écornifleur, euse*** s.
écornure sf.
écosser vt. ; ***écosseuse*** sf.
écot sm.
écoulement sm. ; ***écouler*** vt. — ***(s')*** vpr.
écourter vt.
écoute sf. ; ***écouter*** vt. ; ***écouteur*** sm.
écoutille sf.
écouvillon sm. ; ***écouvillonnage*** sm. ; ***écouvillonner*** vt.
écrabouillement sm. ; ***écrabouiller*** vt.
écran sm.
écrasant, e adj. ; ***écrasé, e*** adj. ; ***écrasement*** sm. ; ***écraser*** vt.
écrémage sm. ; ***écrémer*** vt. ; ***écrémeuse*** sf.
écrêtement sm. ; ***écrêter*** vt.
écrevisse sf.
écrier (s') vpr.
écrin sm.
écrire vt. ; ***écrit*** sm. ; ***écriteau*** sm. ; ***écritoire*** sf. ; ***écriture*** sf.
écrivailler vt. ; ***écrivailleur, euse*** s. ; ***écrivaillon*** sm. ; ***écrivain*** sm. ; ***écrivassier, ère*** s.
écrou sm.
écrouelles sf. pl.
écrouer vt.
écrouir vt. ; ***écrouissage*** sm.
écroulement sm. ; ***écrouler (s')*** vpr.
écroûter vt. ; ***écroûteuse*** sf.
écru, e adj.
ectoderme sm.
ectoplasme sm.
écu sm.
écubier sm.
écueil sm.
écuelle sf.
éculé, e adj. ; ***éculer*** vt.
écumage sm. ; ***écumant, e*** adj. ; ***écume*** sf. ; ***écumer*** vt. *et* vi. ; ***écumeur*** sm. ; ***écumeux, euse*** adj. ; ***écumoire*** sf.
écurage sm. ; ***écurer*** vt.
écureuil sm.
écurie sf.
écusson sm. ; ***écussonnage*** sm. ; ***écussonner*** vt.
écuyer, ère s.
eczéma sm. ; ***eczémateux, euse*** adj. *et* s.
edelweiss sm.
éden sm. ; ***édénique*** adj.
édenté, e adj. *et* sm. ; ***édenter*** vt.
édicter vt.
édicule sm.
édifiant, e adj. ; ***édificateur*** sm. ; ***édification*** sf. ; ***édifice*** sm. ; ***édifier*** vt.
édile sm. ; ***édilité*** sf.
édit sm.
éditer vt. ; ***éditeur, trice*** s. *et* adj. ; ***édition*** sf. ; ***éditorial, e, aux*** adj. *et* sm. ; ***éditorialiste*** sm.
édredon sm.
éducable adj. ; ***éducateur, trice*** s. ;

éducatif, ice adj. ; *éducation* sf.
édulcoration sf. ; *édulcorer* vt.
éduquer sf.
efendi *ou* **effendi** sm.
effaçable adj. ; *effacé, e* adj. ; *effacement* sm. ; *effacer* vt. — *(s')* vpr.
effarant, e adj. ; *effaré, e* adj. ; *effarement* sm. ; *effarer* vt. — *(s')* vpr.
effarouchant, e adj. ; *effarouchement* sm. ; *effaroucher* vt. — *(s')* vpr.
effectif, ive adj. *et* sm. ; *effectivement* adv.
effectuer vt.
efféminé, e adj. *et* sm. ; *efféminer* vt.
efférent, e adj.
effervescence sf. ; *effervescent, e* adj.
effet sm.
effeuillage sm. ; *effeuillaison* sf. ; *effeuillement* sm. ; *effeuiller* vt.
efficace adj. ; *efficacement* adv. ; *efficacité* sf.
efficience sf. ; *efficient, e* adj.
effigie sf.
effilage sm. ; *effilé, e* adj. *et* sm. ; *effiler* vt.
effiloche sf. ; *effilocher* vt. — *(s')* vpr. ; *effilocheur, euse* s. ; *effilochure* sf.
efflanqué, e adj.
effleurement sm. ; *effleurer* vt.
efflorescence sf. ; *efflorescent, e* adj.
effluent, e adj. *et* sm.
effluve sm.
effondrement sm. ; *effondrer* vt. — *(s')* vpr.
efforcer (s') vpr. ; *effort* sm.
effraction sf.
effraie sf.
effrangement sm. ; *effranger* vt.
effrayant, e adj. ; *effrayer* vt.
effréné, e adj.
effritement sm. ; *effriter* vt. — *(s')* vpr.
effroi sm.
effronté, e adj. *effrontément* adv. ; *effronterie* sf.
effroyable adj. ; *effroyablement* adv.
effusion sf.
égailler (s') vpr.
égal, e, aux adj. *et* s. ; *également* adv. ; *égaler* vt. ; *égalisateur, trice* adj. ; *égalisation* sf. ; *égaliser* vt. ; *égalitaire* adj. ; *égalitarisme* sm. ; *égalitariste* adj. *et* s. ; *égalité* sf.
égard sm. ; *eu égard à* loc. prép.
égaré, e adj.
égarement sm.
égarer vt. — *(s')* vpr.
égayer vt. — *(s')* vpr.
égérie sf.
égide sf.
églantier sm. ; *églantine* sf.
églefin sm.
église sf.
églogue sf.
ego sm. (lat.).
égocentrique adj. *et* s. ; *égocentrisme* sm.
égoïne sf.
égoïsme sm. ; *égoïste* adj. *et* s. ; *égoïstement* adv.
égorgement sm. ; *égorger* vt. ; *égorgeur, euse* s.
égosiller (s') vpr.
égotisme sm. ; *égotiste* adj.
égout sm. ; *égoutier* sm.
égouttage sm. ; *égouttement* sm. ; *égoutter* vt. ; *égouttoir* sm. ; *égoutture* sf.
égrappage sm. ; *égrapper* vt.
égratigner vt. ; *égratignure* sf.
égrenage sm. ; *égrener* vt. ; *égreneuse* sf.
égrillard, e adj.
égrotant, e adj.
égruger vt.
égyptien, enne adj. *et* s. ; *égyptologie* sf. ; *égyptologue* s.
eh! intj.
éhonté, e adj.
eider sm.
eidétique adj.
éjaculation sf. ; *éjaculer* vt.
éjectable adj. ; *éjecter* vt. ; *éjecteur* sm. ; *éjection* sf.
éjointer vt.
élaboration sf. ; *élaborer* vt.
élagage sm. ; *élaguer* vt. ; *élagueur, euse* s.
élan sm.
élancé, e adj. ; *élancement* sm. ; *élancer* vi. — *(s')* vpr.
élargir vt. ; *élargissement* sm.
élasticité sf. ; *élastique* adj. *et* sm.
élastomère sm.
électeur, trice s. *et* adj. ; *électif, ive* adj. ; *élection* sf. ; *électivité* sf. ; *électoral, e, aux* adj. ; *électoralisme* sm. ; *électorat* sm.
électricien, enne s. *et* adj. ; *électricité* sf. ; *électrification* sf. ; *électrifier* vt. ; *électrique* adj. ; *électrique-*

ment adv.
électrisable adj. ; *électrisant, e* adj. ; *électrisation* sf. ; *électriser* vt. ; *électriseur* sm.
électro-aimant sm. (pl. *électro-aimants).*
électrocardiogramme sm. ; *électrocardiographe* sm. ; *électrocardiographie* sf.
électrocautère sm.
électrochimie sf.
électrochoc sm.
électrocoagulation sf.
électrocuter vt. ; *électrocution* sf.
électrode sf.
électrodiagnostic sm.
électrodynamique sf. *et* adj. ; *électrodynamisme* sm.
électro-encéphalogramme sm. ; *électro-encéphalographie* sf.
électrogène adj.
électroluminescence sf.
électrolysable adj. ; *électrolysation* sf. ; *électrolyse* sf. ; *électrolyser* vt. ; *électrolyseur* sm. ; *électrolyte* sm. ; *électrolytique* adj.
électromagnétique adj. ; *électromagnétisme* sm.
électromécanicien sm. ; *électromécanique* sf. *et* adj.
électroménager sm.
électrométallurgie sf. ; *électrométallurgiste* sm.
électromètre sm.
électromoteur, trice adj. *et* s.
électron sm.
électronégatif, ive adj.
électronique adj. *et* sf.
électron-volt sm.
électrophone sm.
électrophorèse sf.
électrophysiologie sf.
électropositif, ive adj.
électroradiologie sf. ; *électroradiologiste* s.
électroscope sm.
électrostatique adj. *et* sf.
électrotechnique adj. *et* sf.
électrothérapie sf.
électrothermie sf.
électrum sm.
électuaire sm.
élégamment adv. ; *élégance* sf. ; *élégant, e* adj. *et* s.
élégiaque adj. ; *élégie* sf.
élément sm. ; *élémentaire* adj.
éléphant sm. ; *éléphanteau* sm. ; *éléphantesque* adj. ; *éléphantiaque* adj. ; *éléphantiasis* sm.
élevage sm.
élévateur, trice adj. *et* sm. ; *élévation* sf. ; *élévatoire* adj.
élève s.
élevé, e adj. ; *élever* vt. ; *éleveur, euse* s.
elfe sm.
élider vt.
éligibilité sf. ; *éligible* adj. *et* s.
élimer vt.
éliminateur, trice adj. ; *élimination* sf. ; *éliminatoire* adj. *et* sf. ; *éliminer* vt.
élingue sf. ; *élinguer* vt.
élire vt.
élisabéthain, aine adj.
élision sf.
élite sf. ; *élitisme* sm. ; *élitiste* adj.
élixir sm.
elle pr. f. 3e pers. sing. (pl. *elles).*
ellébore sm.
ellipse sf. ; *ellipsoïdal, e, aux* adj. ; *ellipsoïde* sm. ; *elliptique* adj. ; *elliptiquement* adv.
élocution sf.
éloge sm. ; *élogieusement* adv. ; *élogieux, euse* adj.
éloigné, e adj. ; *éloignement* sm. ; *éloigner* vt. — *(s')* vpr.
élongation sf.
éloquemment adv. ; *éloquence* sf. ; *éloquent, e* adj.
élu, e adj. *et* s.
élucidation sf. ; *élucider* vt.
élucubration sf.
éluder vt.
éluvial, e, aux adj. ; *éluvion* sf.
élyséen, enne adj.
élytre sm.
elzévir sm.
émaciation sf. ; *émacié, e* adj.
émail sm. (pl. *émaux) ; émaillage* sm. ; *émailler* vt. ; *émaillerie* sf. ; *émailleur, euse* s. *et* adj. ; *émaillure* sf.
émanation sf.
émancipateur, trice adj. ; *émancipation* sf. ; *émanciper* vt. — *(s')* vpr.
émaner vi.
émargement sm. ; *émarger* vt.
émasculation sf. ; *émasculer* vt.
embâcle sm.
emballage sm. ; *emballer* vt. — *(s')*

vpr. ; ***emballeur, euse*** s. ; ***emballement*** sm. (enthousiasme ; moteur).
embarcadère sm.
embarcation sf.
embardée sf.
embargo sm.
embariller vt.
embarquement sm. ; ***embarquer*** vt. — ***(s')*** vpr.
embarras sm. ; ***embarrassant, e*** adj. ; ***embarrassé, e*** adj. ; ***embarrasser*** vt. — ***(s')*** vpr.
embastiller vt.
embattage sm. ; ***embattre*** vt.
embauchage sm. ; ***embauche*** sf. ; ***embaucher*** vt. ; ***embaucheur, euse*** s.
embauchoir sm.
embaumement sm. ; ***embaumer*** vt. *et* vi. ; ***embaumeur*** sm.
embecquer vt.
embellie sf. ; ***embellir*** vt. *et* vi. ; ***embellissement*** sm.
emberlificoter vt.
embêtant, e adj. ; ***embêtement*** sm. ; ***embêter*** vt. — ***(s')*** vpr.
emblavage sm. ; ***emblaver*** vt. ; ***emblavure*** sf.
emblée (d') loc. adv.
emblématique adj. ; ***emblème*** sm.
emboîtage sm. ; ***emboîtement*** sm. ; ***emboîter*** vt. ; ***emboîture*** sf.
embolie sf.
embonpoint sm.
embossage sm. ; ***embosser*** vt.
embouche sf. ; ***embouché, e*** adj. ; ***emboucher*** vt. ; ***embouchure*** sf. ; ***embouchoir*** sm.
embouquer vt. *et* vi.
embourbement sm. ; ***embourber*** vt. — ***(s')*** vpr.
embourgeoisé, e adj. ; ***embourgeoisement*** sm. ; ***embourgeoiser (s')*** vpr.
embourrure sf.
embout sm.
embouteillage sm. ; ***embouteiller*** vt.
emboutir vt. ; ***emboutissage*** sm. ; ***emboutisseur*** sm. ; ***emboutisseuse*** sf.
embranchement sm. ; ***embrancher*** vt. — ***(s')*** vpr.
embrasé, e adj. ; ***embrasement*** sm. ***embraser*** vt.
embrassade sf. ; ***embrasse*** sf. ; ***embrassement*** sm. ; ***embrasser*** vt.
embrasure sf.
embrayage sm. ; ***embrayer*** vt.
embrigadement sm. ; ***embrigader*** vt.
embringuer vt. — ***(s')*** vpr.
embrochement sm. ; ***embrocher*** vt.
embroncher vt.
embrouillamini sm. ; ***embrouille*** sf. ; ***embrouillé, e*** adj. ; ***embrouiller*** vt. — ***(s')*** vpr.
embroussaillé, e adj.
embrumer vt.
embrun sm.
embrunir vt.
embryogenèse sf. ; ***embryologie*** sf. ; ***embryologique*** adj. ; ***embryon*** sm. ; ***embryonnaire*** adj. ; ***embryotomie*** sf.
embu, e adj. *et* sm.
embûche sf.
embuer vt.
embuscade sf. ; ***embusqué, e*** adj. *ou* s. ; ***embusquer*** vt. — ***(s')*** vpr.
éméché, e adj.
émeraude sf.
émergence sf. ; ***émergent, e*** adj. ; ***émerger*** vi.
émeri sm.
émerillon sm. ; ***émerillonné, e*** adj.
émeriser vt.
émérite adj.
émersion sf.
émerveillement sm. ; ***émerveiller*** vt. — ***(s')*** vpr.
émétique adj. *et* sm.
émetteur, trice s. *et* adj. ; ***émettre*** vt.
émeu sm.
émeute sf. ; ***émeutier, ère*** s.
émiettement sm. ; ***émietter*** vt.
émigrant, e s. ; ***émigration*** sf. ; ***émigré, e*** adj. *et* s. ; ***émigrer*** vi.
émincé sm. ; ***émincer*** vt.
éminemment adv. ; ***éminence*** sf. ; ***éminent, e*** adj. ; ***éminentissime*** adj.
émir sm. ; ***émirat*** sm.
émissaire adj. *et* sm.
émissif, ive adj. ; ***émission*** sf.
emmagasinage sm. ; ***emmagasiner*** vt.
emmaillotement sm. ; ***emmailloter*** vt.
emmancher vt. ; ***emmanchure*** sf.
emmêlement sm. ; ***emmêler*** vt.
emménagement sm. ; ***emménager*** vi. *et* vt.
emménagogue adj. et sm.
emmener vt.
emmenthal sm.
emmerdant, e adj. ; ***emmerdement***

sm. ; *emmerder* vt. — *(s')* vpr. ; *emmerdeur, euse* s.
emmétrope adj.
emmieller vt.
emmitoufler vt.
emmuré, e adj. *et* s. ; *emmurer* vt.
émoi sm.
émollient, e adj. *et* sm.
émolument sm.
émonctoire sm.
émondage sm. ; *émonder* vt. ; *émondeur, euse* s. ; *émondoir* sm.
émotif, ive adj. *et* s. ; *émotion* sf. ; *émotionnable* adj. ; *émotionnel, elle* adj. ; *émotionner* vt. ; *émotivité* sf.
émottage sm. ; *émotter* vt.
émouchet sm.
émouchoir sm.
émoulage sm. ; *émouleur* sm. ; *émoulu, e* adj.
émousser vt.
émoustillant, e adj. ; *émoustiller* vt.
émouvant, e adj. ; *émouvoir* vt. — *(s')* vpr.
empaillage sm. ; *empaillement* sm. ; *empailler* vt. ; *empailleur, euse* s.
empalement sm. ; *empaler* vt.
empan sm.
empanacher vt.
empanner vt.
empaquetage sm. ; *empaqueter* vt. ; *empaqueteur, euse* s.
emparer (s') vpr.
empâté, e adj. ; *empâtement* sm. (engraissement) ; *empâter* vt. — *(s')* vpr.
empathie sf.
empattement sm. (base) ; *empatter* vt.
empaumer vt.
empêchement sm. ; *empêcher* vt.
empeigne sf.
empennage sm. ; *empenne* sf. ; *empenner* vt.
empereur sm.
empesage sm. ; *empesé, e* adj. ; *empeser* vt.
empester vt.
empêtrer vt. — *(s')* vpr.
emphase sf. ; *emphatique* adj.
emphysémateux, euse s. *et* adj. ; *emphysème* sm.
emphytéose sf. ; *emphytéote* s. ; *emphytéotique* adj.
empiècement sm.
empierrement sm. ; *empierrer* vt.
empiétement sm. ; *empiéter* vt. *et* vi.
empiffrer (s') vpr.
empilage *ou* **empilement** sm. ; *empiler* vt. ; *empileur, euse* s.
empire sm.
empirer vt. *et* vi.
empirique adj. *et* sm. ; *empiriquement* adv. ; *empirisme* sm. ; *empiriste* s. *et* adj.
emplacement sm.
emplâtre sm.
emplette sf.
emplir vt.
emploi sm. ; *employable* adj. ; *employé, e* s. *et* adj. ; *employer* vt. ; *employeur, euse* s.
emplumer vt.
empocher vt.
empoignade sf. ; *empoigne* sf. ; *empoigner* vt.
empois sm.
empoisonnement sm. ; *empoisonner* vt. ; *empoisonneur, euse* s. *et* adj.
empoisser vt.
empoissonnement sm. ; *empoissonner* vt. — *(s')* vpr.
emporté, e adj. ; *emportement* sm.
emporte-pièce sm. inv.
emporter vt.
empotage sm. ; *empoté, e* adj. ; *empoter* vt.
empourprer vt.
empoussiérer vt.
empreindre vt. ; *empreinte* sf.
empressé, e adj. ; *empressement* sm. ; *empresser (s')* vpr.
emprise sf.
emprisonnement sm. ; *emprisonner* vt.
emprunt sm. ; *emprunté, e* adj. ; *emprunter* vt. ; *emprunteur, euse* s. *et* adj.
empuantir vt. ; *empuantissement* sm.
empyème sm.
empyrée sm.
ému, e adj.
émulation sf. ; *émule* s.
émulsif, ive adj. ; *émulsifiable* adj. ; *émulsion* sf. ; *émulsionner* vt.
en prép., pr. *et* adv.
enamourer (s') (rare) *ou* **énamourer (s')** vpr.
énarque sm.
encabaner vt.
encablure sf.

encadrement sm. ; *encadrer* vt. ; *encadreur* sm.
encager vt.
encaissable adj. ; *encaissage* sm. ; *encaisse* sf. ; *encaissé, e* adj. ; *encaissement* sm. ; *encaisser* vt. ; *encaisseur* sm.
encalminé, e adj.
encan (à l') loc. adv.
encanailler vt. — *(s')* vpr.
encapuchonner vt.
encaquement sm. ; *encaquer* vt.
encart sm. ; *encartage* sm. ; *encarter* vt. ; *encarteuse* sf.
encartonner vt.
en-cas sm. inv.
encaserner vt.
encastrement sm. ; *encastrer* vt.
encaustique sf. ; *encaustiquer* vt.
encaver vt.
enceindre vt. ; *enceinte* sf. ; *enceinte* adj. f.
encens sm. ; *encensement* sm. ; *encenser* vt. ; *encenseur* sm. ; *encensoir* sm.
encéphale sm. ; *encéphalique* adj. ; *encéphalite* sf. ; *encéphalographie* sf. ; *encéphalopathie* sf.
encerclement sm. ; *encercler* vt.
enchaînement sm. ; *enchaîner* vt.
enchanté, e adj. ; *enchantement* sm. ; *enchanter* vt. ; *enchanteur, eresse* adj. *et* s.
enchâssement sm. ; *enchâsser* vt. ; *enchâssure* sf.
enchausser vt.
enchemisage sm. ; *enchemiser* vt.
enchère sf. ; *enchérir* vt. *et* vi. ; *enchérissement* sm. ; *enchérisseur, euse* s.
enchevêtrement sm. ; *enchevêtrer* vt. ; *enchevêtrure* sf.
enchifrené, e adj.
enclave sf. ; *enclavement* sm. ; *enclaver* vt.
enclenche sf. ; *enclenchement* sm. ; *enclencher* vt.
enclin, e adj.
encliquetage sm. ; *encliqueter* vt.
enclitique sf.
enclore vt. ; *enclos* sm. ; *enclosure* sf.
enclouage sm. ; *enclouer* vt.
enclume sf.
encoche sf. ; *encocher* vt.
encoignure sf.
encollage sm. ; *encoller* vt.
encolure sf.
encombrant, e adj. ; *encombre* sm. ; *encombrement* sm. ; *encombrer* vt.
encontre (à l') loc. prép. *et* adv.
encorbellement sm.
encorder (s') vpr.
encore adv.
encorné, e adj. ; *encorner* vt.
encornet sm.
encourageant, e adj. ; *encouragement* sm. ; *encourager* vt.
encourir vt.
encrage sm.
encrassement sm. ; *encrasser* vt. — *(s')* vpr.
encre sf. ; *encrer* vt. ; *encreur* adj. *et* sm. ; *encrier* sm.
encroûtement sm. ; *encroûter* vt. — *(s')* vpr.
encuver vt.
encyclique sf. *et* adj.
encyclopédie sf. ; *encyclopédique* adj. ; *encyclopédisme* sm. ; *encyclopédiste* sm.
endémie sf. ; *endémique* adj.
endenter vt.
endettement sm. ; *endetter* vt. — *(s')* vpr.
endeuiller vt.
endiablé, e adj.
endiguement sm. ; *endiguer* vt.
endimancher (s') vpr.
endive sf.
endocarde sm. ; *endocardite* sf.
endocarpe sm.
endocrine adj. f. ; *endocrinien, enne* adj. ; *endocrinologie* sf.
endoctrinement sm. ; *endoctriner* vt.
endoderme sm.
endogamie sf.
endogène adj.
endolori, e adj. ; *endolorir* vt. ; *endolorissement* sm.
endométrite sf.
endommagement sm. ; *endommager* vt.
endormant, e adj. ; *endormeur, euse* s. ; *endormi, e* adj. ; *endormir* vt.
endos sm.
endoscope sm. ; *endoscopie* sf.
endossement sm. ; *endosser* vt. ; *endosseur* sm.
endroit sm.
enduire vt. ; *enduit* sm.
endurable adj. ; *endurance* sf. ; *endurant, e* adj.

endurci, e adj. ; *endurcir* vt. — *(s')* vpr. ; *endurcissement* sm.
endurer vt.
énergétique adj. ; *énergie* sf. ; *énergique* adj. ; *énergiquement* adv.
énergumène s.
énervant, e adj. ; *énervation* sf. ; *énervé, e* adj. *et* s. ; *énervement* sm. ; *énerver* vt. — *(s')* vpr.
enfaîteau sm. ; *enfaîtement* sm. ; *enfaîter* vt.
enfance sf. ; *enfant* s. ; *enfantement* sm. ; *enfanter* vt. ; *enfantillage* sm. ; *enfantin, e* adj.
enfariné, e adj. ; *enfariner* vt.
enfer sm.
enfermé sm. ; *enfermer* vt.
enferrer vt. — *(s') vpr.*
enfeu sm. (pl. *enfeux*).
enfièvrement sm. ; *enfiévrer* vt.
enfilade sf. ; *enfiler* vt. ; *enfileur, euse* s.
enfin adv.
enflammé, e adj. ; *enflammer* vt.
enflé, e adj.
enfléchure sf.
enfler vt. *et* vi. ; *enflure* sf.
enfoncement sm. ; *enfoncer* vt. ; *enfonceur, euse* s. ; *enfonçure* sf.
enfouir vt. — *(s')* vpr. ; *enfouissement* sm. ; *enfouisseur* sm.
enfourchement sm. *enfourcher* vt. ; *enfourchure* sf.
enfournage sm. ; *enfourner* vt.
enfreindre vt.
enfuir (s') vpr.
enfumage sm. ; *enfumer* vt.
enfutailler *ou* **enfûter** vt.
engagé, e adj. *et* sm. ; *engageant, e* adj. ; *engagement* sm. ; *engager* vt. — *(s')* vpr.
engazonnement sm. ; *engazonner* vt.
engeance sf.
engelure sf.
engendrement sm. ; *engendrer* vt.
engerber vt.
engin sm.
englober vt.
engloutir vt. ; *engloutissement* sm.
engluage *ou* **engluement** sm. ; *engluer* vt.
engommer vt.
engoncé, e adj. ; *engoncement* sm. ; *engoncer* vt.
engorgement sm. ; *engorger* vt.
engouement sm. ; *engouer (s')* vpr.
engouffrer vt. — *(s')* vpr.
engoulevent sm.
engourdir vt. ; *engourdissement* sm.
engrais sm. ; *engraissement* sm. ; *engraisser* vt. ; *engraisseur* sm.
engramme sm.
engrangement sm. ; *engranger* vt.
engraver vt.
engrenage sm. ; *engrènement* sm. ; *engrener* vt.
engrois sm.
engrosser vt.
engrumeler (s') vpr.
engueulade sf. ; *engueuler* vt.
enguirlander vt.
enhardir vt. — *(s')* vpr.
enharmonie sf. ; *enharmonique* adj.
enherber vt.
énigmatique adj. ; *énigmatiquement* adv. ; *énigme* sf.
enivrant, e adj. ; *enivrement* sm. ; *enivrer* vt. — *(s')* vpr.
enjambée sf. ; *enjambement* sm. ; *enjamber* vt. *et* vi.
enjaveler vt.
enjeu sm. (pl. *enjeux*).
enjoindre vt.
enjôler vt. ; *enjôleur, euse* s. *et* adj.
enjolivement sm. ; *enjoliver* vt. ; *enjoliveur, euse* s. ; *enjolivure* sf.
enjoué, e adj. ; *enjouement* sm.
enjuponner vt.
enkysté, e adj. ; *enkystement* sm. ; *enkyster (s')* vpr.
enlacement sm. ; *enlacer* vt.
enlaidir vt. *et* vi. ; *enlaidissement* sm.
enlevé, e adj. ; *enlèvement* sm. ; *enlever* vt.
enliasser vt.
enlier vt.
enligner vt.
enlisement sm. ; *enliser* vt. — *(s')* vpr.
enluminer vt. ; *enlumineur, euse* s. ; *enluminure* sf.
ennéagone adj. *et* sm.
enneigé, e adj. ; *enneigement* sm.
ennemi, e adj. *et* s.
ennoblir vt. ; *ennoblissement* sm.
ennuager (s') vpr.
ennui sm. ; *ennuyer* vt. — *(s')* vpr. ; *ennuyeusement* adv. ; *ennuyeux, euse* adj.
énoncé sm. ; *énoncer* vt. ; *énonciatif, ive* adj. ; *énonciation* sf.
enorgueillir vt. — *(s')* vpr.
énorme adj. ; *énormément* adv. ;

énormité sf.
énouer vt.
enquérir (s') vpr. ; *enquête* sf. ; *enquêter* vi. ; *enquêteur* sm.
enquiquiner vt.
enracinement sm. ; *enraciner* vt. — *(s')* vpr.
enragé, e adj. *et* s. ; *enrageant, e* adj. ; *enrager* vi.
enraiement sm. (arrêt) ; *enrayage* sm. (arme) ; *enrayer* vt.
enrégimenter vt.
enregistrable adj. ; *enregistrement* sm. ; *enregistrer* vt. ; *enregistreur, euse* adj. *et* s.
enrhumer vt. — *(s')* vpr.
enrichi, e adj. *et* s. ; *enrichir* vt. ; *enrichissement* sm.
enrobage *ou* **enrobement** sm. ; *enrober* vt.
enrochement sm. ; *enrocher* vt.
enrôlé, e adj. *et* s. ; *enrôlement* sm. *enrôler* vt. — *(s')* vpr.
enrouement sm. ; *enrouer* vt. — *(s')* vpr.
enroulement sm. ; *enrouler* vt. — *(s')* vpr. ; *enrouleur, euse* adj. *et* s.
enrubanner vt.
ensablement sm. ; *ensabler* vt. — *(s')* vpr.
ensachage sm. ; *ensacher* vt.
ensanglanter vt.
enseignant, e adj. *et* s.
enseigne sf.
enseignement sm. ; *enseigner* vt.
ensellé, e adj. ; *ensellement* sm. ; *ensellure* sf.
ensemble sm. *et* adv. ; *ensemblier* sm.
ensemencement sm. ; *ensemencer* vt.
enserrer vt.
enseuillement sm.
ensevelir vt. — *(s')* vpr. ; *ensevelissement* sm. ; *ensevelisseur, euse* s.
ensilage sm. ; *ensiler* vt.
en-soi sm. *et* adj. inv.
ensoleillé, e adj. ; *ensoleillement* sm. ; *ensoleiller* vt.
ensommeillé, e adj.
ensorcelant, e adj. ; *ensorceler* vt. ; *ensorceleur, euse* adj. *et* s. ; *ensorcellement* sm.
ensuite adv.
ensuivre (s') vpr.
entablement sm. ; *entabler* vt. ; *entablure* sf.
entacher vt.
entaille sf. ; *entailler* vt.
entame sf. ; *entamer* vt.
entartrage sm. ; *entartrer* vt.
entassement sm. ; *entasser* vt. — *(s')* vpr. ; *entasseur* sm.
ente sf.
entéléchie sf.
entendement sm. ; *entendeur* sm. ; *entendre* vt. — *(s')* vpr. ; *entendu, e* adj.
enténébrer vt.
entente sf.
enter vt.
entériner vt.
entérite sf.
enterrement sm. ; *enterrer* vt.
en-tête sm. (pl. *en-têtes)*.
entêté, e adj. ; *entêtement* sm. ; *entêter* vt. — *(s')* vpr.
enthousiasmant, ante adj. ; *enthousiasme* sm. ; *enthousiasmer* vt. — *(s')* vpr. ; *enthousiaste* adj. *et* s.
entiché, e adj. ; *entichement* sm. ; *enticher* vt. — *(s')* vpr.
entier, ère adj. *et* sm. ; *entièrement* adv.
entité, sf.
entoilage sm. ; *entoiler* vt.
entôler vt.
entolome sm.
entomologie sf. ; *entomologique* adj. ; *entomologiste* s.
entonnage sm. *ou* **entonnement** sm. ; *entonner* vt. ; *entonnoir* sm.
entorse sf.
entortillement sm. ; *entortiller* vt.
entourage sm. ; *entourer* vt.
entourloupette sf.
entournure sf.
entraccorder (s') vpr.
entraccuser (s') vpr.
entracte sm.
entraide sf. ; *entraider (s')* vpr.
entrailles sf. pl.
entr'aimer *(s')* vpr.
entrain sm.
entraînable adj. ; *entraînant, e* adj. ; *entraînement* sm. ; *entraîner* vt. — *(s')* vpr. ; *entraîneur* sm. ; *entraîneuse* sf.
entrant, e s. *et* adj.
entr'apercevoir vt.
entr'appeler (s') vpr.
entrave sf. ; *entravé, e* adj. ; *entraver* vt.
entr'avertir (s') vpr.

entre prép.
entrebâillement sm. ; *entrebâiller* vt.
entre-bande sf. (pl. *entre-bandes).*
entrebattre (s') vpr.
entrechat sm.
entrechoquer (s') vpr.
entrecolonnement sm.
entrecôte sf.
entrecouper vt.
entrecroiser vt. — *(s')* vpr.
entre-déchirer (s') vpr.
entre-deux sm. inv.
entre-deux-guerres sm. inv.
entre-dévorer (s') vpr.
entrée sf.
entrefaites sf. pl.
entrefilet sm.
entregent sm.
entr'égorger (s') vpr.
entrejambe sm.
entrelacement sm. ; *entrelacer* vt. ; *entrelacs* sm.
entrelarder vt.
entremêler vt.
entremets sm.
entremetteur, euse s. ; *entremettre (s')* vpr. ; *entremise* sf.
entrepont sm.
entreposage sm. ; *entreposer* vt. ; *entreposeur* sm. ; *entrepositaire* sm. ; *entrepôt* sm.
entreprenant, e adj. ; *entreprendre* vt. ; *entrepreneur, euse* s. ; *entreprise* sf.
entre-quereller (s') vpr.
entrer vt. *et* vi.
entre-regarder (s') vpr.
entresol sm.
entretaille sf.
entre-temps adv.
entretenir vt. ; *entretien* sm.
entretoise sf.
entre-tuer (s') vpr.
entre-voie sf. (pl. *entre-voies).*
entrevoir vt. ; *entrevue* sf.
entrisme sm.
entropie sf.
entrouvert, e adj. ; *entrouverture* sf. ; *entrouvrir* vt.
enture sf.
énucléation sf. ; *énucléer* vt.
énumératif, ive adj. ; *énumération* sf. ; *énumérer* vt.
énurésie sf. ; *énurésique* adj.
envahir vt. ; *envahissant, e* adj. ; *envahissement* sm. ; *envahisseur* sm. *et* adj. m.
envasement sm. ; *envaser* vt.
enveloppant, e adj. ; *enveloppe* sf. ; *enveloppement* sm. ; *envelopper* vt.
envenimement sm. ; *envenimer* vt. — *(s')* vpr.
envergure sf.
envers prép. *et* sm.
envi (à l') loc. adv.
enviable adj. ; *envie* sf. ; *envier* vt. ; *envieusement* adv. ; *envieux, euse* adj. *et* s.
environ adv. ; *environnant, e* adj. ; *environnement* sm. ; *environner* vt. ; *environs* sm. pl.
envisager vt.
envoi sm.
envoiler (s') vpr.
envol sm. ; *envolée* sf. ; *envoler (s')* vpr.
envoûtement sm. ; *envoûter* vt.
envoyé, e s. ; *envoyer* vt. ; *envoyeur* sm.
enzymatique adj. ; *enzyme* sf.
éocène adj. *et* sm.
éolien, enne adj. *et* s. ; *éolienne* sf.
éosine sf.
épacte sf.
épagneul, e s.
épair sm.
épais, aisse adj. ; *épaisseur* sf. ; *épaissir* vt. *et* vi. — *(s')* vpr. ; *épaississant, e* adj. ; *épaississement* sm.
épamprer vt.
épanchement sm. ; *épancher* vt.
épandage sm. ; *épandeur, euse* s. ; *épandre* vt.
épanneler vt.
épanouir vt. — *(s')* vpr. ; *épanouissement* sm.
épargnant, e adj. *et* s. ; *épargne* sf. ; *épargner* vt.
éparpillement sm. ; *éparpiller* vt.
épars, e adj.
épatamment adv. ; *épatant, e* adj. ; *épaté, e* adj. ; *épatement* sm. ; *épater* vt.
épaulard sm.
épaule sf. ; *épaulée* sf. ; *épaulé-jeté* sm. ; *épaulement* sm. ; *épauler* vt. ; *épaulette* sf.
épave sf.
épeautre sm.
épée sf.
épeler vt.
éperdu, e adj. ; *éperdument* adv.

éperlan sm.
éperon sm. ; *éperonner* vt.
épervier sm.
éphèbe sm.
éphélide sf.
éphémère adj. *et* sm. ; *éphéméride* sf.
épi sm. ; *épiage* sm. *ou épiaison* sf.
épicarpe sm.
épice sf.
épicéa sm.
épicène adj.
épicentre sm.
épicer vt. ; *épicerie* sf. ; *épicier, ère* s.
épicurien, enne adj. *et* s. ; *épicurisme* sm.
épicycle sm.
épidémicité sf. ; *épidémie* sf. ; *épidémiologie* sf. ; *épidémique* adj.
épiderme sm. ; *épidermique* adj.
épier vt.
épierrage *ou* **épierrement** sm. ; *épierrer* vt. ; *épierreuse* sf.
épieu sm.
épieur, euse s.
épigastre sm. ; *épigastrique* adj.
épigone sm.
épigrammatique adj. ; *épigramme* sf.
épigraphe sf. ; *épigraphie* sf. ; *épigraphique* adj. ; *épigraphiste* sm.
épilation sf. ; *épilatoire* adj.
épilepsie sf. ; *épileptique* adj. *et* s.
épiler vt.
épilogue sm. ; *épiloguer* vi.
épinard sm.
épincer vt.
épine sf. ; *épinette* sf. ; *épineux, euse* adj.
épine-vinette sf. (pl. *épines-vinettes*).
épinglage sm. ; *épingle* sf. ; *épinglé, e* adj. *et* sm. ; *épingler* vt. ; *épinglette* sf. ; *épinglier, ère* s.
épinière adj. f. *(moelle —).*
épinoche sf.
épiphanie sf.
épiphénomène sm.
épiphyse sf.
épiphyte adj. ; *épiphytie* sf.
épiploon sm.
épique adj.
épiscopal, e, aux adj. ; *épiscopat* sm.
épisode sm. ; *épisodique* adj. ; *épisodiquement* adv.
épisser vt. ; *épissoir* sm. ; *épissure* sf.
épistémologie sf.
épistolaire adj. ; *épistolier, ère* s.
épitaphe sf.
épithalame sm.
épithélial, e, aux adj. ; *épithélioma ou épithéliome* s. ; *épithélium* sm.
épithète sf.
épître sf.
épizootie sf. ; *épizootique* adj.
éploré, e adj.
éployer vt.
épluchage sm. ; *éplucher* vt. ; *éplucheur, euse* s. ; *épluchure* sf.
épode sf.
épointage *ou* **épointement** sm. ; *épointer* vt.
éponge sf. ; *éponger* vt.
éponyme adj.
épopée sf.
époque sf.
épouiller vt.
époumoner (s') vpr.
épousailles sf. pl. ; *épousée* sf. ; *épouser* vt. ; *épouseur* sm.
époussetage sm. ; *épousseter* vt.
époustouflant, e adj. ; *époustoufler* vt.
épouvantable adj. ; *épouvantablement* adv. ; *épouvantail* sm. ; *épouvante* sf. ; *épouvantement* sm. ; *épouvanter* vt. — *(s')* vpr.
époux, épouse s.
épreindre vt. ; *épreintes* sf. pl.
éprendre (s') vpr.
épreuve sf.
épris, e adj.
éprouvant, e adj. ; *éprouver* vt.
éprouvette sf.
epsilon sm.
épucer vt.
épuisant, e adj. ; *épuisement* sm. ; *épuiser* vt.
épuisette sf.
épurateur adj. *et* sm. ; *épuratif, ive* adj. ; *épuration* sf. ; *épure* sf. ; *épuré, ée* adj. ; *épurement* sm. ; *épurer* vt.
équanimité sf.
équarrir vt. ; *équarrissage* sm. ; *équarrisseur* sm. ; *équarrissoir* sm.
équateur sm.
équation sf.
équatorial, e, aux adj.
équerrage sm. ; *équerre* sf. ; *équerrer* vt.
équestre adj.
équeutage sm. ; *équeuter* vt.
équidés sm. pl.
équidistance sf. ; *équidistant, e* adj.

équilatéral, e, aux adj.
équilibrant, e adj. ; ***équilibration*** sf. ; ***équilibre*** sm. ; ***équilibré, e*** adj. ; ***équilibrer*** vt. ; ***équilibreur, euse*** adj. *et* sm. ; ***équilibriste*** s.
équille sf.
équimoléculaire adj.
équimultiple adj.
équin, e adj.
équinoxe sm. ; ***équinoxial, e, aux*** adj.
équipage sm.
équipartition sf.
équipe sf. ; ***équipée*** sf. ; ***équipement*** sm. ; ***équiper*** vt. ; ***équipier, ère*** s.
équipollence sf. ; ***équipollent, e*** adj.
équitable adj. ; ***équitablement*** adv.
équitation sf.
équité sf.
équivalence sf. ; ***équivalent, e*** adj. *et* sm. ; ***équivaloir*** vi.
équivoque adj. *et* sf.
érable sm.
éradication sf. ; ***éradiquer*** vt.
éraflement sm. ; ***érafler*** vt. ; ***éraflure*** sf.
éraillé, e adj. ; ***éraillement*** sm. ; ***érailler*** vt. ; ***éraillure*** sf.
erbium sm.
ère sf.
érecteur, trice adj. ; ***érectile*** adj. ; ***érection*** sf.
éreintant, e adj. ; ***éreintement*** sm. ; ***éreinter*** vt. — ***(s')*** vpr. ; ***éreinteur*** sm. *et* adj.
érémitique adj.
érésipèle *ou* **érysipèle** sm.
éréthisme sm.
erg sm.
ergot sm.
ergotage sm.
ergothérapie sf.
ergoté, e adj.
ergoter vi. ; ***ergoteur, euse*** adj. *et* s.
ergotine sf.
ergotisme sm.
eriger vt. *ou* vi. — ***(s')*** vpr.
érigne *ou* **érine** sf.
ermitage sm. ; ***ermite*** sm.
éroder vt.
érogène adj.
érosif, ive adj. ; ***érosion*** sf.
érotique adj. ; ***érotisation*** sf. ; ***érotiser*** vt. ; ***érotisme*** sm. ; ***érotomane*** *ou* ***érotomaniaque*** s. *et* adj. ; ***érotomanie*** sf.
erpétologie *ou* **herpétologie** sf.
errance sf. ; ***errant, e*** adj.
errata sm. inv. (lat.).
erratique adj.
erre sf. (vitesse).
errements sm. pl.
errer vi. ; ***erreur*** sf. ; ***erroné, e*** adj.
ers sm.
ersatz sm.
érubescent, e adj.
éructation sf. ; ***éructer*** vi.
érudit, e adj. *et* s. ; ***érudition*** sf.
érugineux, euse adj.
éruptif, ive adj. ; ***éruption*** sf.
érysipèle *ou* **érésipèle** sm.
érythème sm.
érythroblaste sm.
ès prép. (= en les).
esbroufe sf.
escabeau sm.
escadre sf. ; ***escadrille*** sf. ; ***escadron*** sm.
escalade sf. ; ***escalader*** vt.
escalator sm.
escale sf.
escalier sm.
escalope sf.
escamotable adj. ; ***escamotage*** sm. ; ***escamoter*** vt. ; ***escamoteur, euse*** adj.
escampette sf. *(la poudre d' —).*
escapade sf.
escape sf.
escarbille sf.
escarbot sm.
escarboucle sf.
escarcelle sf.
escargot sm. ; ***escargotière*** sf.
escarmouche sf.
escarpe sf. (talus) *et* sm. (voyou).
escarpé, e adj. ; ***escarpement*** sm.
escarpin sm.
escarpolette sf.
escarre sf. ; ***escarrifier*** vt.
eschatologie sf.
escient (à bon) loc. adv.
esclaffer (s') vpr.
esclandre sm.
esclavage sm. ; ***esclavagisme*** sm. ; ***esclavagiste*** s. *et* adj. ; ***esclave*** s. *et* adj.
escogriffe sm.
escompte sm. ; ***escompter*** vt. ; ***escompteur*** adj. *et* sm.
escopette sf.
escorte sf. ; ***escorter*** vt.
escouade sf.

escrime sf. ; *escrimer (s')* vpr. ; *escrimeur, euse* s.
escroc sm. ; *escroquer* vt. ; *escroquerie* sf.
ésérine sf.
ésotérique adj.
espace sm. *et* sf. (imprimerie) ; *espacement* sm. ; *espacer* vt.
espadon sm.
espadrille sf.
espagnol, e adj. *et* s. ; *espagnolette* sf.
espalier sm.
espar sm.
espèce sf.
espérance sf.
espérantiste adj. *et* s. ; *espéranto* sm.
espérer vt.
espiègle adj. *et* s. ; *espièglerie* sf.
espion, onne s. ; *espionnage* sm. ; *espionner* vt. ; *espionnite* sf.
esplanade sf.
espoir sm.
esprit sm.
esprit-de-sel sm.
esprit-de-vin sm.
esquif sm.
esquille sf.
esquimau, aude s. *et* adj.
esquintant, e adj. ; *esquinter* vt.
esquisse sf. ; *esquisser* vt.
esquiver vt. — *(s')* vpr.
essai sm.
essaim sm. ; *essaimage* sm. ; *essaimer* vi.
essanger vt.
essartage *ou* **essartement** sm. ; *essarter* vt. ; *essart* sm.
essayage sm. ; *essayer* vt. — *(s')* vpr. ; *essayeur, euse* s. ; *essayiste* sm.
esse sf.
essence sf. ; *essentialisme* sm. ; *essentiel, elle* adj. *et* sm. ; *essentiellement* adv.
esseulé, e adj.
essieu sm.
essor sm.
essorage sm. ; *essorer* vt. ; *essoreuse* sf.
essoriller vt.
essoufflement sm. ; *essouffler* vt. — *(s')* vpr.
essuie-glace sm. (pl. *essuie-glaces).*
essuie-main sm. (pl. *essuie-mains).*
essuyage sm. ; *essuyer* vt.
est sm.
estafette sf.
estafilade sf.
estaminet sm.
estampage sm. ; *estampe* sf. ; *estamper* vt. ; *estampeur, euse* adj. *et* s.
estampillage sm. ; *estampille* sf. ; *estampiller* vt.
ester vi.
ester sm. ; *estérifier* vt.
esthète s. ; *esthéticien, enne* s. ; *esthétique* adj. *et* sf. ; *esthétisme* sm.
estimable adj. ; *estimatif, ive* adj. ; *estimation* sf. ; *estime* sf. ; *estimer* vt.
estivage sm. ; *estival, e, aux* adj. ; *estivant, e* s.
estive sf.
estiver vt. *et* vi.
estoc sm. ; *estocade* sf.
estomac sm. ; *estomaquer* vt.
estompe sf. ; *estomper* vt. — *(s')* vpr.
estouffade sf.
estourbir vt.
estrade sf.
estragon sm.
estrapade sf.
estropier vt.
estuaire sm.
estudiantin, e adj.
esturgeon sm.
et conj.
êta sm. (grec).
étable sf.
établi sm. ; *établir* vt. ; *établissement* sm.
étage sm. ; *étagement* sm. ; *étager* vt. ; *étagère* sf.
étai sm. ; *étaiement* sm.
étain sm.
étal sm. (pl. *étals* ou *étaux). ; étalage* sm. ; *étalager* vt. ; *étalagiste* s.
étale adj. *et* sm.
étalement sm. ; *étaler* vt.
étalinguer vt. ; *étalingure* sf.
étalon sm. ; *étalonnage* sm. ; *étalonnement* sm. ; *étalonner* vt.
étamage sm.
étambot sm.
étamer vt. ; *étameur* sm.
étamine sf.
étamure sf.
étanche adj. ; *étanchéité* sf. ; *étancher* vt.
étançon sm. ; *étançonner* vt.
étang sm.
étape sf.
étarquer vt.

état sm.
étatisation sf. ; *étatiser* vt. ; *étatisme* sm. ; *étatiste* adj. *et* s.
état-major sm. (pl. *états-majors).*
étau sm. (pl. *étaux).*
étayage sm. ; *étayer* vt.
et cætera (etc.) loc. adv. (lat.).
été sm.
éteignoir sm. ; *éteindre* vt. ; *éteint, e* adj.
étendage sm.
étendard sm.
étendoir sm. ; *étendre* vt. — *(s')* vpr. ; *étendu, e* adj. ; *étendue* sf.
éternel, elle adj. *et* sm. ; *éternellement* adv. ; *éterniser* vt. — *(s')* vpr. ; *éternité* sf.
éternuement sm. ; *éternuer* vi.
étésien adj. m. *(vent —).*
étêtage sm. *ou* **étêtement** sm. ; *étêter* vt.
éthane sm.
éther sm. ; *éthéré, e* adj. ; *éthérification* sf. ; *éthérifier* vt. ; *éthérisation* sf. ; *éthériser* vt. ; *éthéromane* adj. *et* s.
éthique sf. *et* adj. (morale).
ethnie adj. ; *ethnique* adj. ; *ethnographe* sm. ; *ethnographie* sf. ; *ethnographique* adj. ; *ethnologie* sf. ; *ethnologique* adj. ; *ethnologue.*
éthologie sf.
éthyle sm. ; *éthylène* sm. ; *éthylique* adj. ; *éthylisme* sm.
étiage sm.
étier sm.
étincelant, e adj. ; *étinceler* vt. ; *étincelle* sf. ; *étincellement* sm.
étiolement sm. ; *étioler* vt. — *(s')* vpr.
étiologie sf.
étique adj. (maigre).
étiquetage sm. ; *étiqueter* vt. ; *étiquette* sf.
étirable adj. ; *étirage* sm. ; *étirer* vt. — *(s')* vpr. ; *étireuse* sf.
étoffe sf. ; *étoffé, e* adj. ; *étoffer* vt.
étoile sf. ; *étoilé, e* adj. ; *étoilement* sm. ; *étoiler* vt.
étole sf.
étonnamment adv. ; *étonnant, e* adj. ; *étonné, e* adj. ; *étonnement* sm. ; *étonner* vt. — *(s')* vpr.
étouffage sm. (d'insectes) ; *étouffant, e* adj. ; *étouffé, e* adj. ; *étouffée* sf. ; *étouffement* sm. ; *étouffer* vt. *et* vi. ; *étouffeur, euse* s. ; *étouffoir* sm.
étoupe sf. ; *étouper* vt.
étourderie sf. ; *étourdi, e* adj. *et* s. ; *étourdiment* adv. ; *étourdir* vt. — *(s')* vpr. ; *étourdissant, e* adj. ; *étourdissement* sm.
étourneau sm.
étrange adj. ; *étrangement* adv. ; *étranger, ère* adj. *et* s. ; *étrangeté* sf.
étranglé, e adj. ; *étranglement* sm. ; *étrangler* vt. ; *étrangleur, euse* s.
étrave sf.
être vi., aux. *et* sm.
étreindre vt. ; *étreinte* sf.
étrenne sf. ; *étrenner* vt.
êtres sm. pl. (maison).
étrésillon sm. ; *étrésillonner* vt.
étrier sm.
étrille sf. ; *étriller* vt.
étripage sm. ; *étriper* vt.
étriqué, e adj. ; *étriquer* vt.
étrive sm. ; *étrivière* sf.
étroit, e adj. ; *étroitement* adv. ; *étroitesse* sf.
étron sm.
étronçonner vt.
étrusque s. *et* adj.
étude sf. ; *étudiant, e* s. *et* adj. ; *étudié, e* adj. ; *étudier* vt.
étui sm.
étuvage sm. ; *étuve* sf. ; *étuvée* sf. ; *étuver* vt. ; *étuveur, euse* s.
étymologie sf. ; *étymologique* adj. ; *étymologiquement* adv. ; *étymologiste* sm. ; *étymon* sm.
eucalyptus sm.
eucharistie sf. ; *eucharistique* adj.
euclidien, enne adj.
eudémonisme sm.
eudiomètre sm.
eugénisme sm.
euh ! intj.
eunuque sm.
euphémisme sm.
euphonie sf. ; *euphonique* adj.
euphorbe sf.
euphorie sf. ; *euphorisant* sm. *et* adj.
eurasien, enne adj. *et* s.
européaniser vt. ; *européanisme* sm. ; *européen, enne* adj. *et* s.
europium sm.
eurythmie sf.
euscarien, enne adj.
euthanasie sf.

eux pr. 3e pers. m. pl.
évacuateur, trice adj. ; *évacuation* sf. ; *évacuer* vt.
évadé, e adj. *et* s. ; *évader (s')* vpr.
évaluable adj. ; *évaluation* sf. ; *évaluer* vt.
évanescence sf. ; *évanescent, e* adj.
évangéliaire sm. ; *évangélique* adj. ; *évangéliquement* adv. ; *évangélisateur* sm. ; *évangélisation* sf. ; *évangéliser* vt. ; *évangélisme* sm. ; *évangéliste* sm. ; *évangile* sm.
évanouir (s') vpr. ; *évanouissement* sm.
évaporable adj. ; *évaporateur* sm. ; *évaporation* sf. ; *évaporatoire* adj. ; *évaporé, e* adj. *et* s. ; *évaporer* vt.— *(s')* vpr.
évasé, e adj. ; *évasement* sm. ; *évaser* vt. — *(s')* vpr.
évasif, ive adj. ; *évasion* sf. ; *évasivement* adv.
évêché sm.
éveil sm. ; *éveillé, e* adj. ; *éveiller* vt. — *(s')* vpr. ; *éveilleur* sm.
événement sm. ; *événementiel, elle* adj.
évent sm.
éventail sm.
éventaire sm.
éventé, e adj. ; *éventer* vt.
éventration sf. ; *éventrer* vt.
éventualité sf. ; *éventuel, elle* adj. ; *éventuellement* adv.
évêque sm.
évertuer (s') vpr.
éviction sf.
évidement sm.
évidemment adv. ; *évidence* sf. ; *évident, e* adj.
évider vt.
évier sm.
évincement sm. ; *évincer* vt.
évitable adj. ; *évitage* sm. (bateau) ; *évitement* sm. (train) ; *éviter* vt.
évocable adj. ; *évocateur, trice* adj. ; *évocation* sf. ; *évocatoire* adj.
évoé *ou* **évohé** intj.
évolué, e adj. ; *évoluer* vi. ; *évolutif, ive* adj. ; *évolution* sf. ; *évolutionnisme* sm.
évoquer vt.
ex abrupto loc. adv. (lat.).
exacerbation sf. ; *exacerbé, e* adj.
exact, e adj. ; *exactement* adv.
exaction sf.
exactitude sf.
ex æquo loc. adv. (lat.).
exagération sf. ; *exagéré, e* adj. ; *exagérément* adv. ; *exagérer* vt.
exaltation sf. ; *exalté, e* adj. *et* s. ; *exalter* vt.
examen sm. ; *examinateur, trice* s. ; *examiner* vt.
exanthémateux, euse adj. ; *exanthème* sm.
exarchat sm. ; *exarque* sm.
exaspérant, e adj. ; *exaspération* sf. ; *exaspérer* vt.
exaucement sm. ; *exaucer* vt. (accomplir).
ex cathedra loc. adv. (lat.).
excavateur, trice s. ; *excavation* sf. ; *excaver* vt.
excédent sm. ; *excédentaire* adj. ; *excéder* vt.
excellemment adv. ; *excellence* sf. ; *excellent, e* adj. ; *excellentissime* adj. ; *exceller* vi.
excentration sf. ; *excentrer* vt.
excentricité sf. ; *excentrique* adj. *et* s. ; *excentriquement* adv.
excepté prép. ; *excepté, ée* adj. ; *excepter* vt. ; *exception* sf. ; *exceptionnel, elle* adj. ; *exceptionnellement* adv.
excès sm. ; *excessif, ive* adj. ; *excessivement* adv.
exciper vi.
excipient sm.
exciser vt. ; *excision* sf.
excitabilité sf. ; *excitable* adj. ; *excitant, e* adj. *et* sm. ; *excitateur, trice* s. ; *excitation* sf. ; *exciter* vt.
excito-moteur, trice adj.
exclamatif, ive adj. ; *exclamation* sf. ; *exclamer (s')* vpr.
exclu, e adj. ; *exclure* vt. — *(s')* vpr. ; *exclusif, ive* adj. ; *exclusion* sf. ; *exclusivement* adv. ; *exclusivité* sf.
excommunication sf. ; *excommunier* vt.
excoriation sf. ; *excorier* vt.
excrément sm. ; *excrémentiel, elle* adj. ; *excréter vt. ; excréteur, trice* adj. ; *excrétion* sf. ; *excrétoire* adj.
excroissance sf.
excursion sf. ; *excursionner* vi. ; *excursionniste* s.
excusable adj. ; *excuse* sf. ; *excuser* vt. — *(s')* vpr.
exeat sm. inv. (lat.).

exécrable adj. ; ***exécrablement*** adv. ; ***exécration*** sf. ; ***exécrer*** vt.
exécutable adj. ; ***exécutant, e*** s. ; ***exécuter*** vt. — ***(s')*** vpr. ; ***exécuteur, trice*** s. ; ***exécutif, ive*** adj. *et* sm. ; ***exécution*** sf. ; ***exécutoire*** adj. *et* sm.
exégèse sf. ; ***exégète*** sm.
exemplaire adj. *et* sm. ; ***exemplairement*** adv. ; ***exemplarité*** sf. ; ***exemple*** sm. ; ***exemplifier*** vt.
exempt, e adj. *et* sm. ; ***exempter*** vt. ; ***exemption*** sf.
exerçant, e adj. ; ***exercer*** vt. — ***(s')*** vpr. ; ***exercice*** sm. ; ***exerciseur*** sm.
exérèse sf.
exergue sm.
exfoliation sf. ; ***exfolier*** vt.
exhalaison sf. ; ***exhaler*** vt.
exhaussement sm. ; ***exhausser*** vt. (rendre plus haut).
exhaustif, ive adj. ; ***exhaustivité*** sf.
exhérédation sf. ; ***exhéréder*** vt.
exhiber vt. ; ***exhibition*** sf. ; ***exhibitionnisme*** sm. ; ***exhibitionniste*** s.
exhortation sf. ; ***exhorter*** vt.
exhumation sf. ; ***exhumer*** vt.
exigeant, e adj. ; ***exigence*** sf. ; ***exiger*** vt. ; ***exigibilité*** sf. ; ***exigible*** adj.
exigu, ë adj. ; ***exiguïté*** sf.
exil sm. ; ***exilé, e*** adj. *et* s. ; ***exiler*** vt.
exinscrit, e adj.
existant, e adj. ; ***existence*** sf. ; ***existentialisme*** sm. ; ***existentialiste*** s. *et* adj. ; ***existentiel, elle*** adj. ; ***exister*** vi.
exit v. *et* sm. inv. (lat.).
ex-libris sm. inv. (lat.).
ex nihilo loc. adv. (lat.).
exocet sm.
exode sm.
exogamie sf.
exogène adj.
exonération sf. ; ***exonérer*** vt.
exophtalmie sf.
exorbitant, e adj. ; ***exorbité, e*** adj.
exorciser vt. ; ***exorciseur*** sm. ; ***exorcisme*** sm. ; ***exorciste*** sm.
exorde sm.
exotique adj. ; ***exotisme*** sm.
expansibilité sf. ; ***expansible*** adj. ; ***expansif, ive*** adj. ; ***expansion*** sf. ; ***expansionniste*** adj. ; ***expansivité*** sf.
expatriation sf. ; ***expatrier*** vt. — ***(s')*** vpr.
expectative sf.
expectorant, e adj. *et* sm. ; ***expectoration*** sf. ; ***expectorer*** vt.
expédient, e adj. *et* sm. ; ***expédier*** vt. ; ***expéditeur, trice*** s. *et* adj. ; ***expéditif, ive*** adj. ; ***expédition*** sf. ; ***expéditionnaire*** s. *et* adj. ; ***expéditivement*** adv.
expérience sf. ; ***expérimental, e, aux*** adj. ; ***expérimentalement*** adv. ; ***expérimentateur, trice*** s. et adj. ; ***expérimentation*** sf. ; ***expérimenté, e*** adj. ; ***expérimenter*** vt.
expert, e adj. *et* sm. ; ***expertement*** adv. ; ***expertise*** sf. ; ***expertiser*** vt.
expiable adj. ; ***expiateur, trice*** adj. ; ***expiation*** sf. ; ***expiatoire*** adj. ; ***expier*** vt.
expiration sf. ; ***expirer*** vt. *et* vi.
explétif, ive adj.
explicable adj. ; ***explicatif, ive*** adj. ; ***explication*** sf.
explicite adj. ; ***explicitement*** adv. ; ***expliciter*** vt.
expliquer vt. — ***(s')*** vpr.
exploit sm.
exploitable adj. ; ***exploitant, e*** adj. *et* s. ; ***exploitation*** sf. ; ***exploité, e*** adj. *et* s. ; ***exploiter*** vt. *et* vi. ; ***exploiteur, euse*** s.
explorateur, trice s. *et* adj. ; ***exploration*** sf. ; ***exploratoire*** adj. ; ***explorer*** vt.
exploser vi. ; ***exploseur*** sm. ; ***explosible*** adj. ; ***explosif, ive*** adj. *et* sm. ; ***explosion*** sf.
exponentiel, elle adj.
exportateur, trice adj. *et* s. ; ***exportation*** sf. ; ***exporter*** vt.
exposant, e s. ; ***exposé*** sm. ; ***exposer*** vt. — ***(s')*** vpr. ; ***exposition*** sf.
exprès, esse adj. ; ***exprès*** adv. ; ***express*** sm. *et* adj. ; ***expressément*** adv.
expressif, ive adj. ; ***expression*** sf. ; ***expressionnisme*** sm. ; ***expressionniste*** s. *et adj.* ; ***expressivement*** adv. ; ***expressivité*** sf.
exprimable adj. ; ***exprimer*** vt. — ***(s')*** vpr.
expropriation sf. ; ***exproprier*** vt.
expulser vt. ; ***expulsion*** sf.
expurger vt.
exquis, e adj. ; ***exquisément*** adv.
exsangue adj.
exsanguino-transfusion sf.

exsudant, e adj. *et* sm. ; *exsudat* sm. ; *exsudation* sf. ; *exsuder* vi.
extase sf. ; *extasier (s')* vpr. ; *extatique* adj.
extemporané, e adj.
extenseur adj. *et* sm. ; *extensibilité* sf. ; *extensible* adj. ; *extensif, ive* adj. ; *extension* sf. ; *extenso (in)* loc. adv. (lat.) ; *extensomètre* sm.
exténuant, e adj. ; *exténuation* sf. ; *exténué, e* adj. ; *exténuer* vt. — *(s')* vpr.
extérieur, e adj. *et* sm. ; *extérieurement* adv. ; *extériorisation* sf. ; *extérioriser* vt. — *(s')* vpr. ; *extériorité* sf.
exterminateur, trice adj. *et* s. ; *extermination* sf. ; *exterminer* vt.
externat sm. ; *externe* adj. *et* s.
exterritorialité sf.
extincteur, trice adj. *et* sm. ; *extinction* sf. ; *extinguible* adj.
extirpateur sm. ; *extirpation* sf. ; *extirper* vt.
extorquer vt. ; *extorqueur, euse* s. ; *extorsion* sf.
extra sm. inv. *et* adj. inv.
extra-courant sm. (pl. *extra-courants)*.
extracteur sm. ; *extractible* adj. ; *extractif, ive* adj. ; *extraction* sf.
extrader vt. ; *extradition* sf.
extrados sm.
extra-dry adj. *et* sm. inv. (angl.).
extra-fin, e adj.
extra-fort sm.
extraire vt. ; *extrait* sm.
extralucide adj.
extra-muros loc. adv. (lat.).
extranéité sf.
extraordinaire adj. ; *extraordinairement* adv.
extra-parlementaire adj.
extrapolation sf. ; *extrapoler* vt.
extra-systole sf.
extra-territorialité sf.
extra-utérin, e adj.
extravagance sf. ; *extravagant, e* adj. *et* s. ; *extravaguer* vi.
extravaser (s') vpr.
extraversion sf. ; *extraverti, e ou extroverti, e* adj. *et* s.
extrême adj. *et* sm. ; *extrêmement* adv.
extrême-onction sf.
extrême-oriental, e, aux adj.
extrémisme sm. ; *extrémiste* adj. *et* s. ; *extrémité* sf.
extrinsèque adj. ; *extrinsèquement* adv.
exubérance sf. ; *exubérant, e* adj.
exultation sf. ; *exulter* vi.
exutoire sm.
ex-voto sm. inv. (lat.).

F

fa sm. inv.
fable sf. ; *fabliau* sm. ; *fablier* sm.
fabricant, e s. ; *fabricateur, trice* s. ; *fabrication* sf. ; *fabrique* sf. ; *fabriquer* vt.
fabulation sf. ; *fabuler* vt. ; *fabuleusement* adv. ; *fabuleux, euse* adj. ; *fabuliste* sm.
façade sf.
face sf.
face-à-main sm. (pl. *faces-à-main*).
facétie sf. ; *facétieusement* adv. ; *facétieux, euse* adj. *et* s.
facette sf. ; *facetter* vt.
fâcher vt. — *(se)* vpr. ; *fâcherie* sf. ; *fâcheusement* adv. ; *fâcheux, euse* adj. *et* s.
facial, e, aux adj.
faciès sm.
facile adj. ; *facilement* adv. ; *facilitation* sf. ; *facilité* sf. ; *faciliter* vt.
façon sf.
faconde sf.
façonnage sm. *ou* **façonnement** sm. ; *façonner* vt. ; *façonnier, ère* s. *et* adj.
fac-similé sm. (pl. *fac-similés*).
factage sm.
facteur sm.
factice adj.
factieux, euse adj. *et* s.
faction sf. ; *factionnaire* sm.
factitif, ive adj.
factorerie sf.
factorielle sf.
factotum sm. (pl. *factotums*).
factuel, elle adj.
factum sm. (pl. *factums*).
facturation sf. ; *facture* sf. ; *facturer* vt. ; *facturier, ière* sm. *et* f.
facule sf.
facultatif, ive adj. ; *facultativement* adv.
faculté sf.
fadaise sf.
fadasse adj. ; *fade* adj. ; *fadeur* sf.
fading sm. (angl.).
fado sm. (portug.).
fagot sm. ; *fagotage* sm. ; *fagoter* vt. ; *fagotin* sm.
fahrenheit adj. inv.
faible adj. *et* s. ; *faiblement* adv. ; *faiblesse* sf. ; *faiblir* vi. ; *faiblissant, e* adj.
faïence sf. ; *faïencerie* sf. ; *faïencier, ère* s.
faille sf. (fissure et étoffe).
failli, e s. *et* adj. ; *faillibilité* sf. ; *faillible* adj. ; *faillir* vi. ; *faillite* sf.
faim sf.
faine sf.
fainéant, e adj. *et* s. ; *fainéanter* vi. ; *fainéantise* sf.
faire vt. *et* vi. — *(se)* vpr.
faire-part sm. inv.
faire-valoir sm. inv.
fair-play sm. *et* adj. inv. (angl.).
faisable adj.
faisan, e s. ; *faisandage* sm. ; *faisandé, ée* adj. ; *faisandeau* sm. ; *faisander* vt. ; *faisanderie* sf.
faisceau sm.
faiseur, euse s.
fait sm. (événement).
faîtage sm. ; *faîte* sm. ; *faîteau* sm. ; *faîtière* sf. *et* adj.
fait-tout sm. inv. *ou* **faitout** sm.
faix sm. (fardeau).
fakir sm.
falaise sf.
falbala sm.
falerne sm.
fallacieusement adv. ; *fallacieux, euse* adj.
falloir v. imp.
falot sm.
falot, e adj.
falsifiable adj. ; *falsificateur, trice* s. ; *falsification* sf. ; *falsifier* vt.
famé, e adj.
famélique adj. *et* s.
fameusement adv. ; *fameux, euse* adj.
familial, e, aux adj. ; *familiariser* vt ; *familiarité* sf. ; *familier, ère* adj. *et* sm. ; *familièrement* adv. ; *familistère* sm. ; *famille* sf.
famine sf.
fanage sm.
fanal sm. (pl. *fanaux*).
fanatique adj. *et* s. ; *fanatiser* vt. ; *fanatisme* sm.
fanchon sf.
fandango sm. (esp.)
fane sf. ; *faner* vt. — *(se)* vpr. ; *faneur, euse* s.
fanfare sf.

fanfaron, onne s. *et* adj. ; *fanfaronnade* sf.
fanfreluche sf.
fange sf. ; *fangeux, euse* adj.
fanion sm.
fanon sm.
fantaisie sf. ; *fantaisiste* adj. *et* s.
fantasia sf.
fantasmagorie sf. ; *fantasmagorique* adj.
fantasme *ou* **phantasme** sm.
fantasque adj.
fantassin sm.
fantastique adj. *et* sm. ; *fantastiquement* adv.
fantoche sm.
fantomatique adj. ; *fantôme* sm.
faon sm.
faquin sm.
far sm. (gâteau).
farad sm.
faramineux, euse adj.
farandole sf.
faraud, e s. *et* adj.
farce sf. *et* adj. inv. ; *farceur, euse* s. ; *farcir* vt.
farcin sm.
fard sm. (maquillage).
fardeau sm.
farder vt. (maquillage) *et* vi. (marine).
fardier sm.
farfadet sm.
farfelu, e adj.
farfouiller vi. *et* vt.
faribole sf.
farigoule sf.
farine sf. ; *fariner* vt. ; *farineux, euse* adj. *et* sm. ; *farinier, ère* s.
farniente sm.
farouche adj. ; *farouchement* adv.
fart sm. (ski) ; *farter* vt.
fascicule sm. ; *fasciculé, e* adj.
fascinant, ante adj. ; *fascinateur, trice* adj. *et* s. ; *fascination* sf.
fascine sf.
fasciner vt.
fascisation sf. ; *fasciser* vt. ; *fascisme* sm. ; *fasciste* s. *et* adj.
faseyer *ou* **faseiller** vi.
faste adj. *et* sm. ; *fastes* sm. pl.
fastidieusement adv. ; *fastidieux, euse* adj.
fastueusement adv. ; *fastueux, euse* adj.
fat adj. *et* sm.
fatal, e, als adj. ; *fatalement* adv. ; *fatalisme* sm. ; *fataliste* s. *et* adj. ; *fatalité* sf.
fatidique adj. ; *fatidiquement* adv.
fatigabilité sf. ; *fatigant, e* adj. ; *fatigue* sf. ; *fatigué, e* adj. ; *fatiguer* vt. *et* vi.
fatras sm. ; *fatrasie* sf.
fatuité sf.
faubourg sm. ; *faubourien, enne* adj. *et* s.
fauchage sm. ; *fauchaison* sf. ; *fauche* sf. ; *fauché, e* adj. ; *faucher* vt. ; *faucheur, euse* s.
faucheux sm. *ou* **faucheur** sm.
faucille sf.
faucon sm. ; *fauconneau* sm. ; *fauconnerie* sf. ; *fauconnier* sm.
faufil sm. ; *faufilage* sm. ; *faufiler* vt. — *(se)* vpr.
faune sm. (mythologie) *et* sf. (animaux).
faussaire sm. ; *faussement* adv. ; *fausser* vt. ; *fausset* sm. ; *fausseté* sf.
faute sf.
fauteuil sm.
fauteur, trice s.
fautif, ive adj. ; *fautivement* adv.
fauve adj. *et* sm.
fauvette sf.
fauvisme sm.
faux sf.
faux, fausse adj. *et* sm.
faux-bourdon sm. (pl. *faux-bourdons)* (musique ; insecte : *faux bourdon*).
faux-filet sm. (pl. *faux-filets).*
faux-fuyant sm. (pl. *faux-fuyants).*
faux-monnayeur sm. (pl. *faux-monnayeurs).*
faux-semblant sm. (pl. *faux-semblants).*
faveur sf. ; *favorable* adj. ; *favorablement* adv.
favori, ite adj. *et* s. ; *favoris* sm. pl. ; *favoriser* vt. ; *favoritisme* sm.
fayard sm.
fayot sm.
féal, e, aux adj. *et* sm.
fébrifuge adj. *et* sm. ; *fébrile* adj. ; *fébrilement* adv. ; *fébrilité* sf.
fécal, e, aux adj. ; *fèces* sf. pl. (excréments).
fécond, e adj. ; *fécondant, e* adj. ; *fécondation* sf. ; *fécondateur, trice*

adj. *et* s. ; ***féconder*** vt. ; ***fécondité*** sf.
fécule sf. ; ***féculent, e*** adj. *et* sm.
fédéral, e, aux adj. ; ***fédéralisation*** sf. ; ***fédéraliser*** vt. ; ***fédéralisme*** sm. ; ***fédéraliste*** adj. *et* s. ; ***fédérateur, trice*** adj. ; ***fédératif, ive*** adj. ; ***fédération*** sf. ; ***fédéré, e*** adj. *et* sm. ; ***fédérer*** vt. — ***(se)*** vpr.
fée sf.
feed-back sm. inv. (angl.).
féerie sf. ; ***féerique*** adj.
feindre vt. ; ***feinte*** sf. ; ***feinter*** vt. ; ***feinteur*** sm.
feldspath sm.
fêlé, e adj. ; ***fêler*** vt.
félibre sm. ; ***félibrige*** sm.
félicitation sf. ; ***félicité*** sf. ; ***féliciter*** vt. — ***(se)*** vpr.
félin, e adj. *et* sm. ; ***félinité*** sf.
fellaga *ou* **fellagha** sm.
fellah sm.
félon, onne adj. *et* s. ; ***félonie*** sf.
felouque sf.
fêlure sf.
femelle sf.
féminin, e adj. *et* sm. ; ***féminisation*** sf. ; ***féminiser*** vt. ; ***féminisme*** sm. ; ***féministe*** s. *et* adj. ; ***féminité*** sf.
femme sf. ; ***femmelette*** sf.
fémoral, e, aux adj. ; ***fémur*** sm.
fenaison sf.
fendant sm. *et* adj. m.
fendeur sm.
fendillé, e adj. ; ***fendillement*** sm. ; ***fendiller*** vt. — ***(se)*** vpr.
fendoir sm. ; ***fendre*** vt. — ***(se)*** vpr. ; ***fendu, e*** adj.
fenêtrage sm. ; ***fenêtre*** sf. ; ***fenêtrer*** vt.
fenil sm.
fennec sm.
fenouil sm.
fente sf.
féodal, e, aux adj. ; ***féodalement*** adv. ; ***féodalisme*** sm. ; ***féodalité*** sf.
fer sm.
féra sf.
fer-blanc sm. (pl. *fers-blancs)* ; ***ferblanterie*** sf. ; ***ferblantier*** sm.
férie sf. ; ***férié, e*** adj.
ferler vt.
fermage sm.
fermail sm. (pl. *fermaux)*.
fermant, e adj.
ferme sf.
ferme adj. *et* adv. ; ***fermement*** adv.
ferment sm. ; ***fermentable*** adj. ; ***fermentation*** sf. ; ***fermenter*** vi. ; ***fermentescible*** adj.
fermer vt. *et* vi.
fermeté sf.
fermette sf.
fermeture sf.
fermier, ère s.
fermoir sm.
féroce adj. ; ***férocement*** adv. ; ***férocité*** sf.
ferrade sf.
ferrage sm. *ou* **ferrement** sm.
ferraille sf. ; ***ferrailler*** vi. ; ***ferrailleur*** sm.
ferré, e adj. ; ***ferrer*** vt.
ferret sm.
ferreur s. *et* adj. m. ; ***ferreux*** adj. m. ; ***ferrique*** adj. ; ***ferrite*** sf. ; ***ferronickel*** sm.
ferronnerie sf. ; ***ferronnier, ère*** s. *et* adj.
ferroutage sm. ; ***ferrouter*** vt. ; ***ferroutier, ière*** adj.
ferroviaire adj.
ferrugineux, euse adj. *et* sm.
ferrure sf.
ferry-boat sm. (pl. *ferry-boats*).
fertile adj. ; ***fertilisant, e*** adj. ; ***fertilisation*** sf. ; ***fertiliser*** vt. ; ***fertilité*** sf.
féru, e adj.
férule sf.
fervent, e adj. ; ***ferveur*** sf.
fesse sf. ; ***fessée*** sf.
fesse-mathieu sm. (pl. *fesse-mathieux*).
fesser vt. ; ***fessier, ère*** adj. *et* sm. ; ***fessu, e*** adj.
festin sm.
festival sm. (pl. *festivals*).
festivité sf.
festoiement sm.
feston sm. ; ***festonné, e*** adj. ; ***festonner*** vt.
festoyer vi.
fêtard sm. ; ***fête*** sf. ; ***fêter*** vt.
fétiche sm. ; ***fétichisme*** sm. ; ***fétichiste*** s. *et* adj.
fétide adj. ; ***fétidité*** sf.
fétu sm.
fétuque sf.
feu sm. (pl. *feux*).
feu, feue adj. (*la feue reine ; feu la reine*).
feudataire s.

feuillage sm. ; *feuillaison* sf.
feuillard sm.
feuillant, feuillantine s.
feuille sf. ; *feuillée* sf. ; *feuille-morte* adj. inv. ; *feuillet* sm. ; *feuilletage* sm. ; *feuilleté, e* adj. *et* sm. ; *feuilleter* vt. ; *feuilleton* sm. ; *feuilletoniste* sm.
feuillette sf.
feuillu, e adj.
feuillure sf.
feulement sm. ; *feuler* vi.
feutrage sm. ; *feutre* sm. ; *feutré, ée* adj. ; *feutrer* vt. ; *feutrier, ère* s. *et* adj. ; *feutrine* sf.
fève sf.
février sm.
fez sm. inv.
fi ! intj.
fiabilité sf. ; *fiable* adj.
fiacre sm.
fiançailles sf. pl. ; *fiancé, e* s. ; *fiancer* vt. — *(se)* vpr.
fiasco sm.
fiasque sf.
fibranne sf. ; *fibre* sf. ; *fibreux, euse* adj. ; *fibrillaire* adj. ; *fibrillation* sf. ; *fibrille* sf. ; *fibrine* sf. ; *fibrinogène* sm. ; *fibrociment* sm. ; *fibrome* sm.
fibule sf.
fic sm.
ficaire sf.
ficelage sm. ; *ficeler* vt. ; *ficelle* sf. ; *ficellerie* sf.
fiche sf. ; *ficher* vt. ; *fichier* sm. ; *fichiste* s.
fichtre ! intj. ; *fichtrement* adv.
fichu sm.
fichu, e adj.
fictif, ive adj. ; *fiction* sf. ; *fictivement* adv.
fidéicommis sm.
fidèle adj. ; *fidèlement* adv. ; *fidélité* sf.
fiduciaire adj.
fief sm. ; *fieffé, e* adj.
fiel sm. ; *fielleux, euse* adj.
fiente sf. ; *fienter* vt.
fier (se) vpr.
fier, fière adj. *et* s. ; *fier-à-bras* sm. inv. ; *fièrement* adv. ; *fiérot, e* adj. ; *fierté* sf.
fiesta sf.
fièvre sf. ; *fiévreusement* adv. ; *fiévreux, euse* adj. *et* s.
fifre sm.
fifrelin sm.
figaro sm.
figé, e adj. ; *figement* sm. ; *figer* vt.
fignolage sm. ; *fignoler* vi. *et* vt.
figue sf. ; *figuier* sm.
figuline sf.
figurant, e s. ; *figuratif, ive* adj. *et* sm. ; *figuration* sf. ; *figurativement* adv. ; *figure* sf. ; *figuré, e* adj. ; *figurément* adv. ; *figurer* vt. *et* vi. — *(se)* vpr. ; *figurine* sf.
fil sm. ; *fil-à-fil* sm. inv.
filage sm.
filaire adj. *ou* sf.
filament sm. ; *filamenteux, euse* adj.
filandre sf. ; *filandreux, euse* adj.
filant, e adj.
filariose sf.
filasse sf.
filateur sm. ; *filature* sf.
fil-de-fériste s.
file sf. ; *filé* sm. ; *filer* vt. *et* vi.
filet sm. ; *filetage* sm. ; *fileté* sm. ; *fileter* vt.
fileur, euse s.
filial, e, aux adj. ; *filiale* sf. ; *filialement* adv. ; *filiation* sf.
filière sf. ; *filiforme* adj. ; *filigrane* sm. ; *filin* sm.
fille sf. ; *fillette* sf.
filleul, e s.
film sm. ; *filmer* vt. ; *filmographe* sm. ; *filmographie* sf. ; *filmologie* sf.
filon sm.
filoselle sf.
filou sm. (pl. *filous*) ; *filouter* vt. ; *filouterie* sf.
fils sm.
filtrage sm. (tri) ; *filtrant, e* adj. ; *filtrat* sm. ; *filtration* sf. ; *filtre* sm. ; *filtrer* vt.
fin sf.
fin, fine adj. *et* sm.
final, e, aux adj. ; *finale* sm. (musique) *et* sf. (sports) ; *finalement* adv. ; *finalisme* sm. ; *finaliste* s. *et* adj. ; *finalité* sf.
finance sf. ; *financement* sm. ; *financer* vi. ; *financier, ère* adj. *et* sm. ; *financièrement* adv.
finasser vi. ; *finasserie* sf. ; *finasseur, euse* s. *ou* *finassier, ère* s. ; *finaud, e* adj. *et* s.
fine sf.

finement adv ; ***finesse*** sf.
fines sf. pl. (charbon).
finette sf.
fini, e adj. *et* sm. ; ***finir*** vt. *et* vi.
finish (au) loc. adv. (angl.)
finissage sm. ; ***finissant, ante*** adj. ; ***finisseur, euse*** s. ; ***finition*** sf.
finlandais, aise adj. *et* s. (nationalité) ; ***finnois, e*** adj. *et* s. (langue) ; ***finno-ougrien, enne*** adj. *et* s.
fiole sf.
fiord *ou* **fjord** sm.
fioriture sf.
firmament sm.
firme sf.
fisc sm. ; ***fiscal, e, aux*** adj. ; ***fiscalement*** adv. ; ***fiscalité*** sf.
fissile adj. ; ***fission*** sf.
fissuration sf. ; ***fissure*** sf. ; ***fissurer*** vt.
fistulaire adj. ; ***fistule*** sf. ; ***fistuleux, euse*** adj. ; ***fistuline*** sf.
fixable adj. ; ***fixage*** sm. ; ***fixateur*** sm. ; ***fixatif, ive*** adj. *et* sm. ; ***fixation*** sf. ; ***fixe*** adj. *et* sm. ; ***fixement*** adv. ; ***fixer*** vt. — ***(se)*** vpr. ; ***fixité*** sf.
fla sm. inv.
flaccidité sf.
flache sf.
flacon sm. ; ***flaconnage*** sm. *ou* ***flaconnerie*** sf. ; ***flaconnier*** sm.
flagellation sf. ; ***flagelle*** sm. ; ***flagellé, e*** adj. ; ***flageller*** vt. — ***(se)*** vpr.
flageoler vi.
flageolet sm.
flagorner vt. ; ***flagornerie*** sf. ; ***flagorneur, euse*** s.
flagrant, e adj.
flair sm. ; ***flairer*** vt.
flamand, e adj. *et* s.
flamant sm.
flambage sm. ; ***flambant, e*** adj. ; ***flambard*** sm. ; ***flambeau*** sm. ; ***flambée*** sf. ; ***flamber*** vt. *et* vi.
flamberge sf.
flamboiement sm. ; ***flamboyant, e*** adj. ; ***flamboyer*** vi.
flamenco adj. *et* s. (esp.)
flamine sm.
flamingant, e adj. *et* s.
flamme sf. ; ***flammé, e*** adj. ; ***flammèche*** sf. ; ***flammerole*** sf.
flan sm. (pâtisserie).
flanc sm. (côté).
flancher vi.
flanchet sm.
flandrin sm.
flanelle sf.
flâner vi. ; ***flânerie*** sf. ; ***flâneur, euse*** s.
flanquement sm. ; ***flanquer*** vt.
flapi, e adj.
flaque sf.
flash sm. (angl. ; pl. *flashes).*
flash-back sm. (pl. *flashes-back).*
flasque adj.
flasque sf. (flacon) *et* sm. (technique).
flatter vt. — ***(se)*** vpr. ; ***flatterie*** sf. ; ***flatteur, euse*** adj. *et* s. ; ***flatteusement*** adv.
flatulence sf. ; ***flatulent, e*** adj. ; ***flatuosité*** sf.
flavescent, e adj.
fléau sm. (pl. *fléaux).*
fléchage sm. ; ***flèche*** sf. ; ***flécher*** vt. ; ***fléchette*** sf.
fléchir vt. *et* vi. ; ***fléchissement*** sm. ; ***fléchisseur*** adj. *et* sm.
flegmatique adj. *et* sm. ; ***flegmatiquement*** adv. ; ***flegme*** sm.
flegmon *ou* **phlegmon** sm.
flemmard, e adj. *et* s. ; ***flemme*** sf.
flétan sm.
flétrir vt. ; ***flétrissant, e*** adj. ; ***flétrissure*** sf.
fleur sf. ; ***fleuraison*** sf.
fleurdelisé, e adj.
fleurer vi.
fleuret sm.
fleurette sf. ; ***fleuri, e*** adj. ; ***fleurir*** vi. *et* vt. ; ***fleurissant, e*** adj. ; ***fleuriste*** s. *et* adj.
fleuron sm.
fleuve sm.
flexibilité sf. ; ***flexible*** adj. ; ***flexion*** sf. ; ***flexionnel, elle*** adj.
flibuste sf. ; ***flibustier*** sm.
flirt sm. ; ***flirter*** vi.
floche adj. *(soie —).*
flocon sm. ; ***floconner*** vi. ; ***floconneux, euse*** adj..
floculation sf. ; ***floculer*** vi.
flonflon sm.
floraison sf. ; ***floral, e, aux*** adj. ; ***floralies*** sf. pl. ; ***flore*** sf. ; ***floréal*** sm.
florence sf.
florès (faire) loc. verbale.
floriculture sf.
florifère adj.
florilège sm.

florin sm.
florissant, e adj.
flot sm.
flottabilité sf. ; *flottable* adj. ; *flottage* sm. ; *flottaison* sf. ; *flottant, e* adj. ; *flotte* sf. ; *flottement* sm. ; *flotter* vi. ; *flotteur* sm. ; *flottille* sf.
flou, e adj. *et* sm.
flouer vt.
fluctuant, e adj. ; *fluctuation* sf.
fluet, ette adj.
fluide adj. *et* sm. ; *fluidifier* vt. ; *fluidité* sf.
fluor sm. ; *fluorescence* sf. ; *fluorescent, e* adj. ; *fluorine* sf. ; *fluorique* adj. ; *fluorure* sm.
flûte sf. ; *flûté, e* adj. ; *flûteau ou flûtiau* sm. ; *flûtiste* s.
fluvial, e, aux adj. ; *fluviatile* adj. ; *fluviomètre* sm.
flux sm. ; *fluxion* sf.
foc sm.
focal, e, aux adj. ; *focaliser* vt.
foehn sm.
fœtal, e, aux adj. ; *fœtus* sm.
foi sf.
foie sm.
foin sm. *et* intj.
foirail sm. (pl. *foirails) ; foire* sf.
foirer vi. ; *foireux, euse* adj. *et* s.
fois sf.
foison sf. ; *foisonnement* sm. ; *foisonner* vi.
fol, folle adj. *et* s. ; *folâtre* adj. ; *folâtrer* vi. ; *folâtrerie* sf.
foliacé, e adj.
foliaire adj.
folichon, onne adj. ; *folichonnerie* sf. ; *folie* sf.
folié, e adj.
folio sm. (pl. *folios).*
foliole sf.
foliotage sm. ; *folioter* vt. ; *folioteuse* sf.
folklore sm. (pl. *folklores*) ; *folklorique* adj. ; *folkloriste* s.
follement adv. ; *follet, ette* adj. *et* s.
folliculaire sm. *et* adj.
follicule sm. ; *folliculine* sf. ; *folliculite* sf.
fomentateur, trice s. ; *fomentation* sf. ; *fomenter* vt.
foncé, e adj.
foncer vi. *et* vt.
foncier, ère adj. *et* sm. ; *foncièrement* adv.
fonction sf. ; *fonctionnaire* s. ; *fonctionnalisme* sm. ; *fonctionnarisation* sf. ; *fonctionnariser* vt. ; *fonctionnel, elle* adj. ; *fonctionnement* sm. ; *fonctionner* vi.
fond sm. (endroit).
fondamental, e, aux adj. ; *fondamentalement* adv. ; *fondamentaliste* sm.
fondant, e adj. *et* sm.
fondateur, trice s. ; *fondation* sf.
fondé, e adj. *et* sm. ; *fondement* sm. ; *fonder* vt.
fonderie sf. ; *fondeur* sm. ; *fondeuse* sf. ; *fondoir* sm. ; *fondre* vt. *et* vi.
fondrière sf.
fonds sm. (capital).
fondu, e adj. *et* sm. ; *fondue* sf.
fongible adj.
fongicide adj. *et* sm. ; *fongiforme* adj.
fontaine sf. ; *fontainier* sm.
fontanelle sf.
fonte sf.
fontis *ou* **fondis** sm.
fonts *(— baptismaux)* sm. pl.
football sm. ; *footballeur, euse* s.
footing sm.
for sm. *(— intérieur).*
forage sm.
forain, e adj. *et* s.
foraminifère sm.
forban sm.
forçage sm.
forçat sm.
force sf. ; *forcé, e* adj. ; *forcement* sm. ; *forcément* adv.
forcené, e adj. *et* s.
forceps sm.
forcer vt. *et* vi.
forces sf. pl.
forcing sm. (angl.).
forcir vi.
forclore vt. ; *forclos, e* adj. ; *forclusion* sf.
forer vt.
forestier, ère adj. *et* s.
foret sm.
forêt sf.
foreur adj. *et* sm. ; *foreuse* sf.
forfaire vi. ; *forfait* sm. ; *forfaitaire* adj. ; *forfaiture* sf.
forfanterie sf.
forge sf. ; *forgeable* adj. ; *forgeage* sm. ; *forger* vt. ; *forgeron* sm. ;

forgeur sm.
forint sm. (hongrois).
forjeter vi. *et* vt.
forligner vi.
formaldéhyde sm.
formalisation sf. ; *formaliser* vt. — *(se)* vpr. ; *formalisme* sm. ; *formaliste* s. *et* adj. ; *formalité* sf. ; *format* sm. ; *formateur, trice* adj. *et* s. ; *formatif, ive* adj. ; *formation* sf. ; *forme* sf. ; *formel, elle* adj. ; *formellement* adv. ; *former* vt.
formidable adj. ; *formidablement* adv.
formique adj. m.
formol sm. ; *formoler* vt.
formulaire sm. ; *formulation* sf. ; *formule* sf. ; *formuler* vt.
fornicateur, trice s. ; *fornication* sf. ; *forniquer* vi.
fors prép.
forsythia sm.
fort adv. ; *fort* sm. ; *fort, e* adj. ; *forte* adv. *et* sm. inv. ; *fortement* adv. ; *forteresse* sf. ; *fortifiant, e* adj. *et* sm. ; *fortification* sf. ; *fortifier* vt. ; *fortin* sm.
fortiori (à) loc. adv. (lat.).
fortissimo adv. *et* sm.
fortran sm.
fortuit, e adj. ; *fortuitement* adv.
fortune sf. ; *fortuné, e* adj.
forum sm.
forure sf.
fosse sf. ; *fossé* sm. ; *fossette* sf.
fossile adj. *et* sm. ; *fossilifère* adj. ; *fossilisation* sf. ; *fossiliser* vt. — *(se)* vpr.
fossoyeur sm.
fou *ou* **fol, folle** adj. *et* s.
fouace sf.
fouage sm.
fouailler vt.
foucade sf.
foudre sf. (tonnerre) *et* sm. (de guerre).
foudre sm. (futaille).
foudroiement sm. ; *foudroyant, e* adj. ; *foudroyer* vt.
fouet sm. ; *fouettard* adj.m. ; *fouettement* sm. ; *fouetter* vt.
fougasse sf.
fougeraie sf. ; *fougère* sf.
fougue sf. ; *fougueusement* adv. ; *fougueux, euse* adj.
fouille sf. ; *fouiller* vt. ; *fouillis* sm.
fouinard, e adj. *et* s. ; *fouine* sf. ; *fouiner* vi. ; *fouineur, euse* s. *et* adj.
fouir vt. ; *fouisseur, euse* adj. *et* s.
foulage sm. ; *foulant, e* adj.
foulard sm.
foule sf.
foulée sf. ; *fouler* vt. — *(se)* vpr. ; *fouleur, euse* s. ; *fouloir* sm. ; *foulon* sm.
foulque sf.
foulure sf.
four sm.
fourbe adj. *et* s. ; *fourberie* sf.
fourbi sm. ; *fourbir* vt. ; *fourbissage* sm.
fourbu, e adj.
fourche sf. ; *fourcher* vi. ; *fourchette* sf. ; *fourchu, e* adj.
fourgon sm. ; *fourgonner* vi. ; *fourgonnette* sf.
fouriérisme sm. ; *fouriériste* adj. *et* s.
fourmi sf. ; *fourmilière* sf. ; *fourmilion* sm. (pl. *fourmis-lions) ; fourmillant, ante* adj. ; *fourmillement* sm. ; *fourmiller* vi.
fournaise sf. ; *fourneau* sm. ; *fournée* sf.
fourni, e adj.
fournil sm.
fourniment sm. (militaire) ; *fournir* vt. ; *fournisseur, euse* s. ; *fourniture* sf. (matériel).
fourrage sm. ; *fourrager* vt. *et* vi. ; *fourrager, ère* adj. ; *fourragère* sf.
fourré sm.
fourreau sm.
fourrer vt. ; *fourre-tout* sm. inv.
fourreur sm.
fourrier sm. ; *fourrière* sf.
fourrure sf.
fourvoiement sm. ; *fourvoyer* vt. — *(se)* vpr.
foutaise sf. ; *foutre* intj. *et* vtr. — *(se)* vpr. ; *foutrement* adv. ; *foutriquet* sm. ; *foutu, e* adj.
fox-terrier sm. (pl. *fox-terriers).*
fox-trot sm. inv.
foyer sm.
frac sm.
fracas sm. ; *fracassant, e* adj. ; *fracasser* vt.
fraction sf. ; *fractionnaire* adj. ; *fractionnel* adj. ; *fractionnement* sm. ; *fractionner* vt.
fracture sf. ; *fracturer* vt.

fragile adj. ; *fragilité* sf.
fragment sm. ; *fragmentaire* adj. ; *fragmentation* sf. ; *fragmenter* vt.
fragrance sf.
frai sm. (poissons).
fraîchement adv. ; *fraîcheur* sf. ; *fraîchir* vi. ; *frais, fraîche* adj., sm., sf. *et* adv.
frais sm. pl. (dépenses).
fraise sf. (outil *et* fruit) ; *fraisage* sm. ; *fraiser* vt. ; *fraiseur* sm. ; *fraiseuse* sf. ; *fraisier* sm. ; *fraisure* sf.
framboise sf. ; *framboisier* sm.
franc sm.
franc, franche adj. ; *franchement* adv.
franc-comtois, e, es adj.
franchir vt.
franchise sf.
franchissable adj.
francisation sf.
franciscain, e s.
franciser vt.
francisque sf.
franc-jeu adj. *et* sm.
franc-maçon sm. (pl. *francs-maçons) ; franc-maçonnerie* sf.
franco adv.
francophile s. *et* adj. ; *francophone* adj. *et* s. ; *francophonie* sf.
franc-parler sm.
franc-tireur sm. (pl. *francs-tireurs).*
frange sf. ; *franger* vt.
frangin, e s.
frangipane sf.
franquette (à la bonne) loc. adv.
franquiste adj. *et* s.
frappage sm. (de monnaies) ; *frappant, e* adj. ; *frappe* sf. ; *frappé, e* adj. ; *frappement* sm. ; *frapper* vt. ; *frappeur, euse* s.
frasque sf.
fraternel, elle adj. ; *fraternellement* adv. ; *fraternisation* sf. ; *fraterniser* vi. ; *fraternité* sf. ; *fratricide* sm. *et* adj.
fraude sf. ; *frauder* vt. ; *fraudeur, euse* s. ; *frauduleusement* adv. ; *frauduleux, euse* adj.
fraxinelle sf.
frayer vt. *et* vi. ; *frayère* sf.
frayeur sf.
fredaine sf.
fredonnement sm. ; *fredonner* vt.
freezer sm. (angl.).
frégate sf.
frein sm. ; *freinage* sm. ; *freiner* vi.
frelatage sm. ; *frelater* vt. ; *frelaterie* sf. ; *frelateur, euse* s.
frêle adj.
frelon sm.
freluquet sm.
frémir vi. ; *frémissant, e* adj. ; *frémissement* sm.
frênaie sf. ; *frêne* sm.
frénésie sf. ; *frénétique* adj. ; *frénétiquement* adv.
Fréon sm. (nom déposé).
fréquemment adv. ; *fréquence* sf. ; *fréquent, e* adj.
fréquentable adj. ; *fréquentatif, ive* adj. ; *fréquentation* sf. ; *fréquenter* vt.
frère sm. ; *frérot* sm.
fresque sf. ; *fresquiste* s.
fressure sf.
fret sm. (cargo) ; *fréter* vt. ; *fréteur* sm.
frétillant, e adj. ; *frétillement* sm. ; *frétiller* vi.
fretin sm.
freudien, enne adj. ; *freudisme* sm.
friabilité sf. ; *friable* adj.
friand, e adj. *et* s. ; *friandise* sf.
fric sm.
fricandeau sm. ; *fricassée* sf. ; *fricasser* vt.
fricatif, ive adj. *et* sf.
fric-frac sm. inv.
friche sf.
frichti sm.
fricot sm. ; *fricoter* vi. *et* vt. ; *fricoteur, euse* s.
friction sf. ; *frictionnel, elle* adj. ; *frictionner* vt.
frigide adj. ; *frigidité* sf.
frigorifique adj. *et* sm. ; *frigoriste* sm.
frileusement adv. ; *frileux, euse* adj. *et* s.
frimaire sm. ; *frimas* sm.
frime sf. ; *frimer* vi.
frimousse sf.
fringale sf.
fringant, e adj.
fringuer vi. *et* vt. — *(se)* vpr. ; *fringues* sf. pl.
friper vt. ; *friperie* sf. ; *fripier, ère* s.
fripon, onne adj. *et* s. ; *friponnerie* sf. ; *fripouille* sf.
frire vt.

frisage sm.
frisant, e adj.
frise sf.
frisé, e adj. ; *friselis* sm. ; *friser* vt. *et* vi. ; *frisette* sf. ; *frison* sm. ; *frisotter* vt.
frisquet, ette adj.
frisson sm. ; *frissonnant, e* adj. ; *frissonnement* sm. ; *frissonner* vi.
frisure sf.
frit, e adj. ; *frite* sf. ; *friterie* sf. ; *friteuse* sf. ; *friture* sf.
frivole adj. ; *frivolement* adv. ; *frivolité* sf.
froc sm.
froid, e adj. *et* sm. ; *froidement* adv. ; *froideur* sf. ; *froidure* sf.
froissable adj. ; *froissement* sm. ; *froisser* vt. ; *froissure* sf.
frôlement sm. ; *frôler* vt. ; *frôleur, euse* adj.
fromage sm. ; *fromager, ère* adj. *et* sm. ; *fromagerie* sf.
froment sm.
fronce sf. ; *froncement* sm. ; *froncer* vt. ; *froncis* sm.
frondaison sf.
fronde sf. ; *fronder* vt. ; *frondeur* sm.
front sm. ; *frontal, e, aux* adj. *et* sm. ; *frontalier, ère* adj. *et* s. ; *frontalité* sf. ; *frontière* sf.
frontispice sm.
fronton sm.
frottée sf. ; *frottement* sm. ; *frotter* vt. ; *frotteur, euse* s. ; *frottis* sm. ; *frottoir* sm.
frouer vi.
frou-frou (pl. *frous-frous*) *ou* **froufrou** (pl. *froufrous*) sm. ; *froufrouter* vi.
froussard, e adj. *et* s. ; *frousse* sf.
fructidor sm. ; *fructifère* adj. ; *fructifiant, e* adj. ; *fructification* sf. ; *fructifier* vi. ; *fructose* sm. ; *fructueusement* adv. ; *fructueux, euse* adj.
frugal, e, aux adj. ; *frugalement* adv. ; *frugalité* sf.
frugivore adj. *et* s.
fruit sm. ; *fruité, e* adj. ; *fruitier, ère* adj. *et* s.
frusques sf. pl.
fruste adj.
frustrant, e adj. ; *frustration* sf. ; *frustratoire* adj. ; *frustrer* vt.
fuchsia sm.
fuchsine sf.
fucus sm.
fuel *ou* **fuel-oil** sm. (angl.).
fugace adj. ; *fugacité* sf.
fugitif, ive adj. *et* s. ; *fugitivement* adv.
fugue sf. ; *fuguer* vi. ; *fugueur, euse* s.
fuir vi. *et* vt. ; *fuite* sf.
fulgurant, e adj. ; *fulguration* sf. ; *fulgurer* vi.
fulgurite sm.
fuligineux, euse adj.
fulmicoton sm.
fulminant, e adj. ; *fulminate* sm. ; *fumination* sf. ; *fulminer* vi.
fumage sm. (fumée, fumier) *ou* **fumaison** sf. (fumier).
fumant, e adj.
fume-cigare sm. inv.
fume-cigarette sm. inv.
fumée sf. ; *fumer* vi. *et* vt. ; *fumerie* sf. ; *fumerolle* sf. ; *fumeron* sm.
fumet sm.
fumeterre sf.
fumeur, euse s. ; *fumeux, euse* adj.
fumier sm.
fumigateur sm. ; *fumigation* sf. ; *fumigatoire* adj.
fumigène adj. *et* s.
fumiste s. *et* adj. ; *fumisterie* sf.
fumoir sm.
fumure sf.
funambule s. ; *funambulesque* adj.
funèbre adj.
funérailles sf. pl. ; *funéraire* adj.
funeste adj. ; *funestement* adv.
funiculaire adj. *et* sm.
fur *(au fur et à mesure* loc. adv.).
furet sm. ; *furetage* sm. ; *fureter* vi. ; *fureteur, euse* s.
fureur sf. ; *furibond, e* adj. ; *furie* sf. ; *furieusement* adv. ; *furieux, euse* adj.
furoncle sm. ; *furonculose* sf.
furtif, ive adj. ; *furtivement* adv.
fusain sm.
fusant, e adj. *et* sm.
fuseau sm.
fusée sf.
fuselage sm. ; *fuselé, e* adj. ; *fuseler* vt.
fuser vi.
fusette sf.
fusibilité sf. ; *fusible* adj. *et* sm.
fusiforme adj.

fusil sm. ; ***fusilier*** sm. ; ***fusillade*** sf. ; ***fusiller*** vt.
fusion sf. ; ***fusionnement*** sm. ; ***fusionner*** vi. *et* vt.
fustigation sf. ; ***fustiger*** vt.
fût sm. ; ***futaie*** sf. ; ***futaille*** sf.
futaine sf.
futé, e adj.
futile adj. ; ***futilement*** adv. ; ***futilité*** sf.
futur, e adj. *et* s. ; ***futurisme*** sm. ; ***futuriste*** s. *et* adj. ; ***futurologie*** sf. ; ***futurologue*** sm. *et* f.
fuyant adj. ; ***fuyard, e*** adj. *et* s.

G

gabardine sf.
gabare sf.
gabarier vt. ; *gabarit* sm.
gabegie sf.
gabelle sf. ; *gabelou* sm.
gabier sm.
gabion sm. ; *gabionnage* sm.
gable *ou* **gâble** sm.
gâche sf. ; *gâcher* vt. ; *gâchette* sf. ; *gâcheur, euse* s. *et* adj. ; *gâchis* sm.
gadget sm.
gadoue sf.
gaélique adj. *et* s.
gaffe sf. ; *gaffer* vt. *et* vi. ; *gaffeur, euse* s.
gag sm.
gaga adj. *et* s. inv.
gage sm. ; *gager* vt. ; *gageure* sf. ; *gagiste* sm.
gagnant, e adj. *et* s. ; *gagne-pain* sm. inv. ; *gagne-petit* sm. inv. ; *gagner* vt. *et* vi. ; *gagneur, euse* s.
gai, e adj. ; *gaiement ou gaîment* adv. ; *gaieté ou gaîté* sf.
gaillard, e adj. *et* s.
gaillard sm. (navire).
gaillarde sf. (danse).
gaillardement adv. ; *gaillardise* sf.
gaillette sf.
gain sm.
gainage sm. ; *gaine* sf.
gal sm.
gala sm.
galactique adj.
galactogène adj. *et* s. ; *galactophore* adj. *et* sm.
galactose sm.
galalithe sf.
galamment adv.
galandage sm.
galant, e adj. *et* sm. ; *galanterie* sf.
galantine sf.
galapiat sm.
galaxie sf.
galbe sm.
gale sf.
galéasse *ou* **galéace** sf.
galéjade sf.
galène sf.
galère sf.
galerie sf.
galérien sm.
galet sm.
galetas sm.
galette sf.
galeux, euse adj. *et* s.
galibot sm.
galiléen, enne adj. *et* s.
galimafrée sf.
galimatias sm.
galion sm. ; *galiote* sf.
galipette sf.
galle sf.
gallican, e adj. *et* s. ; *gallicanisme* sm.
gallicisme sm.
gallinacés sm. pl.
gallium sm.
gallon sm. (capacité).
gallo-romain, e adj.
galoche sf.
galon sm. ; *galonner* vt.
galop sm. ; *galopade* sf. ; *galopant, e* adj. ; *galoper* vi. ; *galopeur, euse* s. ; *galopin* sm.
galoubet sm.
galurin *ou* **galure** sm.
galvanique adj. ; *galvanisation* sf. ; *galvaniser* vt. ; *galvanisme* sm.
galvanomètre sm. ; *galvanoplastie* sf. ; *galvanoplastique* adj. ; *galvanotypie* sf.
galvauder vt. ; *galvaudeux, euse* s.
gamay *ou* **gamet** sm.
gambade sf.
gambader vi.
gambe sf. ; *gambette* sm. (oiseau) *et* sf. (argot) ; *gambiller* vi.
gambit sm.
gamelle sf.
gamète sm.
gamin, e s. ; *gaminerie* sf.
gamma sm. ; *gamma-globuline* sf.
gamme sf.
gammée adj. f. *(croix —).*
ganache sf.
gandin sm.
gandoura sf.
gang sm. (angl.).
ganglion sm. ; *ganglionnaire* adj.
gangrené, e adj. ; *gangrener* vt. — *(se)* vpr. ; *gangreneux, euse* adj. ; *gangrène* sf.
gangster sm. ; *gangstérisme* sm.
gangue sf.
ganse sf. ; *ganser* vt.
gant sm. ; *gantelet* sm. ; *ganter* vt. ; *ganterie* sf. ; *gantier, ère* s. *et* adj.

garage sm. ; ***garagiste*** sm.
garance sf. ; ***garancière*** sf.
garant, e adj. *et* s. ; ***garanti, e*** adj. ; ***garantie*** sf. ; ***garantir*** vt.
garbure sf.
garce sf. ; ***garcette*** sf.
garçon sm. ; ***garçonnet*** sm. ; ***garçonnière*** adj. *et* sf.
garde sf. *et* sm.
garde-à-vous loc. *et* sm. inv.
garde-barrière s. (pl. *gardes-barrière*).
garde-bœuf sm. (pl. *gardes-bœuf* ou — *bœufs*).
garde-boue sm. inv.
garde-chasse sm. (pl. *gardes-chasse* ou — *chasses*).
garde-chiourme sm. (pl. *gardes-chiourme*).
garde-corps sm. inv.
garde-côte sm. (pl. *gardes-côte* [soldat] et *garde-côtes* [navire]).
garde-fou sm. (pl. *garde-fous*).
garde-frontière sm. (pl. *gardes-frontière*).
garde-malade s. (pl. *gardes-malades*).
garde-manger sm. inv.
garde-meuble sm. (pl. inv. ou *garde-meubles*).
gardénia sm.
garden-party sf. (pl. *garden-parties*).
garder vt. ; ***garderie*** sf.
garde-robe sf. (pl. *garde-robes*).
gardeur, euse s.
gardian sm.
gardien, enne s. ; ***gardiennage*** sm.
gardon sm.
gare sf.
gare ! intj.
garenne sf.
garer vt. — ***(se)*** vpr.
gargariser (se) vpr. ; ***gargarisme*** sm.
gargote sf. ; ***gargotier, ère*** s.
gargouille sf. ; ***gargouillement*** sm. ; ***gargouiller*** vi. ; ***gargouillis*** sm. ; ***gargoulette*** sf.
garibaldien sm.
garnement sm.
garni, e adj. *et* sm. ; ***garnir*** vt. ; ***garnison*** sf. ; ***garnissage*** sm. ; ***garniture*** sf.
garrigue sf.
garrot sm. ; ***garrottage*** sm. ; ***garrotter*** vt.
gars sm.
gascon, onne adj. *et* s. ; ***gasconnade*** sf. ; ***gasconner*** vi.
gas-oil, gasoil *ou* **gazole** sm.
gaspillage sm. ; ***gaspiller*** vt. ; ***gaspilleur, euse*** s. *et* adj.
gastéropodes sm. pl.
gastralgie sf. ; ***gastralgique*** adj.
gastrectomie sf.
gastrique adj. ; ***gastrite*** sf.
gastro-entérite sf.
gastro-entérologie sf. ; ***gastro-entérologue*** s.
gastro-intestinal, e, aux adj.
gastrologie sf.
gastronome sm. ; ***gastronomie*** sf. ; ***gastronomique*** adj.
gastroscopie sf.
gastrula sf.
gâteau sm.
gâter vt. ; ***gâterie*** sf.
gâte-sauce sm. inv.
gâteux, euse adj. *et* s.
gâtine sf.
gâtisme sf.
gauche adj. *et* sf. ; ***gauchement*** adv. ; ***gaucher, ère*** adj. *et* s. ; ***gaucherie*** sf. ; ***gauchir*** vi. ; ***gauchisant, e*** adj. ; ***gauchisme*** sm. ; ***gauchissement*** sm. ; ***gauchiste*** s.
gaucho sm.
gaudriole sf.
gaufrage sm. ; ***gaufre*** sf. ; ***gaufrer*** vt. ; ***gaufrette*** sf. ; ***gaufreur, euse*** s. ; ***gaufrier*** sm.
gaulage sm. ; ***gaule*** sf. ; ***gauler*** vt.
gaullisme sm. ; ***gaulliste*** s. *et* adj.
gaulois, e s. *et* adj. ; ***gauloiserie*** sf.
gauss sm.
gausser (se) vpr.
gavage sm.
gave sm.
gaver vt.
gavotte sf.
gavroche adj. *et* sm.
gaz sm. inv. ; ***gazage*** sm.
gaze sf.
gazéification sf. ; ***gazéifier*** vt.
gazelle sf.
gazer vt. *et* vi.
gazetier, ère s. ; ***gazette*** sf.
gazeux, euse adj. ; ***gazier*** sm. ; ***gazoduc*** sm. ; ***gazogène*** adj. *et* sm. ; ***gazole*** sm. ; ***gazoléine*** *ou* ***gazoline*** sf. ; ***gazomètre*** sm.
gazon sm. ; ***gazonnement*** sm. ; ***gazonner*** vt.
gazouillement sm. ; ***gazouiller*** vi. ; ***gazouillis*** sm.

geai sm.
géant, e adj. *et* s.
géhenne sf.
geignard, e adj. ; *geindre* vi.
geisha sf.
gel sm.
gélatine sf. ; *gélatineux, euse* adj. ; *gélatino-bromure* sm.
gelée sf. ; *geler* vt. *et* vi. ; *gélif, ive* adj. ; *gélification* sf. ; *gélifier* vt.
gelinotte sf.
gélivure sf.
gélose sf.
gélule sf.
gelure sf.
gémeaux sm. pl. ; *gémellaire* adj. ; *gémellipare* adj. ; *gémellité* sf.
gémination sf. ; *géminé, e* adj.
gémir vi. ; *gémissant, e* adj. ; *gémissement* sm.
gemmage sm. ; *gemmation* sf. ; *gemme* sf. ; *gemmer* vi. ; *gemmifère* adj. ; *gemmule* sf.
gémonies sf. pl.
gênant, e adj.
gencive sf.
gendarme sm. ; *gendarmer (se)* vpr. ; *gendarmerie* sf.
gendre sm.
gène sm. (en biologie).
gêne sf. (embarras). ; *gêné, e* adj.
généalogie sf. ; *généalogique* adj. ; *généalogiste* s.
génépi *ou* **genépi** sm.
gêner vt. — *(se)* vpr.
général, e, aux adj. *et* s. ; *généralement* adv. ; *généralisateur, trice* adj. ; *généralisation* sf. ; *généraliser* vt. ; *généralissime* sm. ; *généralité* sf.
générateur, trice s. ; *génératif, ive* adj. ; *génération* sf.
généreusement adv. ; *généreux, euse* adj.
générique adj. *et* sm. ; *génériquement* adv.
générosité sf.
genèse sf.
génésique adj.
genet sm. (cheval).
genêt sm. (arbrisseau).
généticien sm. ; *génétique* sf.
genette sf.
gêneur, euse s.
genévrier sm.
génial, e, aux adj. ; *génialement* adj.
géniculation sf.
génie sm.
genièvre sm.
génisse sf.
génital, e, aux adj. ; *géniteur, trice* s. *et* adj. ; *génitif* sm. ; *génito-urinaire* adj.
génocide sm.
génois, e adj. *et* s.
genou sm. (pl. *genoux*) ; *genouillère* sf.
genre sm.
gens s. pl.
gent sf. (pl. *gens*).
gent, e adj.
gentiane sf.
gentil, ille adj.
gentilhomme sm. (pl. *gentilshommes*) ; *gentilhommière* sf.
gentillesse sf. ; *gentillet, ette* adj. ; *gentiment* adv.
gentleman sm. (pl. *gentlemen*).
gentleman-farmer sm. (pl. *gentlemen-farmers*).
génuflexion sf.
géocentrique adj.
géode sf.
géodésie sf. ; *géodésique* adj.
géodynamique adj. *et* sf.
géographe s. ; *géographie* sf. ; *géographique* adj. ; *géographiquement* adv.
geôle sf.
geôlier, ière s.
géologie sf. ; *géologique* adj. ; *géologiquement* adv. ; *géologue* sm.
géomagnétique adj.
géomancie sf.
géométral, e, aux adj. ; *géométralement* adv. ; *géomètre* sm. ; *géométrie* sf. ; *géométrique* adj.
géomorphologie sf.
géophysique sf.
géopolitique sf. *et* adj.
géorgien, enne adj. *et* s.
géorgique adj. *et* sf.
géosynclinal sm.
géothermie sf.
géotropisme sm.
gérance sf.
géranium sm.
gérant, e s.
gerbage sm. ; *gerbe* sf. ; *gerbée* sf. ; *gerber* vt. ; *gerbier* sm. ; *gerbière* sf.
gerbille sf.

gerboise sf.
gerce sf.
gercer vt. *et* vi. ; ***gerçure*** sf.
gérer vt.
gerfaut sm.
gériatre s. ; ***gériatrie*** sf.
germain, e adj. *et* s.
germandrée sf.
germanique adj. ; ***germanisant, e*** adj. *et* s. ; ***germanisation*** sf. ; ***germaniser*** vt. ; ***germanisme*** sm. ; ***germaniste*** s. *et* adj. ; ***germanium*** sm. ; ***germanophile*** adj.
germe sm. ; ***germen*** sm. ; ***germer*** vi. ; ***germicide*** adj. ; ***germinal*** sm. ; ***germinateur, trice*** adj. ; ***germinatif, ive*** adj. ; ***germination*** sf. ; ***germoir*** sm.
géromé sm.
gérondif sm.
géronte sm. ; ***gérontocratie*** sf. ; ***gérontologie*** sf. ; ***gérontologue*** s.
gésier sm.
gésine sf.
gésir vi.
gesse sf.
gestapo sf. (all.).
gestation sf.
geste sm. (mouvement) et sf. (exploit) ; ***gesticulateur, trice*** s. ; ***gesticulation*** sf. ; ***gesticuler*** vi.
gestion sf. ; ***gestionnaire*** adj. *et* sm.
gestuel, elle adj.
geyser sm.
ghetto sm.
gibbon sm.
gibbosité sf.
gibecière sf.
gibelin, e s. *et* adj.
gibelotte sf.
giberne sf.
gibet sm.
gibier sm.
giboulée sf.
giboyeux, euse adj.
gibus sm.
giclée sf. ; ***gicler*** vi. ; ***gicleur*** sm.
gifle sf.
gigantesque adj. ; ***gigantisme*** sm.
gigogne sf.
gigolo sm.
gigot sm. ; ***gigoter*** vi.
gigue sf.
gilet sm. ; ***giletier, ère*** s.
gin sm.
gindre sm.
gingembre sm.
gingival, e, aux adj. ; ***gingivite*** sf.
giorno (a) loc. adv. (ital.).
gipsy sf. (pl. *gipsies*).
girafe sf. ; ***girafeau ou girafon*** sm.
girandole sf.
giration sf. ; ***giratoire*** adj.
giravion sm.
girelle sf.
girie sf.
girl sf. (angl.).
girofle sm. ; ***giroflée*** sf. ; ***giroflier*** sm.
girolle sf.
giron sm.
girondin, e adj. *et* s.
girouette sf.
gisant, e adj. *et* s.
gisement sm.
gitan, e s.
gîte sm. ; ***gîter*** vi.
givrage sm. ; ***givre*** sm.
glabre adj.
glaçage sm. ; ***glaçant, e*** adj. ; ***glace*** sf. ; ***glacé, e*** adj. ; ***glacer*** vt. ; ***glacerie*** sf. ; ***glaceur*** sm. ; ***glaciaire*** adj. ; ***glacial, e, als*** adj. ; ***glaciation*** sf. ; ***glacier*** sm. ; ***glacière*** sf. ; ***glaciologie*** sf. ; ***glacis*** sm. ; ***glaçon*** sm. ; ***glaçure*** sf.
gladiateur sm.
glaïeul sm.
glaire sf. ; ***glairer*** vt. ; ***glaireux, euse*** adj.
glaise sf. *et* adj. ; ***glaiser*** vt. ; ***glaiseux, euse*** adj. ; ***glaisière*** sf.
glaive sm.
glanage sm.
gland sm.
glande sf.
glandée sf.
glandulaire adj. ; ***glanduleux, euse*** adj.
glane sf. ; ***glaner*** vt. ; ***glaneur, euse*** s.
glapir vi. ; ***glapissant, e*** adj. ; ***glapissement*** sm.
glas sm.
glatir vi.
glaucome sm.
glauque adj.
glèbe sf.
gliome sm.
glissade sf. ; ***glissant, e*** adj. ; ***glissé*** sm. ; ***glissement*** sm. ; ***glisser*** vt. *et* vi. — ***(se)*** vpr. ; ***glisseur, euse*** s. ; ***glissière*** sf. ; ***glissoire*** sf.
global, e, aux adj. ; ***globalement*** adv.

globe sm.
globe-trotter sm. (pl. *globe-trotters*).
globulaire adj. ; *globule* sm. ; *globuleux, euse* adj. ; *globuline* sf.
glockenspiel sm.
gloire sf.
glomérule sm.
gloria sm.
gloriette sf.
glorieusement adv. ; *glorieux, euse* adj. ; *glorification* sf. ; *glorifier* vt. ; *gloriole* sf.
glose sf. ; *gloser* vt. *et* vi.
glossaire sm.
glossateur sm.
glossine sf.
glossite sf.
glosso-pharyngien, enne adj.
glottal, aux adj. ; *glotte* sf.
glouglou sm. ; *glouglouter* vi.
gloussement sm. ; *glousser* vi.
glouton, onne adj. *et* s. ; *gloutonnement* adv. ; *gloutonnerie* sf.
glu sf. ; *gluant, e* adj. ; *gluau* sm.
glucide sm. ; *glucine* sf. ; *glucose* sf. ; *glucoside* sm.
gluer vt.
glume sf.
glumelle sf.
gluten sm.
glycémie sf. ; *glycéride* sf. ; *glycérine* sf. ; *glycérique* adj. m.
glycine sf.
glycocolle sm. ; *glycogène* sm. ; *glycosurie* sf.
glyphe sm. ; *glyptique* sf.
glyptodon *ou* **glyptodonte** sm.
glyptothèque sf.
gnan-gnan s. *et* adj. inv.
gneiss sm.
gnocchi sm. pl.
gnôle, gnole, gnaule *ou* **gniole** sf.
gnome sm.
gnomique adj.
gnomon sm.
gnon sm.
gnose sf.
gnosticisme sm. ; *gnostique* adj. *et* s.
gnou sm.
go (tout de) loc. adv.
goal sm.
gobelet sm.
gobelin sm.
gobe-mouches sm. inv.
gober vt.
goberger (se) vpr.
gobeur, euse s.
gobichonner vi.
gobie sm.
godailler *ou* **goder** vi.
godasse sf.
godelureau sm.
godemiché sm.
godet sm.
godiche s. *et* adj.
godille sf. ; *godiller* vi. ; *godilleur* sm.
godillot sm.
godiveau sm.
godron sm. ; *godronner* vt.
goéland sm. ; *goélette* sf.
goémon sm.
gogo sm.
gogo (à) loc. adv.
goguenard, e adj. ; *goguenarder* vi. ; *goguenardise* sf.
goguenot sm.
goguette sf.
goï, goïm adj. *et* s. V. *goy.*
goinfre sm. ; *goinfrer* vi. — *(se)* vpr. ; *goinfrerie* sf.
goitre sm. ; *goitreux, euse* adj. *et* s.
golden sf. inv.
gold point sm. (angl.).
golem sm.
golf sm. (sport).
golfe sm. (géo.).
golmote *ou* **golmotte** sf.
goménol sf.
gommage sm.
gomme sf. ; *gommer* vt. ; *gomme-résine* sf. (pl. *gommes-résines*) ; *gommeux, euse* adj. *et* sm. ; *gommier* sm.
gonade sf. ; *gonadotrope* adj.
gond sm.
gondolage sm. ; *gondole* sf. ; *gondoler* vi. — *(se)* vpr. ; *gondolier* sm.
gonelle *ou* **gonnelle** sf.
gonfalon *ou* **gonfanon** sm. ; *gonfalonier* sm.
gonflage sm. ; *gonflé, e* adj. ; *gonflement* sm. ; *gonfler* vt.
gong sm.
gongorisme sm.
goniomètre sm. ; *goniométrie* sf.
gonococcie sf. ; *gonocoque* sm.
gordien adj. m. *(nœud —).*
goret sm.
gorge sf.
gorge-de-pigeon adj. inv.
gorgée sf. ; *gorger* vt. ; *gorgerette* sf. ; *gorgerin* sm.

gorgone sf.
gorgonzola sm.
gorille sm.
gosier sm.
gospel sm. (angl.).
gosse s.
gothique adj. *et* sf.
gouache sf.
gouaille sf. ; ***gouailler*** vt. *et* vi. ; ***gouailleur, euse*** adj. *et* s.
gouape sf.
goudron sm. ; ***goudronnage*** sm. ; ***goudronner*** vt. ; ***goudronneur*** sm. ; ***goudronneux, euse*** adj.
gouffre sm.
gouge sf.
gougère sf.
gouine sf.
goujat sm. ; ***goujaterie*** sf.
goujon sm.
goule sf. ; ***goulée*** sf. ; ***goulet*** sm. ; ***goulot*** sm. ; ***goulotte*** sf. ; ***goulu, e*** adj. *et* s. ; ***goulûment*** adv.
goum sm. ; ***goumier*** sm.
goupil sm. ; ***goupillage*** sm. ; ***goupille*** sf. ; ***goupiller*** vt.
goupillon sm.
gourbi sm.
gourd, e adj. *et* s. ; ***gourde*** sf.
gourdin sm.
gourer (se) vpr.
gourgandine sf.
gourmand, e adj. *et* s.
gourmander vt.
gourmandise sf.
gourme sf.
gourmé, e adj.
gourmet sm.
gourmette sf.
gousse sf. ; ***gousset*** sm.
goût sm. ; ***goûter*** vt. *et* sm.
goutte sf. ; ***gouttelette*** sf. ; ***goutter*** vi. ; ***goutteux, euse*** adj. *et* s. ; ***gouttière*** sf.
gouvernable adj. ; ***gouvernail*** sm. ; ***gouvernant, e*** adj. *et* s. ; ***gouverne*** sf. ; ***gouvernement*** sm. ; ***gouvernemental, e, aux*** adj. ; ***gouverner*** vt. ; ***gouverneur*** sm.
goy, goye *ou* **goï** sm. (pl. *goyim, goym* ou *goïm*).
grabat sm. ; ***grabataire*** s. *et* adj.
grabuge sm.
grâce sf. ; ***gracier*** vt. ; ***gracieusement*** sf. ; ***gracieuseté*** sf. ; ***gracieux, euse*** adj.
gracile adj. ; ***gracilité*** sf.
gracioso adv. (ital.).
gradation sf. ; ***grade*** sm. ; ***gradé*** adj. *et* sm.
gradient sm.
gradin sm.
graduation sf. ; ***gradué, e*** adj. ; ***graduel, elle*** adj. *et* sm. ; ***graduellement*** adv. ; ***graduer*** vt.
graffiti sm. pl. (ital.).
graille sf. ; ***grailler*** vi. ; ***graillon*** sm. ; ***graillonner*** vi.
grain sm. ; ***graine*** sf. ; ***grainer*** *ou* ***grener*** vt. *et* vi. ; ***graineterie*** sf. ; ***grainetier, ère*** s. ; ***grainier, ère*** s.
graissage sm. ; ***graisse*** sf. ; ***graisseur*** sm. ; ***graisseux, euse*** adj.
graminacées sf. pl. ; ***graminée*** sf.
grammaire sf. ; ***grammairien*** sm. ; ***grammatical, e, aux*** adj. ; ***grammaticalement*** adv. ; ***grammaticalité*** sf.
gramme sm.
gramophone sm.
grand, e adj. *et* sm.
grand-chose (pas) s. inv.
grand-croix sf. inv. (dignité) et sm. (dignitaire) (pl. *grands-croix*).
grand-duc sm. (pl. *grands-ducs*).
grand-duché sm. (pl. *grands-duchés*).
grande-duchesse sf. (pl. *grandes-duchesses*).
grandelet, ette adj. ; ***grandement*** adv. ; ***grandeur*** sf. ; ***grand-guignolesque*** adj.
grandiloquence sf. ; ***grandiloquent, e*** adj.
grandiose adj.
grandir vi. *et* vt. ; ***grandissime*** adj.
grand-livre sm. (pl. *grands-livres*).
grand-maman sf. (pl. *grand-mamans*).
grand-mère sf. (pl. *grand-mères*).
grand-messe sf. (pl. *grand-messes*).
grand-oncle sm. (pl. *grands-oncles*).
grand-papa sm. (pl. *grands-papas*).
grand-père sm. (pl. *grands-pères*).
grands-parents sm. pl.
grand-tante sf. (pl. *grand-tantes*).
grange sf.
granit *ou* **granite** sm. ; ***granité, e*** adj. *et* sm. ; ***granitique*** adj.
granulaire adj. ; ***granulation*** sf. ; ***granule*** sm. ; ***granuler*** vt. ; ***granuleux, euse*** adj.
grape-fruit sm. (pl. *grape-fruits*).
graphe sm. ; ***graphème*** sm. ; ***graphie***

sf. ; *graphique* adj. *et* sm. ; *graphiquement* adv. ; *graphisme* sm.
graphite sm. ; *graphiteux, euse* adj.
graphologie sf. ; *graphologue* sm.
grappe sf. ; *grappillage* sm. ; *grappiller* vt. *et* vi. ; *grappilleur, euse* s. ; *grappillon* sm.
grappin sm.
gras, grasse adj.
gras-double sm. (pl. *gras-doubles*).
grassement adv.
grasseyement sm. ; *grasseyer* vi. ; *grasseyeur, euse* s.
grassouillet, ette adj.
gratification sf. ; *gratifier* vt.
gratin sm. ; *gratiné, e* adj. ; *gratiner* vi. *et* vt.
gratis adv.
gratitude sf.
grattage sm. ; *gratte* sf.
gratte-ciel sm. inv.
gratte-cul sm. inv.
gratte-papier sm. inv.
gratter vt. ; *grattoir* sm. ; *grattons* sm. pl. ; *gratture* sf.
gratuit, e adj. ; *gratuité* sf. ; *gratuitement* adv.
gravats sm. pl.
grave adj.
graveleux, euse adj.
gravelle sf.
gravement adv.
graver vt.
graves sf. pl. (alluvions) *et* sm. (vin).
graveur sm.
gravide adj.
gravier sm. ; *gravière* sf. ; *gravillon* sm.
gravir vt. *et* vi.
gravitation sf. ; *gravité* sf. ; *graviter* vi.
gravure sf.
grazioso adv. (ital.).
gré sm.
grèbe sm.
grébiche *ou* **gribiche** sf.
grec, grecque adj. *et* s.
gredin, e s. ; *gredinerie* sf.
gréement *ou* **gréage** sm. ; *gréer* vt.
greffage sm. ; *greffe* sf. *et* sm. ; *greffer* vt. ; *greffeur* sm. ; *greffier* sm. ; *greffoir* sm. ; *greffon* sm.
grégaire adj. ; *grégarisme* sm.
grège adj. f.
grégeois adj. m. *(feu —)*.
grégorien, enne adj.
grègues sf. pl.
grêle adj.
grêle sf. ; *grêlé, e* adj. ; *grêler* v. imp. ; *grêlon* sm.
grelot sm. ; *grelottement* sm. ; *grelotter* vi.
greluchon sm.
grenache sm.
grenade sf. ; *grenadier* sm. ; *grenadille* sf. ; *grenadin* sm. ; *grenadine* sf.
grenaille sf. ; *grenailler* vt.
grenaison sf.
grenat sm.
greneler vt. ; *grènetis* sm. ; *grenier* sm.
grenouillage sm. ; *grenouille* sf. ; *grenouillère* sf. ; *grenouillette* sf.
grenu, e adj. ; *grenure* sf.
grès sm. ; *gréser* vt. ; *gréseux, euse* adj. ; *grésière* sf.
grésil sm. ; *grésillement* sm. ; *grésiller* v. imp.
gressin sm.
grève sf.
grever vt.
gréviste s. *et* adj.
gribouillage sm. ; *gribouiller* vi. *et* vt. ; *gribouilleur, euse* s. ; *gribouillis* sm.
grièche *(pie —)* adj.
grief sm.
grièvement adv. ; *grièveté* sf.
griffe sf. ; *griffer* vt.
griffon sm.
griffonnage sm. ; *griffonner* vt. ; *griffonneur, euse* s.
griffure sf.
grignotement sm. ; *grignoter* vt.
grigou sm.
gri-gri (pl. *gris-gris*) ou **grigri** sm.
gril sm. ; *grillade* sf.
grillage sm. ; *grillager* vt. ; *grille* sf.
grille-pain sm. inv.
griller vt. *et* vi. ; *grilloir* sm.
grillon sm.
grill-room sm. (pl. *grill-rooms*).
grimaçant, e adj. ; *grimace* sf. ; *grimacer* vi. ; *grimacier, ère* adj. *et* s.
grimaud, e adj. *et* s.
grimer vt. — *(se)* vpr.
grimoire sm.
grimpant, e adj. ; *grimper* vi. ; *grimpette* sf. ; *grimpeur, euse* adj. *et* sm.
grinçant, ante adj. ; *grincement* sm. ;

grincer vt.
grincheux, euse adj. *et* s.
gringalet sm.
griot sm.
griotte sf. ; ***griottier*** sm.
grippage sm.
grippe sf. ; ***grippé, e*** adj.
grippeminaud sm.
gripper vt. *et* vi.
grippe-sou sm. (inv. ou pl. *grippe-sous*).
gris, e adj. ; ***grisaille*** sf. ; ***grisailler*** vt. *et* vi. ; ***grisant, ante*** adj. ; ***grisâtre*** adj.
grisbi sm.
grisé sm. ; ***griser*** vt. ; ***griserie*** sf.
griset sm.
grisette sf.
grison, onne adj. *et* s.
grisonnant, e adj. ; ***grisonner*** vi.
grisou sm. ; ***grisouteux, euse*** adj.
grive sf. ; ***griveler*** vt. *et* vi. ; ***grivèlerie*** sf.
grivois, e adj. ; ***grivoiserie*** sf.
grizzly sm.
grog sm.
groggy adj.
grognard, e adj. *et* s.
grogne sf. ; ***grognement*** sm. ; ***grogner*** vi. ; ***grogneur, euse*** adj. *et* s. ; ***grognon, onne*** adj. *et* s.
groin sm.
grolle sf.
grommeler vi. ; ***grommellement*** sm.
grondement sm. ; ***gronder*** vt. *et* vi. ; ***gronderie*** sf. ; ***grondeur, euse*** adj. *et* s.
grondin sm.
groom sm. (angl.).
gros, osse adj. *et* sm.
groseille sf. ; ***groseillier*** sm.
gros-grain sm. (pl. *gros-grains)*.
grosse sf.
grossesse sf.
grosseur sf. ; ***grossier, ère*** adj. *et* s. ; ***grossièrement*** adv. ; ***grossièreté*** sf. ; ***grossir*** vt. ; ***grossissant, e*** adj. ; ***grossissement*** sm. ; ***grossiste*** sm.
grosso modo loc. adv. (lat.).
grotesque adj. *et* s. ; ***grotesquement*** adv.
grotte sf.
grouillant, e adj. ; ***grouillement*** sm. ; ***grouiller*** vi. — ***(se)*** vpr. ; ***grouillot*** sm.
groupage sm. (transports) ; ***groupe*** sm. ; ***groupement*** sm. (réunion) ; ***grouper*** vt. ; ***groupuscule*** sm.
gruau sm.
grue sf.
gruger vt.
grume sf.
grumeau sm. ; ***grumeler (se)*** vpr. ; ***grumeleux, euse*** adj.
grutier sm.
gruyère sm.
guano sm.
gué sm.
gué (ô) ! intj.
guéable adj. ; ***guéer*** vt.
guelfe s. *et* adj.
guelte sf.
guenille sf.
guenon sf.
guépard sm.
guêpe sf. ; ***guêpier*** sm.
guère adv.
guéret sm.
guéridon sm.
guérilla sf. ; ***guérillero*** sm.
guérir vt. *et* vi. ; ***guérison*** sf. ; ***guérissable*** adj. ; ***guérisseur, euse*** s.
guérite sf.
guerre sf. ; ***guerrier, ère*** adj. *et* sm. ; ***guerroyer*** vi.
guet sm.
guet-apens sm. (pl. *guets-apens*).
guêtre sf.
guetter vt. ; ***guetteur*** sm.
gueulard, e s. *et* adj.
gueulard sm.
gueule sf.
gueule-de-loup sf. (pl. *gueules-de-loup*).
gueuler vi.
gueuleton sm. ; ***gueuletonner*** vi.
gueuse sf. ; ***gueuserie*** sf. ; ***gueux, euse*** adj. *et* s. ; ***gueuze*** ou ***gueuse*** sf. (bière).
gui sm.
guibolle sf.
guichet sm. ; ***guichetier*** sm.
guidage sm. ; ***guide*** sm. (accompagnateur *et* ouvrage) *et* sf. (*au pl.* rênes).
guide-âne sm. (pl. *guide-ânes* ou inv.).
guider vt. ; ***guidon*** sm.
guigne sf.
guigner vi. *et* vt.
guignier sm.

guignol sm.
guignolet sm.
guignon sm.
guilde, gilde *ou* **ghilde** sf.
guilledou sm.
guillemet sm. ; *guillemeter* vt.
guilleret, ette adj.
guillochage sm. ; *guillocher* vt. ; *guillocheur* sm. ; *guillochis* sm. ; *guillochure* sf.
guillotine sf. ; *guillotiner* vt.
guimauve sf.
guimbarde sf.
guimpe sf.
guindage sm. ; *guindé, e* adj. ; *guindeau* sm. ; *guinder* vt.
guinée sf.
guingois (de) loc. adv.
guinguette sf.
guipure sf.
guirlande sf.
guise sf.
guitare sf. ; *guitariste* s.
guitoune sf. (arabe).
gulf-stream sm. (angl.).
gummifère adj.
gustatif, ive adj. ; *gustation* sf.
gutta-percha sf.
guttural, e, aux adj.
gymkhana sm.
gymnase sm. ; *gymnaste* s. ; *gymnastique* adj. *et* sf. ; *gymnique* adj. *et* sf. ; *gymnosophiste* sm. ; *gymnosperme* adj. *et* sf. pl.
gynandrie sf.
gynécée sm.
gynécologie sf. ; *gynécologique* adj. ; *gynécologue* s.
gypaète sm.
gypse sm. ; *gypseux, euse* adj. ; *gypsophile* sf.
gyroscope sm.
gyrostat sm.

H[1]

* **ha !** intj.
* **habanera** sf. (esp.).
habeas corpus sm. (lat.).
habile adj. ; ***habilement*** adv. ; ***habileté*** sf. (adresse).
habilitation sf. ; ***habilité*** sf. (en droit) ; ***habiliter*** vt.
habillage sm. ; ***habillement*** sm. ; ***habiller*** vt. — ***(s')*** vpr. ; ***habilleur, euse*** s.
habit sm.
habitabilité sf. ; ***habitable*** adj. ; ***habitacle*** sm. ; ***habitant, e*** s. ; ***habitat*** sm. ; ***habitation*** sf. ; ***habiter*** vt.
habitude sf. ; ***habitué, e*** adj. *et* s. ; ***habituel, elle*** adj. ; ***habituellement*** adv. ; ***habituer*** vt.
habitus sm.
* **hâbler** vi. ; ***hâblerie*** sf. ; ***hâbleur, euse*** s. *et* adj.
* **hachage** sm. ; ***hache*** sf.
* **hache-légumes** sm. inv.
* **hache-paille** sm. inv.
* **hacher** vt. ; ***hachereau*** sm. ; ***hachette*** sf.
* **hache-viande** sm. inv.
* **hachis** sm.
* **hachisch** sm.
* **hachoir** sm. ; ***hachure*** sf. ; ***hachurer*** vt.
hacienda sf. (esp.).
* **haddock** sm.
* **hadj** sm. (arabe).
* **hagard, e** adj.
hagiographe sm. ; ***hagiographie*** sf. ; ***hagiographique*** adj.
* **haie** sf.
* **haïk** sm. (arabe).
* **haïkaï** *ou* **haïku** sm. (jap.)
* **haillon** sm. ; ***haillonneux, euse*** adj.
* **haine** sf. ; ***haineusement*** adv. ; ***haineux, euse*** adj. ; ***haïr*** vt.
* **haire** sf.
* **haïssable** adj.
* **haïtien, ienne** adj. *et* s.
* **halage** sm. *(chemin de —).*
* **halbran** sm.
* **hâle** sm. ; ***hâlé, e*** adj.
haleine sf.
* **haler** vt. (tirer).
* **hâler** vt. (bronzer).
* **haletant, e** adj. ; ***halètement*** sm. ; ***haleter*** vi.
* **haleur, euse** s.
* **half-track** sm.
* **hall** sm. (angl.).
hallali sm.
* **halle** sf.
* **hallebarde** sf. ; ***hallebardier*** sm.
* **hallier** sm.
hallucination sf. ; ***hallucinatoire*** adj. ; ***halluciné, e*** adj. *et* s. ; ***halluciner*** vt. ; ***hallucinogène*** adj.
* **halo** sm.
* **halogène** adj. *et* sm.
* **hâloir** sm.
* **halte** sf. *et* intj.
haltère sm. ; ***haltérophile*** adj. *et* s. ; ***haltérophilie*** sf.
* **hamac** sm.
hamamélis sm.
* **hamburger** sm. (angl.).
* **hameau** sm.
hameçon sm.
* **hammam** sm. (turc).
* **hampe** sf.
* **hamster** sm.
* **han** sm. inv.
* **hanap** sm.
* **hanche** sf.
* **handball** sm. (all.).
* **handicap** sm. ; ***handicapé, e*** adj. *et* s. ; ***handicaper*** vt.
* **hangar** sm.
* **hanneton** sm. ; ***hannetonnage*** sm. ; ***hannetonner*** vt.
* **hanse** sf. ; ***hanséatique*** adj.
* **hanter** vt. *et* vi. ; ***hantise*** sf.
hapax sm. (grec).
* **happening** sm. (angl.).
* **happer** vt. *et* vi.
* **haquenée** sf.
* **haquet** sm.

1. Les mots précédés d'un astérisque (*)
— n'autorisent pas l'élision de l'article *(la haie)* ;
— ne sont pas phoniquement liés au mot précédent (*ils sont/hardis,* à côté de « ils sont-t-habiles ») ;
— demandent, au masculin, le démonstratif *ce* (« cet haltère », mais *ce hangar*).

* **hara-kiri** sm. (jap.).
* **harangue** sf. ; *haranguer* vt.
* **haras** sm.
* **harassement** sm. ; *harasser* vt.
* **harcèlement** sm. ; *harceler* vt.
* **harde** sf. (troupeau).
* **hardes** sf. pl. (habits usés).
* **hardi, e** adj. ; *hardiesse* sf. ; *hardiment* adv.
* **harem** sm. (arabe).
* **hareng** sm. ; *harengaison* sf. ; *harengère* sf.
* **hargne** sf. ; *hargneusement* adv. ; *hargneux, euse* adj.
* **haricot** sm.
* **haridelle** sf.
harissa sf. (arabe).
* **harki** sm. (arabe).
harmonica sm.
harmonie sf. ; *harmonieusement* adv. ; *harmonieux, euse* adj. ; *harmonique* adj. ; *harmoniquement* adv. ; *harmonisation* sf. ; *harmoniser* vt. ; *harmoniste* sm. ; *harmonium* sm. (pl. *harmoniums*).
* **harnachement** sm. ; *harnacher* vt.
* **harnais** sm.
* **haro** sm.
harpagon sm.
* **harpe** sf.
* **harpie** sf.
* **harpiste** s.
* **harpon** sm. ; *harponnage* sm. *ou* *harponnement* sm. ; *harponner* vt. ; *harponneur* sm.
* **hasard** sm. ; *hasardé, e* adj. *ou* *hasardeux, euse* adj. ; *hasarder* vt.
* **hase** sf.
* **hassidique** adj. ; *hassidisme* sm.
* **hâte** sf. ; *hâter* vt. — *(se)* vpr. ; *hâtif, ive* adj. ; *hâtivement* adv.
* **hauban** sm. ; *haubaner* vt.
* **hausse** sf.
* **hausse-col** sm. (pl. *hausse-cols*).
* **haussement** sm. ; *hausser* vt. *et* vi. ; *haussier* sm.
* **haussière** *ou* **aussière** sf.
* **haut, e** adj. ; *hautain, e* adj.
* **hautbois** sm. ; *hautboïste* s.
* **haut-de-chausses** sm. (pl. *hauts-de-chausses*).
* **haut-de-forme** sm. (pl. *hauts-de-forme*).
* **haute-contre** sf. (pl. *hautes-contre*).
* **haute-fidélité** sf.
* **hautement** adv. ; *hauteur* sf.
* **haut-fond** sm. (pl. *hauts-fonds*).
* **haut fourneau** sm. (pl. *hauts fourneaux*).
* **haut-le-coeur** sm. inv.
* **haut-le-corps** sm. inv.
* **haut-le-pied** adj. inv.
* **haut-parleur** sm. (pl. *haut-parleurs*).
* **haut-relief** sm. (pl. *hauts-reliefs*).
* **hauturier, ière** adj.
* **havanais, e** s. *et* adj. ; *havane* sm. *et* adj.
* **hâve** adj.
* **haveneau** *ou* **havenet** *sm.*
* **havre** sm.
* **havresac** sm.
hawaïen, ïenne adj. *et* s. (graphie mod. *hawaiien*).
* **hayon** sm.
* **hé !** intj.
* **heaume** sm.
hebdomadaire adj. *et* s. ; *hebdomadairement* adv.
hébéphrénie sf.
hébergement sm. ; *héberger* vt.
hébété, e adj. ; *hébétement* sm. ; *hébéter* vt. ; *hébétude* sf.
hébraïque adj. ; *hébraïsant* sm. ; *hébraïser* vi. ; *hébraïsme* sm. ; *hébreu* adj. m. *et* sm. (personnes ; pour les choses, *hébraïque*).
hécatombe sf.
hectare sm.
hectogramme sm.
hectolitre sm.
hectomètre sm.
hédonisme sm.
hégélianisme sm.
hégémonie sf.
hégire sf.
* **hein !** intj.
hélas ! intj.
* **héler** vt.
hélianthe sm. ; *hélianthine* sf.
hélice sf. ; *hélicoïdal, e, aux* adj. ; *hélicoïde* adj. *et* sf.
hélicon sm.
hélicoptère sm.
héliocentrique adj.
héliographie sf.
héliograveur sm. ; *héliogravure* sf.
héliomarin, ine adj.
héliothérapie sf.
héliotrope sf. ; *héliotropine* sf.
héliport sm. ; *héliporté, ée* adj.
hélium sm.

hellénique adj. ; ***hellénisant, e*** adj. *et* s. ; ***hellénisme*** sm. ; ***helléniste*** s. ; ***hellénistique*** adj.
helminthe sm. ; ***helminthiase*** sf.
helvétique adj.
* **hem !** intj.
hématie sf. ; ***hématique*** adj. ; ***hématite*** sf. ; ***hématologie*** sf. ; ***hématologiste*** *ou* ***hématologue*** s. ; ***hématome*** sm. ; ***hématozoaire*** sm. ; ***hématurie*** sf.
hémicycle sm.
hémiplégie sf. ; ***hémiplégique*** adj. *et* s.
hémisphère sm. ; ***hémisphérique*** adj.
hémistiche sm.
hémoculture sf.
hémoglobine sf.
hémolyse sf. ; ***hémolytique*** adj.
hémophilie sf.
hémoptysie sf.
hémorragie sf. ; ***hémorragique*** adj.
hémorroïdaire adj. *et* s. ; ***hémorroïdal, e, aux*** adj. ; ***hémorroïdes*** sf. pl.
hémostase sf. ; ***hémostatique*** adj. *et* sm.
hendécagone adj. *et* sm.
hendécasyllabe adj.
* **henné** sm. (arabe).
* **hennin** sm.
* **hennir** vi. ; ***hennissement*** sm.
henry sm.
hep ! intj.
hépatique s. *et* adj. ; ***hépatite*** sf. ; ***hépatologie*** sf.
heptaèdre sm.
heptagone sm. *et* adj.
héraldique adj. *et* sf. ; ***héraldiste*** sm.
* **héraut** sm.
herbacé, e adj.
herbage sm. ; ***herbager*** vt.
herbe sf. ; ***herbette*** sf. ; ***herbeux, euse*** adj. ; ***herbier*** sm. ; ***herbivore*** adj. *et* s. ; ***herborisateur, trice*** s. ; ***herborisation*** sf. ; ***herboriser*** vi. ; ***herboriseur*** sm. ; ***herboriste*** s. ; ***herboristerie*** sf. ; ***herbu, e*** adj. ; ***herbue*** sf.
* **hercher** *ou* **herscher** vi. ; ***hercheur*** *ou* ***herscheur*** sm.
hercule sm. ; ***herculéen, enne*** adj.
hercynien, enne adj.
* **hère** sm.
héréditaire adj. ; ***héréditairement*** adv. ; ***hérédité*** sf.
hérédosyphilis sf.
hérésiarque sm. ; ***hérésie*** sf. ; ***hérétique*** adj. *et* s.
* **hérissé, e** adj. ; ***hérissement*** sm. ; ***hérisser*** vt. — ***(se)*** vpr. ; ***hérisson*** sm.
héritage sm. ; ***hériter*** vi. *et* vt. ; ***héritier, ère*** s.
hermaphrodisme sm. ; ***hermaphrodite*** adj. *et* s.
herméneutique adj. *et* sf.
hermès sm. ; ***herméticité*** sf. ; ***hermétique*** adj. ; ***hermétiquement*** adv. ; ***hermétisme*** sm.
hermine sf. ; ***herminette*** sf.
* **herniaire** adj. ; ***hernie*** sf. ; ***hernieux, euse*** adj.
héroï-comique adj.
héroïne sf. ; ***héroïnomane*** s. *et* adj. ; ***héroïnomanie*** sf.
héroïque adj. ; ***héroïquement*** adv. ; ***héroïsme*** sm.
* **héron** sm. ; ***héronneau*** sm. ; ***héronnière*** sf.
* **héros** sm. (f. : *héroïne*).
herpès sm. ; ***herpétique*** adj. ; ***herpétisme*** sm.
herpétologie sf. (reptiles).
* **hersage** sm. ; ***herse*** sf. ; ***herser*** vt.
hertz sm. ; ***hertzien, enne*** adj.
hésitant, e adj. ; ***hésitation*** sf. ; ***hésiter*** vi.
hétaïre sf. ; ***hétairie*** sf.
hétéroclite adj.
hétérodoxe adj. ; ***hétérodoxie*** sf.
hétérodyne *sf.*
hétérogamie sf.
hétérogène adj. ; ***hétérogénéité*** sf.
hétérosexualité sf. ; ***hétérosexuel, elle*** adj.
hétérotrophe adj.
hétérozygote adj.
* **hêtraie** sf. ; ***hêtre*** sm.
heu ! intj.
heur sm.
heure sf.
heureusement adv. ; ***heureux, euse*** adj.
heuristique *ou* **euristique** adj. *et* sf.
* **heurt** sm. ; ***heurté, e*** adj. ; ***heurter*** vt. *et* vi. ; ***heurtoir*** sm.
hévéa sm.
hexagonal, e, aux adj. ; ***hexagone*** adj. *et* sm.
hexamètre adj. *et* sm.
hexose sm.

hiatus sm.
hibernal, e, aux adj. ; *hibernation* sf. ; *hiberner* vi.
hibiscus sm.
* **hibou** sm. (pl. *hiboux*).
* **hic** sm.
hidalgo sm. (pl. *hidalgos*).
* **hideur** sf. ; *hideusement* adv. ; *hideux, euse* adj.
* **hie** sf.
hiémal, e, aux adj.
hier adv.
* **hiérarchie** sf. ; *hiérarchique* adj. ; *hiérarchiquement* adv. ; *hiérarchisation* sf. ; *hiérarchisé, ée* adj. ; *hiérarchiser* vt.
hiératique adj.
hiéroglyphe sm. ; *hiéroglyphique* adj.
hiéronymite sm.
hilarant, e adj. ; *hilarité* sf.
* **hile** sm.
himalayen, enne adj.
hindi sm. ; *hindou, e* adj. *et* s. ; *hindouisme* sm.
hinterland sm.
* **hippie** *ou* **hippy** s. (pl. *hippies*).
hippique adj.
hippocampe sm.
hippocratique adj.
hippodrome sm.
hippogriffe sm.
hippologie sf.
hippomobile adj.
hippophagique adj.
hippopotame sm.
hirondeau sm. ; *hirondelle* sf.
hirsute adj.
hispanique adj. ; *hispanisant, e* s. ; *hispanisme* sm.
hispide adj.
* **hisser** vt.
histamine sf.
histogenèse sf.
histogramme sm.
histoire sf.
histologie sf.
historicité sf. ; *historié, e* adj. ; *historien, enne* s. ; *historier* vt. ; *historiette* sf. ; *historiographe* sm. ; *historique* adj. *et* sm. ; *historiquement* adv.
histrion sm.
hitlérien, enne adj. *et* s. ; *hitlérisme* sm.
hittite adj. *et* s.
hiver sm. ; *hivernage* sm. ; *hivernal, e, aux* adj. ; *hivernant, e* s. ; *hiverner* vi.
* **ho !** intj.
* **hobby** sm. (pl. *hobbies*).
* **hobereau** sm.
* **hochement** sm.
* **hochepot** sm.
* **hochequeue** sm.
* **hocher** vt. ; *hochet* sm.
* **hockey** sm.
hoir sm. ; *hoirie* sf.
* **holà !** intj.
* **holding** sm. (angl.).
* **hold-up** sm. inv. (angl.).
* **hollandais, e** adj. *et* s.
* **hollande** sm. (fromage) *et* sf. (p. de terre).
holmium sm.
holocauste sm.
hologramme sm.
holothurie sf.
* **homard** sm. ; *homarderie* sf.
* **home** sm.
homélie sf.
homéopathe sm. ; *homéopathie* sf. ; *homéopathique* adj.
homéostat sm.
homéotherme adj. *et* s.
homérique adj.
homicide sm. (crime) ; *homicide* adj. *et* s. (meurtrier).
hominidés sm. pl. ; *hominiens* sm. pl.
hommage sm.
hommasse adj. ; *homme* sm.
homme-grenouille sm. (pl. *hommes-grenouilles*).
homme-orchestre sm. (pl. *hommes-orchestres*).
homme-sandwich sm. (pl. *hommes-sandwiches*).
homogène adj. ; *homogénéisation* sf. ; *homogénéiser* vt. ; *homogénéité* sf.
homographe adj.
homogreffe sf.
homologation sf.
homologie sf. ; *homologue* adj. *et* s.
homologuer vt.
homonyme adj. *et* s. ; *homonymie* sf.
homophone adj. ; *homophonie* sf.
homosexualité sf. ; *homosexuel, elle* adj. *et* s.
homothétie sf. ; *homothétique* adj.
homozygote adj. *et* s.
homuncule *ou* **homoncule** sm.
* **hongre** adj. *et* sm.

* **hongrois, e** s. *et* adj.
* **hongroyer** vt.
honnête adj. ; ***honnêtement*** adv. ; ***honnêteté*** sf.
honneur sm.
* **honnir** vt.
honorabilité sf. ; ***honorable*** adj. ; ***honorablement*** adv.
honoraire adj.
honoraires sm. pl.
honorariat sm.
honorer vt.
honorifique adj.
* **honte** sf. ; ***honteusement*** adv. ; ***honteux, euse*** adj.
* **hop !** intj.
hôpital sm. (pl. *hôpitaux)*.
hoplite sm.
* **hoquet** sm. ; ***hoqueter*** vi.
horaire adj. *et* sm.
* **horde** sf.
* **horion** sm.
horizon sm. ; ***horizontal, e, aux*** adj. ; ***horizontalement*** adv.
horloge sf. ; ***horloger, ère*** s. *et* adj. ; ***horlogerie*** sf.
hormis prép.
hormonal, e, aux adj. ; ***hormone*** sf. ; ***hormonothérapie*** sf.
horodateur sm.
horokilométrique adj.
horoscope sm.
horreur sf. ; ***horrible*** adj. ; ***horriblement*** adv. ; ***horrifiant, e*** adj. ; ***horrifier*** vt.
horripilant, e adj. ; ***horripilation*** sf. ; ***horripiler*** vt.
* **hors** prép.
* **hors-bord** sm. inv. (*ou* pl. *hors-bords*).
* **hors-concours** sm.
* **hors-d'œuvre** sm. inv.
* **hors-jeu** sm. inv.
* **hors-la-loi** sm. inv.
* **hors-texte** sm. inv.
hortensia sm.
horticole adj. ; ***horticulteur*** sm. ; ***horticulture*** sf.
hosanna sm. (hébr.).
hospice sm.
hospitalier, ère s. *et* adj.
hospitalisation sf. ; ***hospitaliser*** vt.
hospitalité sf.
hostie sf.
hostile adj. ; ***hostilement*** adv. ; ***hostilité*** sf.
hôte, hôtesse s.
hôtel sm. ; ***hôtel-Dieu*** sm. (pl. *hôtels-Dieu*) ; ***hôtelier, ère*** s. *et* adj. ; ***hôtellerie*** sf.
* **hotte** sf.
* **hotu** sm.
* **hou !** intj.
* **houblon** sm. ; ***houblonnage*** sm. ; ***houblonner*** vt. ; ***houblonnière*** sf.
* **houe** sf.
* **houille** sf. ; ***houiller, ère*** adj. ; ***houillère*** sf.
* **houle** sf.
* **houlette** sf.
* **houleux, euse** adj.
* **houppe** sf.
* **houppelande** sf.
* **houppette** sf.
* **hourdage** sm. ; ***hourder*** vt. ; ***hourdis*** sm.
* **houri** sf. (persan).
* **hourra** sm.
* **hourvari** sm.
* **houseaux** sm. pl.
* **houspiller** vt.
* **housse** sf. ; ***housser*** vt.
* **houx** sm.
hovercraft sm.
* **hoyau** sm.
* **hublot** sm.
* **huche** sf.
* **hue !** intj. ; ***huée*** sf. ; ***huer*** vt.
* **huerta** sf. (esp.).
* **huguenot, e** adj. *et* s.
huilage sm. ; ***huile*** sf. ; ***huiler*** vt. ; ***huilerie*** sf. ; ***huileux, euse*** adj. ; ***huilier*** sm. ; ***huilier, huilière*** adj.
huis sm. (le * *huis-clos*) ; ***huisserie*** sf. ; ***huissier*** sm.
* **huit** adj. numéral *et* sm. ; ***huitain*** sm. ; ***huitaine*** sf. ; ***huitième*** adj. numéral *et* s. ; ***huitièmement*** adv.
huître sf. ; ***huîtrier, ère*** adj. *et* s.
* **hulotte** sf.
* **hum !** intj.
humain, e adj. *et* sm. ; ***humainement*** adv. ; ***humanisation*** sf. ; ***humaniser*** vt. ; ***humanisme*** sm. ; ***humaniste*** sm. ; ***humanitaire*** adj. ; ***humanitarisme*** sm. ; ***humanité*** sf.
humble adj. ; ***humblement*** adv.
humectage sm. ; ***humectant, e*** adj. ; ***humectation*** sf. ; ***humecter*** vt. ; ***humecteur*** sm.
* **humer** vt.
huméral, e, aux adj. ; ***humérus*** sm.

humeur sf.
humide adj. ; *humidification* sf. ; *humidificateur* sm. ; *humidifier* vt. ; *humidité* sf.
humiliant, e adj. ; *humiliation* sf. ; *humilier* vt. — *(s')* vpr. ; *humilité* sf.
humoral, e, aux adj.
humoriste adj. *et* s. ; *humoristique* adj. ; *humour* sm.
humus sm.
* **hune** sf. ; *hunier* sm.
* **huppe** sf. ; *huppé, e* adj.
* **hure** sf.
* **hurlement** sm. ; *hurler* vi. ; *hurleur, euse* s. *et* adj.
hurluberlu sm.
* **huron, onne** adj. *et* s.
* **hurricane** sm.
* **hussard** sm. ; *hussarde (à la)* loc. adv.
* **hutte** sf.
hyacinthe sf.
hyalin, e adj. ; *hyalite* sf. ; *hyaloïde* adj.
hybridation sf. ; *hybride* adj. *et* sm. ; *hybridité* sf.
hydarthrose sf.
hydatique adj.
hydratant, e adj. *et* sm. ; *hydratation* sf.
hydrate sm.
hydrater (s') vpr.
hydraulicien sm. ; *hydraulique* sf. *et* adj.
hydravion sm.
hydre sf.
hydrique adj.
hydrocarbure sm.
hydrocèle sf.
hydrocéphale adj. *et* s. ; *hydrocéphalie* sf.
hydrocortisone sf.
hydrocution sf.
hydrodynamique adj.
hydro-électrique adj.
hydrofuge adj.
hydrogénation sf. ; *hydrogène* sm. ; *hydrogéné, e* adj. ; *hydrogéner* vt.
hydroglisseur sm.
hydrographe sm. ; *hydrographie* sf. ; *hydrographique* adj.
hydrolat sm.
hydrolithe sf.
hydrologie sf. ; *hydrologue* sm.
hydrolyse sf.
hydromécanique adj.
hydromel sm.
hydromètre sm. ; *hydrométrie* sf. ; *hydrométrique* adj.
hydrophile adj.
hydrophobe adj. *et* s. ; *hydrophobie* sf.
hydropique adj. *et* s. ; *hydropisie* sf.
hydropneumatique adj.
hydrosoluble adj.
hydrostatique sf.
hydrothérapie sf. ; *hydrothérapique* adj.
hydroxyle sm.
hydrure sm.
hyène sf.
hygiène sf. ; *hygiénique* adj. ; *hygiéniquement* adv. ; *hygiéniste* s.
hygroma sm.
hygromètre sm. ; *hygrométricité* sf. ; *hygrométrie* sf. ; *hygrométrique* adj.
hygroscope sm. ; *hygroscopie* sf.
hymen ou **hyménée** sm. (mariage).
hymen sm. (membrane) ; *hyménomycète* sm. ; *hyménoptère* sm.
hymne sm. *et* sf. (église).
hyperacidité sf.
hyperbole sf. ; *hyperbolique* adj. ; *hyperboliquement* adv.
hyperboréen, enne adj.
hypercorrection sf.
hypercritique adj. *et* s.
hyperémotivité sf.
hyperespace sm.
hyperesthésie sf.
hyperfocal, aux adj.
hyperfréquence sf.
hyperglycémie sf.
hypermarché sm.
hypermétrope adj. *et* s. ; *hypermétropie* sf.
hypermnésie sf.
hypernerveux, euse adj. *et* s.
hyperréalisme sm.
hypersensibilité sf.
hypersonique adj.
hyperstatique adj.
hypertendu, e adj. *et* s. ; *hypertension* sf.
hyperthermie sf.
hyperthyroïdie sf.
hypertrophie sf. ; *hypertrophié, e* adj. ; *hypertrophier* vt. ; *hypertrophique* adj.
hypnagogique adj.

hypnose sf. ; *hypnotique* adj. *et* sm. ; *hypnotiser* vt. ; *hypnotiseur* sm. ; *hypnotisme* sm.
hypocentre sm.
hypochlorite sm.
hypocondre sm. ; *hypocondriaque* adj. *et* s. ; *hypocondrie* sf.
hypocoristique sm. *et* adj.
hypocras sm.
hypocrisie sf. ; *hypocrite* adj. *et* s. ; *hypocritement* adv.
hypoderme sm. ; *hypodermique* adj.
hypogastre sm. ; *hypogastrique* adj.
hypogée sm.
hypoglycémie sf.
hypophysaire adj. ; *hypophyse* sf.
hypostase sf.
hypostyle adj.
hypotendu, e adj. ; *hypotension* sf.
hypoténuse sf.
hypothalamus sm.
hypothécaire adj. ; *hypothèque* sf. ; *hypothéquer* vt.
hypothermie sf.
hypothèse sf. ; *hypothético-déductif, ive* adj. ; *hypothétique* adj. ; *hypothétiquement* adv.
hypothyroïdie sf.
hypotonie sf. ; *hypotonique* adj.
hypotrophie sf.
hypsométrie sf. ; *hypsométrique* adj.
hysope sf.
hystérectomie sf.
hystérésis sf.
hystérie sf. ; *hystérique* adj. *et* s.
hystérographie sf. ; *hystérotomie* sf.

I

iambe sm. ; *iambique* adj.
ibérique adj.
ibidem adv. (lat.).
ibis sm.
iceberg sm.
ichtyocolle sf. ; *ichtyologie* sf. ; *ichtyologique* adj. ; *ichtyologiste* s. ; *ichtyophage* adj. *et* s. ; *ichtyophagie* sf. ; *ichtyosaure* sm. ; *ichtyose* sf.
ici adv.
icône sf. ; *iconoclasme* sm. ; *iconoclaste* s. *et* adj. ; *iconographe* sm. ; *iconographie* sf. ; *iconographique* adj.
iconologie sf. ; *iconologiste ou iconologue* sm.
iconostase sf.
ictère sm. ; *ictérique* adj.
ictus sm. inv. (lat.).
ide sm. (poisson).
idéal sm.
idéal, e, aux adj. ; *idéalement* adv. ; *idéalisation* sf. ; *idéaliser* vt. ; *idéalisme* sm. ; *idéaliste* adj. *et* s. ; *idéalité* sf.
idéation sf. ; *idée* sf.
idem adv. (lat.).
identification sf. ; *identifier* vt. ; *identique* adj. ; *identiquement* adv. ; *identité* sf.
idéogramme sm. ; *idéographie* sf. ; *idéographique* adj.
idéologie sf. ; *idéologique* adj. ; *idéologue* s.
ides sf. pl. (date).
idiolecte sm.
idiomatique adj. ; *idiome* sm.
idiopathie sf. ; *idiopathique* adj.
idiosyncrasie sf.
idiot, e adj. *et* s. ; *idiotie* sf.
idiotisme sm.
idoine adj.
idolâtre adj. *et* s. ; *idolâtrer* vi. *et* vt. ; *idolâtrie* sf. ; *idolâtrique* adj. ; *idole* sf.
idylle sf. ; *idyllique* adj.
if sm.
igloo sm.
igname sf.
ignare adj. *et* s.
igné, e adj. ; *ignifuge* adj. ; *ignifuger* vt. ; *ignition* sf.
ignoble adj. ; *ignoblement* adv.
ignominie sf. ; *ignominieusement* adv. ; *ignominieux, euse* adj.
ignorance sf. ; *ignorant, e* adj. *et* s.
ignorantin sm.
ignoré, e adj. ; *ignorer* vt.
iguane sm.
il pron. m. 3e pers. sing. (pl. *ils* ; f. *elle*).
île sf.
iléon *ou* **iléum** sm.
îlet sm.
iliaque adj.
ilien, enne adj.
illégal, e, aux adj. ; *illégalement* adv. ; *illégalité* sf.
illégitime adj. ; *illégitimement* adv. ; *illigitimité* sf.
illettré, e adj. *et* s.
illicite adj. ; *illicitement* adv.
illico adv. (lat.).
illimité, e adj.
illisibilité sf. ; *illisible* adj. ; *illisiblement* adv.
illogique adj. ; *illogiquement* adv. ; *illogisme* sm.
illumination sf. ; *illuminé, e* adj. *et* s. ; *illuminer* vt. ; *illuminisme* sm.
illusion sf. ; *illusionner* vt. — *(s')* vpr. ; *illusionniste* sm. ; *illusoire* adj. ; *illusoirement* adv.
illustrateur sm. ; *illustration* sf.
illustre adj. ; *illustré, e* adj. *et* sm. ; *illustrer* vt. — *(s')* vpr. ; *illustrissime* adj.
illuvial, e, aux adj. ; *illuviation* sf. ; *illuvion ou illuvium* sm.
îlot sm.
ilote sm. ; *ilotisme* sm.
image sf. ; *imagé, e* adj. ; *imager* vt. ; *imagerie* sf. ; *imagier, ère* s. *et* adj.
imaginable adj. ; *imaginaire* adj. ; *imaginatif, ive* adj. *et* s. ; *imagination* sf. ; *imaginer* vt. — *(s')* vpr.
imago sm. *et* f. (biol.) *et* sf. (psychan.).
imam *ou* **iman** sm.
imbattable adj.
imbécile adj. *et* s. ; *imbécillité* sf.
imberbe adj.
imbiber vt. ; *imbibition* sf.
imbrication sf. ; *imbriquer* vt.
imbroglio sm. (pl. *imbroglios*).
imbu, e adj.

imbuvable adj.
imitable adj. ; *imitateur, trice* adj. *et* s. ; *imitatif, ive* adj. ; *imitation* sf. ; *imiter* vt.
immaculé, e adj.
immanence sf. ; *immanent, e* adj.
immangeable adj.
immanquable adj. ; *immanquablement* adv.
immarcescible adj.
immatérialité sf. ; *immatériel, elle* adj. ; *immatériellement* adv.
immatriculation sf. ; *immatriculer* vt.
immature adj. ; *immaturité* sf.
immédiat, e adj. ; *immédiatement* adv. ; *immédiateté* sf.
immémorial, e, aux adj.
immense adj. ; *immensément* adv. ; *immensité* sf.
immerger vt.
immérité, e adj.
immersion sf.
immettable adj.
immeuble sm. *et* adj.
immigrant, e adj. ; *immigration* sf. ; *immigré, e* s. *et* adj. ; *immigrer* vi.
imminence sf. ; *imminent, e* adj.
immiscer (s') vpr. ; *immixtion* sf.
immobile adj. ; *immobilier, ère* adj. ; *immobilisation* sf. ; *immobiliser* vt. ; *immobilisme* sm. ; *immobilité* sf.
immodéré, e adj. ; *immodérément* adv.
immodeste adj. ; *immodestie* sf.
immolateur sm. ; *immolation* sf. ; *immoler* vt.
immonde adj. ; *immondice* sf. (surtout pl. = ordures).
immoral, e, aux adj. ; *immoraliste* adj. *et* s. ; *immoralité* sf.
immortaliser vt. ; *immortalité* sf. ; *immortel, elle* adj. *et* sm. ; *immortelle* sf.
immotivé, e adj.
immuabilité sf. *ou* **immutabilité** sf. ; *immuable* adj. ; *immuablement* adv.
immunisant, e adj. ; *immunisation* sf. ; *immuniser* vt. ; *immunitaire* adj. ; *immunologie* sf.
impact sm.
impair, e adj. *et* sm.
impalpable adj.
impardonnable adj.
imparfait, e adj. *et* sm. ; *imparfaitement* adv.
imparisyllabique adj.
imparité sf.
impartageable adj.
impartial, e, aux adj. ; *impartialement* adv. ; *impartialité* sf.
impartir vt.
impasse sf.
impassibilité sf. ; *impassible* adj. ; *impassiblement* adv.
impatiemment adv. ; *impatience* sf. ; *impatient, e* adj. ; *impatienter* vt. — *(s')* vpr.
impatroniser (s') vpr.
impavide adj.
impayable adj. ; *impayé, e* adj. *et* sm.
impeccabilité sf. ; *impeccable* adj.
impédance sf.
impedimenta sm. pl. (lat.).
impénétrabilité sf. ; *impénétrable* adj.
impénitence sf. ; *impénitent, e* adj. *et* s.
impensable adj.
impenses sf. pl.
impératif sm. *et* **impératif, ive** adj. ; *impérativement* adv.
impératrice sf.
imperceptibilité sf. ; *imperceptible* adj. ; *imperceptiblement* adv.
imperdable adj.
imperfectible adj.
imperfectif, ive adj.
imperfection sf.
imperforation sf.
impérial, e, aux adj. ; *impériale* sf. ; *impérialement* adv. ; *impérialisme* sm. ; *impérialiste* s. *et* adj.
impérieusement adv. ; *impérieux, euse* adj.
impérissable adj.
imperméabilisation sf. ; *imperméabiliser* vt. ; *imperméabilité* sf. ; *imperméable* adj. *et* sm.
impersonnalité sf. ; *impersonnel, elle* adj. ; *impersonnellement* adv.
impertinemment adv. ; *impertinence* sf. ; *impertinent, e* adj. *et* s.
imperturbabilité sf. ; *imperturbable* adj. ; *imperturbablement* adv.
impétigo sm.
impétrant, e s.
impétueusement adv. ; *impétueux, euse* adj. ; *impétuosité* sf.
impie adj. *et* s. ; *impiété* sf.
impitoyable adj. ; *impitoyablement* adv.

implacabilité sf. ; *implacable* adj. ; *implacablement* adv.
implant sm. ; *implantation* sf. ; *implanter* vt. — *(s')* vpr.
implication sf.
implicite adj. ; *implicitement* adv.
impliquer vt.
imploration sf. ; *implorer* vt.
imploser vi. ; *implosif, ive* adj. ; *implosion* sf.
impoli, e adj. *et* s. ; *impoliment* adv. ; *impolitesse* sf.
impondérabilité sf. ; *impondérable* adj. *et* sm.
impopulaire adj. ; *impopularité* sf.
importable adj.
importance sf. ; *important, e* adj. *et* sm.
importateur, trice adj. *et* s. ; *importation* sf. ; *importer* vt. ; *import-export* sm. inv.
importun, e adj. *et* s. ; *importunément* adv. ; *importuner* vt. ; *importunité* sf.
imposable adj. ; *imposant, e* adj. ; *imposer* vt. — *(s')* vpr.
imposition sf.
impossibilité sf. ; *impossible* adj. *et* sm.
imposte sf.
imposteur sm. ; *imposture* sf.
impôt sm.
impotence sf. ; *impotent, e* adj. *et* s.
impraticable adj.
imprécation sf. ; *imprécatoire* adj.
imprécis, e adj. ; *imprécision* sf.
imprégnation sf. ; *imprégner* vt.
imprenable adj.
impréparation sf.
imprésario sm. (pl. *imprésarios*).
imprescriptibilité sf. ; *imprescriptible* adj.
impression sf. ; *impressionnabilité* sf. ; *impressionnable* adj. ; *impressionnant, e* adj. ; *impressionner* vt. ; *impressionnisme* sm. ; *impressionniste* s. *et* adj.
imprévisibilité sf. ; *imprévisible* adj. ; *imprévision* sf.
imprévoyance sf. ; *imprévoyant, e* adj. *et* s. ; *imprévu, e* adj. *et* sm.
imprimable adj. ; *imprimante* sf. ; *imprimatur* sm. inv. ; *imprimé* sm. ; *imprimer* vt. ; *imprimerie* sf. ; *imprimeur* sm. *et* adj.
improbabilité sf. ; *improbable* adj.
improductif, ive adj. ; *improductivement* adv. ; *improductivité* sf.
impromptu, e adj., adv. *et* sm. (pl. des *impromptus*).
imprononçable adj.
impropre adj. ; *improprement* adv. ; *impropriété* sf.
improuvable adj.
improvisateur, trice s. *et* adj. ; *improvisation* sf. ; *improviser* vt. *et* vi. ; *improviste (à l')* loc. adv.
imprudemment adv. ; *imprudence* sf. ; *imprudent, e* adj. *et* s.
impubère adj.
impubliable adj.
impudemment adv. ; *impudence* sf. (cynisme) ; *impudent, e* adj. *et* s. ; *impudeur* sf. (indécence) ; *impudicité* sf. (exhibition) ; *impudique* adj. *et* s. ; *impudiquement* adv.
impuissance sf. ; *impuissant, e* adj. *et* s.
impulsif, ive adj. ; *impulsion* sf. ; *impulsivement* adv. ; *impulsivité* sf.
impunément adv. ; *impuni, e* adj. ; *impunité* sf.
impur, e adj. ; *impureté* sf.
imputabilité sf. ; *imputable* adj. ; *imputation* sf. ; *imputer* vt.
imputrescibilité sf. ; *imputrescible* adj.
inabordable adj.
inaccentué, e adj.
inacceptable adj.
inaccessibilité sf. ; *inaccessible* adj.
inaccompli, e adj. *et* sm.
inaccordable adj.
inaccoutumé, e adj.
inachevé, e adj.
inactif, ive adj.
inaction sf. ; *inactivité* sf.
inactuel, elle adj.
inadaptation sf. ; *inadapté, e* adj.
inadéquat, e adj. ; *inadéquation* sf.
inadmissibilité sf. ; *inadmissible* adj.
inadvertance sf.
inaliénabilité sf. ; *inaliénable* adj. ; *inaliénation* sf. ; *inaliéné, e* adj.
inalliable adj.
inaltérabilité sf. ; *inaltérable* adj. ; *inaltéré, ée* adj.
inamical, e adj.
inamovibilité sf. ; *inamovible* adj.
inanalysable adj.
inanimé, e adj.
inanité sf.

inanition sf.
inapaisable adj. ; *inapaisé, e* adj.
inaperçu, e adj.
inappétence sf.
inapplicable adj. ; *inapplication* sf. ; *inappliqué, e* adj.
inappréciable adj.
inapte adj. ; *inaptitude* sf.
inassimilable adj.
inassouvi, e adj. ; *inassouvissable* adj.
inattaquable adj.
inattendu, e adj.
inattentif, ive adj. ; *inattention* sf.
inaudible adj.
inaugural, e, aux adj. ; *inauguration* sf. ; *inaugurer* vt.
inauthenticité sf. ; *inauthentique* adj.
inavouable adj. ; *inavoué, e* adj.
inca adj. inv. *et* s.
incalculable adj.
incandescence sf. ; *incandescent, e* adj.
incantation sf. ; *incantatoire* adj.
incapable adj. *et* s. ; *incapacitant, e* adj. ; *incapacité* sf.
incarcération sf. ; *incarcérer* vt.
incarnat, e adj. *et* sm.
incarnation sf. ; *incarné, e* adj. ; *incarner* vt. — *(s')* vpr.
incartade sf.
incassable adj.
incendiaire adj. *et* s. ; *incendie* sm. ; *incendié, e* adj. *et* s. ; *incendier* vt.
incertain, e adj. *et* sm. ; *incertitude* sf.
incessamment adv. ; *incessant, e* adj.
incessibilité sf. ; *incessible* adj.
inceste sm. ; *incestueux, euse* adj. *et* s.
inchangé, e adj. ; *inchangeable* adj.
inchavirable adj.
inchoatif, ive adj.
incidemment adv. ; *incidence* sf. ; *incident, e* adj. *et* sm.
incinération sf. ; *incinérer* vt.
incipit sm. inv. (lat.).
incirconcis, e adj. *et* sm.
incise sf.
inciser vt. ; *incisif, ive* adj. ; *incision* sf. ; *incisive* sf.
incitateur, trice adj. *et* s. ; *incitation* sf. ; *inciter* vt.
incivil, e adj. ; *incivilité* sf.
incivique adj. ; *incivisme* sm.
inclassable adj.
inclinaison sf. (physique) ; *inclination* sf. (moral) ; *incliner* vt. *et* vi. — *(s')* vpr.
inclure vt. ; *inclus, e* adj. ; *inclusif, ive* adj. ; *inclusion* sf. ; *inclusivement* adv.
incoercibilité sf. ; *incoercible* adj.
incognito adv. *et* sm.
incohérence sf. ; *incohérent, e* adj.
incollable adj.
incolore adj.
incomber vi.
incombustibilité sf. ; *incombustible* adj.
incomestible adj.
incommensurabilité sf. ; *incommensurable* adj.
incommodant, e adj. ; *incommode* adj. ; *incommodé, e* adj. ; *incommodément* adv. ; *incommoder* vt. ; *incommodité* sf.
incommunicabilité sf. ; *incommunicable* adj.
incomparable adj. ; *incomparablement* adv.
incompatibilité sf. ; *incompatible* adj.
incompétence sf. ; *incompétent, e* adj.
incomplet, ète adj. ; *incomplètement* adv. ; *incomplétude* sf.
incompréhensibilité sf. ; *incompréhensible* adj. ; *incompréhension* sf.
incompressibilité sf. ; *incompressible* adj.
incompris, e adj. *et* s.
inconcevable adj.
inconciliable adj.
inconditionnel, elle adj. ; *inconditionnellement* adv.
inconduite sf.
inconfort sm. ; *incorfortable* adj. ; *inconfortablement* adv.
incongru, e adj. ; *incongruité* sf. ; *incongrûment* adv.
inconnaissable adj. *et* s. ; *inconnu, e* adj. *et* s.
inconsciemment adv. ; *inconscience* sf. ; *inconscient, e* adj. *et* sm.
inconséquemment adv. ; *inconséquence* sf. ; *inconséquent, e* adj.
inconsidéré, e adj. *et* s. ; *inconsidérément* adv.
inconsistance sf. ; *inconsistant, e* adj.
inconsolable adj. ; *inconsolé, e* adj. *et* s.
inconsommable adj.

inconstance sf. ; *inconstant, e* adj.
inconstitutionnalité sf. ; *inconstitutionnel, elle* adj.
incontestable adj. ; *incontestablement* adv. ; *incontesté, e* adj.
incontinence sf. ; *incontinent, e* adj.
incontinent adv.
incontrôlable adj. ; *incontrôlé, e* adj.
inconvenance sf. ; *inconvenant, e* adj.
inconvénient sm.
inconvertissable (religion) *ou inconvertible* (religion ; monnaie) adj.
incoordination sf.
incorporable adj. ; *incorporation* sf.
incorporel, elle adj.
incorporer vt.
incorrect, e adj. ; *incorrectement* adv. ; *incorrection* sf.
incorrigible adj. ; *incorrigiblement* adv.
incorruptibilité sf. ; *incorruptible* adj.
incrédibilité sf.
incrédule adj. *et* s. ; *incrédulité* sf.
incréé, e adj.
incrément sm.
increvable adj.
incriminable adj. ; *incrimination* sf. ; *incriminer* vt.
incrochetable adj.
incroyable adj. *et* sm. ; *incroyablement* adv.
incroyance sf. ; *incroyant, e* adj. *et* s.
incrustation sf. ; *incrusté, e* adj. ; *incruster* vt. — *(s')* vpr.
incubateur, trice adj. *et* sm. ; *incubation* sf.
incube sm. *et* adj.
incuber vt.
inculpation sf. ; *inculpé, e* s. ; *inculper* vt.
inculquer vt.
inculte adj.
incultivable adj.
inculture sf.
incunable adj. *et* sm.
incurabilité sf. ; *incurable* adj. *et* s.
incurie sf.
incuriosité sf.
incursion sf.
incurvation sf. ; *incurver* vt. — *(s')* vpr.
indatable adj.
indécemment adv. ; *indécence* sf. ; *indécent, e* adj.
indéchiffrable adj.
indécis, e adj. *et* s. ; *indécision* sf.
indéclinable adj.
indécollable adj.
indécomposable adj.
indécrottable adj.
indéfectibilité sf. ; *indéfectible* adj. ; *indéfectiblement* adv.
indéfendable adj.
indéfini, e adj. ; *indéfiniment* adv. ; *indéfinissable* adj.
indéformable adj.
indéfrichable adj.
indéfrisable adj. *et* sf.
indéhiscent, e adj.
indélébile adj.
indélicat, e adj. ; *indélicatement* adv. ; *indélicatesse* sf.
indémaillable adj.
indemne adj.
indemnisable adj. ; *indemnisation* sf. ; *indemniser* vt. ; *indemnité* sf.
indémontable adj.
indémontrable adj.
indéniable adj. ; *indéniablement* adv.
indépassable adj.
indépendamment adv. ; *indépendance* sf. ; *indépendant, e* adj. ; *indépendantiste* adj.
indéracinable adj.
indéréglable adj.
indescriptible adj.
indésirable adj.
indestructibilité sf. ; *indestructible* adj.
indéterminable adj. ; *indétermination* sf. ; *indéterminé, e* adj. ; *indéterminisme* sm.
index sm. ; *indexation* sf. ; *indexer* vt.
indianisme sm. ; *indianiste* sm.
indicateur, trice adj. *et* s. ; *indicatif, ive* adj. *et* sm. ; *indication* sf.
indice sm. ; *indiciaire* adj.
indicible adj.
indien, enne adj. *et* s. ; *indienne* sf.
indifféremment adv. ; *indifférence* sf. ; *indifférenciation* sf. ; *indifférencié, e* adj. ; *indifférent, e* adj. *et* s.
indigénat sm.
indigence sf.
indigène adj. *et* s.
indigent, e adj. *et* s.
indigeste adj. ; *indigestion* sf.
indignation sf. ; *indigne* adj. ; *indigné, e* adj. ; *indignement* adv. ; *indigner vt.* — *(s')* vpr. ; *indignité* sf.

indigo sm.
indiquer vt.
indirect, e adj. ; *indirectement* adv.
indiscernable adv.
indisciplinable adj. ; *indiscipline* sf. ; *indiscipliné, e* adj.
indiscret, ète adj. *et* s. ; *indiscrètement* adv. ; *indiscrétion* sf.
indiscutable adj. ; *indiscutablement* adv.
indispensable adj.
indisponibilité sf. ; *indisponible* adj.
indisposé, e adj. ; *indisposer* vt. ; *indisposition* sf.
indissolubilité sf. ; *indissoluble* adj. ; *indissolublement* adv.
indistinct, e adj. ; *indistinctement* adv.
indium sm.
individu sm. ; *individualisation* sf. ; *individualiser* vt. ; *individualisme* sm. ; *individualiste* adj. *et* s. ; *individualité* sf. ; *individuel, elle* adj. ; *individuellement* adv.
indivis, e adj. ; *indivisaire* s. ; *indivisément* adv.
indivisibilité sf. ; *indivisible* adj.
indivision sf.
in-dix-huit (in-18) adj. *et* sm. inv.
indochinois, e adj. *et* s.
indocile adj. ; *indocilité* sf.
indo-européen, enne adj. *et* s.
indolemment adv. ; *indolence* sf. ; *indolent, e* adj. *et* s.
indolore adj.
indomptable adj. ; *indompté, e* adj.
indonésien, enne adj. *et* s.
in-douze (in-12) adj. *et* sm. inv.
indu, e adj.
indubitable adj. ; *indubitablement* adv.
inductance sf. ; *inducteur, trice* adj. *et* sm. ; *inductif, ive* adj. ; *induction* sf. ; *induire* vt. ; *induit, e* adj. *et* sm.
indulgemment adv. ; *indulgence* sm. ; *indulgent, e* adj.
induline sf.
indûment adv.
induration sf.
industrialisation sf. ; *industrialiser* vt. ; *industrialisme* sm. ; *industrie* sf. ; *industriel, elle* adj. *et* sm. ; *industriellement* adv.
industrieusement adv. ; *industrieux, euse* adj.
inébranlable adj. ; *inébranlablement* adv.
inédit, e adj. *et* sm.
inéducable adj.
ineffable adj.
ineffaçable adj.
inefficace adj. ; *inefficacement* adv. ; *inefficacité* sf.
inégal, e, aux adj. ; *inégalable* adj. ; *inégalé, ée* adj. ; *inégalement* adv. ; *inégalité* sf.
inélégamment adv. ; *inélégance* sf. ; *inélégant, e* adj.
inéligibilité sf. ; *inéligible* adj.
inéluctable adj. ; *inéluctablement* adv.
inemployable adj. ; *inemployé, e* adj.
inénarrable adj.
inéprouvé, ée adj.
inepte adj. ; *ineptie* sf.
inépuisable adj. ; *inépuisablement* adv.
inéquation sf.
inéquitable adj.
inerte adj. ; *inertie* sf.
inespéré, e adj.
inesthétique adj.
inestimable adj.
inétendu, e adj.
inévitable adj. ; *inévitablement* adv.
inexact, e adj. ; *inexactement* adv. ; *inexactitude* sf.
inexaucé, e adj.
inexcitabilité sf. ; *inexcitable* adj.
inexcusable adj.
inexécutable adj. ; *inexécution* sf.
inexercé, e adj.
inexigibilité sf. ; *inexigible* adj.
inexistant, e adj. ; *inexistence* sf.
inexorable adj. ; *inexorablement* adv.
inexpérience sf.
inexpérimenté, e adj.
inexpiable adj.
inexplicable adj. ; *inexpliqué, e* adj.
inexploitable adj. ; *inexploité, e* adj.
inexplorable adj. ; *inexploré, e* adj.
inexplosible adj.
inexpressif, ive adj.
inexprimable adj. ; *inexprimé, e* adj.
inexpugnable adj.
inextensibilité sf. ; *inextensible* adj.
in extenso loc. adv. (lat.).
inextinguible adj.
inextirpable adj.
in extremis loc. adv. (lat.).
inextricable adj.

infaillibilité sf. ; *infaillible* adj. ; *infailliblement* adv.
infaisable adj.
infalsifiable adj.
infamant, e adj. ; *infâme* adj. *et* s. ; *infamie* sf.
infant, e s.
infanterie sf.
infanticide sm. (crime) ; *infanticide* adj. *et* s. (criminel).
infantile adj. ; *infantiliser* vt. ; *infantilisme* sm.
infarctus sm.
infatigable adj. ; *infatigablement* adv.
infatuation sf. ; *infatué, e* adj. ; *infatuer (s')* vpr.
infécond, e adj. ; *infécondité* sf.
infect, e adj. ; *infecter* vt. ; *infectieux, euse* adj. ; *infection* sf.
inféodation sf. ; *inféoder* vt. — *(s')* vpr.
inférence sf. ; *inférer* vt.
inférieur, e adj. *et* sm. ; *inférieurement* adv. ; *infériorité* sf.
infermentescible adj.
infernal, e, aux adj.
infertile adj. ; *infertilité* sf.
infester vt.
infidèle adj. *et* s. ; *infidèlement* adv. ; *infidélité* sf.
infiltrat sm. ; *infiltration* sf. ; *infiltrer* vt. — *(s')* vpr.
infime adj.
infini, e adj. *et* sm. ; *infiniment* adv. ; *infinité* sf.
infinitésimal, e, aux adj.
infinitif, ive adj. *et* sm.
infinitude sf.
infirmatif, ive adj. ; *infirmation* sf.
infirme adj. *et* s.
infirmer vt.
infirmerie sf. ; *infirmier, ère* s. ; *infirmité* sf.
inflammabilité sf. ; *inflammable* adj. ; *inflammation* sf. ; *inflammatoire* adj.
inflation sf. ; *inflationniste* adj.
infléchir vt. — *(s')* vpr.
inflexibilité sf. ; *inflexible* adj. ; *inflexiblement* adv.
inflexion sf.
infliger vt.
inflorescence sf.
influençable adj. ; *influence* sf. ; *influencer* vt. ; *influent, e* adj. ; *influer* vi. ; *influx* sm.
in-folio adj. *et* sm. inv.
informateur, trice s.
informaticien, enne adj. *et* s.
information sf.
informatique sf.
informe adj. ; *informel, elle* adj.
informé sm. *(jusqu'à plus ample —,* loc. adv.) ; *informer* vt. — *(s')* vpr.
informulé, e adj.
infortune sf. ; *infortuné, e* adj. *et* s.
infra adv. (lat.).
infraction sf.
infranchissable adj.
infrangible adj.
infrarouge adj. *et* sm.
infrason sm.
infrastructure sf.
infréquentable adj.
infroissable adj.
infructueux, euse adj.
infumable adj.
infus, e adj. *(science —)* ; *infuser* vt.
infusible adj.
infusion sf. ; *infusoire* sm.
ingagnable adj.
ingambe adj.
ingénier (s') vpr.
ingénierie sf. ; *ingénieur* sm.
ingénieusement adv. ; *ingénieux, euse* adj. ; *ingéniosité* sf.
ingénu, e adj. *et* s. ; *ingénuité* sf. ; *ingénument* adv.
ingérence sf. ; *ingérer* vt. — *(s')* vpr.
ingestion sf.
ingouvernable adj.
ingrat, e adj. *et* s. ; *ingratitude* sf.
ingrédient sm.
inguérissable adj.
inguinal, e, aux adj.
ingurgitation sf. ; *ingurgiter* vt.
inhabile adj. ; *inhabilement* adv. ; *inhabileté* sf. ; *inhabilité* sf. (droit).
inhabitable adj. ; *inhabité, e* adj.
inhabituel, elle adj.
inhalateur, trice adj. *et* sm. ; *inhalation* sf. ; *inhaler* vt.
inharmonieux, euse adj.
inhérence sf. ; *inhérent, e* adj.
inhiber vt. ; *inhibiteur, trice* adj. ; *inhibition* sf.
inhospitalier, ère adj.
inhumain, e adj. ; *inhumainement* adv. ; *inhumanité* sf.
inhumation sf. ; *inhumer* vt.
inimaginable adj.

inimitable adj.
inimitié sf.
ininflammable adj.
inintelligemment adv. ; *inintelligence* sf. ; *inintelligent, e* adj.
inintelligible adj. ; *inintelligiblement* adv.
inintéressant, e adj.
ininterrompu, e adj.
inique adj. ; *iniquité* sf.
initial, e, aux adj. ; *initiale* sf. ; *initialement* adv.
initiateur, trice s. *et* adj. ; *initiation* sf. ; *initiatique* adj. ; *initiative* sf. ; *initié, e* adj. *et* s. ; *initier* vt. — *(s')* vpr.
injectable adj. ; *injecté, e* adj. ; *injecter* vt. ; *injecteur, trice* adj. *et* sm. ; *injection* sf.
injonctif, ive adj. ; *injonction* sf.
injouable adj.
injure sf. ; *injurier* vt. ; *injurieusement* adv. ; *injurieux, euse* adj.
injuste adj. ; *injustement* adv. ; *injustice* sf.
injustifiable adj. ; *injustifié, e* adj.
inlassable adj. ; *inlassablement* adv.
inné, e adj. ; *innéisme* sm. ; *innéité* sf.
innervation sf. ; *innerver* vt.
innocemment adv. ; *innocence* sf. ; *innocent, e* adj. *et s. ; innocenter* vt.
innocuité sf.
innombrable adj.
innommé, e adj. ; *innommable* adj.
innovateur, trice adj. *et* sm. ; *innovation* sf. ; *innover* vi. *et* vt.
inobservable adj. ; *inobservance* sf. . *inobservation* sf. ; *inobservé, e* adj.
inoccupation sf. ; *inoccupé, e* adj.
in-octavo (in-8°) adj. *et* sm. inv.
inoculable adj. ; *inoculation* sf. ; *inoculer* vt.
inodore adj.
inoffensif, ive adj.
inondable adj. ; *inondation* sf. ; *inondé, e* adj. *et* s. ; *inonder* vt.
inopérable adj.
inopérant, e adj.
inopiné, e adj. ; *inopinément* adv.
inopportun, e adj. ; *inopportunément* adv.
inopposable adj.
inorganique adj.
inoubliable adj.
inouï, e adj.
inoxydable adj.
in pace *ou* **in-pace** sm. inv. (lat.).
in partibus loc. adv. (lat.).
in petto adv. (ital.).
input sm. inv.
inqualifiable adj.
in-quarto (in-4°) adj. *et* sm. inv.
inquiet, ète adj. ; *inquiétant, e* adj. ; *inquiéter* vt. — *(s')* vpr. ; *inquiétude* sf.
inquisiteur adj. *et* sm. ; *inquisition* sf. ; *inquisitorial, e, aux* adj.
inracontable adj.
insaisissable adj.
insalissable adj.
insalivation sf.
insalubre adj. ; *insalubrité* sf.
insane adj. ; *insanité* sf.
insatiabilité sf. ; *insatiable* adj. ; *insatiablement* adv.
insatisfaction sf. ; *insatisfait, e* adj.
inscriptible adj. ; *inscription* sf. ; *inscrire* vt. ; *inscrit, e* adj. *et* sm. ; *inscrivant, e* s.
insécable adj.
insecte sm. ; *insecticide* adj. *et* sm. ; *insectivore* adj. *et* sm.
insécurité sf.
in-seize (in-16) adj. *et* sm. inv.
insémination sf. ; *inséminer* vt.
insensé, e adj. *et* s.
insensibilisation sf. ; *insensibiliser* vt. ; *insensibilité* sf. ; *insensible* adj. ; *insensiblement* adv.
inséparable adj. ; *inséparablement* adv.
insérer vt. ; *insertion* sf.
insidieusement adv. ; *insidieux, euse* adj.
insigne adj.
insigne sm.
insignifiance sf. ; *insignifiant, e* adj.
insincère adj. ; *insincérité* sf.
insinuant, e adj. ; *insinuation* sf. ; *insinuer* vt.
insipide adj. ; *insipidité* sf.
insistance sf. ; *insister* vi.
in situ loc. adv. (lat.).
insociabilité sf. ; *insociable* adj.
insolation sf.
insolemment adv. ; *insolence* sf. ; *insolent, e* adj. *et* s.
insoler vt.
insolite adj.
insoluble adj.
insolvabilité sf. ; *insolvable* adj.

insomniaque *ou* **insomnieux, euse** adj. *et* s. ; *insomnie* sf.
insondable adj.
insonore adj. ; *insonorisation* sf. ; *insonoriser* vt. ; *insonorité* sf.
insouciance sf. ; *insouciant, e* adj. ; *insoucieux, euse* adj.
insoumis, e adj. *et* sm. ; *insoumission* sf.
insoupçonnable adj.
insoutenable adj.
inspecter vt. ; *inspecteur, trice* s. ; *inspection* sf. ; *inspectorat* sm.
inspirateur, trice s. *et* adj. ; *inspiration* sf. ; *inspiré, e* adj. *et* s. ; *inspirer* vt.
instabilité sf. ; *instable* adj.
installation sf. ; *installer* vt.
instamment adv.
instance sf.
instant sm.
instant, e adj.
instantané, e adj. *et* sm. ; *instantanéité* sf. ; *instantanément* adv.
instar (à l') loc. prép.
instaurateur, trice s. ; *instauration* sf. ; *instaurer* vt.
instigateur, trice s. ; *instigation* sf.
instillation sf. ; *instiller* vt.
instinct sm. ; *instinctif, ive* adj. ; *instinctivement* adv.
instituer vt. ; *institut* sm. ; *instituteur, trice* s. ; *institution* sf. ; *institutionnaliser* vt. ; *institutionnel, elle* adj. ; *institutionnellement* adv.
instructeur sm. *et* adj. m. *(juge —)* ; *instructif, ive* adj. ; *instruction* sf. ; *instruire* vt. ; *instruit, e* adj.
instrument sm. ; *instrumentaire* adj. (droit) ; *instrumental, e, aux* adj. (musique) ; *instrumentation* sf. ; *instrumenter* vi. ; *instrumentiste* s.
insu (à l') loc. prép.
insubmersibilité sf. ; *insubmersible* adj.
insubordination sf. ; *insubordonné, e* adj.
insuccès sm.
insuffisamment adv. ; *insuffisance* sf. ; *insuffisant, e* adj.
insufflation sf. ; *insuffler* vt.
insulaire s. *et* adj. ; *insularité* sf.
insuline sf.
insultant, e adj. ; *insulte* sf. ; *insulté, e* adj. *et* s. ; *insulter* vt. *et* vi. ; *insulteur* sm.
insupportable adj. ; *insupportablement* adv.
insurgé, e adj. *et* s. ; *insurger (s')* vpr.
insurmontable adj.
insurpassable adj.
insurrection sf. ; *insurrectionnel, elle* adj. ; *insurrectionnellement* adv.
intact, e adj.
intangibilité sf. ; *intangible* adj.
intarissable adj. ; *intarissablement* adv.
intégrable adj.
intégral, e, aux adj. *et* sf. ; *intégralement* adv. ; *intégralité* sf. ; *intégrante* adj. f. *(partie —)*.
intégration sf. ; *intégrationniste* adj.
intègre adj. ; *intègrement* adv.
intégrer vt.
intégrisme sm. ; *intégriste* adj. *et* s.
intégrité sf.
intellect sm. ; *intellection* sf. ; *intellectualisation* sf. ; *intellectualisme* sm. ; *intellectualiste* adj. *et* s. ; *intellectuel, elle* adj. *et* s. ; *intellectuellement* adv.
intelligemment adv. ; *intelligence* sf. ; *intelligent, e* adj.
intelligentsia sf. (russe).
intelligibilité sf. ; *intelligible* adj. ; *intelligiblement* adj.
intempérance sf. ; *intempérant, e* adj.
intempérie sf.
intempestif, ive adj. ; *intempestivement* adv.
intemporalité sf. ; *intemporel, elle* adj.
intenable adj.
intendance sf. ; *intendant, e* s.
intense adj. ; *intensément* adv.
intensif, ive adj. ; *intensification* sf. ; *intensifier* vt. ; *intensité* sf. ; *intensivement* adv.
intenter vt.
intention sf. ; *intentionnalité* sf. ; *intentionné, e* adj. ; *intentionnel, elle* adj. ; *intentionnellement* adv.
interaction sf.
interallié, e adj.
interarmées adj. inv.
interarmes adj. inv.
intercalaire adj. *et* s. ; *intercalation* sf. ; *intercaler* vt.
intercéder vt.
intercellulaire adj.
intercepter vt. ; *intercepteur* sm. ; *interception* sf.

intercesseur sm. ; *intercession* sf.
interchangeabilité sf. ; *interchangeable* adj.
interclasse sm.
intercommunal, e, aux adj.
intercontinental, e, aux adj.
intercostal, e, aux adj.
interdépartemental, e, aux adj.
interdépendance sf. ; *interdépendant, e* adj.
interdiction sf. ; *interdire* vt.
interdisciplinaire adj.
interdit, e adj. *et* s.
intéressant, e adj. ; *intéressé, e* adj. ; *intéressement* sm. (financier) ; *intéresser* vt. ; *intérêt* sm.
interférence vf. ; *interférent, e* adj. ; *interférer* vi.
intérieur, e adj. *et* sm. ; *intérieurement* adv.
intérim sm. ; *intérimaire* adj. *et* s.
interindividuel, elle adj.
intérioriser vt. ; *intériorité* sf.
interjection sf.
interjeter vt.
interlignage sm. ; *interligne* sm. *et* sf. ; *interligner* vt. ; *interlinéaire* adj.
interlock sm.
interlocuteur, trice s.
interlope adj.
interloquer vt.
interlude sm.
intermède sm. ; *intermédiaire* adj. *et* sm.
interminable adj. ; *interminablement* adv.
interministériel, elle adj.
intermittence sf. ; *intermittent, e* adj.
internat sm.
international, e, aux adj. ; *internationalisation* sf. ; *internationaliser* vt. ; *internationalisme* sm. ; *internationaliste* adj. *et* s. ; *internationalité* sf.
interne adj. *et* sm. ; *interné, ée* adj. *et* s. ; *internement* sm. ; *interner* vi.
intéroceptif, ive adj.
interpellateur, trice s. ; *interpellation* sf. ; *interpeller* vt.
interpénétration sf.
interphone sm.
interplanétaire adj.
interpol sm.
interpolation sf. ; *interpoler* vt.
interposer vt. — *(s')* vpr. ; *interposition* sf.
interprétable adj. ; *interprétariat* sm. ; *interprétatif, ive* adj. ; *interprétation* sf. ; *interprète* s. ; *interpréter* vt.
interprofessionnel, elle adj.
interrègne sm.
interrogateur, trice adj. *et* s. ; *interrogatif, ive* adj. ; *interrogation* sf. ; *interrogativement* adv. ; *interrogatoire* sm. ; *interroger* vt.
interrompre vt. ; *interrupteur, trice* adj. *et* s. ; *interruption* sf.
intersection sf.
intersession sf.
interstellaire adj.
interstice sm. ; *interstitiel, elle* adj.
intersyndical, e, aux adj.
intertrigo sm.
intertropical, e, aux adj.
interurbain, e adj.
intervalle sm.
intervenant, e adj. *et* s. ; *intervenir* vi. ; *intervention* sf. ; *interventionnisme* sm. ; *interventionniste* adj. *et* s.
interversion sf. ; *intervertir* vt.
interview sf. ; *interviewer* vt. ; *interviewer* sm. (angl.).
intervocalique adj.
intestat adj. inv. *et* s.
intestin, e adj.
intestin sm. ; *intestinal, e, aux* adj.
intimation sf.
intime adj. *et* s.
intimé, e adj. *et* s.
intimement adv.
intimer vt.
intimidable adj. ; *intimidation* sf. ; *intimider* vt.
intimisme sm. ; *intimiste* adj. ; *intimité* sf.
intitulé sm. ; *intituler* vt. — *(s')* vpr.
intolérable adj. ; *intolérance* sf. ; *intolérant, e* adj. *et* s.
intonation sf.
intouchable adj. *et* s.
intoxication sf. ; *intoxiquer* vt.
intra-atomique adj.
intracellulaire adj.
intradermique adj.
intrados sm.
intraduisible adj.
intraitable adj.
intra-muros loc. adv. (lat.).
intramusculaire adj.

intransigeance sf. ; *intransigeant, e* adj.
intransitif, ive adj. ; *intransitivement* adv. ; *intransitivité* sf.
intransmissible adj.
intransportable adj.
intra-utérin, ine adj.
intraveineuse adj.
in-trente-deux (in-32) adj. *et* sm. inv.
intrépide adj. ; *intrépidement* adv. ; *intrépidité* sf.
intrication sf.
intrigant, e adj. *et* s. ; *intrigue* sf. ; *intriguer* vt. *et* vi.
intrinsèque adj. ; *intrinsèquement* adv.
introducteur, trice s. ; *introductif, ive* adj. ; *introduction* sf. ; *introduire* vt.
introït sm.
introjection sf.
intromission sf.
intronisation sf. ; *introniser* vt.
introspectif, ive adj. ; *introspection* sf.
introuvable adj.
introversion sf. ; *introverti, e* adj.
intrus, e adj. *et* s. ; *intrusion* sf.
intuitif, ive adj. *et* s. ; *intuition* sf. ; *intuitivement* adv.
intumescence sf. ; *intumescent, e* adj.
inusable adj.
inusité, e adj.
inutile adj. ; *inutilement* adv.
inutilisable adj. ; *inutilisé, e* adj. ; *inutilité* sf.
invagination sf.
invaincu, e adj.
invalidation sf. ; *invalide* adj. *et* sm. ; *invalider* vt. ; *invalidité* sf.
invariabilité sf. ; *invariable* adj. ; *invariablement* adv.
invariant, ante adj. *et* sm.
invasion sf.
invective sf. ; *invectiver* vi. *et vt.*
invendable adj. ; *invendu, e* adj. *et* sm.
inventaire sm.
inventer vt. ; *inventeur, trice* s. ; *inventif, ive* adj. ; *invention* sf.
inventorier vt.
invérifiable adj.
inverse adj. *et* sm. ; *inversement* adv. ; *inverser* vt. ; *inverseur* sm. ; *inversion* sf.
invertébré, e adj. *et* sm.
inverti, e adj. *et* s. ; *invertir* vt.
investigateur, trice adj. *et* s. ; *investigation* sf.
investir vt. ; *investissement* sm. ; *investisseur* sm. ; *investiture* sf.
invétéré, e adj.
invincibilité sf. ; *invincible* adj. ; *invinciblement* adv.
in-vingt-quatre (in-24) adj. *et* sm. inv.
inviolabilité sf. ; *inviolable* adj. ; *inviolablement* adv.
invisibilité sf. ; *invisible* adj.
invitation sf. ; *invite* sf. (appel) ; *invité, e* s. ; *inviter* vt.
in vitro loc. adv. (lat.).
invivable adj.
in vivo loc. adv. (lat.).
invocation sf. ; *invocatoire* adj.
involontaire adj. ; *involontairement* adv.
involution *sf.*
invoquer vt.
invraisemblable adj. ; *invraisemblablement* adv. ; *invraisemblance* sf.
invulnérabilité sf. ; *invulnérable* adj.
iode sm. ; *iodé, e* adj. ; *ioder* vt. ; *iodique* adj. ; *iodure* sm.
ion sm.
ionien, enne adj. (géo.) ; *ionique* adj. (archit.).
ionique adj. (phys.) ; *ionisation* sf. ; *ioniser* vt. ; *ionosphère* sf.
iota sm. ; *iotacisme* sm.
ipéca sm.
ipomée sf.
ipso facto loc. adv. (lat.).
irakien, enne adj. *et* s.
iranien, enne adj. *et* s.
irascibilité sf. ; *irascible* adj. ; *ire* sf.
iridié, e adj. ; *iridium* sm.
iris sm. ; *irisation* sf. ; *irisé, e* adj. ; *iriser* vt. — *(s')* vpr.
irlandais, e adj. *et* s.
ironie sf. ; *ironique* adj. ; *ironiquement* adv. ; *ironiser* vi. ; *ironiste* s.
iroquois, e s. *et* adj.
irradiation sf. ; *irradier* vi. — *(s')* vpr.
irraisonné, e adj.
irrationalisme sm. ; *irrationalité* sf. ; *irrationnel, elle* adj.
irréalisable adj.
irréalisme sm. (utopie) ; *irréaliste* adj. ; *irréalité* sf. (inexistence).
irrecevabilité sf. ; *irrecevable* adj.
irréconciliable adj.
irrécouvrable adj.

irrécupérable adj.
irrécusable adj.
irrédentisme sm. ; *irrédentiste* s. *et* adj.
irréductibilité sf. ; *irréductible* adj.
irréel, elle adj.
irréfléchi, e adj. ; *irréflexion* sf.
irréformable adj.
irréfragable adj.
irréfutable adj.
irrégularité sf. ; *irrégulier, ère* adj. *et* sm. ; *irrégulièrement* adv.
irréligieux, euse adj. ; *irréligion* sf.
irrémédiable adj. ; *irrémédiablement* adv.
irrémissible adj.
irremplaçable adj.
irréparable adj. ; *irréparablement* adv.
irrépressible adj.
irréprochable adj. ; *irréprochablement* adv.
irrésistible adj. ; *irrésistiblement* adv.
irrésolu, e adj. ; *irrésolution* sf.
irrespect sm. ; *irrespectueusement* adv. ; *irrespectueux, euse* adj.
irrespirable adj.
irresponsabilité sf. ; *irresponsable* adj.
irrétrécissable adj.
irrévérence sf. ; *irrévérencieusement* adv. ; *irrévérencieux, euse* adj.
irréversibilité sf. ; *irréversible* adj.
irrévocabilité sf. ; *irrévocable* adj. ; *irrévocablement* adv.
irrigable adj. ; *irrigateur* sm. ; *irrigation* sf. ; *irriguer* vt.
irritabilité sf. ; *irritable* adj. ; *irritant, e* adj. ; *irritation* sf. ; *irrité, e* adj. ; *irriter* vt.
irruption sf.
isabelle adj. inv.
isard sm.
isba sf.
ischion sm.
islam sm. ; *islamique* adj. ; *islamisant, e* adj.
islandais, e adj. *et* s.
isobare adj. *et* sf.
isocèle adj.
isochrone adj.
isogamie sf.
isoionique adj.
isolable adj. ; *isolant, e* adj. *et* sm. ; *isolateur, trice* adj. *et* sm. ; *isolation* sf. ; *isolationnisme* sm. ; *isolationniste* adj. *et* s. ; *isolé, e* adj. ; *isolement* sm. ; *isolément* adv. ; *isoler* vt. — *(s')* vpr. ; *isoloir* sm.
isomère adj. *et* sm.
isomorphe adj. ; *isomorphisme* sm.
isopode sm.
isotherme adj. *et* sf.
isotonie sf.
isotope adj. *et* sm.
isotrope adj. *et* sm.
israélien, enne adj. *et* s. ; *israélite* adj. *et* s.
issu, e pp. de l'ancien v. issir ; *issue* sf.
isthme sm. ; *isthmique* adj.
italianisant, e s. *et* adj. ; *italianisme* sm. ; *italien, enne* adj. *et s. ; italique* adj. *et* sf.
item adv. *et* sm.
itératif, ive adj. ; *itération* sf. ; *itérativement* adv.
itinéraire sm. *et* adj. ; *itinérant, e* adj. *et* sm.
itou adv.
ivoire sm. ; *ivoirin, e* adj.
ivraie sf.
ivre adj. ; *ivresse* sf. ; *ivrogne, esse* s. ; *ivrognerie* sf.
ixia sf.

J

jable sm.
jabot sm. ; *jaboter* vi.
jacaranda sm.
jacasser vi. ; *jacasserie* sf. *ou* **jacassement** sm.
jachère sf.
jacinthe sf.
jack sm.
jacobée sf.
jacobin, e adj. *et* s.
jacobinisme sm.
jacquard sm.
jacquerie sf.
jacquet sm.
jactance sf.
jaculatoire adj.
jade sm.

jadis adv.
jaguar sm.
jaillir vi. ; *jaillissant, e* adj. ; *jaillissement* sm.
jais sm. *(noir comme du —).*
jalon sm. ; *jalonnement* sm. ; *jalonner* vi. *et* vt. ; *jalonneur* sm.
jalousement adv. ; *jalouser* vt. ; *jalousie* sf. ; *jaloux, ouse* adj. *et* s.
jamais adv.
jambage sm. ; *jambe* sf. ; *jambé, e* adj. ; *jambette* sf. ; *jambier, ère* adj. ; *jambière* sf. ; *jambon* sm. ; *jambonneau* sm.
jamboree sm.
jan sm.
jangada sf.
janissaire sm.
jansénisme sm. ; *janséniste* adj. *et* s.
jante sf.
janvier sm.
japon sm. ; *japonais, e* adj. *et* s. ; *japonerie* sf. ; *japonisant, e* s.
jappement sm. ; *japper* vi.
jaquemart sm.
jaquette sf.
jardin sm. ; *jardinage* sm. ; *jardiner* vi. ; *jardinet* sm.
jardineux, euse adj.
jardinier sm. ; *jardinière* sf.
jargon sm. ; *jargonner* vi.
jarre sf.
jarret sm. ; *jarreté, e* adj. ; *jarretelle* sf. ; *jarretière* sf.
jars sm.
jas sm.
jaser vi. ; *jaseur, euse* adj. *et* s.
jasmin sm.
jaspe sm. ; *jaspé, e* adj. ; *jasper* vt.
jaspiner vi.
jaspure sf.
jatte sf.
jauge sf. ; *jaugeage* sm. ; *jauger* vt. ; *jaugeur* sm.
jaunâtre adj. ; *jaune* adj. *et* s. ; *jaunet, ette* adj. *et* sm. ; *jaunir* vi. *et* vt. ; *jaunissage* sm. ; *jaunisse* sf. ; *jaunissement* sm.
java sf.
javanais, e adj. *et* s.
javelage sm. ; *javeler* vt. *et* vi. ; *javeleur, euse* s. ; *javelle* sf.
javellisation sf. ; *javelliser* vt.
javelot sm.
jazz sm.
je pr. 1re pers. sing.
jean-foutre sm. inv.
jeannette sf.
Jeep sf. (nom déposé).
jéjunum sm.
je-m'en-fichisme *ou* **je-m'en-foutisme** sm. inv.
je-ne-sais-quoi sm. inv.
jérémiade sf.
jéroboam sm.
jerricane sm.
jersey sm.
jésuite sm. ; *jésuitique* adj. ; *jésuitiquement* adv. ; *jésuitisme* sm.
jésus sm. *et* adj. m.
jet sm. ; *jeté* sm. ; *jetée* sf. ; *jeter* vt. ; *jeteur, euse* s. ; *jeton* sm.
jeu sm. (pl. *jeux*).
jeudi sm.
jeun (à) loc. adv.
jeune adj. *et* s.
jeûne sm. ; *jeûner* vi.
jeunesse sf. ; *jeunet, ette* adj.
jeûneur, euse s.
jiu-jitsu sm.
joaillerie sf. ; *joaillier, ère* s. *et* adj.
job sm.
jobard s. *et* adj. m. ; *jobarderie ou jobardise* sf.
jockey sm.
jocrisse sm.
jodler vi.
joie sf.
joindre vt. *et* vi. ; *joint* sm. ; *jointé, e* adj. ; *jointée* sf. ; *jointif, ive* adj. ; *jointoiement* sm. ; *jointoyer* vt. ; *jointure* sf.
joker sm.
joli, e adj. *et* sm. ; *joliesse* sf. ; *joliment* adv.
jonc sm. ; *jonchée* sf. ; *joncher* vt. ; *jonchets* sm. pl. (jeu).
jonction sf.
jongler vi. ; *jonglerie* sf. ; *jongleur* sm.
jonque sf.
jonquille sf. *et* adj.
jordanien, enne adj. *et* s.
jota sf. (esp.).
jouable adj.
joual sm.
joue sf.
jouer vi. *et* vt. — *(se)* vpr. ; *jouet* sm. ; *joueur, euse* s. *et* adj.
joufflu, e adj.
joug sm.
jouir vi. ; *jouissance* sf. ; *jouisseur,*

euse s.
joujou sm. (pl. *joujoux).*
joule sm.
jour sm. ; *journal* sm. ; *journalier, ère* adj. *et* sm. ; *journalisme* sm. ; *journaliste* s. ; *journalistique* adj. ; *journée* sf. ; *journellement* adv.
joute sf. ; *jouter* vi. ; *jouteur* sm.
jouvence sf. ; *jouvenceau* sm. ; *jouvencelle* sf.
jouxter vt.
jovial, e, als *ou* **aux** adj. ; *jovialement* adv. ; *jovialité* sf.
joyau sm. (pl. *joyaux*).
joyeusement adv. ; *joyeuseté* sf. ; *joyeux, euse* adj.
jubé sm.
jubilaire adj.
jubilation sf.
jubilé sm.
jubiler vi.
jucher vt. *et* vi. — *(se)* vpr. ; *juchoir* sm.
judaïque adj. ; *judaïsant, e* adj. *et* s. ; *judaïser* vi. *et* vt. ; *judaïsme* sm.
judas sm.
judéo-allemand, e adj. *et* sm. ; *judéo-chrétien, enne* adj. ; *judéo-espagnol, e* adj.
judicature sf.
judiciaire adj. ; *judiciairement* adv.
judicieusement adv. ; *judicieux, euse* adj.
judo sm. ; *judoka* s.
juge sm. ; *jugé ou juger (au)* loc. adv. ; *jugeable* adj. ; *jugement* sm. ; *jugeote* sf. ; *juger* vt.
jugulaire adj. *et* sf. ; *juguler* vt.
juif, juive s. *et* adj.
juillet sm.
juin sm.
juiverie sf.
jujube sm. ; *jujubier* sm.
juke-box sm. (pl. *juke-boxes*).
julep sm.
julien, enne adj. ; *julienne* sf.
jumeau, elle adj. *et* s. ; *jumelage* sm. ; *jumelé, e* adj. ; *jumeler* vt. ; *jumelles* sf. pl.
jument sf.
jumping sm. (angl.).
jungle sf.
junior adj. m.
junte sf. (esp.).
jupe sf. ; *jupe-culotte* sf. (pl. *jupes-culottes*) ; *jupette* sf. ; *jupon* sm.
jurançon sm.
jurassien, enne adj. *et* s. (relief) ; *jurassique* adj. (géol.).
juré, e adj. *et* sm. ; *jurer* vt. *et* vi.
juridiction sf. ; *juridictionnel, elle* adj.
juridique adj. ; *juridiquement* adv.
jurisconsulte sm.
jurisprudence sf.
juriste sm.
juron sm.
jury sm.
jus sm.
jusant sm.
jusqu'au-boutisme sm. ; *jusqu'au-boutiste* s.
jusque prép.
jusquiame sf.
justaucorps sm.
juste adj., adv. *et* s. ; *justement* adv.
juste-milieu sm. (pl. *justes-milieux*).
justesse sf.
justice sf. ; *justiciable* adj. ; *justicier, ère* adj. *et* sm.
justifiable adj. ; *justifiant, e* adj. ; *justificateur, trice* adj. ; *justificatif, ive* adj. *et* sm. ; *justification* sf. ; *justifier* vt. — *(se)* vpr.
jute sm.
juteux, euse adj.
juvénile adj. ; *juvénilité* sf.
juxtalinéaire adj.
juxtaposé, e adj. ; *juxtaposer* vt. ; *juxtaposition* sf.

K

kabbale sf. (ésotérisme).
kabuki sm. (jap.).
kabyle adj. *et* s.
kakemono sm. (jap.).
kaki sm. *et* adj. inv.
kaléidoscope sm.
kalmouk, e adj.
kamichi sm.
kamikaze sm. (jap.).
kan sm. (caravansérail).
kangourou sm.
kantien, enne adj. ; *kantisme* sm.

kaolin sm.
kapok sm. ; *kapokier* sm.
kappa sm.
karacul *ou* ***caracul*** sm.
karaté sm. ; *karatéka* s.
karité sm.
karst sm. ; *karstique* adj.
kart sm. ; *karting* sm. (angl.).
kayak sm.
kawa sm.
keepsake sm. (angl.).
kéfir *ou* **képhyr** sm.
kelvin sm.
képi sm.
kératine sf. ; *kératiniser (se)* vpr. ; *kératite* sf.
kermesse sf.
kérosène sm.
ketch sm.
ketchup sm. (angl.).
khan sm. (titre).
khédive sm.
khi sm.
khmer, ère adj.
khôl, koheul *ou* **kohol** sm.
kibboutz sm. (pl. *kibboutzim*) (hébr.) ; *kibboutznik* s.
kidnapper vt. ; *kidnapping* sm.
kif sm.
kilo sm.
kilocalorie sf.
kilocycle sm.
kilogramme sm.
kilogrammètre sm.
kilojoule sm.
kilométrage sm. ; *kilomètre* sm. ; *kilométrer* vt. ; *kilométrique* adj.
kilotonne sf.
kilovolt sm.
kilowatt sm. ; *kilowatt-heure* sm. (pl. *kilowatts-heure)*.
kilt sm.
kimono sm.
kinésithérapeute s. ; *kinésithérapie* sf.
kinesthésie sf. ; *kinesthésique* adj.
king-charles sm. inv.
kiosque sm.
kir sm.
kirsch sm.
kit sm. (angl.).
kitchenette sf.
kiwi sm.
Klaxon sm. (nom déposé) ; *klaxonner* vi.
kleptomane s. ; *kleptomanie* sf.
knickerbockers sm. pl.
knock-out sm. inv. *ou* loc. adv.
knout sm.
koala sm.
kobold sm.
kola *ou* **cola** sm. ; *kolatier* sm.
kolkhoze sm. ; *kolkhozien, enne* adj. *et* s.
kopeck sm.
korrigan, e s.
koubba sm.
kouglof *ou* **kugelhof** sm.
koulak sm.
krach sm.
kraft sm.
kronprinz sm. (all.).
krypton sm.
ksar sm. (pl. *ksour*).
ksi sm.
kummel sm.
kurde adj. *et* s.
kwas *ou* **kvas** sm.
kyrie *ou* **kyrie eleison** sm. inv. (grec).
kyrielle sf.
kyste sm. ; *kystique* adj.

L

la art. f. *ou* pr. f. sing.
la sm.
là adv. *et* intj.
label sm. (marque).
labelle sm. (botanique).
labeur sm.
labial, e, aux adj.
labile adj.
laborantin, e s.
laboratoire sm.
laborieusement adv. ; *laborieux, euse* adj.
labour sm. ; *labourable* adj. ; *labourage* sm. ; *labourer* vt. ; *laboureur* sm.
labrador sm.
labyrinthe sm.
lac sm. (eau).
laçage sm. ; *lacer* vt.
lacération sf. ; *lacérer* vt.
lacet sm.
lâchage sm. ; *lâche* adj. *et* s. ; *lâché, e* adj. ; *lâchement* adv. ; *lâcher* vt. *et* sm. ; *lâcheté* sf.
lacis sm.
laconique adj. ; *laconiquement* adv. ; *laconisme* sm.
lacrima-christi sm.
lacrymal, e, aux adj. ; *lacrymogène* adj.
lacs sm. (nœud).
lactaire sm. *et* adj.
lactation sf. ; *lacté, e* adj. ; *lactescence* sf. ; *lactifère* adj. ; *lactique* adj. ; *lactose* sm. ; *lactosérum* sm.
lacunaire *ou* **lacuneux, euse** adj.
lacune sf.
lacustre adj.
lad sm.
ladre adj. *et* s. ; *ladrerie* sf.
lady sf. (pl. *ladies*).
lagon sm.
lagunaire adj. ; *lagune* sf.
lai sm. (poème).
lai, e adj. *(frère —, sœur —)*.
laïc *ou* **laïque** adj. *et* s. ; *laïcisation* sf. ; *laïciser* vt. ; *laïcité* sf.
laid, e adj. *et* s. ; *laidement* adv. ; *laideron* sm. *ou* sf. ; *laideur* sf.
laie sf.
lainage sm. ; *laine* sf. ; *laineux, euse* adj. ; *lainier, ère* s. *et* adj.
laisse sf.
laissé-pour-compte sm. (pl. *laissés-pour-compte*).
laisser vt.
laisser-aller sm. inv.
laissez-passer sm. inv.
lait sm. ; *laitage* sm. ; *laitance ou laite* sf. ; *laiterie* sf. ; *laiteux, euse* adj. ; *laitier, ère* s. *et* adj.
laiton sm. ; *laitonner* vt.
laitue sf.
laïus sm.
laize sf.
lama sm. ; *lamaserie* sf.
lamanage sm. ; *lamaneur* sm.
lamantin sm.
lambda sm. ; *lambdoïde* adj.
lambeau sm.
lambin, e adj. *et* s. ; *lambiner* vt.
lambourde sf.
lambrequin sm.
lambris sm. ; *lambrissage* sm. ; *lambrisser* vt.
lambswool sm.
lame sf. ; *lamé, e* adj. ; *lamellaire* adj. ; *lamelle* sf. ; *lamellé, e* adj. ; *lamelleux, euse* adj. ; *lamellibranches* sm. pl. ; *lamellicornes* sm. pl. ; *lamellirostres* adj. *et* sm. pl.
lamentable adj. ; *lamentablement* adv. ; *lamentation* sf. ; *lamenter* vt. *et* vi. — *(se)* vpr.
lamento sm.
lamifié, e adj. *et* sm.
laminage sm.
laminaire sf. *et* adj.
laminer vt. ; *lamineur* sm. *et* adj. ; *laminoir* sm.
lampadaire sm.
lampant adj. m. *(pétrole —)*.
lamparo sm.
lampe sf.
lampée sf. ; *lamper* vt.
lampion sm.
lampiste sm.
lamproie sf.
lance sf.
lancée sf.
lance-flammes sm. inv.
lance-fusées sm. inv.
lance-grenades sm. inv.
lancement sm.
lancéolé, e adj.
lance-pierres sm. inv.
lancer vt. *et* sm.

lance-roquettes sm. inv.
lance-torpilles sm. inv.
lancette sf.
lanceur, euse s.
lancier sm.
lancinant, e adj.
landau sm. (pl. *landaus*).
lande sf.
landgrave sm.
landier sm.
langage sm. ; ***langagier, ère*** adj.
lange sm. ; ***langer*** vt.
langoureusement adv. ; ***langoureux, euse*** adj.
langouste sf. ; ***langoustier, ère*** sm. *et* sf. ; ***langoustine*** sf.
langue sf.
langue-de-boeuf sf. (pl. *langues-de-boeuf*).
langue-de-chat sf. (pl. *langues-de-chat*).
languette sf.
langueur sf. ; ***languide*** adj. ; ***languir*** vi. ; ***languissamment*** adv. ; ***languissant, e*** adj.
lanière sf.
lanoline sf.
lansquenet sm.
lanterne sf. ; ***lanterner*** vi. *et* vt. ; ***lanterneau ou lanternon*** sm.
lanthane sm.
laotien, enne adj. *et* s.
lapalissade sf.
laparotomie sf.
lapement sm. ; ***laper*** vi. *et* vt.
lapereau sm.
lapidaire sm. *et* adj. ; ***lapidation*** sf. ; ***lapider*** vt. ; ***lapidifier*** vt.
lapilli sm. pl.
lapin, e s. ; ***lapiner*** vi.
lapis-lazuli sm.
lapon, onne adj. *et* s.
laps sm.
lapsus sm.
laquage sm.
laquais sm.
laquer sm.
laque sf. ; ***laquer*** vt. ; ***laqueur*** sm.
larcin sm.
lard sm. ; ***larder*** vt. ; ***lardoire*** sf. ; ***lardon*** sm.
lare sm.
largable adj.
large adj. *et* sm. ; ***largement*** adv. ; ***largesse*** sf. (générosité) ; ***largeur*** sf. (dimension).
larghetto adv. *et* sm. (ital.) ; ***largo*** adv. *et* sm. (ital.).
larguer vt.
larigot (à tire) loc. adv.
larme sf. ; ***larmier*** sm. ; ***larmoiement*** sm. ; ***larmoyant, e*** adj. ; ***larmoyer*** vi.
larron, onne s.
larvaire adj. ; ***larve*** sf. ; ***larvé, e*** adj. (insidieux).
laryngé, e adj. ; ***laryngien, enne*** adj. ; ***laryngite*** sf. ; ***laryngologie*** sf. ; ***laryngologue ou laryngologiste*** s. ; ***laryngoscope*** sm. ; ***laryngoscopie*** sf. ; ***laryngotomie*** sf. ; ***larynx*** sm.
las ! intj.
las, lasse adj.
lasagne sf.
lascar sm.
lascif, ive adj. ; ***lascivement*** adv. ; ***lasciveté ou lascivité*** sf.
laser sm.
lassant, e adj. ; ***lasser*** vt. — ***(se)*** vpr. ; ***lassitude*** sf.
lasso sm.
Latex sm. (nom déposé).
latence sf. ; ***latent, e*** adj.
latéral, e, aux adj. ; ***latéralement*** adv.
latérite sf.
latex sm.
latifundia (lat.) *ou* **latifundi** (ital.) sm. pl.
latin, e adj. *et* s. ; ***latiniser*** vt. ; ***latinisme*** sm. ; ***latiniste*** s. ; ***latinité*** sf. ; ***latino-américain, e*** adj.
latitude sf.
latrines sf. pl.
lattage sm. ; ***latte*** sf. ; ***latter*** vt. ; ***lattis*** sm.
laudanum sm.
laudatif, ive adj.
laudes sf. pl.
lauracées sf. pl.
lauréat, e s. *et* adj.
laurier sm. ; ***laurier-rose*** sm. (pl. *lauriers-roses*) ; ***laurier-sauce*** (pl. *lauriers-sauce*) ; ***laurier-tin*** (pl. *lauriers-tins*).
lavable adj.
lavabo sm. (pl. *lavabos*).
lavage sm.
lavallière sf. *et* adj. inv.
lavande sf.
lavandière sf.
lavaret sm.
lavasse sf.

lave sf.
lavé, e adj.
lave-glace sm. (pl. *lave-glaces*).
lave-mains sm. inv.
lavement sm. ; *laver* vt. ; *laverie* sf. ; *lavette* sf. ; *laveur, euse* s. ; *lavis* sm. ; *lavoir* sm. ; *lavure* sf.
laxatif, ive adj. *et* sm.
laxisme sm. (morale) ; *laxiste* adj. *et* s. ; *laxité* sf. (physique).
layer vt.
layette sf.
layon sm.
lazaret sm.
lazariste sm.
lazzi sm. (pl. *lazzi* ou *lazzis*).
le, la, les art. *ou* pr.
lé sm.
leader sm. (angl.).
leasing sm. (angl.).
lebel sm.
lécanore sf.
léchage sm. ; *lèche* sf. ; *léché, e* adj. ; *lèchefrite* sf. ; *lécher* vt. ; *lécheur, euse* s. ; *lèche-vitrines* sm.
lecithine sf.
leçon sf.
lecteur, trice s. ; *lecture* sf.
lécythe sm.
légal, e, aux adj. ; *légalement* adv. ; *légalisation* sf. ; *légaliser* vt. ; *légalisme* sm. ; *légalité* sf.
légat sm.
légataire s.
légation sf.
legato adv. (ital.).
légendaire sm. *et* adj. ; *légende* sf.
léger, ère adj. ; *légèrement* adv. ; *légèreté* sf.
légiférer vi.
légion sf. ; *légionnaire* sm.
législateur, trice s. ; *législatif, ive* adj. ; *législation* sf. ; *législature* sf.
légiste sm.
légitimation sf. ; *légitime* adj. ; *légitimement* adv. ; *légitimer* vt. ; *légitimiste* s. *et* adj. ; *légitimité* sf.
legs sm. ; *léguer* vt.
légume sm. ; *légumier* sm. ; *légumineuses* sf. pl.
leitmotiv sm. (pl. *leitmotive*).
lemme sm.
lémuriens sm. pl.
lendemain sm.
lénifiant, ante adj. ; *lénifier* vt.
léninisme sm.
lénitif, ive adj.
lent, e adj.
lente sf.
lentement adv. ; *lenteur* sf.
lenticulaire adj. *ou* **lentiforme** adj.
lentigo sm.
lentille sf.
lentisque sm.
lento adv. (ital.).
léonin, e adj.
léopard sm.
lépidoptère sm.
lépiote sf.
léporidé sm.
lèpre sf. ; *lépreux, euse* s. *et* adj. ; *léproserie* sf.
lequel, laquelle pr. rel. (pl. *lesquels, lesquelles*).
lérot sm.
lesbien, enne adj. *et* s.
lèse adj. f. *(lèse-majesté)* ; *léser* vt.
lésine sf. ; *lésiner* vt.
lésion sf.
lessivage sm. ; *lessive* sf. ; *lessiver* vt. ; *lessiveuse* sf.
lest sm. ; *lestage* sm.
leste adj. ; *lestement* adv.
lester vt.
létal, e, aux adj.
léthargie sf. ; *léthargique* adj.
letton, onne adj. *et* s.
lettre sf. ; *lettré, e* adj. *et* sm.
lettrine sf.
lettrisme sm.
leu sm. *(à la queue leu leu)*.
leu sm. (pl. *lei*) (monnaie).
leucémie sf. ; *leucémique* adj.
leucocyte sm. ; *leucocytose* sf.
leucorrhée sf.
leur adj. poss. m. *et* f. (pl. *leurs*). *et* pr. 3e pers. m. *et* f. pl.
leurre sm. ; *leurrer* vt.
levage sm.
levain sm.
levant sm. *et* adj. m. ; *levantin, e* adj. *et* s.
levé, e adj. *et* sm. ; *levée* sf. ; *lever* sm. ; *lever* vt. *et* vi. — *(se)* vpr. ; *levier* sm.
léviger vt.
lévirat sm.
lévitation sf.
lévite sm. (prêtre) *et* sf. (redingote).
lévogyre adj.
levraut sm.
lèvre sf.

levrette sf.
lévrier sm.
levure sf.
lexical, aux adj. ; *lexicographe* sm. ; *lexicographie* sf. ; *lexicographique* adj. ; *lexicologie* sf. ; *lexicologique* adj. ; *lexicologue* sm. ; *lexique* sm.
lez *ou* **lès** prép.
lézard sm. ; *lézarde* sf. ; *lézardé, e* adj. ; *lézarder* vt. — *(se)* vpr.
liage sm. ; *liaison* sf. ; *liaisonner* vt.
liane sf.
liant, e adj. *et* sm.
liard sm.
lias sm. ; *liasique* adj.
liasse sf.
libanais, aise adj. *et* s.
libation sf.
libelle sm. ; *libellé* sm. ; *libeller* vt.
libellule sf.
liber sm.
libéral, e, aux adj. ; *libéralement* adv. ; *libéralisation* sf. ; *libéraliser* vt. ; *libéralisme* sm. ; *libéralité* sf.
libérateur, trice adj. *et* s. ; *libération* sf. ; *libératoire* adj. ; *libéré, e* adj. *et* s. ; *libérer* vt. — *(se)* vpr.
libertaire sm. ; *liberté* sf.
libertin, e adj. *et* s. ; *libertinage* sm.
libidineux, euse adj. ; *libido* sf.
libraire s. ; *librairie* sf.
libre adj.
libre-échange sm. ; *libre-échangiste* sm. *et* adj. (pl. *libre-échangistes*).
librement adv.
libre-service sm. (pl. *libres-services*).
librettiste sm.
libyen, enne adj. *et* s.
lice sf. *(entrer en —).*
licence sf. ; *licencié, e* s. ; *licenciement* sm. ; *licencier* vt. ; *licencieusement* adv. ; *licencieux, euse* adj.
lichen sm.
lichette sf.
licitation sf.
licite adj.
licol *ou* **licou** sm.
licorne sf.
licteur sm.
lie sf. ; *lie-de-vin* adj. inv.
lied sm. (pl. *lieds* ou *lieder*).
liège sm.
liégeois, oise adj.*et* s.
lien sm.
lier vt.
lierre sm.
liesse sf.
lieu sm. (endroit ; poisson).
lieu-dit sm. (pl. *lieux-dits*).
lieue sf. (distance).
lieur sm. ; *lieuse* sf.
lieutenant sm.
lièvre sm.
liftier sm.
ligament sm. ; *ligamenteux, euse* adj.
ligature sf. ; *ligaturer* vt.
lige adj. *(homme —).*
lignage sm. ; *ligne* sf. ; *lignée* sf.
ligneux, euse adj. ; *lignifier (se)* vpr. ; *lignite* sm.
ligoter vt.
ligue sf. ; *liguer* vt. — *(se)* vpr. ; *ligueur, euse* s.
ligurien, enne adj.
lilas sm.
liliacée sf.
lilliputien, enne adj.
limace sf. ; *limaçon* sm.
limage sm. ; *limaille* sf.
limande sf.
limbe sm. ; *limbes* sm. pl.
lime sf. ; *limer* vt. ; *limeur, euse* adj.
limicole adj.
limier sm.
liminaire adj.
limitatif, ive adj. ; *limitation* sf. ; *limitativement* adv. ; *limite* sf. ; *limiter* vt.
limitrophe adj.
limnée sf.
limogeage sm. ; *limoger* vt.
limon sm.
limonade sf. ; *limonadier, ère* s.
limoneux, euse adj.
limousine sf.
limpide adj. ; *limpidité* sf.
lin sm.
linceul sm.
linçoir sm.
linéaire adj.
linéament sm.
linéarité sf.
linge sm. ; *lingère* sf. ; *lingerie* sf.
lingot sm. ; *lingotière* sf.
lingual, e, aux adj. ; *linguiste* s. ; *linguistique* sf. *et* adj.
linier, ère adj. *et* sf.
liniment sm.
linoléum sm.
linon sm.
linotte sf.
Linotype sf. (nom déposé) ; *linoty-*

piste s.
linteau sm.
lion, lionne s. ; *lionceau* sm.
lipide sm.
lipome sm.
liposoluble adj.
lippe sf. ; *lippée* sf. ; *lippu, e* adj.
liquéfaction sf. ; *liquéfiable* adj. ; *liquéfier* vt.
liqueur sf.
liquidable adj.
liquidateur, trice s. *et* adj. ; *liquidatif, ive* adj. ; *liquidation* sf.
liquide adj. *et* sm. ; *liquider* vt. ; *liquidité* sf.
liquoreux, euse adj. ; *liquoriste* s.
lire sf.
lire vt.
lis *ou* **lys** sm.
lisérage sm. ; *liséré* sm. ; *lisérer* vt.
liseron sm.
liseur, euse s. ; *lisibilité* sf. ; *lisible* adj. ; *lisiblement* adv.
lisière sf.
lissage sm.
lisse adj. *et* sf. (tapisserie).
lisser vt. ; *lisseuse* sf. ; *lissoir* sm.
liste sf.
listeau, listel *ou* **liston** sm.
lit sm.
litanie sf.
litchi *ou* **letchi** sm.
liteau sm.
literie sf.
lithiase sf.
lithiné, ée adj. *et* sm.
lithium sm.
lithographe sm. ; *lithographie* sf. ; *lithographier* vt. ; *lithographique* adj.
lithosphère sf.
litière sf.
litige sm. ; *litigieux, euse* adj.
litote sf.
litre sm. (mesure) *et* sf. (tissu).
litron sm.
littéraire adj. *et* s. ; *littérairement* adv.
littéral, e, aux adj. (exact) ; *littéralement* adv.
littérateur sm. ; *littérature* sf.
littoral, e, aux adj. *et* sm.
liturgie sf. ; *liturgique* adj.
livarot sm.
livide adj. ; *lividité* sf.
living sm. (angl.).
livrable adj. ; *livraison* sf.
livre sm. *et* sf.
livrée sf.
livrer vt.
livresque adj. ; *livret* sm.
livreur, euse s. *et* adj.
llanos sm. pl.
lloyd sm.
lob sm. (tennis).
lobby sm. (pl. *lobbies*).
lobe sm. (anatomie) ; *lobé, e* adj. ; *lobotomie* sf. ; *lobule* sm.
local, e, aux adj. *et* sm. ; *localement* adv. ; *localisable* adj. ; *localisation* sf. ; *localisé, e* adj. ; *localiser* vt. ; *localité* sf.
locataire s. ; *locatif, ive* adj. ; *location* sf.
loch sm.
loche sf.
lock-out sm. inv. (angl.).
locomoteur, trice adj. ; *locomotion* sf. ; *locomotive* sf. ; *locomotrice* sf.
locotracteur sm.
locution sf.
loden sm.
lœss sm.
lof sm. ; *lofer* vi.
logarithme sm. ; *logarithmique* adj.
loge sf. ; *logeable* adj. ; *logement* sm. ; *loger* vi. *et* vt. ; *logeur, euse* s.
loggia sf.
logicien, enne s. ; *logicisme* sm. ; *logique* sf. *et* adj. ; *logiquement* adv.
logis sm.
logistique sf.
logographe sm.
logogriphe sm.
logomachie sf.
logorrhée sf.
loi sf.
loi-cadre sf. (pl. *lois-cadres*).
loin adv. ; *lointain, e* adj. *et* sm.
loir sm.
loisible adj. ; *loisir* sm.
lombaire adj. ; *lombalgie* sf.
lombard, e adj. *et* s.
lombes sm. pl.
lombric sm.
londrès sm.
long, longue adj.
longanimité sf.
long-courrier sm. (pl. *long-courriers*).
longe sf. ; *longer* vt. ; *longeron* sm.
longévité sf.

longicorne adj. et sm.
longiligne adj.
longitude sf. ; *longitudinal, e, aux* adj. ; *longitudinalement* adv.
longtemps adv.
longuement adv. ; *longuet, ette* adj. *et* sm. ; *longueur* sf.
longue-vue sf. (pl. *longues-vues*).
looping sm. (angl.).
lopin sm.
loquace adj. ; *loquacité* sf.
loque sf.
loquet sm. ; *loqueteau* sm.
loqueteux, euse adj.
lord sm.
lord-maire sm. (pl. *lords-maires*).
lordose sf.
lorette sf.
lorgner vt. ; *lorgnette* sf. ; *lorgnon* sm.
loriot sm.
lorry sm. (pl. *lorries*).
lors adv.
lorsque conj.
losange sm.
lot sm. ; *loterie* sf. ; *loti, e* adj.
lotion sf. ; *lotionner* vt.
lotir vt. ; *lotissement* sm. ; *lotisseur, euse* s.
loto sm.
lotte sf.
lotus sm.
louable adj.
louage sm.
louange sf. ; *louanger* vt. ; *louangeur, euse* s. *et* adj.
loubar (d) sm.
louche adj. *et* sm.
louche sf.
loucher vi. ; *loucherie* sf. ; *loucheur, euse* s.
louer vt. ; *loueur, euse* s.
loufoque adj. *et* s. ; *loufoquerie* sf.
louis sm.
louise-bonne sf. (pl. *louises-bonnes*).
louis-philippard, e adj.
loukoum sm.
loulou sm.
loup sm.
loup-cervier, loup-cerve s. (pl. *loups-cerviers, loups-cerves*).
loupe sf.
louper vt.
loup-garou sm. (pl. *loups-garous*).
loupiot sm.
lourd, e adj. ; *lourdaud, e* adj. *et* s. ; *lourdement* adv. ; *lourdeur* sf.
lourer vt.
loustic sm.
loutre sf.
louve sf. ; *louveteau* sm. ; *louveter* vi. ; *louveterie* sf. ; *louvetier* sm.
louvoiement sm. ; *louvoyer* vi.
lover vt. — *(se)* vpr.
loxodromie sf.
loyal, e, aux adj. ; *loyalement* adv. ; *loyalisme* sm. (fidélité) ; *loyauté* sf. (probité).
loyer sm.
lubie sf.
lubricité sf.
lubrifiant, e adj. *et* sm. ; *lubrification* sf. ; *lubrifier* vt.
lubrique adj. ; *lubriquement* adv.
lucane sm.
lucarne sf.
lucernaire sm. (liturgie) *et* sf. (méduse).
lucide adj. ; *lucidement* adv. ; *lucidité* sf.
luciole sf.
lucratif, ive adj. ; *lucre* sm.
ludion sm. ; *ludique* adj.
luette sf.
lueur sf.
luge sf.
lugubre adj. ; *lugubrement* adv.
lui pr. 3ᵉ pers. sing. m. *et* f. (pl. *leur*).
luire vi. ; *luisant, e* adj.
lumbago sm.
lumen sm.
lumière sf.
lumignon sm.
luminaire sm.
luminescence sf. ; *luminescent, e* adj.
lumineusement adv. ; *lumineux, euse* adj. ; *luminosité* sf.
lunaire adj. *et* sf. (fleur) ; *lunaison* sf. ; *lunatique* adj.
lunch sm.
lundi sm.
lune sf. ; *luné, e* adj.
lunetier sm. ; *lunette* sf. ; *lunetterie* sf.
lunule sf.
lupanar sm.
lupin sm.
lupus sm.
lurette (belle) loc.
luron, onne s.
lusitanien, enne adj. *et* s.
lustrage sm.

lustral, e, aux adj.
lustre sm.
lustrer vt.
lustrerie sf.
lustrine sf.
lutécium sm.
luth sm.
luthéranisme sm.
lutherie sf.
luthérien, enne adj. *et* s.
luthier sm.
lutin, e adj. *et* sm. ; ***lutiner*** vt. *et* vi.
lutrin sm.
lutte sf. ; ***lutter*** vi. ; ***lutteur, euse*** s.
lux sm.
luxation sf.
luxe sm.
luxembourgeois, e adj. *et* s.
luxer vt.
luxueusement adv. ; ***luxueux, euse*** adj.
luxure sf.
luxuriance sf. ; ***luxuriant, e*** adj.
luxurieux, euse adj.
luzerne sf.
lycanthrope sm. ; ***lycanthropie*** sf.
lycée sm. ; ***lycéen, enne*** s.
lycoperdon sm.
lydien, enne adj. *et* s.
lymphatique adj. ; ***lymphatisme*** sm. ; ***lymphe*** sf.
lymphocyte sm.
lynchage sm. ; ***lyncher*** vt.
lynx sm.
lyonnais, e adj. *et* s.
lyophilisation sf. ; ***lyophiliser*** vt.
lyre sf. ; ***lyrique*** adj. ; ***lyrisme*** sm.
lyse sf.
lysergique adj.
lysine sf.

M

ma adj. poss. f.
maboul, e adj. *et* s.
macabre adj.
macache adv.
macadam sm. ; *macadamiser* vt.
macaque sm.
macaron sm.
macaroni sm. inv. (ital.).
macaronique adj.
macassar sm.
macchabée sm.
macédoine sf.
macérateur adj. *et* sm. ; *macération* sf. ; *macérer* vt. *et* vi.
macfarlane sm.
mach sm.
machaon sm.
mâche sf.
mâchefer sm.
mâcher vt.
machette sf.
machiavélique adj. ; *machiavélisme* sm.
mâchicoulis sm.
machin, e s. ; *machinal, e, aux* adj. ; *machinalement* adv. ; *machinateur, trice* s. ; *machination* sf. ; *machine* sf. ; *machiné, e* adj. ; *machine-outil* sf. (pl. *machines-outils*) ; *machiner* vt. ; *machinerie* sf. ; *machinisme* sm. ; *machiniste* sm.
mâchoire sf. ; *mâchonnement* sm. ; *mâchonner* vt.
mâchure sf. ; *mâchurer* vt.
maçon sm. ; *maçonne* adj. f. *(mouche —) ; maçonnage* sm. ; *maçonner* vt. ; *maçonnerie* sf. ; *maçonnique* adj.
macramé sm.
macreuse sf.
macrobiotique adj. et sf.
macrocéphale adj. *et* sm.
macrocosme sm.
macromolécule sf.
macrophotographie sf.
macroscopique adj.
macrostructure sf.
macroure sm.
maculage sm. ; *maculature* sf. ; *macule* sf. ; *maculer* vt. *et* vi.
madame sf. (pl. *mesdames*).
madeleine sf.
mademoiselle sf. (pl. *mesdemoiselles*).
madère sm. ; *madériser* vt. — *(se)* vpr.
madone sf.
madrague sf.
madras sm.
madré, e adj. *et* s.
madrépore sm.
madrier sm.
madrigal sm. (pl. *madrigaux*).
madrilène adj. *et* s.
maëlstrom *ou* **malstrom** sm.
maestoso adv. (ital.).
maestria sf. ; *maestro* sm. (pl. *maestros*).
maffia *ou* **mafia** sf.
mafflé, e *ou* **mafflu, e** adj.
magasin sm. ; *magasinage* sm. ; *magasinier* sm.
magazine sm.
magdalénien, enne adj. *et* sm.
mage sm.
maghrébin, e adj. *et* s.
magicien, enne s. ; *magie* sf. ; *magique* adj. ; *magiquement* adv.
magistère sm.
magistral, e, aux adj. ; *magistralement* adv.
magistrat sm. ; *magistrature* sf.
magma sm.
magnanarelle sf. ; *magnanerie* sf. ; *magnanier, ère* s.
magnanime adj. ; *magnanimement* adv. ; *magnanimité* sf.
magnat sm.
magnésie sf.
magnésium sm.
magnétique adj. ; *magnétiquement* adv. ; *magnétisable* adj. ; *magnétisation* sf. ; *magnétiser* vt. ; *magnétiseur, euse* s. ; *magnétisme* sm. ; *magnétite* sf. ; *magnéto* sf. ; *magnéto-électrique* adj. (pl. *magnéto-électriques) ; magnétomètre* sm. ; *magnétophone* sm. ; *magnétoscope* sm.
magnificat sm. inv. (lat.).
magnificence sf.
magnifier vt. ; *magnifique* adj. ; *magnifiquement* adv.
magnitude sf.
magnolia sm.
magnum sm.
magot sm.

magyar, e adj. *et* s.
maharaja *ou* **maharadjah** sm. inv. (*une maharani* inv.).
mahatma sm.
mah-jong sm.
mahométan, e adj. *et* s.
mai sm.
maie sf.
maïeutique sf.
maigre adj. *et* sm. ; *maigrelet, ette* adj. ; *maigrement* adv. ; *maigreur* sf. ; *maigrichon, onne ou maigriot, otte* adj. ; *maigrir* vi. *et* vt.
mail sm.
maillage sm. ; *maille* sf.
maillechort sm.
mailler vi. *et* vt.
maillet sm.
mailloche sf.
maillon sm.
maillot sm.
main sf.
mainate sm.
main-d'œuvre sf. (pl. *mains-d'œuvre*).
main-forte sf.
mainlevée sf.
mainmise sf.
maint, e adj.
maintenance sf.
maintenant adv.
maintenir vt. ; *maintien* sm.
maire sm. ; *mairie* sf.
mais conj. *et* adv.
maïs sm.
maison sf. ; *maisonnée* sf. ; *maisonnette* sf.
maistrance sf.
maître sm.
maître-à-danser sm.
maître-autel sm. (pl. *maîtres-autels*).
maîtresse sf.
maîtrisable adj. ; *maîtrise* sf. ; *maîtriser* vt.
majesté sf. ; *majestueusement* adv. ; *majestueux, euse* adj.
majeur, e adj.
majolique *ou* **maïolique** sf.
major sm.
majoration sf.
majordome sm.
majorer vt.
majorette sf.
majoritaire adj. ; *majorité* sf.
majuscule sf. *et* adj.
maki sm.
mal sm. (pl. *maux*), adv. *et* adj. *(male mort, mal an).*
malachite sf.
malacologie sf.
malade adj. *et* s. ; *maladie* sf. ; *maladif, ive* adj. ; *maladivement* adv.
maladrerie sf.
maladresse sf. ; *maladroit, e* adj. *et* s. ; *maladroitement* adv.
malaga sm.
malaire adj. *(os —).*
malais, e adj. *et* s.
malaise sm. ; *malaisé, e* adj. ; *malaisément* adv.
malandrin sm.
malappris, e adj. *et* s.
malaria sf.
malavisé, e adj.
malaxage sm. ; *malaxer* vt. ; *malaxeur* sm.
malchance sf. ; *malchanceux, euse* adj.
malcommode adj.
maldonne sf.
mâle adj. *et* sm.
malédiction sf.
maléfice sm. ; *maléfique* adj.
malencontreusement adv. ; *malencontreux, euse* adj.
mal-en-point loc. adv.
malentendu sm.
malfaçon sf.
malfaisant, e adj. ; *malfaiteur, trice* s.
malfamé, e *ou* **mal famé** adj.
malformation sf.
malfrat sm.
malgache adj. *et* s.
malgracieux, euse adj.
malgré prép.
malhabile adj. ; *malhabilement* adv.
malheur sm. ; *malheureusement* adv. ; *malheureux, euse* adj.
malhonnête adj. *et* s. ; *malhonnêtement* adv. ; *malhonnêteté* sf.
malice sf. ; *malicieusement* adv. ; *malicieux, euse* adj.
malignement adv. ; *malignité* sf. ; *malin, maligne* adj. *et* s.
malingre adj.
malinois sm.
malintentionné, e adj. *et* s.
malle sf.
malléabilité sf. ; *malléable* adj.
malléole sf.
mallette sf.

malmener vt.
malnutrition sf.
malodorant, ante adj.
malotru, e adj. *et* s.
malouin, e adj. *et* s.
malpropre adj. *et* s. ; ***malproprement*** adv. ; ***malpropreté*** sf.
malsain, e adj.
malséant, e adj.
malsonnant, e adj.
malt sm. ; ***maltage*** sm.
maltais, e adj. *et* s.
malthusianisme sm. ; ***malthusien, enne*** adj. *et* s.
maltose sf.
maltraiter vt.
malvacées sf. pl.
malveillance sf. ; ***malveillant, e*** adj. *et* s.
malvenu, e adj.
malversation sf.
malvoisie sf.
maman sf.
mambo sm. (danse) *et* sf. (vaudou).
mamelle sf. ; ***mamelon*** sm. ; ***mamelonné, e*** adj.
mameluk *ou* **mamelouk** sm.
mammaire adj. ; ***mammifère*** adj. *et* sm. ; ***mammite*** sf.
mammouth sm.
mana sm.
manade sf.
management sm. ; ***manager*** sm. (angl.).
manant sm.
manche sm. (outil).
manche sf. (vêtement).
mancheron sm.
manchette sf.
manchon sm.
manchot sm.
manchot, e adj. *et* s.
mancie sf.
mandant sm.
mandarin sm. ; ***mandarinat*** sm.
mandarine sf. ; ***mandarinier*** sm.
mandat sm. ; ***mandataire*** s. ; ***mandat-carte*** sm. (pl. *mandats-cartes*) ; ***mandat-lettre*** sm. (pl. *mandats-lettres*) ; ***mandatement*** sm. ; ***mandater*** vt.
mandchou, e adj. *et* s.
mandement sm.
mander vt.
mandibule sf.
mandoline sf.
mandorle sf.
mandragore sf.
mandrill sm.
mandrin sm.
manducation sf.
manécanterie sf.
manège sm.
mânes sm. pl.
manette sf.
manganate sm. ; ***manganèse*** sm.
mangeable adj. ; ***mangeaille*** sf. ; ***mangeoire*** sf. ; ***manger*** vt. *et* sm. ; ***mange-tout*** sm. inv. ; ***mangeur, euse*** s.
mangle sf. ; ***manglier*** sm.
mangoustan sm.
mangouste sf.
mangrove sf.
mangue sf. ; ***manguier*** sm.
maniabilité sf. ; ***maniable*** adj.
maniaco-dépressif, ive adj. *et* s. ; ***maniaque*** adj. *et* s. ; ***maniaquerie*** sf.
manichéen, enne s. ; ***manichéisme*** sm.
manie sf.
maniement sm. ; ***manier*** vt.
manière sf. ; ***maniéré, e*** adj. ; ***maniérisme*** sm. ; ***maniériste*** s.
manieur sm.
manifestant, e s. ; ***manifestation*** sf.
manifeste adj. *et* sm. ; ***manifestement*** adv. ; ***manifester*** vt. — ***(se)*** vpr.
manifold sm. (angl.).
manigance sf. ; ***manigancer*** vt.
manille sf. *et* sm. ; ***manillon*** sm.
manioc sm.
manipulateur sm. ; ***manipulation*** sf. ; ***manipuler*** vt.
manitou sm.
manivelle sf.
manne sf.
mannequin sm.
manœuvrable adj. ; ***manœuvre*** s. ; ***manœuvrer*** vt. *et* vi. ; ***manœuvrier, ère*** adj. *et* s. (habile).
manoir sm.
manomètre sm.
manouvrier, ère s.
manquant, e adj. *et* s. ; ***manque*** sm. ; ***manqué, e*** adj. ; ***manquement*** sm. ; ***manquer*** vt. *et* vi.
mansarde sf. ; ***mansardé, e*** adj.
manse sm. (exploitation).
mansuétude sf.
mante sf. (insecte, vêtement).

manteau sm. ; ***mantelé, ée*** adj. ; ***mantelet*** sm.
mantille sf.
mantisse sf.
manucure s. ; ***manucurer*** vt.
manuel sm. ; ***manuel, elle*** adj. *et* s. ; ***manuellement*** adv.
manufacturable adj. ; ***manufacture*** sf. ; ***manufacturer*** vt. ; ***manufacturier, ère*** s.
manu militari loc. adv. (lat.).
manuscrit, e adj. *et* sm.
manutention sf. ; ***manutentionnaire*** s. ; ***manutentionner*** vt.
manuterge sm.
manzanilla sm.
maoïsme sm. ; ***maoïste*** adj.
mappemonde sf.
maquereau sm.
maquette sf. ; ***maquettiste*** s.
maquignon sm. ; ***maquignonnage*** sm. ; ***maquignonner*** vt.
maquillage sm. ; ***maquiller*** vt. — ***(se)*** vpr. ; ***maquilleur, euse*** adj. *et* s.
maquis sm. ; ***maquisard*** sm.
marabout sm.
maracas sm. pl.
maraîcher, ère adj. *et* s.
marais sm.
marasme sm.
marasquin sm.
marathon sm.
marâtre sf.
maraud, e s. ; ***maraudage*** sm. ; ***maraude*** sf. ; ***marauder*** vi. ; ***maraudeur, euse*** s.
maravédis sm.
marbre sm. ; ***marbré, e*** adj. ; ***marbrer*** vt. ; ***marbrerie*** sf. ; ***marbreur, euse*** s. ; ***marbrier*** sm. ; ***marbrière*** sf. ; ***marbrure*** sf.
marc sm.
marcassin sm.
marchand, e s. *et* adj. ; ***marchandage*** sm. ; ***marchander*** vt. *et* vi. ; ***marchandeur, euse*** s. ; ***marchandise*** sf.
marche sf.
marché sm.
marchepied sm.
marcher vi. ; ***marcheur, euse*** s. *et* adj.
marcottage sm. ; ***marcotte*** sf. ; ***marcotter*** vt.
mardi sm.
mare sf.
marécage sm. ; ***marécageux, euse*** adj.
maréchal sm. (pl. *maréchaux*) ; ***maréchalat*** sm. ; ***maréchale*** sf. ; ***maréchalerie*** sf. ; ***maréchaussée*** sf.
marée sf.
marelle sf.
marémoteur, trice adj.
marengo sm. *et* adj. inv.
marennes sf.
mareyage sm. ; ***mareyeur, euse*** s.
margarine sf.
marge sf.
margelle sf.
marger vt. ; ***margeur*** sm. ; ***marginal, e, aux*** adj. ; ***marginalisation*** sf. ; ***marginaliser*** vt. ; ***marginalisme*** sm. ; ***marginalité*** sf.
margoter, margauder *ou* **margotter** vt.
margoulin sm.
margrave sm.
marguerite sf.
marguillier sm.
mari sm. (époux) ; ***mariable*** adj. ; ***mariage*** sm.
marial, e adj.
marié, e s. ; ***marier*** vt. — ***(se)*** vpr.
marie-salope sf. (pl. *maries-salopes*).
marieur, euse s.
marigot sm.
marihuana *ou* **marijuana** sf.
marin, e adj. *et* sm.
marinade sf.
marine sf. (arme) *et* sm. (soldat).
mariner vt.
marinier, ère adj. *et* sm.
mariol *ou* **mariolle** adj. *et* s.
marionnette sf. ; ***marionnettiste*** s.
mariste sm.
marital, e, aux adj. ; ***maritalement*** adv.
maritime adj.
marivaudage sm. ; ***marivauder*** vi.
marjolaine sf.
mark sm.
marketing sm. (angl.).
marlou sm.
marmaille sf.
marmelade sf.
marmite sf. ; ***marmiton*** sm.
marmonner vt.
marmoréen, enne adj.
marmot sm.
marmotte sf.
marmottement sm. ; ***marmotter*** vt.
marmouset sm.
marne sf. ; ***marner*** vt. ; ***marneux, euse*** adj. ; ***marnière*** sf.

marocain, e s. *et* adj.
marolles *ou* **maroilles** sm.
maronite s. *et* adj.
maronner vi. *et* vt.
maroquin sm. ; ***maroquiner*** vt. ; ***maroquinerie*** sf. ; ***maroquinier*** sm.
marotte sf.
marouflage sm. ; ***maroufler*** vt.
marquage sm. ; ***marquant, e*** adj. ; ***marque*** sf. ; ***marqué, e*** adj. ; ***marquer*** vt. *et* vi.
marqueter vt. ; ***marqueterie*** sf.
marqueur sm.
marquis sm. ; ***marquisat*** sm. ; ***marquise*** sf.
marraine sf.
marrant, e adj. ; ***marre (avoir)*** loc. verbale ; ***marrer (se)*** vpr.
marri, ie adj. (navré).
marron sm. *et* adj. inv. (couleur).
marron, onne adj. *et* s. (fugitif).
marronnier sm.
mars sm.
marsala sm.
marseillais, e adj. *et* s.
marsouin sm.
marsupial, e, aux adj. ; ***marsupiaux*** sm. pl.
marteau sm.
marteau-pilon sm. (pl. *marteaux-pilons*).
martel sm.
martelage sm. (technique) ; ***martèlement*** sm. (bruit) ; ***marteler*** vt. ; ***marteleur*** adj. *et* sm.
martial, e, aux adj. ; ***martialement*** adv.
martien, enne s. *et* adj.
martinet sm.
martingale sf.
martin-pêcheur sm. (pl. *martins-pêcheurs*).
martre *ou* **marte** sf.
martyr, e s. *et* adj. (personne) ; ***martyre*** sm. (souffrance) ; ***martyriser*** vt. ; ***martyrologe*** sm.
marxisant, e adj. ; ***marxisme*** sm. ; ***marxisme-léninisme*** sm. ; ***marxiste*** s. *et* adj.
maryland sm.
mas sm. (ferme).
mascarade sf.
mascaret sm.
mascotte sf.
masculin, e adj. *et* sm. ; ***masculiniser*** vt. ; ***masculinité*** sf.
masochisme sm. ; ***masochiste*** adj. *et* s.
masque sm. ; ***masqué, e*** adj. ; ***masquer*** vt.
massacrant, e adj. ; ***massacre*** sm. ; ***massacrer*** vt. ; ***massacreur*** sm.
massage sm.
masse sf.
masselotte sf.
massepain sm.
masser vt. — ***(se)*** vpr.
masséter sm.
massette sf.
masseur, euse s.
massicot sm.
massif, ive adj. *et* sm. ; ***massivement*** adv.
mass média sm. pl. (francisé en *masses-médias*).
massue sf.
mastic sm. ; ***masticage*** sm. ; ***masticateur*** sm. *et* adj. ; ***mastication*** sf. ; ***masticatoire*** adj. *et* sm. ; ***mastiquer*** vt.
mastoc adj. inv. *et* sm.
mastodonte sm.
mastoïde adj. ; ***mastoïdite*** sf.
mastroquet sm.
masturbation sf. ; ***masturber*** vt. — ***(se)*** vpr.
m'as-tu-vu sm. inv.
masure sf.
mat, e adj. *et* sm.
mât sm. (navire).
matador sm.
matamore sm.
match sm. (pl. *matches* ou *matchs*).
maté sm.
matelas sm. ; ***matelasser*** vt. ; ***matelassier, ère*** s. ; ***matelassure*** sf.
matelot sm. ; ***matelotage*** sm. ; ***matelote*** sf.
mater vt. (dompter ; épier).
mâter vt. (un bateau).
matérialisation sf. ; ***matérialiser*** vt. ; ***matérialisme*** sm ; ***matérialiste*** adj. *et* s. ; ***matérialité*** sf.
matériau sm. (pl. *matériaux*).
matériel, elle adj. *et* sm. ; ***matériellement*** adv.
maternage sm. ; ***maternel, elle*** adj. ; ***maternellement*** adv. ; ***materner*** vt. ; ***maternité*** sf.
mathématicien, enne s. ; ***mathématique*** adj., sf. *et* sf.pl. ; ***mathématiquement*** adv. ; ***matheux, euse*** adj.

et s.
matière sf.
matin sm. (moment).
mâtin sm. (chien) *et* intj.
matinal, e, aux *ou* **als** adj. ; ***matinalement*** adv.
mâtiné, e adj.
matinée sf.
mâtiner vt.
matines sf. pl.
matité sf.
matois, e adj. *et* s.
matou sm.
matraquage sm. ; ***matraque*** sf. ; ***matraquer*** vt.
matras sm.
matriarcal, e, aux adj. ; ***matriarcat*** sm.
matrice sf.
matricide adj. *et* s. (criminel) *et* sm. (crime).
matriciel, elle adj.
matricule sf. (registre) *et* sm. (numéro) ; ***matriculer*** vt.
matrilinéaire adj.
matrimonial, e, aux adj. ; ***matrimonialement*** adv.
matrone sf.
maturation sf.
mâture sf.
maturité sf.
maudire vt. ; ***maudit, e*** adj. *et* s.
maugréer vi.
maure *ou* **more** sm. *et* adj. ; ***mauresque ou moresque*** adj. *et* sf.
mauser sm.
mausolée sm.
maussade adj. ; ***maussadement*** adv. ; ***maussaderie*** sf.
mauvais, e adj.
mauve sm. *et* adj.
mauve sf.
mauviette sf.
maxillaire adj. *et* sm.
maximal, e, aux adj. ; ***maximaliste*** s. *et* adj.
maxime sf.
maximum sm. (pl. *maxima* ou *maximums*).
maxwell sm.
maya adj. *et* s. inv.
mayonnaise sf.
mazagran sm.
mazdéisme sm.
mazette sf. *et* intj.
mazout sm. ; ***mazouter*** vt.
mazurka sf.
me pr. 1re pers. sg. m. *et* f.
mea-culpa sm. inv. (lat.).
méandre sm. ; ***méandreux, euse*** adj.
méat sm.
mec sm.
mécanicien, enne s. *et* adj. ; ***mécanique*** adj. *et* sf. ; ***mécaniquement*** adv. ; ***mécanisation*** sf. ; ***mécaniser*** vt. ; ***mécanisme*** sm. ; ***mécaniste*** adj. ; ***mécano*** sm.
mécanographe adj. *et* s.; ***mécanographie*** sf.
mécanothérapie sf.
mécénat sm. ; ***mécène*** sm.
méchage sm.
méchamment adv. ; ***méchanceté*** sf. ; ***méchant, e*** adj. *et* s.
mèche sf. ; ***mécher*** vt. ; ***mécheux, euse*** adj.
méchoui sm.
mécompte sm.
méconium sm.
méconnaissable adj. ; ***méconnaissance*** sf. ; ***méconnaissant, e*** adj. ; ***méconnaître*** vt. ; ***méconnu, e*** adj.
mécontent, e adj. *et* s. ***mécontentement*** sm. ; ***mécontenter*** vt.
mécréant, e adj. *et* s.
médaille sf. ; ***médaillé, e*** adj. *et* s. ; ***médailler*** vt. ; ***médailleur*** sm. ; ***médaillier*** sm. ; ***médailliste*** sm. ; ***médaillon*** sm.
médecin sm. ; ***médecine*** sf.
média sm. (pl. *médias*).
médial, e, aux adj. ; ***médian, e*** adj. *et* sf.
médiastin sm.
médiat, e adj. ; ***médiateur, trice*** s. ; ***médiation*** sf. ; ***médiatiser*** vt. ; ***médiatrice*** sf.
médical, e, aux adj. ; ***médicalement*** adv.
médicament sm. ; ***médicamenteux, euse*** adj.
médication sf.
médicinal, e, aux adj.
médico-légal, e, aux adj.
médiéval, e, aux adj. ; ***médiéviste*** sm.
médina sf. (arabe).
médiocre adj. ; ***médiocrement*** adv. ; ***médiocrité*** sf.
médire vi. ; ***médisance*** sf. ; ***médisant, e*** adj. *et* s.
méditatif, ive adj. ; ***méditation*** sf. ; ***méditer*** vt. *et* vi.

méditerranéen, enne adj. *et* s.
médium sm. (pl. *médiums*) ; ***médiumnique*** adj.
médius sm.
médoc sm.
médullaire adj.
méduse sf. ; ***méduser*** vt.
meeting sm. (angl.).
méfait sm.
méfiance sf. ; ***méfiant, e*** adj. ; ***méfier (se)*** vpr.
mégacôlon sm.
mégaélectronvolt sm.
mégahertz sm.
mégajoule sm.
mégalithe sm.
mégalomane adj. *et* s. ; ***mégalomanie*** sf.
mégaphone sm.
mégarde sf.
mégatonne sf.
mégawatt sm.
mégère sf.
mégir *ou* **mégisser** vt. ; ***mégisserie*** sf. ; ***mégissier*** sm.
mégot sm. ; ***mégoter*** vi.
méhari sm.
meilleur, e adj. *et* sm.
méiose sf.
méjuger (se) vpr.
mélancolie sf. ; ***mélancolique*** adj. ; ***mélancoliquement*** adv.
mélange sm. ; ***mélanger*** vt. ; ***mélangeur, euse*** s.
mélanine sf. ; ***mélanome*** sm. ; ***mélanose*** sf.
mélasse sf.
melba adj. inv.
mêlée sf. ; ***mêler*** vt. — ***(se)*** vpr.
mélèze sm.
mélilot sm.
méli-mélo sm. (pl. *mélis-mélos*).
mélioratif, ive adj.
mélisse sf.
mellah sm. (arabe).
mellifère adj. ; ***mellification*** sf.
mélodie sf. ; ***mélodieusement*** adv. ; ***mélodieux, euse*** adj. ; ***mélodique*** adj. ; ***mélodiste*** sm.
mélodramatique adj. ; ***mélodrame*** sm.
mélomane s. *et* adj.
melon sm. ; ***melonnière*** sf.
mélopée sf.
membrane sf. ; ***membraneux, euse*** adj.
membre sm. ; ***membré, e*** adj. ; ***membron*** sm. ; ***membru, e*** adj. ; ***membrure*** sf.
même adj. *et* adv.
mémento sm. (pl. *mémentos*).
mémoire sf. (psycho.) *et* sm. (écrit).
mémorable adj.
mémorandum sm. (pl. *mémorandums*).
mémorial, sm. (pl. *mémoriaux*) ; ***mémorialiste*** s.
mémorisation sf. ; ***mémoriser*** vt.
menaçant, e adj. ; ***menace*** sf. ; ***menacer*** vt.
ménade sf.
ménage sm. ; ***ménagement*** sm. ; ***ménager*** vt. ; ***ménager, ère*** adj. *et* sf. ; ***ménagerie*** sf.
mendélien, enne adj.
mendiant, e s. *et* adj. ; ***mendicité*** sf. ; ***mendier*** vt. ; ***mendigot, e*** s.
meneau sm.
menées sf. pl. ; ***mener*** vt.
ménestrel sm. (poète) ; ***ménétrier*** sm. (musicien).
meneur, euse s.
menhir sm.
ménin, e s.
méninge sf. ; ***méningite*** sf. ; ***méningocoque*** sm.
ménisque sm.
ménopause sf.
menotte sf. *et* sf. pl.
mense sf. (revenu).
mensonge sm. ; ***mensonger, ère*** adj. ; ***mensongèrement*** adv.
menstruation sf. ; ***menstruel, elle*** adj. ; ***menstrues*** sf. pl.
mensualisation sf. ; ***mensualiser*** vt. ; ***mensualité*** sf. ; ***mensuel, elle*** adj. ; ***mensuellement*** adv.
mensuration sf.
mental, e, aux adj. ; ***mentalement*** adv. ; ***mentalité*** sf.
menteur, euse s. *et* adj.
menthe sf. (plante) ; ***menthol*** sm. ; ***mentholé, e*** adj.
mention sf. ; ***mentionner*** vt.
mentir vi.
menton sm. ; ***mentonnière*** sf.
mentor sm.
menu sm.
menu, e adj.
menuet sm.
menuiserie sf. ; ***menuisier*** sm.
méphistophélique adj.

méphitisme sm.
méplat, e adj. *et* sm.
méprendre (se) vpr.
mépris sm. ; ***méprisable*** adj. ; ***méprisant, e*** adj.
méprise sf.
mépriser vt.
mer sf.
mercanti sm. ; ***mercantile*** adj. ; ***mercantilisme*** sm.
mercenaire adj. *et* sm.
mercerie sf.
mercerisé adj. m. *(coton —).*
merchandising sm. (angl.).
merci sm. *et* intj. ; ***merci*** sf.
mercier, ère s.
mercredi sm.
mercure sm.
mercuriale sf.
mercurochrome sm.
merde sf. *et* intj. ; ***merdeux, euse*** adj. *et* s. ; ***merdique*** adj.
mère sf.
mère adj. f. *(goutte —).*
méridien, enne adj. *et* s.
méridional, e, aux adj. *et* s.
meringue sf. ; ***meringuer*** vt.
mérinos sm.
merise sf. ; ***merisier*** sm.
méritant, e adj. ; ***mérite*** sm. ; ***mériter*** vt. *et* vi. ; ***méritoire*** adj.
merlan sm.
merle sm. ; ***merlette*** sf.
merlin sm.
merlon sm.
merlu *ou* **merluche** sf.
mérou sm.
mérovingien, enne adj. *et* s.
merrain sm.
merveille sf. ; ***merveilleusement*** adv. ; ***merveilleux, euse*** adj. *et* s.
mérycisme sm.
mes pluriel de *mon, ma.*
mésalliance sf. ; ***mésallier (se)*** vpr.
mésange sf.
mésaventure sf.
mescaline sf.
mésentente sf.
mésestime sf. ; ***mésestimer*** vt.
mésintelligence sf.
mésolithique adj. *et* sm.
méson sm. (atome).
mésopotamien, enne adj. *et* s.
mésosphère sf.
mesquin, e adj. ; ***mesquinement*** adv. ; ***mesquinerie*** sf.
mess sm. (cantine).
message sm. ; ***messager, ère*** s. ; ***messagerie*** sf.
messe sf. (cérémonie).
messianique adj. ; ***messianisme*** sm.
messidor sm.
messie sm.
messire sm.
mesurable adj. ; ***mesurage*** sm. ; ***mesure*** sf. ; ***mesuré, e*** adj. ; ***mesurer*** vt. ; ***mesureur*** sm.
mésusage sm.
métabolisme sm.
métacarpe sm.
métairie sf.
métal sm. (pl. *métaux*).
métalangage sm. *ou* **métalangue** sf.
métaldéhyde sm.
métallifère adj. ; ***métallique*** adj. ; ***métallisation*** sf. ; ***métalliser*** vt.
métalloïde sm.
métallurgie sf. ; ***métallurgique*** adj. ; ***métallurgiste*** sm.
métalogique adj. *et* sf.
métamère adj. *et* sm.
métamorphisme sm.
métamorphose sf. ; ***métamorphoser*** vt.
métaphore sf. ; ***métaphorique*** adj. ; ***métaphoriquement*** adv.
métaphysicien, enne s.
métaphysique sf. *et* adj.
métapsychique adj.
métastase sf.
métatarse sm.
métathèse sf.
métayage sm. ; ***métayer, ère*** s.
métazoaire sm.
métempsycose sf.
météore sm. ; ***météorique*** adj. ; ***météorisation*** sf. *ou* ***météorisme*** sm. ; ***météorite*** sf.
météorologie sf. ; ***météorologique*** adj. ; ***météorologiste*** *ou* ***météorologue*** sm.
métèque sm.
méthane sm. ; ***méthanier*** sm.
méthode sf. ; ***méthodique*** adj. ; ***méthodiquement*** adv. ; ***méthodisme*** sm. ; ***méthodiste*** sm. ; ***méthodologie*** sf.
méthyle sm. ; ***méthylène*** sm. ; ***méthylique*** adj.
méticuleusement adv. ; ***méticuleux, euse*** adj. ; ***méticulosité*** sf.
métier sm.

métis, isse adj. *et* s. ; ***métissage*** sm. ; ***métisser*** vt.
métonymie sf.
métope sf.
métrage sm. ; ***mètre*** sm. ; ***métré*** sm. ; ***métrer*** vt. ; ***métreur*** s. *et* adj. m. ; ***métrique*** adj. *et* sf.
métrite sf.
métro sm.
métrologie sf.
métronome sm.
métropole sf. ; ***métropolitain, e*** adj. *et* sm. ; ***métropolite*** sm.
mets sm.
mettable adj. ; ***metteur*** sm. ; ***mettre*** vt.
meuble sm. *et* adj. ; ***meublé, e*** adj. *et* s. ; ***meubler*** vt.
meuglement sm. ; ***meugler*** vi.
meulage sm. ; ***meule*** sf. ; ***meuler*** vt. ; ***meulier, ère*** adj. *et* s.
meunerie sf. ; ***meunier, ère s.***
meurtre sm. ; ***meurtrier, ère*** adj. *et* s. ; ***meurtrière*** sf. ; ***meurtrir*** vt. ; ***meurtrissure*** sf.
meute sf.
mévente sf.
mexicain, e s. *et* adj.
mezzanine sf.
mezza voce loc. adv. (ital.).
mezzo-soprano sm. (pl. *mezzo-sopranos).*
mi sm. inv. (musique).
miasme sm.
miaulement sm. ; ***miauler*** vi. ; ***miauleur*** adj.
mica sm. ; ***micacé, e*** adj.
mi-carême sf. (pl. *mi-carêmes).*
micaschiste sm.
miche sf.
micheline sf.
micmac sm.
micocoulier sm.
micro sm.
micro-ampère sm.
microbe sm. ; ***microbien, enne*** adj. ; ***microbiologie*** sf.
microcéphale adj. *et* s.
microchirurgie sf.
microclimat sm.
microcosme sm.
microfilm sm.
micromanipulation sf.
micrométrique adj.
micron sm.
micro-onde sf.
micro-organisme sm.
microphone sm.
microphotographie sf.
microphysique sf.
microprocesseur sm.
microscope sm. ; ***microscopique*** adj.
microseconde sf.
microsillon sm.
microstructure sf.
miction sf.
midi sm.
midinette sf.
mie sf. (pain ; *ma* —).
miel sm. ; ***miellé, e*** adj. ; ***mielleusement*** adv. ; ***mielleux, euse*** adj.
mien, enne adj. possessif *(un mien cousin) et* pr. possessif *(le mien, la mienne, les miens).*
miette sf.
mieux adv.
mieux-être sm.
mièvre adj. ; ***mièvrement*** adv. ; ***mièvrerie*** sf.
mignard, e adj. *et* s. ; ***mignardise*** sf.
mignon, onne adj. *et* s. ; ***mignonnement*** adv. ; ***mignonnet, ette*** adj. ; ***mignonnette*** sf.
mignoter vt.
migraine sf.
migrant sm. ; ***migrateur, trice*** adj. ; ***migration*** sf. ; ***migratoire*** adj.
mihrab sm. (arabe).
mijaurée sf.
mijoter vt. *et* vi.
mikado sm.
mil sm.
milan sm.
mildiou sm.
mile sm. (angl.).
milice sf. ; ***milicien, enne*** s.
milieu sm.
militaire adj. *et* sm. ; ***militairement*** adv.
militant, e adj. *et* s. ; ***militantisme*** sm.
militarisation sf. ; ***militariser*** vt. ; ***militarisme*** sm. ; ***militariste*** adj. *et* s.
militer vi.
mille adj. numéral inv. (parfois dans les dates postérieures à J.-C., *mil,* sauf *l'an mille*).
mille sm. (pl. *milles).*
millefeuille sm.
millénaire adj. *et* sm.
mille-pattes sm. inv.
mille-pertuis *ou* **millepertuis** sm.

mille-raies sm. inv.
millésime sm.
millet sm.
milliaire adj.
milliampère sm.
milliard sm. ; *milliardaire* s. *et* adj.
millibar sm.
millième adj. *et* sm.
millier sm.
milligramme sm.
millilitre sm.
millimètre sm.
million sm. ; *millionième* adj. *et* sm. ; *millionnaire* adj. *et* s.
millivolt sm.
milord sm. (angl.).
mime sm. ; *mimer* vt. *et* vi. ; *mimétisme* sm.
mimique sf.
mimodrame sm.
mimolette sf.
mimosa sm.
minable adj. ; *minage* sm.
minaret sm.
minauder vi. ; *minauderie* sf. ; *minaudier, ère* adj. *et* s.
mince adj. ; *minceur* sf.
mine sf. ; *miner* vt.
minerai sm.
minéral, e, aux adj. *et* sm. ; *minéralisation* sf. ; *minéraliser* vt. ; *minéralogie* sf. ; *minéralogique* adj. ; *minéralogiste* sm.
minerve sf.
minestrone sm.
minet, ette s.
mineur sm.
mineur, e adj. *et* s.
miniature sf. ; *miniaturisation* sf. ; *miniaturiser* vt. ; *miniaturiste* s.
minier, ère adj. *et* sf.
minima (à) loc. adv. ; *minimal, e, aux* adj. ; *minime* adj. *et* sm. ; *minimisation* sf. ; *minimiser* vt. ; *minimum* sm. (pl. *minima* ou *minimums*).
ministère sm. ; *ministériel, elle* adj. ; *ministrable* adj. ; *ministre* sm.
minium sm.
minois sm.
minoritaire adj. *et* sm. ; *minorité* sf.
minoterie sf. ; *minotier* sm.
minuit sm.
minuscule adj. *et* sf.
minus habens s. inv. (lat.).
minutage sm. ; *minute* sf. ; *minuter* vt. ; *minuterie* sf.
minutie sf.
minutier sm.
minutieusement adv. ; *minutieux, euse* adj.
miocène adj. *et* sm.
mioche s.
mi-parti, e adj.
mir sm. (mot russe).
mirabelle sf.
mirabilis sm.
miracle sm. ; *miraculeusement* adv. ; *miraculeux, euse* adj.
mirador sm.
mirage sm.
mire sf. (technique).
mirepoix sf. *et* adj.
mirer vt.
mirette sf.
mirifique adj.
mirliflore sm.
mirliton sm.
mirobolant, e adj.
miroir sm. ; *miroitant, e* adj. ; *miroitement* sm. ; *miroiter* vi. ; *miroiterie* sf. ; *miroitier, ère* s.
miroton sm.
misaine sf.
misanthrope adj. *et* s. ; *misanthropie* sf. ; *misanthropique* adj.
miscellanées sf. pl.
miscibilité sf.
miscible adj.
mise sf. ; *miser* vt.
misérabilisme sm. ; *misérabiliste* adj. *et* s. ; *misérable* adj. *et* s. ; *misérablement* adv. ; *misère* sf.
miserere sm. inv.
miséreux, euse s. *et* adj.
miséricorde sf. ; *miséricordieusement* adv. ; *miséricordieux, euse* adj.
misogyne s. *et* adj. ; *misogynie* sf.
miss sf. (pl. *misses* ou *miss*).
missel sm.
missile sm.
mission sf. ; *missionnaire* sm.
missive sf.
mistigri sm.
mistoufle sf.
mistral sm.
mitaine sf.
mitan sm. (milieu).
mite sf. ; *mité, e* adj.
mi-temps sf. (match) *et* sm. (emploi).
miteux, euse adj.
mithridatisation sf. *ou* **mithridatisme**

sm. ; *mithridatiser* vt.
mitiger vt. ; *mitigeur* sm.
mitochondrie sf.
mitonner vi. *et* vt.
mitose sf.
mitoyen, enne adj. ; *mitoyenneté* sf.
mitraillade sf. ; *mitraillage* sm. ; *mitraille* sf. ; *mitrailler* vt. ; *mitraillette* sf. ; *mitrailleur* sm. ; *mitrailleuse* sf.
mitral, e, aux adj. ; *mitre* sf.
mitron sm.
mi-voix (à) loc. adv.
mixage sm. ; *mixité* sf. ; *mixte* adj. ; *mixture* sf.
mnémonique adj.
mnémotechnique adj.
mobile adj. *et* sm. ; *mobilier, ère* adj. *et* sm. ; *mobilisable* adj. ; *mobilisation* sf. ; *mobiliser* vt. ; *mobilité* sf.
mobylette sf.
mocassin sm.
moche adj.
modal, e, aux adj. ; *modalité* sf.
mode sm. (manière) *et* sf. (usage).
modelage sm. ; *modelé* sm. ; *modèle* sm. ; *modeler* vt. — *(se)* vpr. ; *modeleur* sm. ; *modéliste* s.
modérantisme sm. ; *modérateur, trice* s. *et* adj. ; *modération* sf.
moderato adv. (ital.).
modéré, e adj. ; *modérément* adv. ; *modérer* vt.
moderne adj. *et* s. ; *modernisation* sf. ; *moderniser* vt. ; *modernisme* sm. ; *moderniste* s. *et* adj. ; *modernité* sf.
modern style sm.
modeste adj. ; *modestement* adv. ; *modestie* sf.
modicité sf.
modifiable adj. ; *modification* sf. ; *modifier* vt. — *(se)* vpr.
modique adj. ; *modiquement* adv.
modiste sf.
modulaire adj. ; *modulateur* sm. ; *modulation* sf. ; *module* sm. ; *moduler* vt. *et* vi.
modus vivendi sm. inv. (lat.).
moelle sf. ; *moelleusement* adv. ; *moelleux, euse* adj.
moellon sm.
mœurs sf. pl.
mohair sm.
moi pr. 1re pers. sing. *et* sm.
moignon sm.
moindre adj.
moine sm.
moineau sm.
moinerie sf. ; *moinillon* sm.
moins adv.
moins-value sf. (pl. *moins-values*).
moirage sm. ; *moire* sf. ; *moiré, e* adj. *et* sm. ; *moirer* vt. ; *moirure* sf.
mois sm.
moïse sm.
moisi, e adj. *et* sm. ; *moisir* vt. *et* vi. ; *moisissure* sf.
moisson sf. ; *moissonnage* sm. ; *moissonner* vt. ; *moissonneur, euse* s. ; *moissonneuse-batteuse* sf. ; *moissonneuse-lieuse* sf.
moite adj. ; *moiteur* sf.
moitié sf.
moka sm.
mol, molle adj. V. mou.
molaire adj. *et* sf.
môle sm.
mole sf. ; *moléculaire* adj. ; *molécule* sf.
molesquine *ou* **moleskine** sf.
molester vt.
molette sf.
moliéresque adj.
molinisme sm.
mollah sm. (arabe).
mollasse adj. *et* sf. ; *mollasson, onne* adj. ; *mollement* adv. ; *mollesse* sf. ; *mollet* sm. ; *mollet, ette* adj. ; *molletière* sf. *et* adj. ; *molleton* sm. ; *molletonner* vt. ; *molletonneux, euse* adj. ; *mollir* vi.
mollusque sm.
molosse sm.
molybdène sm.
môme s.
moment sm. ; *momentané, e* adj. ; *momentanément* adv.
momie sf. ; *momification* sf. ; *momifier* vt.
mon, ma, mes adj. pos.
monacal, e, aux adj. ; *monachisme* sm.
monade sf.
monarchie sf. ; *monarchique* adj. ; *monarchisme* sm. ; *monarchiste* s. *et* adj. ; *monarque* sm.
monastère sm. ; *monastique* adj.
monceau sm.
mondain, e adj. *et* s. ; *mondanité* sf.
monde sm.
monder vt.

mondial, e, aux adj. ; *mondialement* adv.
mondovision sf.
monégasque adj. *et* s.
monétaire adj. ; *monétisation* sf. ; *monétiser* vt.
mongol, e adj. *et* s.
mongolien, enne s. ; *mongolisme* sm.
moniteur, trice s.
monnaie sf.
monnaie-du-pape sf.
monnayable adj. ; *monnayage* sm. ; *monnayer* vt. ; *monnayeur* sm. *et* adj. m.
monoacide adj.
monobloc adj. inv. *et* sm.
monocamérisme sm.
monochrome adj.
monocle sm.
monocoque sm. *et* adj.
monocorde sm.
monocotylédone adj. *et* sf.
monoculaire adj.
monoculture sf.
monogame adj. ; *monogamie* sf.
monogramme sm.
monographie sf.
monolithique adj. ; *monolithisme* sm.
monologue sm. ; *monologuer* vi.
monomane adj. *et* s. ; *monomanie* sf.
monôme sm.
monométallisme sm.
monomoteur adj. *et* sm.
mononucléose sf.
monophasé adj.
monoplace adj.
monoplan sm.
monopole sm. ; *monopolisateur, trice* adj. *et* s. ; *monopolisation* sf. ; *monopoliser* vt.
monorail sm.
monosyllabe sm. ; *monosyllabique* adj.
monothéisme sm. ; *monothéiste* s.
monotone adj. ; *monotonie* sf.
monotrace adj.
monotype sf. (imprim.) *et* sm. (marine).
monovalent, ente adj.
monseigneur sm. (pl. *messeigneurs* ou *nosseigneurs*).
monsieur sm. (pl. *messieurs*).
monsignore sm. (pl. *monsignori*).
monstre sm. ; *monstrueusement* adv. ; *monstrueux, euse* adj. ; *monstruosité* sf.
mont sm.
montage sm.
montagnard, e adj. *et* s. ; *montagne* sf. ; *montagneux, euse* adj.
montaison sf.
montant, e adj. *et* sm.
mont-de-piété sm. (pl. *monts-de-piété*).
monte sf.
monte-charge sm. inv.
montée sf.
monte-plats sm. inv.
monter vi. *et* vt. ; *monteur, euse* s.
montgolfière sf.
monticule sm.
montmorency sf. inv.
montrable adj.
montre sf.
montre-bracelet sf. (pl. *montres-bracelets*).
montrer vt. ; *montreur, euse* s.
montueux, euse adj.
monture sf.
monument sm. ; *monumental, e, aux* adj.
moquer (se) vpr. ; *moquerie* sf.
moquette sf.
moqueur, euse adj. *et* s.
morailles sf. pl.
moraine sf. ; *morainique* adj.
moral sm. ; *moral, e, aux* adj. ; *morale* sf. ; *moralement* adv. ; *moralisant, e* adj. ; *moralisateur, trice* adj. *et* s. ; *moralisation* sf. ; *moraliser* vi. *et* vt. ; *moraliseur, euse* s. ; *moralisme* sm. ; *moraliste* s. ; *moralité* sf.
morasse sf.
moratoire adj.
morbide adj. ; *morbidesse* sf. (peinture) ; *morbidité* sf. (pathologie).
morbleu intj.
morceau sm. ; *morceler* vt. ; *morcellement* sm.
mordache sf.
mordacité sf.
mordancer vt.
mordant, e adj. *et* sm.
mordicus adv. (lat.).
mordillage sm. ; *mordiller* vt.
mordoré, e adj. ; *mordorer* vt. ; *mordorure* sf.
mordre vt. *et* vi. — *(se)* vpr.
moreau, morelle adj.
morfil sm.

morfondre vt. — *(se)* vpr.
morganatique adj. ; *morganatiquement* adv.
morgue sf.
moribond, e adj. *et* s.
moricaud, e adj. *et* s.
morigéner vt.
morille sf.
morillon sm.
mormon, e adj. *et* s.
morne adj.
morne sm. (colline) *et* sf. (anneau).
morose adj. ; *morosité* sf.
morphème sm.
morphine sf. ; *morphinisme* sm. ; *morphinomane* s.
morphogénèse sf.
morphologie sf. ; *morphologique* adj.
morpion sm.
mors sm.
morse sm.
morsure sf.
mort sf. ; *mort, e* adj. *et* s.
mortadelle sf.
mortaisage sm. ; *mortaise* sf. ; *mortaiser* vt. ; *mortaiseuse* sf.
mortalité sf.
mort-aux-rats sf.
mortel, elle adj. *et* s. ; *mortellement* adv.
morte-saison sf. (pl. *mortes-saisons*).
mortier sm.
mortifère adj.
mortifiant, e adj. ; *mortification* sf. ; *mortifier* vt. — *(se)* vpr.
mort-né, e adj. (pl. *mort-nés, es*).
mortuaire adj.
morue sf.
morula sf.
morutier *ou* **moruyer** sm. *et* adj. m.
morve sf. ; *morveux, euse* adj. *et* s.
mosaïque adj. *(loi —) et* sf.
moscovite adj. *et* s.
mosquée sf.
mot sm.
motard sm.
motel sm.
motet sm.
moteur sm. ; *moteur, trice* adj.
motif sm.
motilité sf.
motion sf.
motivation sf. ; *motiver* vt.
moto (con) loc. adv. (ital.).
moto sf.
moto-cross sm.
motoculteur sm. ; *motoculture* sf.
motocycle sm. ; *motocyclette* sf. ; *motocycliste* s.
motonautisme sm.
motopompe sf.
motorisation sf. ; *motoriser* vt.
mototracteur sm.
motrice sf.
motricité sf.
motte sf.
motus intj.
mou *ou* **mol, molle** adj. *et* sm.
mouchard sm. ; *mouchardage* sm. ; *moucharder* vt. *et* vi.
mouche sf.
moucher vt.
moucheron sm.
moucheté, e adj. ; *moucheter* vt.
mouchette sf.
moucheture sf.
mouchoir sm. ; *mouchure* sf.
moudre vt.
moue sf.
mouette sf.
mouffette, moufette *ou* **mofette** sf.
moufle sf.
mouflet, ette s.
mouflon sm.
mouillage sm. ; *mouiller* vt. ; *mouillette* sf. ; *mouilleur* sm. ; *mouillure* sf.
mouise sf.
moujik sm.
moulage sm.
moule sm. (forme) *et* sf. (mollusque).
moulé, e adj. ; *mouler* vt. — *(se)* vpr. ; *mouleur* s. *et* adj. m.
moulière sf.
moulin sm. ; *mouliner* vt. ; *moulinette* sf. ; *moulinet* sm. ; *mouli-neur, euse ou moulinier, ère* adj. *et* s.
moulu, e adj.
moulure sf.
moulurer vt.
moumoute sf.
mourant, e adj. *et* s. ; *mourir* vi.
mouron sm.
mourre sf.
mousmé sf.
mousquet sm. ; *mousquetaire* sm. ; *mousqueterie* sf. ; *mousqueton* sm.
moussaillon sm.
mousse sm. (marin) *et* sf. (plante).
mousse adj.
mousseline sf.

mousser vi.
mousseron sm.
mousseux, euse adj.
mousson sf.
moussu, e adj.
moustache sf. ; ***moustachu, e*** adj.
moustérien, enne adj.
moustiquaire sf. ; ***moustique*** sm.
moût sm.
moutard sm.
moutarde sf. ; ***moutardier*** sm.
mouton sm. ; ***moutonné, e*** adj. ; ***moutonnement*** sm. ; ***moutonner*** vt. *et* vi. ; ***moutonneux, euse*** adj. ; ***moutonnier, ère*** adj.
mouture sf.
mouvance sf. ; ***mouvant, e*** adj. ; ***mouvement*** sm. ; ***mouvementé, e*** adj. ; ***mouvementer*** vt. ; ***mouvoir*** vt. — ***(se)*** vpr.
moyen sm. ; ***moyen, enne*** adj.
moyenâgeux, euse adj.
moyen-courrier sm. *et* adj. (pl. *moyen-courriers*).
moyennant prép.
moyenne sf. ; ***moyennement*** adv.
moyeu sm.
mozarabe sm. *et* adj.
mu sm.
mucilage sm. ; ***mucilagineux, euse*** adj.
mucosité sf.
mucus sm. (lat.).
mue sf. ; ***muer*** vi.
muet, ette adj. *et* s.
muette sf.
muezzin sm. (arabo-turc).
muffle sm.
muflerie sf.
mufti *ou* **muphti** sm. (arabo-turc).
muge sm.
mugir vi. ; ***mugissement*** sm.
muguet sm.
muid sm.
mulassier, ère adj.
mulâtre adj. *et* sm. ; ***mulâtresse*** sf.
mule sf.
mulet sm.
muletier sm. ; ***muletier, ère*** adj.
mulot sm.
multicolore adj.
multiforme adj.
multimilliardaire adj. *et* s.
multimillionnaire adj.
multinational, e, aux adj.
multipare adj.
multiple adj. *et* sm.
multiplex adj. *et* s. inv.
multipliable adj.
multiplicande sm. ; ***multiplicateur*** sm. ; ***multiplication*** sf.
multiplicité sf. ; ***multiplier*** vt. *et* vi.
multipolaire adj.
multirisque adj. *(assurance —).*
multitude sf.
municipal, e, aux adj. ; ***municipalisation*** sf. ; ***municipaliser*** vt. ; ***municipalité*** sf.
munificence sf. ; ***munificent, e*** adj.
munir vt. ; ***munition*** sf. ; ***munitionnaire*** sm.
munster sm.
muqueuse sf.
muqueux, euse adj.
mur sm.
mûr, e adj.
murage sm. ; ***muraille*** sf. ; ***mural, e, aux*** adj.
mûre sf.
mûrement adv.
murène sf.
murer vt. ; ***muret*** sm. *ou* ***murette*** sf.
murex sm.
mûrier sm.
mûrir vi. *et* vt. ; ***mûrissage*** *ou* ***mûrissement*** sm. ; ***mûrisserie*** sf.
murmel sm.
murmure sm. ; ***murmurer*** vi. *et* vt.
musaraigne sf.
musard, e adj. *et* s. ; ***musarder*** vi.
musc sm.
muscade sf.
muscadet sm.
muscadier sm.
muscadin sm.
muscat sm.
muscidés sm. pl.
muscle sm. ; ***musclé, e*** adj. ; ***muscler*** vt. ; ***musculaire*** adj. ; ***musculation*** sf. ; ***musculature*** sf. ; ***musculeux, euse*** adj.
muse sf.
museau sm.
musée sm.
museler vt. ; ***muselet*** sm. ; ***muselière*** sf. ; ***musellement*** sm.
muser vi.
muserolle sf.
musette sf.
muséum sm. (pl. *muséums*).
musical, e, aux adj. ; ***musicalement*** adv. ; ***musicalité*** sf. ; ***music-hall***

sm. (pl. *music-halls*) ; ***musicien, enne*** s. ; ***musicographe*** s. ; ***musicologue*** s. ; ***musique*** sf. ; ***musiquette*** sf.
musoir sm.
musqué, e adj.
musser (se) vpr.
mustang sm.
musulman, e s. *et* adj.
mutabilité sf. ; ***mutable*** adj. ; ***mutant, ante*** adj. *et* s. ; ***mutation*** sf. ; ***mutationnisme*** sm. ; ***mutationniste*** adj. ; ***muter*** vt.
mutilant, ante adj. ; ***mutilateur, trice*** adj. *et* s. ; ***mutilation*** sf. ; ***mutilé, e*** s. *et* adj. ; ***mutiler*** vt.
mutin, e adj. *et* s. ; ***mutiner (se)*** vpr. ; ***mutinerie*** sf.
mutisme sm.
mutualisme sm. ; ***mutualiste*** s. *et* adj. ; ***mutualité*** sf. ; ***mutuel, elle*** adj. ; ***mutuellement*** adv.
myasthénie sf.
mycélium sm.
mycénien, enne adj.
mycologie sf. ; ***mycologue*** sm.
mycose sf.
myéline sf. ; ***myélite*** sf.
mygale sf.
myocarde sm. ; ***myocardite*** sf.
myopathie sf.
myope adj. *et* s. ; ***myopie*** sf.
myosotis sm.
myriade sf.
myriapode sm.
myrmidon sm.
myrrhe sf. (essence).
myrte sm. ; ***myrtille*** sf.
mystagogue sm. ; ***mystère*** sm. ; ***mystérieusement*** adv. ; ***mystérieux, euse*** adj.
mysticisme sm. ; ***mysticité*** sf.
mystificateur, trice s. *et* adj. ; ***mystification*** sf. ; ***mystifier*** vt.
mystique adj. ; ***mystiquement*** adv.
mythe sm. ; ***mythification*** sf. ; ***mythifier*** vt. ; ***mythique*** adj. ; ***mythologie*** sf. ; ***mythologique*** adj. ; ***mythologue*** sm. ; ***mythomane*** adj. ; ***mythomanie*** sf.
mytiliculteur sm. ; ***mytiliculture*** sf.
myxœdémateux, euse adj. ; ***myxœdème*** sm.
myxomatose sf.
myxomycètes sm. pl.
mzabite *ou* **mozabite** adj. *et* s.

N

nabab sm.
nabot, e adj. *et* s.
nacarat adj. inv. *et* sm.
nacelle sf.
nacre sf. ; ***nacré, e*** adj. ; ***nacrer*** vt.
nadir sm.
nævus sm. (pl. *naevi*).
nage sf. ; ***nageoire*** sf. ; ***nager*** vi. ; ***nageur, euse*** s.
naguère adv.
naïade sf.
naïf, ive adj. *et* s.
nain, naine adj. *et* s.
naissance sf. ; ***naissant, e*** adj. ; ***naître*** vi.
naïvement adv. ; ***naïveté*** sf.
naja sm.
nana sf.
nanan (c'est du) loc.
nanisme sm.
nankin sm.
nantir vt. ; ***nantissement*** sm.
naos sm. (grec).
napalm sm.
naphtaline sf. ; ***naphte*** sm. ; ***naphtol*** sm.
napoléon sm. ; ***napoléonien, enne*** adj.
napolitain, e adj. *et* s.
nappage sm. ; ***nappe*** sf. ; ***napper*** vt. ; ***napperon*** sm.
narcisse sm. ; ***narcissique*** adj. ; ***narcissisme*** sm.
narcolepsie sf. ; ***narcose*** sf. ; ***narcotine*** sf. ; ***narcotique*** adj. *et* sm.
nard sm.
narguer vt.
narguilé sm.
narine sf.
narquois, e adj. *et* s. ; ***narquoisement*** adv.
narrateur, trice s. ; ***narratif, ive*** adj. ; ***narration*** sf. ; ***narrer*** vt.
narthex sm.
narval sm. (pl. *narvals*).
nasal, e, aux adj. ; ***nasalisation*** sf. ; ***nasaliser*** vt. ; ***nasalité*** sf.
naseau sm.
nasillard, e adj. ; ***nasillement*** sm. ; ***nasiller*** vi.
nasse sf.
natal, e, als adj. ; ***nataliste*** adj. ; ***natalité*** sf.
natation sf. ; ***natatoire*** adj. *(vessie —)*.
natif, ive adj. *et* s.
nation sf. ; ***national, e, aux*** adj. ; ***nationalement*** adv. ; ***nationalisation*** sf. ; ***nationaliser*** vt. ; ***nationalisme*** sm. ; ***nationaliste*** adj. *et* s. ; ***nationalité*** sf. ; ***national-socialisme*** sm. ; ***national-socialiste*** adj.
nativité sf.
natron *ou* **natrum** sm.
natte sf. ; ***natter*** vt.
nattier (bleu) adj. inv.
naturalisation sf. ; ***naturaliser*** vt. ; ***naturalisme*** sm. ; ***naturaliste*** sm. *et* adj. ; ***nature*** sf. ; ***naturel, elle*** adj. *et* sm. ; ***naturellement*** adv. ; ***naturisme*** sm. ; ***naturiste*** adj. *et* s.
naufrage sm. ; ***naufragé, e*** adj. *et* s. ; ***naufrageur, euse*** adj. *et* s.
naumachie sf.
nauséabond, e adj.
nausée sf. ; ***nauséeux, euse*** adj.
nautile sm.
nautique adj. ; ***nautisme*** sm.
navaja sf. (esp.).
naval, e, als adj.
navarin sm.
navet sm.
navette sf.
navigabilité sf. ; ***navigable*** adj. ; ***navigant, e*** adj. ; ***navigateur*** sm. ; ***navigation*** sf. ; ***naviguer*** vi.
navire sm.
navrant, e adj. ; ***navrer*** vt.
nazaréen, enne s. *et* adj.
nazi, e adj. *et* s. ; ***nazisme*** sm.
ne adv.
né, e adj.
néanmoins adv.
néant sm.
nébuleux, euse adj. *et* sf. ; ***nébulisation*** sf. ; ***nébuliseur*** sm. ; ***nébulosité*** sf.
nécessaire adj. *et* sm. ; ***nécessairement*** adv.
nécessité sf. ; ***nécessiter*** vt. ; ***nécessiteux, euse*** adj.
nec plus ultra sm. (lat.).
nécrologie sf. ; ***nécrologique*** adj.
nécromancie sf. ; ***nécromancien, enne*** s.
nécrophage adj.
nécrophilie sf.

nécropole sf.
nécrose sf.
nectar sm. ; *nectarine* sf.
nef sf.
néfaste adj.
nèfle sf. ; *néflier* sm.
négatif, ive adj. *et* sm. ; *négation* sf. ; *négative* sf. ; *négativement* adv. ; *négativisme* sm. ; *négativité* sf.
négligé sm. ; *négligeable* adj. ; *négligemment* adv. ; *négligence* sf. ; *négligent, e* adj. *et* s. ; *négliger* vt.
négoce sm. ; *négociabilité* sf. ; *négociable* adj. ; *négociant, e* s. ; *négociateur, trice* s. ; *négociation* sf. ; *négocier* vt. *et* vi.
nègre adj. *et* sm. ; *négresse* sf. ; *négrier* s. *et* adj. m. ; *négrillon, onne* s. ; *négritude* sf. ; *négroïde* adj.
négus sm.
neige sf. ; *neiger* v. imp. ; *neigeux, euse* adj.
némathelminthes sm. pl.
nématodes sm. pl.
nénuphar sm.
néo-classicisme adj.
néo-colonialisme sm. ; *néo-colonialiste* adj.
néodyme sm.
néolithique adj.
néologie sf. ; *néologique* adj. ; *néologisme* sm.
néoménie sf.
néon sm.
néophyte s. *et* adj.
néoplasme sm. *ou* **néoplasie** sf.
néo-platonicien, enne adj. *et* s. ; *néo-platonisme* sm.
néo-positivisme sm.
néoprène sm.
néo-réalisme sm. ; *néo-réaliste* adj.
népérien adj. *(logarithme —)*.
néphrétique adj. *et* s. ; *néphrite* sf.
népotisme sm.
neptunium sm.
néréide sf.
nerf sm.
néritique adj.
nervation sf.
nerveusement adv. ; *nerveux, euse* adj.
nervi sm.
nervosité sf.
nervure sf.
net, nette adj. *et* sm. ; *nettement* adv. ; *netteté* sf.
nettoiement sm. (voirie) ; *nettoyage* sm. ; *nettoyer* vt. ; *nettoyeur, euse* s.
neuf adj. numéral *et* sm.
neuf, euve adj. *et* sm.
neume sm.
neurasthénie sf. ; *neurasthénique* adj. *et* s.
neurochirurgie sf; *neurochirurgien* sm.
neuroleptique sm.
neurologie sf. ; *neurologue* sm.
neurone sm.
neuropsychiatre sm. ; *neuropsychiatrie* sf. ; *neuropsychiatrique* adj.
neurotrope adj.
neurovégétatif, ive adj.
neurula sf.
neutralisant, e adj. ; *neutralisation* sf. ; *neutraliser* vt. ; *neutralisme* sm. ; *neutraliste* adj. *et* s. ; *neutralité* sf. ; *neutre* adj. *et* sm. ; *neutron* sm.
neuvaine sf.
neuvième adj. ; *neuvièmement* adv.
névé sm.
neveu sm.
névralgie sf. ; *névralgique* adj.
névrite sf.
névroglie sf.
névropathe adj. *et* s. ; *névropathie* sf.
névrose sf. ; *névrosé, e* adj. *et* s. ; *névrotique* adj.
newton sm. ; *newtonien, enne* s. *et* adj.
nez sm.
ni conj.
niable adj.
niais, e adj. *et* s. ; *niaisement* adv. ; *niaiserie* sf.
nib adv.
niche sf.
nichée sf. ; *nicher* vi. ; *nichoir* sm.
nichon sm.
nickel sm. ; *nickelage* sm. ; *nickeler* vt. ; *nickélifère* adj.
nicotine sf. ; *nicotinisme* sm.
nid sm. ; *nidation* sf. ; *nidification* sf. ; *nidifier* vi.
nièce sf.
niellage sm.
nielle sm. (orfèvrerie) *et* sf. (botanique) ; *nieller* vt. ; *nielleur* adj. *et* sm. ; *niellure* sf.
nier vt.
nietzschéen, enne adj.

nigaud, e s. *et* adj. ; ***nigauderie*** sf.
nihilisme sm. ; ***nihiliste*** s. *et* adj.
nilotique adj.
nimbe sm. ; ***nimbé, e*** adj. ; ***nimber*** vt.
nimbo-stratus sm. inv. ; ***nimbus*** sm.
ninas sm.
niobium sm.
nippe sf. (surtout pl.) ; ***nipper*** vt. — ***(se)*** vpr.
nippon, onne adj.
nique (faire la) loc. verb.
nirvâna sm.
nitouche (sainte) sf.
nitrate sm. ; ***nitré, ée*** adj. ; ***nitrer*** vt. ; ***nitreux, euse*** adj. ; ***nitrification*** sf. ; ***nitrifier*** vt. — ***(se)*** vpr. ; ***nitrique*** adj. ; ***nitrobenzine*** sf. ; ***nitrocellulose*** sf. ; ***nitroglycérine*** sf. ; ***nitrotoluène*** sm. ; ***nitrure*** sm.
nival, e, aux adj. (géographie) ; ***nivéal, e, aux*** adj. (botanique).
niveau sm. ; ***nivelage*** sm. ; ***niveler*** vt. ; ***niveleuse*** sf. ; ***nivellement*** sm.
nivôse sm.
nô sm. (jap.).
nobélium sm.
nobiliaire adj. *et* sm. ; ***noble*** adj. *et* sm. ; ***noblement*** adv. ; ***noblesse*** sf. ; ***nobliau*** *ou* ***noblaillon*** sm.
noce sf. ; ***noceur, euse*** s.
nocher sm. (— *des enfers*).
nocif, ive adj. ; ***nocivité*** sf.
noctambule adj. *et* s. ; ***noctambulisme*** sm.
nocturne adj. *et* sm.
nocuité sf.
nodal, e, aux adj. ; ***nodosité*** sf. ; ***nodulaire*** adj. ; ***nodule*** sm. ; ***noduleux, euse*** adj. ; ***nœud*** sm.
noir, e adj. *et* s. ; ***noirâtre*** adj. ; ***noiraud, e*** adj. *et* s. ; ***noirceur*** sf. ; ***noircir*** vt. *et* vi. — ***(se)*** vpr. ; ***noircissement*** sm. ; ***noircissure*** sf. ; ***noire*** sf.
noise sf. *(chercher —).*
noisetier sm. ; ***noisette*** sf.
noix sf.
nolis sm. ; ***nolisement*** sm. ; ***noliser*** vt.
nom sm.
nomade adj. *et* s. ; ***nomadisme*** sm.
no man's land sm. (angl.).
nombre sm. ; ***nombreux, euse*** adj.
nombril sm.
nomenclature sf.
nominal, e, aux adj. *et* sm. ; ***nominalement*** adv. (droit) ; ***nominalisation*** sf. ; ***nominalisme*** sm. ; ***nominaliste*** adj. *et* sm. ; ***nominatif, ive*** adj. *et* sm. ; ***nomination*** sf. ; ***nominativement*** adv. (chacun par son nom) ; ***nommé, e*** adj. *et* s. ; ***nommément*** adv. (personnellement) ; ***nommer*** vt. — ***(se)*** vpr.
nomogramme sm.
non adv. *et* sm.
non-activité sf.
nonagénaire adj. *et* s.
non-agression sf.
non-aligné, e adj. ; ***non-alignement*** sm.
nonante adj. numéral.
non-assistance sf.
non-belligérance sf.
nonce sm.
nonchalamment adv. ; ***nonchalance*** sf. ; ***nonchalant, e*** adj. *et* s.
nonciature sf.
non-conciliation sf.
non-conformisme sm. ; ***non-conformiste*** s.
non-conformité sf.
non-directif, ive adj. ; ***non-directivité*** sf.
non-engagé, e adj. ; ***non-engagement*** sm.
non-être sm.
non-intervention sf. ; ***non-interventionniste*** sm.
non-lieu sm.
nonne sf. ; ***nonnette*** sf.
nonobstant prép.
non-paiement sm.
nonpareil, eille adj.
non-prolifération sf.
non-recevoir sm.
non-retour sm.
non-sens sm.
non-violence sf. ; ***non-violent, e*** adj.
nord, nord-est, nord-ouest sm.
nord-africain, e adj. *et* s.
nord-américain, e s. *et* adj.
nordique adj.
noria sf.
normal, e, aux adj. ; ***normalement*** adv. ; ***normalien, enne*** s. ; ***normalisation*** sf. ; ***normaliser*** vt. ; ***normalité*** sf.
normatif, ive adj. ; ***norme*** sf.
norois *ou* **noroît** sm. (vent).
norois, e *ou* **norrois, e** adj. *et* s. (langue).
nos adj. poss. (pl. de *notre).*

nosographie sf. ; ***nosologie*** sf.
nostalgie sf. ; ***nostalgique*** adj.
nota sm. inv. ; ***nota bene*** sm. inv. (lat.).
notabilité sf. ; ***notable*** adj. (considérable) *et* sm. ; ***notablement*** adv.
notaire sm.
notamment adv.
notarial, e, aux adj. ; ***notariat*** sm. ; ***notarié, e*** adj.
notation sf. ; ***note*** sf. ; ***noter*** vt.
notice sf.
notification sf. ; ***notifier*** vt.
notion sf. ; ***notionnel, elle*** adj.
notoire adj. (connu) ; ***notoirement*** adv. ; ***notoriété*** sf.
notre adj. pos. (pl. *nos*).
nôtre pr. pos. (pl. *nôtres*).
notule sf.
nouage sm.
nouba sf.
noué, e adj. ; ***nouer*** vt. ; ***noueux, euse*** adj.
nougat sm. ; ***nougatine*** sf.
nouille sf. (surtout pl.).
nourrice sf. ; ***nourricier, ère*** adj. *et* sm. ; ***nourrir*** vt. ; ***nourrissage*** sm. ; ***nourrissant, e*** adj. ; ***nourrisseur*** sm. ; ***nourrisson*** sm. ; ***nourriture*** sf.
nous pr. 1re pers. pl.
nouveau *ou* **nouvel** (devant une voyelle ou un *h* muet), **nouvelle** adj.
nouveau-né, e adj. *et* sm. (pl. *nouveau-nés*).
nouveau venu sm. (pl. *nouveaux venus*).
nouveauté sf.
nouvelle sf.
nouvellement adv.
nouvelliste s.
novateur, trice s. *et* adj. ; ***novation*** sf.
novembre sm.
novice adj. *et* s. ; ***noviciat*** sm.
novocaïne sf.
noyade sf.
noyau sm. ; ***noyautage*** sm. ; ***noyauter*** vt.
noyé, e adj. *et* s. ; ***noyer*** vt. — ***(se)*** vpr.
noyer sm.
nu sm. (grec).
nu, e adj. *et* sm.
nuage sm. ; ***nuageux, euse*** adj.
nuance sf. ; ***nuancer*** vt. ; ***nuancier*** sm.
nubile adj. ; ***nubilité*** sf.
nucléaire adj. ; ***nucléé, e*** adj. ; ***nucléique*** adj. ; ***nucléon*** sm. ; ***nucléoprotéine*** sf.
nudisme sm. ; ***nudiste*** adj. ; ***nudité*** sf.
nue sf. (surtout pl.) ; ***nuée*** sf.
nue-propriété sf. (pl. *nues-propriétés*).
nuire vi. ; ***nuisance*** sf. ; ***nuisible*** adj.
nuit sf. ; ***nuitamment*** adv. ; ***nuitée*** sf.
nul pr. indéfini.
nul, nulle adj. ; ***nullement*** adv. ; ***nullité*** sf.
numéraire adj. *et* sm. ; ***numéral, e, aux*** adj. ; ***numérateur*** sm. ; ***numération*** sf. ; ***numérique*** adj. ; ***numériquement*** adv.
numéro sm. ; ***numérotage*** sm. ; ***numérotation*** sf. ; ***numéroter*** vt. ; ***numéroteur*** sm.
numismate sm. ; ***numismatique*** adj. *et* sf.
nu-pieds sm. inv.
nu-propriétaire sm. *et* adj.
nuptial, e, aux adj.
nuque sf.
nurse sf. ; ***nursery*** sf. (angl.).
nutation sf.
nutritif, ive adj. ; ***nutrition*** sf. ; ***nutritionnel, elle*** adj. ; ***nutritionniste*** sm.
nyctalope adj. *et* s. ; ***nyctalopie*** sf.
nycthémère sm. ; ***nycthéméral, e*** adj.
Nylon sm. (nom déposé).
nymphe sf.
nymphéa sm.
nymphette sf.
nymphomane sf. *et* adj. ; ***nymphomanie*** sf.
nystagmus sm.

O

ô intj.
oasien, enne adj. ; *oasis* sf.
obédience sf.
obéir vi. ; *obéissance* sf. ; *obéissant, e* adj.
obélisque sm.
obérer vt.
obèse adj. *et* s. ; *obésité* sf.
obituaire sm. *et* adj.
objecter vt. ; *objecteur* sm.
objectif, ive adj. *et* sm.
objection sf.
objectivation sf.
objectivement adv. ; *objectiver* vt. ; *objectivité* sf. ; *objet* sm.
objurgation sf. (surtout pl.).
oblat, e s.
oblatif, ive adj.
oblation sf.
obligataire s. ; *obligation* sf. ; *obligatoire* adj. ; *obligatoirement* adv. ; *obligé, e* adj. ; *obligeamment* adv. ; *obligeance* sf. ; *obligeant, e* adj. ; *obliger* vt.
oblique adj. *et* sf. ; *obliquement* adv. ; *obliquer* vi. ; *obliquité* sf.
oblitérateur, trice adj. *et* sm. ; *oblitération* sf. ; *oblitérer* vt.
oblong, gue adj.
obnubilation sf. ; *obnubiler* vt. — *(s')* vpr.
obole sf.
obscène adj. ; *obscénité* sf.
obscur, e adj. ; *obscurantisme* sm. ; *obscurantiste* adj. *et* s. ; *obscurcir* vt. — *(s')* vpr. ; *obscurcissement* sm. ; *obscurément* adv. ; *obscurité* sf.
obsédant, e adj. ; *obsédé, e* adj. *et* s. ; *obséder* vt.
obsèques sf. pl.
obséquieusement adv. ; *obséquieux, euse* adj. ; *obséquiosité* sf.
observable adj. ; *observance* sf. (pratique) ; *observateur, trice* s. *et* adj. ; *observation* sf. (remarque) ; *observatoire* sm. ; *observer* vt.
obsession sf. ; *obsessionnel, elle* adj.
obsidienne sf.
obsolète adj.
obstacle sm.
obstétrical, e, aux adj. ; *obstétricien, enne* adj. *et* s. ; *obstétrique* sf.
obstination sf. ; *obstiné, e* adj. *et* s. ; *obstinément* adv. ; *obstiner (s')* vpr.
obstructif, ive adj. ; *obstruction* sf. ; *obstructionnisme* sm. ; *obstructionniste* s. *et* adj. ; *obstruer* vt.
obtempérer vi.
obtenir vt. ; *obtention* sf.
obturateur, trice adj. *et* s. ; *obturation* sf. ; *obturer* vt.
obtus, e adj.
obus sm. ; *obusier* sm.
obvers sm.
obvier (à) vi.
oc sm. *(langue d'—).*
ocarina sm.
occasion sf. ; *occasionnel, elle* adj. ; *occasionnellement* adv. ; *occasionner* vt.
occident sm. ; *occidental, e, aux* adj. *et* s. ; *occidentalisé, e* adj. ; *occidentaliser* vt.
occipital, e, aux adj. ; *occiput* sm.
occire vt.
occitan, ane adj.
occlusion sf. ; *occlusive* sf.
occultation sf. ; *occulte* adj. ; *occulter* vt. ; *occultisme* sm.
occupant, e s. *et* adj. ; *occupation* sf. ; *occupé, e* adj. ; *occuper* vt. — *(s')* vpr.
occurrence sf. ; *occurrent, e* adj.
océan sm. ; *océanique* adj. ; *océanographie* sf. ; *océanographique* adj.
ocelle sm.
ocelot sm.
ocre sf. ; *ocré, e* adj. ; *ocreux, euse* adj.
octaèdre sm.
octane sm.
octante adj. numéral.
octave sf.
octet sm.
octidi sm.
octobre sm.
octogénaire s. *et* adj.
octogonal, e, aux adj. ; *octogone* adj.
octosyllabe sm. *et* adj.
octroi sm. ; *octroyer* vt. — *(s')* vpr.
octuor sm.
oculaire adj. *et* sm. ; *oculiste* sm.
odalisque sf.
ode sf. ; *odelette* sf.
odéon sm.

odeur sf.
odieusement adv. ; ***odieux, euse*** adj.
odontalgie sf. ; ***odontologie*** sf. ; ***odontostomatologie*** sf.
odorant, e adj. ; ***odorat*** sm. ; ***odoriférant, e*** adj.
odyssée sf.
œcuménique adj. ; ***œcuménisme*** sm.
œdémateux, euse adj. ; ***œdème*** sm.
œdipe sm.
œil sm. (pl. *yeux*).
œil-de-bœuf sm. (pl. *œils-de-bœuf*).
œil-de-chat sm. (pl. *œils-de-chat*).
œil-de-perdrix sm. (pl. *œils-de-perdrix*).
œillade sf. ; ***œillère*** sf.
œillet sm.
œilleton sm.
œillette sf.
œnologie sf. ; ***œnologique*** adj. ; ***œnologue*** sm.
œrsted sm.
œsophage sm. ; ***œsophagien, enne*** adj. ; ***œsophagite*** sf.
œstrogène sm. ; ***œstrogénique*** adj. ; ***œstrus*** sm.
œuf sm.
œuvre sf. (arch. : *gros œuvre).*
œuvrer vi.
offensant, e adj. ; ***offense*** sf. ; ***offensé, e*** adj. *et* s. ; ***offenser*** vt. ; ***offenseur*** sm. ; ***offensif, ive*** adj. ; ***offensive*** sf.
offertoire sm.
office sm. (charge) *et* sf. (cuisine).
officialisation sf. ; ***officialiser*** vt. ; ***officialité*** sf.
officiant, e adj. *et* s.
officiel, elle adj. ; ***officiellement*** adv.
officier sm. ; ***officier*** vi.
officieusement adv. ; ***officieux, euse*** adj.
officinal, e, aux adj. ; ***officine*** sf.
offrande sf. (don) ; ***offre*** sf. (proposition) ; ***offrant*** sm. *(le plus —)* ; ***offrir*** vt. — ***(s')*** vpr.
offset sm.
off shore adj. inv. (angl.).
offusquer vt. — ***(s')*** vpr.
oflag sm.
ogival, e, aux adj. ; ***ogive*** sf.
ogre sm. ; ***ogresse*** sf.
oh ! intj.
ohé ! intj.
ohm sm. ; ***ohmmètre*** sm.
oïdium sm.
oie sf.
oignon sm.
oïl sm. *(langue d'—).*
oindre vt. ; ***oint*** sm.
oiseau sm.
oiseau-mouche sm. (pl. *oiseaux-mouches).*
oiseler vi. *et* vt. ; ***oiseleur*** sm.
oiseux, euse adj.
oisif, ive adj. *et* s.
oisillon sm.
oisivement adv. ; ***oisiveté*** sf.
oison sm.
okapi sm.
okoumé sm.
oléagineux, euse adj.
oléiculture sm.
oléine sf. ; ***oléique*** adj. m.
oléoduc sm.
oléolat sm.
oléopneumatique adj.
olfactif, ive adj. ; ***olfaction*** sf.
olibrius sm.
olifant sm.
oligarchie sf. ; ***oligarchique*** adj.
oligocène adj.
oligo-élément sm.
oligophrénie sf.
oligurie sf.
olivaison sf. ; ***olivâtre*** adj. ; ***olive*** sf. ; ***oliveraie*** sf. *ou* ***olivette*** sf. *ou* ***olivaie*** sf. ; ***olivier*** sm.
olographe *ou* **holographe** adj.
olympiade sf. ; ***olympien, enne*** adj. ; ***olympique*** adj.
ombelle sf. ; ***ombellifère*** adj. *et* sf. ; ***ombelliforme*** adj. ; ***ombellule*** sf.
ombilic sm. ; ***ombilical, e, aux*** adj.
omble sm.
ombrage sm. ; ***ombragé, e*** adj. (à l'ombre) ; ***ombrager*** vt. ; ***ombrageux, euse*** adj. (peureux).
ombre sf. (obscurité) *et* sm. (poisson).
ombrelle sf.
ombrer vt. ; ***ombreux, euse*** adj.
ombrine sf.
ombudsman sm.
oméga sm.
omelette sf.
omettre vt.
omicron sm.
omission sf.
omnibus sm.
omnicolore adj.
omnidirectionnel, elle adj.

omnipotence sf. ; *omnipotent, e* adj.
omnipraticien sm.
omniprésence sf. ; *omniprésent, e* adj.
omniscience sf. ; *omniscient, e* adj.
omnium sm.
omnivore adj. *et* sm.
omoplate sf.
on pr. indéf.
onagre sm.
onanisme sm.
once sf.
onciale sf.
oncle sm.
onction sf. ; *onctueusement* adv. ; *onctueux, euse* adj. ; *onctuosité* sf.
onde sf. ; *ondée* sf.
ondine sf.
on-dit sm. inv.
ondoiement sm. ; *ondoyant, e* adj. ; *ondoyer* vi. *et* vt. ; *ondulation* sf. ; *ondulatoire* adj. ; *ondulé, e* adj. ; *onduler* vi. *et* vt. ; *onduleux, euse* adj.
onéreux, euse adj.
ongle sm ; *onglée* sf. ; *onglet* sm. ; *onglette* sf. ; *onglier* sm.
onguent sm.
onguiculé, e adj. ; *ongulé, e* adj. ; *onguligrade* adj.
onirique adj. ; *onirisme* sm. ; *oniromancie* sf. ; *oniromancien, enne* adj. *et* s.
onomastique adj. *et* sf.
onomatopée sf.
ontogenèse *ou* **ontogénie** sf.
ontologie sf. ; *ontologique* adj.
onychophagie sf.
onyx sm.
onze adj. numéral ; *onzième* adj. *et* s. ; *onzièmement* adv.
oolithe sm.
opacifier vt. — *(s')* vpr. ; *opacité* sf.
opale sf. ; *opalin, e* adj. *et* sf.
opaque adj.
ope sm. *ou* f.
opéra sm.
opérable adj.
opéra-comique sm. (pl. *opéras-comiques*).
opérateur, trice s. ; *opération* sf. ; *opérationnel, elle* adj. ; *opératoire* adj.
opercule sm. ; *operculé, e* adj.
opéré, e adj. *et* s. ; *opérer* vt.
opérette sf.
ophicléide sm.
ophidien, enne adj. *et* sm.
ophite sm.
ophtalmie sf. ; *ophtalmique* adj. ; *ophtalmologie* sf. ; *ophtalmologiste* s. ; *ophtalmomètre* sm. ; *ophtalmoscope* sm. ; *ophtalmoscopie* sf. ; *ophtalmotomie* sf.
opiacé, e adj. ; *opiacer* vt. ; *opiat* sm.
opiner vi.
opiniâtre adj. ; *opiniâtrement* adv. ; *opiniâtrer (s')* vpr. ; *opiniâtreté* sf.
opinion sf.
opiomane s. *et* adj.
opium sm.
opopanax ou **opoponax** sm.
opossum sm.
opothérapie sf.
oppidum sm.
opportun, e adj. ; *opportunément* adv. ; *opportunisme* sm. ; *opportuniste* sm. *et* adj. ; *opportunité* sf.
opposable adj. ; *opposant, e* adj. *et* s. ; *opposé, e* adj. *et* sm. ; *opposer* vt. — *(s')* vpr. ; *opposition* sf.
oppressant, e adj. ; *oppresser* vt. ; *oppresseur* sm. *et* adj. ; *oppressif, ive* adj. ; *oppression* sf.
opprimant, e adj. ; *opprimé, e* adj. *et* s. ; *opprimer* vt.
opprobre sm.
optatif sm. ; *opter* vi.
opticien sm.
optimal, e, aux adj. ; *optimiser* vt. ; *optimisme* sm. ; *optimiste* adj. *et* s. ; *optimum* sm. (pl. *optimums*).
option sf.
optique adj. *et* sf.
opulence sf. ; *opulent, e* adj.
opuntia sm.
opus sm. ; *opuscule* sm.
or conj.
or sm.
oracle sm. ; *oraculaire* adj.
orage sm. ; *orageux, euse* adj.
oraison sf.
oral, e, aux adj. *et* sm. ; *oralement* adv.
orange sf. *et* adj. inv. ; *orangé, e* adj. ; *orangeade* sf. ; *oranger* sm. ; *orangeraie* sf. ; *orangerie* sf.
orang-outang *ou* **orang-outan** sm. (pl. *orangs-outangs* ou *orangs-outans)*.
orant, e s. *et* adj.
orateur sm. ; *oratoire* adj. *et* sm. ;

oratorien sm. ; *oratorio* sm. (pl. *oratorios*).
orbe sm. (astron.) *et* adj. *(mur —)*.
orbitaire adj. (œil) ; *orbital, e, aux* adj. (atome) ; *orbite* sf.
orchestral, e, aux adj. ; *orchestrateur* sm. ; *orchestration* sf. ; *orchestre* sm. ; *orchestrer* vt.
orchidée sf. ; *orchis* sm.
orchite sf.
ordinaire adj. *et* sm. ; *ordinairement* adv.
ordinal, e, aux adj.
ordinateur sm.
ordination sf.
ordonnance sf. ; *ordonnancement* sm. ; *ordonnancer* vt.
ordonnateur, trice s. ; *ordonner* vt. *et* vi. ; *ordre* sm.
ordure sf. ; *ordurier, ère* adj.
orée sf.
oreille sf. ; *oreiller* sm. ; *oreillette* sf. ; *oreillons* sm. pl.
orémus sm. inv.
ores adv. *(d'ores et déjà)*.
orfèvre sm. ; *orfèvrerie* sf.
orfraie sf.
organdi sm.
organe sm. ; *organigramme* sm. ; *organique* adj. *et* sf. ; *organiquement* adv. ; *organisable* adj. ; *organisateur, trice* adj. *et* s. ; *organisation* sf. ; *organisé, e* adj. ; *organiser* vt. — *(s')* vpr. ; *organisme* sm.
organiste s.
orgasme sm.
orge sf. (mais *orge mondé* et *orge perlé*) ; *orgeat* sm. ; *orgelet* sm.
orgiaque adj. ; *orgie* sf.
orgue sm. (mais *grandes orgues*).
orgueil sm. ; *orgueilleusement* adv. ; *orgueilleux, euse* s. *et* adj.
orient sm. ; *orientable* adj. ; *oriental, e, aux* s. *et* adj. ; *orientalisme* sm. ; *orientaliste* s. ; *orientation* sf. ; *orienter* vt. — *(s')* vpr. ; *orienteur* sm.
orifice sm.
oriflamme sf.
origan sm.
originaire adj. (natif) ; *originairement* adv.
original sm. (singulier) ; *original, e, aux* adj. *et* s. ; *originalement* adv. ; *originalité* sf.
origine sf. ; *originel, elle* adj. (primitif) ; *originellement* adv.
oripeau sm. (surtout au pl.)
orléaniste adj. *et* s.
ormaie *ou* **ormoie** sf. ; *orme* sm. ; *ormeau* sm.
orne sm.
ornemaniste s. ; *ornement* sm. ; *ornemental, e, aux* adj. ; *ornementation* sf. ; *ornementer* vt. ; *orner* vt. — *(s')* vpr.
ornière sf.
ornithologie sf. ; *ornithologiste ou ornithologue* sm. ; *ornithomancie* sf. ; *ornithorynque* sm.
orogenèse sf. ; *orogénie* sf.
orographie sf.
oronge sf.
orpaillage sm. ; *orpailleur* sm.
orphelin, e s. ; *orphelinat* sm.
orphéon sm. ; *orphéoniste* s.
orphie sf.
orphique adj. ; *orphisme* sm.
orque sf.
orteil sm.
orthocentre sm.
orthochromatique adj.
orthodontie sf.
orthodoxe adj. ; *orthodoxie* sf.
orthodromie sf.
orthogenèse sf.
orthogonal, e, aux adj.
orthographe sf. ; *orthographier* vt. ; *orthographique* adj.
orthopédie sf. ; *orthopédique* adj. ; *orthopédiste* s.
orthophonie sf. ; *orthophoniste* s.
orthoptère adj. *et* sm.
orthorombique adj.
ortie sf.
ortolan sm.
orvet sm.
orviétan sm.
os sm.
oscar sm.
oscillant, e adj. ; *oscillateur* sm. ; *oscillation* sf. ; *oscillatoire* adj. ; *osciller* vi. ; *oscillogramme* sm. ; *oscillographe* sm. ; *oscillomètre* sm. ; *oscilloscope* sm.
ose sm.
osé, e adj.
oseille sf.
oser vt. *et* vi.
oseraie sf.
oseur, euse s. *et* adj.
oside sm.

osier sm.
osmium sm.
osmose sf. ; *osmotique* adj.
ossature sf.
osséine sf.
osselet sm.
ossements sm. pl.
osseux, euse adj.
ossification sf. ; *ossifier* vt.
osso buco sm. inv. (ital.).
ossuaire sm.
ostéite sf.
ostensible adj. ; *ostensiblement* adv.
ostensoir sm.
ostentation sf.
ostéoblaste sm.
ostéologie sf.
ostéomyélite sf.
ostiole sm.
ostracisme sm.
ostréicole adj. ; *ostréiculteur* sm. ; *ostréiculture* sf.
ostrogoth *ou* **ostrogot** sm.
otage sm.
otalgie sf.
otarie sf.
ôter vt.
otique adj. ; *otite* sf. ; *otologie* sf.
oto-rhino-laryngologie sf. ; *oto-rhino-laryngologiste* s.
otoscope sm.
ottoman, e adj. ; *ottomane* sf.
ou conj.
où adv. *et* pr. relatifs *et* adv. interrogatif.
ouaille sf.
ouais ! intj.
ouate sf. ; *ouater* vt. ; *ouatine* sf. ; *ouatiner* vt.
oubli sm.
oublie sf.
oublier vt. ; *oubliettes* sf. pl. ; *oublieux, euse* adj.
oued sm. (pl. *oueds*) (arabe).
ouest sm.
ouest-allemand, e adj.
ouf ! intj.
oui adv. *et* sm. inv.
ouï, e adj.
ouï-dire sm. inv.
ouïe sf. (sens) ; *ouïes* sf. pl. (organe).
ouïr vt.
ouistiti sm.
ouragan sm.
ouralien, enne adj. ; *ouralo-altaïque* adj.
ourdir vt. ; *ourdissage* sm. ; *ourdisseur, euse* s. ; *ourdissoir* sm.
ourdou *ou* **urdu** sm.
ourler vt. ; *ourlet* sm.
ours sm. ; *ourse* sf. ; *oursin* sm. ; *ourson* sm.
outarde sf.
outil sm. ; *outillage* sm. ; *outiller* vt.
outrage sm. ; *outrageant, e* adj. ; *outrager* vt. ; *outrageusement* adv. ; *outrance* sf. (*à outrance* loc. adv.) ; *outrancier, ère* s. *et* adj.
outre sf.
outre prép. *et* adv. *(passer —)* ; *en —* loc. adv.
outré, e adj.
outrecuidance sf. ; *outrecuidant, e* adj.
outremer sm. (couleur).
outre-mer (au-delà des mers) loc. adv.
outrepasser vt.
outrer vt.
outre-tombe loc. adv.
outsider sm. (angl.).
ouvert, e adj. ; *ouvertement* adv. ; *ouverture* sf.
ouvrable adj. ; *ouvrage* sm. ; *ouvragé, e* adj. ; *ouvrager* vt. ; *ouvré, e* adj.
ouvre-boîtes sm. inv.
ouvre-bouteilles sm. inv.
ouvrer vi.
ouvreur, euse s.
ouvrier, ère s. *et* adj. ; *ouvriérisme* sm. ; *ouvriériste* adj. *et* s.
ouvrir vt. *et* vi.
ouvroir sm.
ovaire sm.
ovalbumine sf.
ovale adj. *et* sm. ; *ovaliser* vt.
ovarien, enne adj. ; *ovariectomie* sf.
ovation sf. ; *ovationner* vt.
ove sm. ; *ové, e* adj.
overdose sf. (angl.).
overdrive sm. (angl.).
ovibos sm.
ovidés sm. pl.
oviducte sm.
ovin, e adj. ; *ovinés* sm. pl.
ovipare adj. *et* s. ; *oviparité* sf.
ovoïde adj.
ovovivipare adj. *et* s.
ovulaire adj. ; *ovulation* sf. ; *ovule* sm.
oxalate sm. ; *oxalique* adj.
oxhydrique adj.

oxyacétylénique adj.
oxydable adj. ; ***oxydant, e*** adj. ; ***oxydase*** sf. ; ***oxydation*** sf. ; ***oxyde*** sm. ; ***oxyder*** vt. — ***(s')*** vpr. ; ***oxydoréduction*** sf.
oxygénation sf. ; ***oxygène*** sm. ; ***oxygéné, e*** adj. ; ***oxygéner*** vt. ; ***oxygénothérapie*** sf.
oxyton sm.
oxyure sm.
Ozalid sm. (nom déposé).
ozone sm. ; ***ozoné, e*** adj. ; ***ozonisation*** sf. ; ***ozoniser*** vt. ; ***ozoniseur ou ozonisateur*** sm.

P

pacage sm. ; *pacager* vi. *et* vt.
pacemaker sm. (angl.).
pacha sm. (turc).
pachyderme adj. *et* sm.
pacificateur, trice s. *et* adj. ; *pacification* sf. ; *pacifier* vt. ; *pacifique* adj. *et* s. ; *pacifiquement* adv. ; *pacifisme* sm. ; *pacifiste* adj. *et* s.
pack sm. (angl.).
pacotille sf.
pacte sm. ; *pactiser* vi.
pactole sm.
paddock sm. (angl.).
paddy sm.
paella sf. (esp.).
paf ! intj.
pagaie sf.
pagaille sf.
paganisme sm.
pagayer vi. ; *pagayeur, euse* s.
page sf. (feuillet) *et* sm. (jeune).
pageot sm.
pagination sf. ; *paginer* vt.
pagne sm.
pagnoter (se) vpr.
pagode sf.
pagre sm.
pagure sm.
paie sf. (salaire) ; *paiement* sm. (règlement).
païen, enne adj. *et* s.
paierie sf.
paillard, e adj. *et* s. ; *paillardise* sf.
paillasse sf. (plan *et* matelas) *et* sm. (clown).
paillasson sm.
paille sf. ; *paillé* sm. ; *pailler* vt. ; *pailler* sm. ; *paillet* adj. *et* sm.
pailleté, e adj. ; *paillette* sf.
pailleux, euse adj. ; *paillis* sm. ; *paillon* sm. ; *paillote* sf.
pain sm.
pair sm. ; *pair, paire* adj. ; *paire* sf. ; *pairesse* sf. ; *pairie* sf.
paisible adj. ; *paisiblement* adv.
paître vt. *et* vi.
paix sf. *et* intj.
pakistanais, e adj.
pal sm. (pl. *pals*).
palabre sf. (surtout pl.) ; *palabrer* vi.
palace sm.
paladin sm.
palais sm.
palan sm. ; *palanche* sf.
palangre sf.
palanque sf. ; *palanquée* sf. ; *palanquer* vi. *et* vt.
palanquin sm.
palastre sm.
palatal, e, aux adj. ; *palatalisation* sf. ; *palataliser* vt.
palatin, e adj. (anatomie).
palatin, e adj. *et* s. (dignité) ; *palatinat* sm.
pale sf.
pâle adj.
palefrenier sm.
palefroi sm.
palémon sm.
paléobotanique sf.
paléographe sm. ; *paléographie* sf. *paléographique* adj.
paléolithique adj. *et* sm.
paléontologie sf. ; *paléontologique* adj. ; *paléontologiste* sm.
paléothérium sm.
paléozoïque adj. *et* sm.
paleron sm.
palestinien, enne adj. *et* s.
palestre sf.
palet sm.
paletot sm.
palette sf. ; *palettiser* vt.
palétuvier sm.
pâleur sf.
palier sm.
palière adj. f. *(porte —)*.
palimpseste sm.
palindrome sm. *et* adj.
palingénésie sf. ; *palingénésique* adj.
palinodie sf.
pâlir vi. *et* vt.
palis sm. ; *palissade* sf. ; *palissader* vt. ; *palissage* sm.
palissandre sm.
pâlissant, e adj.
palisser vt.
palisson sm. ; *palissonner* vt.
palladium sm.
palliatif, ive adj. *et* sm. ; *pallier* vt.
palmaire adj.
palmarès sm.
palme sf. ; *palmé, e* adj. ; *palmeraie* sf. ; *palmette* sf. ; *palmier* sm. ; *palmipèdes* sm. pl.
palmiste sm.
palmite sm.

palmure sf.
palombe sf.
palonnier sm.
pâlot, otte adj. *et* s.
palourde sf.
palpable adj. ; *palpation* sf. ; *palpe* sm. (zoologie).
palpébral, e, aux adj.
palper vt.
palpitant, e adj. ; *palpitation* sf. ; *palpiter* vi.
palplanche sf.
palsambleu ! intj.
paltoquet sm.
paludéen, enne adj. ; *paludier, ère* s. ; *paludisme* sm. ; *palustre* adj.
pâmer vi. — *(se)* vpr. ; *pâmoison* sf.
pampa sf.
pamphlet sm. ; *pamphlétaire* sm.
pamplemousse sm. ; *pamplemoussier* sm.
pampre sm.
pan sm.
pan ! intj.
panacée sf.
panachage sm.
panache sm.
panacher vt. *et* vi.
panafricain, e adj. ; *panafricanisme* sm.
panais sm.
panama sm.
panaméricain, e adj. ; *panaméricanisme* sm.
panarabisme sm.
panard, e adj. *et* (argot) sm.
panaris sm.
panatella sm.
pancarte sf.
panclastite sf.
pancrace sm.
pancréas sm. ; *pancréatine* sf. ; *pancréatique* adj. ; *pancréatite* sf.
panda sm.
pandiculation sf.
pandit sm.
pandore sm.
pané, e adj.
panégyrique sm. ; *panégyriste* s.
panel sm.
paner vt.
panerée sf.
panetière sf.
paneton sm.
paneuropéen, enne adj.
pangermanisme sm.
pangolin sm.
panhellénisme sm.
panicule sf.
panier sm.
panifiable adj. ; *panification* sf. ; *panifier* vt.
panique adj. *et* sf.
panislamisme sm.
panne sf.
panneau sm.
panneton sm.
panonceau sm.
panoplie sf.
panorama sm. ; *panoramique* adj. *et* sm.
pansage sm. (animal).
panse sf.
pansement sm. ; *panser* vt.
panslavisme sm.
pansu, e adj.
pantagruélique adj.
pantalon sm. ; *pantalonnade* sf.
pantelant, e adj.
pantène *ou* **pantenne** sf.
panthéisme sm. ; *panthéiste* adj. *et* s.
panthéon sm.
panthère sf.
pantin sm.
pantographe sm.
pantois, e adj.
pantomètre sm.
pantomime sf.
pantouflard, e adj. ; *pantoufle* sf. ; *pantoufler* vi.
pantoum sm. (malais).
panure sf.
panzer sm. (all.)
paon sm.
paonne sm.
papa sm.
papal, e, aux adj.
papauté sf.
papavérine sf.
papaye sf. ; *papayer* sm.
pape sm.
papegai sm.
papelard, e s. *et* adj. ; *papelardise* sf.
paperasse sf. ; *paperasserie* sf. ; *paperassier, ère* adj.
papesse sf.
papeterie sf. ; *papetier, ère* s. *et* adj.
papier sm.
papilionacé, e adj.
papillaire adj. ; *papille* sf. ; *papillifère* adj. ; *papilliforme* adj. ; *papillome* sm.

papillon sm. ; *papillonnage* sm. ; *papillonnant, e* adj. ; *papillonner* vi.
papillotage sm. ; *papillotant, e* adj. ; *papillote* sf. ; *papillotement* sm. ; *papilloter* vt. (mettre des papillotes) *et* vi. (cligner).
papion sm.
papisme sm. ; *papiste* s. *et* adj.
papotage sm. ; *papoter* vi.
papou, e adj. *et* s.
papouille sf. (surtout pl.).
paprika sm.
papule sf.
papyrologie sf. ; *papyrologue* s. ; *papyrus* sm.
pâque sf. (*la pâque juive*) ; sm. (sans article) *et* sf. pl. *(Pâques fleuries, faire ses pâques).*
paquebot sm.
pâquerette sf.
paquet sm. ; *paquetage* sm.
par prép.
para sm.
parabellum sm.
parabole sf. ; *parabolique* adj. ; *paraboloïde* sm.
paracentèse sf.
parachèvement sm. ; *parachever* vt.
parachronisme sm.
parachutage sm. ; *parachute* sm. ; *parachuter* vt. ; *parachutisme* sm. ; *parachutiste* s.
paraclet sm.
parade sf. ; *parader* vi.
paradigme sm.
paradis sm. ; *paradisiaque* adj. ; *paradisier* sm.
parados sm.
paradoxal, e, aux adj. ; *paradoxalement* adv. ; *paradoxe* sm.
parafe *ou* **paraphe** sm. ; *parafer ou parapher* vt.
paraffinage sm. ; *paraffine* sf. ; *paraffiner* vt.
parafiscal, ale, aux adj. ; *parafiscalité* sf.
parafoudre sm.
parage sm. (boucherie).
parages sm. pl. (alentours).
paragramme sm.
paragraphe sm.
paragrêle adj. *et* sm.
paraître vi.
paralittérature sf.
parallaxe sf.
parallèle adj. *et* sf. ; *parallèle* sm. ; *parallèlement* adv. ; *parallélépipède ou parallélipipède* sm. ; *parallélisme* sm. ; *parallélogramme* sm.
paralogisme sm.
paralysant, e adj. ; *paralyser* vt. ; *paralysie* sf. ; *paralytique* adj. *et* s.
paramagnétique adj. ; *paramagnétisme* sm.
paramécie sf.
paramédical, e, aux adj.
paramètre sm.
paramilitaire adj.
paramnésie sf.
parangon sm. ; *parangonner* vt.
paranoïa sf. ; *paranoïaque* adj. *et* s. ; *paranoïde* adj.
parapet sm.
paraphrase sf. ; *paraphraser* vt. ; *paraphraseur, euse* s.
paraplégie sf. ; *paraplégique* adj.
parapluie sm.
parapsychologie sf.
parasitaire adj. ; *parasite* sm. *et* adj. ; *parasiter* vt. ; *parasitisme* sm. ; *parasitologie* sf.
parasol sm.
parasympathique adj.
parathyroïde sf.
paratonnerre sm.
paratyphoïde adj. *et* sf.
paravent sm.
parbleu ! intj.
parc sm. ; *parcage* sm.
parcellaire adj. ; *parcelle* sf. ; *parcellisation* sf. ; *parcelliser* vt.
parce que loc. conj.
parchemin sm. ; *parcheminé, e* adj. ; *parcheminer* vt.
parcimonie sf. ; *parcimonieusement* adv. ; *parcimonieux, euse* adj.
parcmètre sm.
parcourir vt. ; *parcours* sm.
par-delà loc. prép. *et* loc. adv.
pardessus sm.
par-devant loc. prép. *(par-devant notaire).*
pardi ! *ou* **pardieu !** intj.
pardon sm. ; *pardonnable* adj. ; *pardonner* vt. *et* vi. — *(se)* vpr.
paré, e adj.
pare-balles sm. inv.
pare-boue sm. inv.
pare-brise sm. inv.
pare-chocs sm. inv.
pare-éclats sm. inv.
pare-étincelles sm. inv.

pare-feu sm. inv.
pare-fumée sm. inv.
parégorique adj.
pareil, eille adj. *et* sm. ; ***pareille*** sf. *(rendre la —)* ; ***pareillement*** adv.
parement sm.
parenchyme sm.
parent, e s. ; ***parentage*** sm. ; ***parental, e, aux*** adj. ; ***parenté*** sf.
parenthèse sf.
paréo sm.
parer vt.
pare-soleil sm. inv.
paresse sf. ; ***paresser*** vi. ; ***paresseusement*** adv. ; ***paresseux, euse*** adj. *et* s.
paresthésie sf.
parfaire vt. ; ***parfait, e*** adj. *et* sm. ; ***parfaitement*** adv.
parfiler vt.
parfois adv.
parfum sm. ; ***parfumer*** vt. ; ***parfumerie*** sf. ; ***parfumeur, euse*** s. *et* adj.
parhélie *ou* **parélie** sf.
pari sm.
paria sm.
pariade sf.
parier vt.
pariétaire sf.
pariétal, e, aux adj.
parieur, euse s.
parisianisme sm. ; ***parisien, enne*** adj. *et* s.
parisyllabique adj.
paritaire adj. ; ***parité*** sf.
parjure sm. *et* adj. ; ***parjurer (se)*** vpr.
parka sf.
parking sm. (angl.).
parkinsonien sm.
parlant, e adj. ; ***parlé, e*** adj. ; ***parlement*** sm. ; ***parlementaire*** adj. *et* s. ; ***parlementairement*** adv. ; ***parlementarisme*** sm. ; ***parlementer*** vi. ; ***parler*** vi. *et* vt. ; ***parler*** sm. ; ***parleur, euse*** s. ; ***parloir*** sm ; ***parlote*** sf.
parmesan sm.
parmi prép.
parnassien, enne adj. *et* sm.
parodie sf. ; ***parodier*** vt. ; ***parodique*** adj. ; ***parodiste*** sm.
paroi sf.
paroisse sf. ; ***paroissial, e, aux*** adj. ; ***paroissien, enne*** s.
parole sf. ; ***parolier*** sm.
paronomase sf.
paronyme sm.
parotide sf.
parousie sf.
paroxysme sm.
paroxyton adj. *et* s.
parpaillot, e s.
parpaing sm.
parquer vt.
parquet sm. ; ***parquetage*** sm. ; ***parqueter*** vt. ; ***parqueterie*** sf. ; ***parqueteur*** sm.
parqueur, euse s.
parrain sm. ; ***parrainage*** sm. ; ***parrainer*** vt.
parricide sm. (crime) ; ***parricide*** adj. *et* s. (criminel).
parsemer vt.
parsi, e s. *et* adj.
part sf. ; ***partage*** sm. ; ***partageable*** adj. ; ***partageant*** sm. ; ***partager*** vt. ; ***partageur ou partageux, euse*** s.
partance sf. ; ***partant*** conj. ; ***partant*** sm.
partenaire s.
parterre sm.
parthénogenèse sf.
parti sm. ; ***partial, e, aux*** adj. ; ***partialement*** adv. ; ***partialité*** sf.
participant, e adj. ; ***participation*** sf. ; ***participe*** sm. *et* adj. ; ***participer*** vi. ; ***participial, e, aux*** adj.
particularisation sf. ; ***particulariser*** vt. ; ***particularisme*** sm. ; ***particulariste*** sm. ; ***particularité*** sf.
particule sf.
particulier, ère adj. *et* s. ; ***particulièrement*** adv.
partie sf. ; ***partiel, elle*** adj. ; ***partiellement*** adv.
partir vi.
partisan, e adj. *et* s.
partita sf.
partiteur sm.
partitif, ive adj.
partition sf.
partout adv.
parturiente sf. ; ***parturition*** sf.
parure sf. ; ***parurier, ère*** s.
parution sf.
parvenir vi. ; ***parvenu, e*** s.
parvis sm.
pas adv.
pas sm.
pascal sm. (pl. *pascals*).
pascal, e, als adj.

pas-de-porte sm. inv.
paso doble sm. inv. (esp.).
passable adj. ; *passablement* adv.
passacaille sf.
passade sf.
passage sm. ; *passager, ère* adj. *et* s. ; *passagèrement* adv. ; *passant, e* adj. *et* s. ; *passation* sf.
passavant sm.
passe sf.
passé, e adj. *et* sm.
passe-crassane sf. inv.
passe-droit sm. (pl. *passe-droits*).
passéisme sm.
passe-lacet sm. (pl. *passe-lacets*).
passement sm. ; *passementer* vi. ; *passementerie* sf. ; *passementier, ère* s.
passe-montagne sm. (pl. *passe-montagnes*).
passe-partout sm. inv.
passe-passe sm. inv.
passe-plat sm. (pl. *passe-plats*).
passepoil sm. ; *passepoiler* vt.
passeport sm.
passer vi. *et* vt. — *(se)* vpr.
passereau sm.
passerelle sf.
passerine sf.
passe-temps sm. inv.
passeur, euse s.
passible adj.
passif, ive adj. *et* sm.
passiflore sf.
passim adv. (lat.).
passing-shot sm. (angl.).
passion sf. ; *passionnant, e* adj. ; *passionné, e* adj. ; *passionnel, elle* adj. ; *passionnément* adv. ; *passionner* vt. — *(se)* vpr.
passivement adv. ; *passivité* sf.
passoire sf.
pastel sm.
pastelliste s.
pastèque sf.
pasteur sm.
pasteurisation sf. ; *pasteuriser* vt.
pastiche sm. ; *pasticher* vt. ; *pasticheur, euse* s.
pastillage sm. ; *pastille* sf. ; *pastilleur, euse* s.
pastis sm.
pastoral, e, aux adj. ; *pastorale* sf. ; *pastorat* sm.
pastoureau sm.
pastourelle sf.
pat adj. *et* sm.
patache sf. ; *patachon* sm. *(vie de —)*.
patapouf sm.
pataquès sm.
patate sf.
patatras intj.
pataud, e adj. *et* s.
pataugeoire sf. ; *patauger* vi.
patchouli sm.
patchwork sm. (angl.).
pâte sf.
pâté sm.
pâtée sf.
patelin sm.
patelin, e adj. *et* s.
patelle sf.
patène sf.
patenôtre sf.
patent, e adj. ; *patente* sf. ; *patenté, e* adj. ; *patenter* vt.
pater sm. inv. (lat.).
patère sf.
paternalisme sm. ; *paternaliste* adj. ; *paterne* adj. ; *paternel, elle* adj. ; *paternellement* adv. ; *paternité* sf.
pâteux, euse adj.
pathétique adj. *et* sm. ; *pathétiquement* adv.
pathogène adj. ; *pathogénie* sf. ; *pathognomonique* adj. ; *pathologie* sf. ; *pathologique* adj. ; *pathologiquement* adv. ; *pathologiste* s.
pathos sm.
patibulaire adj.
patiemment adv. ; *patience* sf. ; *patient, e* adj. *et* s. ; *patienter* vi.
patin sm. ; *patinage* sm.
patine sf.
patiner vt. *et* vi.
patinette sf. ; *patineur, euse* s. ; *patinoire* sf.
patio sm.
pâtir vi.
pâtis sm.
pâtisser vt. *et* vi. ; *pâtisserie* sf. ; *pâtissier, ère* s.
pâtisson sm.
patoche sf.
patois, e adj. *et* sm. ; *patoiser* vi.
patouiller vi.
patraque sf. *et* adj.
pâtre sm.
patriarcal, e, aux adj. ; *patriarcat* sm. ; *patriarche* sm.
patricien, enne s. *et* adj.
patrie sf.

patrilinéaire adj.
patrimoine sm. ; ***patrimonial, e, aux*** adj.
patriote adj. *et* s. ; ***patriotique*** adj. ; ***patriotiquement*** adv. ; ***patriotisme*** sm.
patristique sf. *et* adj. ; ***patrologie*** sf.
patron, onne s. ; ***patronage*** sm. ; ***patronal, e, aux*** adj. ; ***patronat*** sm. ; ***patronner*** vt. ; ***patronnesse*** adj. f. *(dame —).*
patronyme sm. ; ***patronymique*** adj.
patrouille sf. ; ***patrouiller*** vt. *et* vi. ; ***patrouilleur*** sm.
patte sf.
patte-d'éléphant sf. (pl. *pattes-d'éléphant*).
patte-de-mouche sf. (pl. *pattes-de-mouche*).
patte-d'oie sf. (pl. *pattes-d'oie*).
pattemouille sf.
pattu, e adj.
pâturage sm. ; ***pâture*** sf. ; ***pâturer*** vi.
paturon sm.
paulownia sm.
paume sf.
paumé, e s.
paumelle sf.
paumer vt.
paupérisation sf. ; ***paupérisme*** sm.
paupière sf.
paupiette sf.
pause sf.
pauvre adj. *et* sm. ; ***pauvrement*** adv. ; ***pauvresse*** sf. ; ***pauvret, ette*** s. ; ***pauvreté*** sf.
pavage *ou* **pavement** sm.
pavane sf.
pavaner (se) vpr.
pavé sm. ; ***paver*** vt. ; ***paveur*** sm.
pavillon sm.
pavois sm. ; ***pavoisement*** sm. ; ***pavoiser*** vt.
pavot sm.
payable adj. ; ***payant, e*** adj. ; ***paye ou paie*** sf. ; ***payement ou paiement*** sm. ; ***payer*** vt. ; ***payeur, euse*** s.
pays sm. ; ***pays, payse*** s.
paysage sm. ; ***paysagiste*** sm.
paysan, anne s. *et* adj. ; ***paysannat*** sm. ; ***paysannerie*** sf.
péage sm. ; ***péager, ère*** s.
péan sm.
peau sf.
peaufiner vt.
peausserie sf. ; ***peaussier*** sm.
pécan adj. *(noix —).*
pécari sm.
peccable adj.
peccadille sf.
peccant, e adj. *(humeurs peccantes).*
pechblende sf.
pêche sf.
péché sm. ; ***pécher*** vi.
pêcher sm. (arbre).
pêcher vt. ; ***pêcherie*** sf. ; ***pêcheur, euse*** adj. *et* s. (poisson).
pécheur, eresse adj. *et* s. (religion).
pécore sf.
pecten sm.
pectine sf.
pectoral, e, aux adj. *et* sm.
péculat sm.
pécule sm.
pécune sf.
pécuniaire adj. ; ***pécuniairement*** adv.
pédagogie sf. ; ***pédagogique*** adj. ; ***pédagogiquement*** adv. ; ***pédagogue*** sm.
pédale sf. ; ***pédaler*** vi. ; ***pédalier*** sm. ; ***pédalo*** sm.
pédant, e s. *et* adj. ; ***pédanterie*** sf. ; ***pédantesque*** adj. ; ***pédantisme*** sm.
pédéraste sm. ; ***pédérastie*** sf.
pédestre adj. ; ***pédestrement*** adv.
pédiatre sm. ; ***pédiatrie*** sf.
pédicellaire sm. ; ***pédicelle*** sm.
pédicule sm. ; ***pédiculé, e*** adj.
pédicure s.
pedigree sm. (angl.).
pédologie sf. ; ***pédologue*** sm.
pédoncule sm. ; ***pédonculé, e*** adj.
pègre sf.
peignage sm. ; ***peigne*** sm. ; ***peigné, e*** adj. *et* sf. ; ***peigner*** vt. ; ***peigneur, euse*** s. *et* adj. ; ***peignier*** sm. ; peignoir sm. ; ***peignures*** sf. pl.
peille sf.
peinard, e adj.
peindre vt. *et* vi.
peine sf. ; ***peiner*** vt. *et* vi.
peintre sm. ; ***peinture*** sf. ; ***peinturlurer*** vt.
péjoratif, ive adj.
pékin sm.
pékiné, e adj.
pékinois, e adj.
pelade sf.
pelage sm.
pélagique adj.
pelard adj. m.
pélargonium sm.

pelé, e adj. *et* s.
pêle-mêle adv. *et* sm.
peler vt.
pèlerin, e s. ; *pèlerinage* sm. ; *pèlerine* sf. (vêtement).
péliade sf.
pélican sm.
pelisse sf.
pellagre sf. ; *pellagreux, euse* adj. *et* s.
pelle sf. ; *pelletage* sm. ; *pelletée* sf. ; *pelleter* vt.
pelleterie sf. ; *pelletier, ère* s.
pelliculaire adj. ; *pellicule* sf. ; *pelliculeux, euse* adj.
pelotage sm. ; *pelote* sf. ; *peloter* vi. *et* vt. ; *peloteur, euse* s. *et* adj. ; *peloton* sm. ; *pelotonnement* sm. ; *pelotonner* vt. — *(se)* vpr.
pelouse sf.
peluche sf. ; *peluché, e* adj. ; *pelucher* vi. ; *pelucheux, euse* adj.
pelure sf.
pelvien, enne adj.
pelvis sm.
pénal, e, aux adj. ; *pénalisation* sf. ; *pénaliser* vt. ; *pénalité* sf. ; *penalty* sm. (pl. *penaltys* ou *penalties*).
pénates sm. pl.
penaud, e adj.
penchant sm. ; *penché, e* adj. ; *pencher* vt. *et* vi. — *(se)* vpr.
pendable adj. ; *pendaison* sf.
pendant prép.
pendant, e adj. *et* sm. ; *pendard, e* s. ; *pendeloque* sf. ; *pendentif* sm.
penderie sf.
pendiller vi.
pendre vt. *et* vi. ; *pendu, e* s.
pendulaire adj. ; *pendule* sm. (physique) *et* sf. (horlogerie) ; *pendulette* sf.
pêne sm.
pénéplaine sf.
pénétrabilité sf. ; *pénétrable* adj. ; *pénétrant, e* adj. ; *pénétration* sf. ; *pénétré, e* adj. ; *pénétrer* vt. — *(se)* vpr.
pénible adj. ; *péniblement* adv.
péniche sf.
pénicilline sf. ; *pénicillium* sm. ; *pénicillo-résistant, e* adj.
pénil sm.
péninsulaire adj. ; *péninsule* sf.
pénis sm.
pénitence sf. ; *pénitencier* sm. ; *pénitent, e* adj. *et* s. ; *pénitentiaire* adj.
pennage sm. ; *penné, e* adj.
penny sm. (pl. *pence*) (angl.).
pénombre sf.
pensant, e adj.
pense-bête sm. (pl. *pense-bêtes*).
pensée sf. ; *penser* vi. *et* vt. ; *penseur, euse* s. ; *pensif, ive* adj.
pension sf. ; *pensionnaire* s. ; *pensionnat* sm. ; *pensionné, e* adj. *et* s. ; *pensionner* vt.
pensivement adv.
pensum sm. (pl. *pensums*).
pentacle sm.
pentaèdre adj. *et* sm.
pentagonal, e, aux adj. ; *pentagone* adj. *et* sm.
pentamètre sm.
pentane sm.
pentateuque sm.
pentathlon sm.
pente sf.
penthotal sm. (nom de spécialité).
pentu, e adj.
penture sf.
pénultième adj. *et* sf.
pénurie sf.
péon sm.
pépie sf.
pépiement sm. ; *pépier* vi.
pépin sm. ; *pépinière* sf. ; *pépiniériste* adj. *et* s.
pépite sf.
péplum sm.
pepsine sf.
péquenot sm.
perçage sm.
percale sf. ; *percaline* sf.
perçant, e adj. ; *perce (en)* loc. adv. ; *percée* sf. ; *percement* sm.
perce-neige sf. inv.
perce-oreille sm. (pl. *perce-oreilles*).
percepteur sm. ; *perceptible* adj. ; *perceptif, ive* adj. ; *perception* sf.
percer vt. *et* vi. ; *perceur* sm. ; *perceuse* sf.
percevable adj. (impôt) ; *percevoir* vt.
perche sf. ; *perché, e* adj. ; *percher* vi. *et* vt. — *(se)* vpr.
percheron, onne s. *et* adj.
percheur, euse adj.
perchiste sm.
perchoir sm.
perclus, e adj.
perçoir sm.
percolateur sm.

percussion sf. ; *percussionniste* s.
percutané, e adj.
percutant, e adj. ; *percuter* vt. *et* vi. ; *percuteur* sm.
perdable adj. ; *perdant, e* s. *et* adj. ; *perdition* vi. ; *perdre* vt. *et* vi. — *(se)* vpr.
perdreau sm. ; *perdrix* sf.
perdu, e adj.
père sm.
pérégrination sf.
péremption sf.
péremptoire adj. ; *péremptoirement* adv.
pérennité sf.
péréquation sf.
perfectibilité sf. ; *perfectible* adj. ; *perfection* sf. ; *perfectionnement* sm. ; *perfectionner* vt. — *(se)* vpr.
perfide adj. *et* s. ; *perfidement* adv. ; *perfidie* sf.
perforant, e adj. ; *perforateur, trice* adj. *et* s. ; *perforation* sf. ; *perforer* vt. ; *perforeuse* sf.
performance sf.
perfusion sf.
pergola sf. (ital.).
périanthe sm.
péricarde sm. ; *péricardite* sf.
péricarpe sm.
péricliter vi.
péridural, e, aux adj.
périgée sm.
périhélie sm.
péril sm. ; *périlleusement* adv. ; *périlleux, euse* adj.
périmé, e adj.
périmètre sm.
périnée sm.
période sf. (temps) *et* sm. *(le plus haut —)* ; *périodicité* sf. ; *périodique* adj. *et* sm. ; *périodiquement* adv.
périoste sm.
péripatéticien, enne adj. *et* s.
péripétie sf.
périphérie sf. ; *périphérique* adj.
périphrase sf. ; *périphraser* vi. ; *périphrastique* adj.
périple sm.
périr vi.
périscolaire adj.
périscope sm.
périssable adj.
périssodactyles sm. pl.
périssoire sf.
péristaltique adj.
péristyle sm.
péritoine sm. ; *péritonite* sf.
perle sf. ; *perlé, e* adj. ; *perler* vi. *et* vt. ; *perlier, ère* adj.
perlimpinpin sm.
permanence sf. ; *permanent, e* adj. *et* s. ; *permanente* sf.
permanganate sm.
perméabilité sf. ; *perméable* adj.
permettre vt.
permien, enne adj.
permis sm. ; *permis, e* adj. ; *permission* sf. ; *permissionnaire* s.
permutabilité sf. ; *permutable* adj. ; *permutation* sf. ; *permuter* vt. *et* vi.
pernicieusement adv. ; *pernicieux, euse* adj.
péroné sm.
péronnelle sf.
péroraison sf.
pérorer vi.
peroxyde sm.
perpendiculaire sf. *et* adj. ; *perpendiculairement* adv. ; *perpendicularité* sf.
perpète *ou* **perpette (à)** loc. adv.
perpétration sf. ; *perpétrer* vt.
perpétuation sf. ; *perpétuel, elle* adj. ; *perpétuellement* adv. ; *perpétuer* vt. — *(se)* vpr. ; *perpétuité* sf.
perplexe adj. ; *perplexité* sf.
perquisition sf. ; *perquisitionner* vi.
perron sm.
perroquet sm.
perruche sf.
perruque sf. ; *perruquier, ère* s.
pers adj. m. pl. (*yeux* —).
persan, e adj. *et* s.
perse adj. *et* s.
persécuter vt. ; *persécuteur, trice* s. ; *persécution* sf.
persévérance sf. ; *persévérant, e* adj. ; *persévérer* vi.
persicaire sf.
persienne sf.
persiflage sm. ; *persifler* vt. ; *persifleur, euse* s. *et* adj.
persil sm. ; *persillade* sf. ; *persillé, e* adj. ; *persiller* vt. ; *persillère* sf.
persique adj.
persistance sf. ; *persistant, e* adj. ; *persister* vi.
persona (non) grata loc. lat.
personnage sm.
personnalisation sf. ; *personnaliser*

vt. *et* vi.
personnalisme sm.
personnalité sf.
personne sf. *et* pr. ind. m. sg. ; *personnel, elle* adj. *et* sm. ; *personnellement* adv.
personnification sf. ; *personnifier* vt.
perspectif, ive adj. *et* sf.
perspicace adj. ; *perspicacité* sf.
persuader vt. ; *persuasif, ive* adj. ; *persuasion* sf.
persulfate sm. ; *persulfure* sm.
perte sf.
pertinemment adv. ; *pertinence* sf. ; *pertinent, e* adj.
pertuis sm.
pertuisane sf.
perturbateur, trice adj. *et* s. ; *perturbation* sf. ; *perturber* vt.
pervenche sf. *et* adj. inv.
pervers, e adj. *et* s. ; *perversement* adv. ; *perversion* sf. : *perversité* sf. ; *pervertir* vt.
pesage sm. ; *pesamment* adv. ; *pesant, e* adj. *et* sm. ; *pesanteur* sf.
pèse-acide sm. (pl. *pèse-acides*).
pèse-bébé sm. (pl. *pèse-bébés*).
pesée sf.
pèse-lait sm. inv.
pèse-lettre sm. (pl. *pèse-lettres*).
pèse-personne sm. (pl. *pèse-personnes*).
peser vt. *et* vi.
pèse-sirop sm. inv.
peseta sf. (pl. *pesetas*).
pesette sf. ; *peson* sm.
pessimisme sm. ; *pessimiste* adj. *et* s.
peste sf. ; *pester* vi. ; *pesticide* sm. ; *pestiféré, e* adj. *et* s.
pestilence sf. ; *pestilentiel, elle* adj.
pet sm.
pétale sm.
pétanque sf.
pétarade sf. ; *pétarader* vi.
pétard sm.
pétase sm.
pétaudière sf.
pet-de-nonne sm. (pl. *pets-de-nonne*).
pet-en-l'air sm. inv.
péter vi.
pète-sec sm. inv.
pétillant, e adj. ; *pétillement* sm. ; *pétiller* vi.
pétiole sm.
pétiolé, e adj.
petit, e adj. *et* s.
petit-beurre sm. (pl. *petits-beurre*).
petit-bourgeois sm. *et* adj. (pl. *petits-bourgeois*).
petite-fille sf. (pl. *petites-filles*).
petitement adv.
petite-nièce sf. (pl. *petites-nièces*).
petitesse sf.
petit-fils sm. (pl. *petits-fils*).
petit-gris sm. (pl. *petits-gris*).
pétition sf. ; *pétitionnaire* s.
petit-lait sm. (pl. *petits-laits*).
petit-maître sm. (pl. *petits-maîtres*).
petit-neveu sm. (pl. *petits-neveux*).
petits-enfants sm. pl.
petit-suisse sm. (pl. *petits-suisses*).
pétoire sf.
peton sm.
pétoncle sm.
pétrarquisme sm.
pétré, e adj.
pétrel sm.
pétrifiant, e adj. ; *pétrification* sf. ; *pétrifier* vt.
pétrin sm.
pétrir vt. ; *pétrissable* adj. ; *pétrissage* sm. ; *pétrisseur, euse* s.
pétrochimie sf.
pétrodollars sm. pl.
pétrole sm. ; *pétrolette* sf. ; *pétroleuse* sf. ; *pétrolier, ère* adj. *et* sm. ; *pétrolifère* adj.
pétulance sf. ; *pétulant, e* adj.
pétunia sm.
peu adv. *et* sm.
peuh ! intj.
peuplade sf. ; *peuple* sm. ; *peuplement* sm. ; *peupler* vt. *et* vi.
peupleraie sf. ; *peuplier* sm.
peur sf. ; *peureusement* adv. ; *peureux, euse* adj. *et* s.
peut-être loc. adv.
peyotl sm.
pfennig sm.
phacochère sm.
phaéton sm.
phagocyte sm. ; *phagocyter* vt. ; *phagocytose* sf.
phalange sf. ; *phalangette* sf. ; *phalangien, enne* adj. ; *phalangine* sf. ; *phalangiste* s.
phalanstère sm. ; *phalanstérien, enne* adj. *et* s.
phalène sf.
phallique adj.
phallocrate sm. ; *phallocratie* sf.
phalloïde adj. ; *phallus* sm.

phanère sm. ; *phanérogame* adj. *et* s.
pharaon sm. ; *pharaonique* adj.
phare sm.
pharisaïque adj. ; *pharisaïsme* sm. ; *pharisien* sm.
pharmaceutique sf. *et* adj. ; *pharmacie* sf. ; *pharmacien, enne* s. ; *pharmacologie* sf. ; *pharmacopée* sf.
pharyngé, ée adj. ; *pharyngo-laryngite* sf. ; *pharynx* sm.
phase sf.
phasianidés sm. pl.
phasme sm.
phénakistiscope sm.
phénique adj. ; *phéniqué, e* adj.
phénix sm. (oiseau).
phénol sm.
phénoménal, e, aux adj. ; *phénomène* sm. ; *phénoménologie* sf.
phénotype sm.
philanthrope s. ; *philanthropie* sf. ; *philanthropique* adj.
philatélisme sm. ; *philatéliste* s.
philhellène s.
philippine sf.
philippique sf.
philistin sm.
philodendron sm.
philologie sf. ; *philologique* adj. ; *philologue* s.
philosophale adj. *(pierre —)* ; *philosophe* s. ; *philosopher* vi. ; *philosophie* sf. ; *philosophique* adj. ; *philosophiquement* adv.
philtre sm.
phimosis sm.
phlébite sf. ; *phlébotome* sm. ; *phlébotomie* sf.
phlegmon sm. ; *phlegmoneux, euse* adj.
phlogistique sm.
phlox sm.
phobie sf.
phœnix sm. (palmier).
phonation sf.
phone sm.
phonème sm. ; *phonétique* adj. *et* sf. ; *phonétiquement* adv.
phoniatrie sf.
phonique adj.
phonographe sm.
phonologie sf. ; *phonologique* adj. ; *phonologue* s.
phonothèque sf.
phoque sm.
phormion *ou* **phormium** sm.
phosgène sm.
phosphate sm. ; *phosphaté, e* adj. ; *phosphater* vt.
phosphore sm. ; *phosphoré, e* adj. ; *phosphorescence* sf. ; *phosphorescent, e* adj. ; *phosphoreux, euse* adj. ; *phosphorique* adj.
phot sm.
photo sf.
photochimie sf. ; *photochimique* adj.
photocomposeuse sf. ; *photocomposition* sf.
photoconducteur, trice adj.
photocopie sf. ; *photocopier* vt. ; *photocopieur, euse* s.
photo-électrique adj.
photo-finish sf.
photogénique adj.
photographe sm. ; *photographie* sf. ; *photographier* vt. ; *photographique* adj. ; *photographiquement* adv.
photograveur sm. ; *photogravure* sf.
photomécanique adj.
photomètre sm.
photomontage sm.
photon sm.
photophore sm.
photoroman sm.
photosphère sf.
photosynthèse sf.
photothérapie sf.
phototropisme sm.
phototypie sf.
phrase sf. ; *phrasé* sm. ; *phraséologie* sf. ; *phraséologique* adj. ; *phraser* vi. ; *phraseur, euse* s.
phrénique adj. *et* sm.
phrénologie sf. ; *phrénologique* adj.
phrygane sf.
phrygien, enne adj. *et* s.
phtaléine sf.
phtisie sf. ; *phtisiologie* sf. ; *phtisiologue* sm. ; *phtisique* adj. *et* s.
phycomycètes sm. pl.
phylactère sm.
phylloxéra sm. ; *phylloxéré, e* adj. ; *phylloxérique* adj.
phylogenèse *ou* **phylogénie** sf. ; *phylogénétique* adj.
physicien, enne s.
physico-chimie sf.
physiocrate sm. ; *physiocratie* sf.
physiologie sf. ; *physiologique* adj. ; *physiologiquement* adv. ; *physiologiste* s.

physionomie sf. ; *physionomiste* s.
physiothérapie sf.
physique adj. ; *physique* sf. (science) *et* sm. (corps) ; *physiquement* adv.
phytobiologie sf.
phytophage adj.
pi sm. (grec).
piaffer vi. ; *piaffeur, euse* adj. *et* s.
piailler vi. ; *piaillerie* sf. ; *piailleur, euse* s. *et* adj.
pianissimo adv. (ital.).
pianiste s. ; *pianistique* adj. ; *piano* adv. (ital.) ; *piano* sm. ; *pianoter* vi.
piastre sf.
piaule sf.
piaulement sm. ; *piauler* vi.
pic sm.
picador sm. (esp.).
picaillons sm. pl.
picaresque adj.
piccolo sm.
pichenette sf.
pichet sm.
pickles sm. pl. (angl.).
pickpocket sm. (pl. *pickpockets*).
pick-up sm. inv. (angl.).
picoler vi.
picorer vi. *et* vt.
picot sm.
picotage sm. ; *picoté, e* adj. ; *picotement* sm. ; *picoter* vt.
picotin sm.
picrate sm.
picrique adj. m.
pictogramme sm. ; *pictographique* adj.
pictural, e, aux adj.
pidgin sm. (angl.).
pie sf. *et* adj. inv.
pie adj. *(œuvre —).*
pièce sf. ; *piécette* sf.
pied sm.
pied-à-terre sm. inv.
pied-bot sm. (pl. *pieds-bots*).
pied-de-biche sm. (pl. *pieds-de-biche*).
pied-de-loup sm. (pl. *pieds-de-loup*).
pied-de-poule sm. (pl. *pieds-de-poule*) *et* adj. inv.
pied-droit (pl. *pieds-droits*) *ou* **piédroit** sm.
piédestal sm. (pl. *piédestaux*).
pied-plat sm. (pl. *pieds-plats*).
piège sm. ; *piéger* vt.
pie-grièche sf. (pl. *pies-grièches*).
pie-mère sf. (pl. *pies-mères*).
pierre sf. ; *pierrée* sf. ; *pierreries* sf. pl. ; *pierreux, euse* adj.
pierrot sm.
pietà sf. inv. (ital.).
piétaille sf.
piété sf.
piétement sm.
piétinement sm. ; *piétiner* vt. *et* vi.
piétisme sm. ; *piétiste* s. *et* adj.
piéton sm. ; *piétonnier, ère* adj.
piètre adj. ; *piètrement* adv.
pieu sm.
pieusement adv.
pieuvre sf.
pieux, euse adj.
pièze sf. ; *piézographe* sm. ; *piézomètre* sm.
pif ! intj. *(pif-paf).*
pige sf.
pigeon sm. ; *pigeonne* sf. ; *pigeonnant, e* adj. ; *pigeonneau* sm. ; *pigeonnier* sm.
piger vt.
pigiste s.
pigment sm. ; *pigmentaire* adj. ; *pigmentation* sf.
pigne sf.
pignocher vt.
pignon sm.
pilaf sm. *et* adj. *(riz —).*
pilage sm.
pilastre sm.
pilchard sm.
pile sf.
piler vt.
pilet sm.
pileur, euse s.
pileux, euse adj.
pilier sm.
pillage sm. ; *pillard, e* adj. *et* s. ; *piller* vt. ; *pilleur, euse* s. *et* adj.
pilon sm. ; *pilonnage* sm. ; *pilonner* vt.
pilori sm.
pilosité sf.
pilotage sm. ; *pilote* sm. ; *piloter* vt.
pilotis sm.
pilou sm.
pilulaire adj. ; *pilule* sf. ; *pilulier* sm.
pimbêche sf.
piment sm. ; *pimenter* vt.
pimpant, e adj.
pimprenelle sf.
pin sm.
pinacle sm.

pinacothèque sf.
pinailler vi.
pinard sm.
pinasse sf.
pinçage sm.
pinçard, e s. *et* adj.
pince sf. ; ***pincé, e*** adj.
pinceau sm.
pincée sf.
pincement sm.
pince-monseigneur sf. (pl. *pinces-monseigneur*).
pince-nez sm. inv.
pincer vt.
pince-sans-rire s. inv.
pincette sf.
pinçon sm. (marque).
pindarique adj.
pinéal, e, aux adj.
pineau sm. (vin).
pinède sf.
pingouin sm.
Ping-Pong sm. (nom déposé).
pingre s. *et* adj. ; ***pingrerie*** sf.
pinnipèdes sm. pl.
pinnule sf.
pinot sm. (cépage).
pinson sm. (oiseau).
pintade sf. ; ***pintadeau*** sm.
pinte sf. ; ***pinter*** vi. — ***(se)*** vpr.
pin-up sf. inv. (angl.).
piochage sm. ; ***pioche*** sf. ; ***piocher*** vt. *et* vi. ; ***piocheur, euse*** s.
piolet sm.
pion sm. (jeux) ; ***pion, onne*** s. (surveillant).
pioncer vi.
pionnier sm.
pioupiou sm.
pipe sf. ; ***pipeau*** sm. ; ***pipée*** sf.
pipelet, ette s.
pipeline sm.
piper vt.
piperade sf.
piper-cub sm. (pl. *piper-cubs*).
pipette sf.
pipi sm.
pipistrelle sf.
piquage sm. ; ***piquant, e*** adj. *et* sm. ; ***pique*** sf. ; ***piqué, e*** adj. *et* sm.
pique-assiette sm. inv.
pique-bœuf sm. (pl. *pique-bœufs)*.
pique-feu sm. inv.
pique-nique sm. (pl. *pique-niques)* ; ***pique-niquer*** vi.
pique-notes sm. inv.
piquer vt. *et* vi. ; ***piquet*** sm.
piquetage sm. ; ***piqueté, e*** adj. ; ***piqueter*** vt.
piquette sf.
piqueur sm. ; ***piqueur, euse*** s. ; ***piqûre*** sf.
piranha sm.
pirate sm. ; ***pirater*** vi. ; ***piraterie*** sf.
pire adj. *et* sm.
piriforme adj.
pirogue sf.
pirouette sf. ; ***pirouetter*** vi.
pis sm.
pis adv.
pis-aller sm. inv.
pisciculteur sm. ; ***pisciculture*** sf.
pisciforme adj.
piscine sf.
piscivore adj.
pisé sm.
pissaladière sf.
pissat sm. ; ***pisse*** sf. ; ***pisse-froid*** sm. inv. ; ***pissenlit*** sm. ; ***pisser*** vt. *et* vi. ; ***pissette*** sf. ; ***pisseur, euse*** s. ; ***pisseux, euse*** adj. ; ***pisse-vinaigre*** sm. inv. ; ***pissoir*** sm. ; ***pissotière*** sf.
pistache sf. ; ***pistachier*** sm.
pistage sm. ; ***pistard*** sm. ; ***piste*** sf. ; ***pister*** vt. ; ***pisteur*** sm.
pistil sm.
pistole sf.
pistolet sm.
piston sm. ; ***pistonner*** vt.
pistou sm.
pitance sf.
pitchpin sm.
piteusement adv. ; ***piteux, euse*** adj.
pithécanthrope sm.
pitié sf.
piton sm.
pitoyable adj. ; ***pitoyablement*** adv.
pitre sm. ; ***pitrerie*** sf.
pittoresque adj. *et* sm.
pituitaire adj. ; ***pituite*** sf.
pityriasis sm.
pivert sm.
pivoine sf.
pivot sm. ; ***pivotant, e*** adj. ; ***pivoter*** vi.
pizza sf. (ital.) ; ***pizzeria*** sf.
pizzicato sm. (pl. *pizzicati* ou *pizzicatos*).
placage sm.
placard sm. ; ***placarder*** vt.
place sf.
placebo sm. (lat.).

placement sm.
placenta sm. ; *placentaire* adj.
placer vt. — *(se)* vpr.
placet sm. (lat.).
placette sf.
placeur, euse s.
placide adj. ; *placidement* adv. ; *placidité* sf.
placier, ère s.
plafond sm. ; *plafonnage* sm. ; *plafonnement* sm. (limitation) ; *plafonner* vt. ; *plafonneur* sm. ; *plafonnier* sm.
plage sf.
plagiaire sm. ; *plagiat* sm. ; *plagier* vt.
plagiste s.
plaid sm. (angl.).
plaid sm. (procès) ; *plaidable* adj. ; *plaidant, e* adj. ; *plaider* vi. *et* vt. ; *plaideur, euse* s. ; *plaidoirie* sf. ; *plaidoyer* sm.
plaie sf.
plaignant, e adj. *et* s.
plain-chant sm. (pl. *plains-chants*).
plaindre vt. — *(se)* vpr.
plaine sf.
plain-pied (de) loc. adv.
plainte sf. ; *plaintif, ive* adj. ; *plaintivement* adv.
plaire vi. — *(se)* vpr. ; *plaisamment* adv. ; *plaisance* sf. ; *plaisancier, ère* s. *et* adj. ; *plaisant, e* adj. *et* sm.
plaisanter vi. *et* vt. ; *plaisanterie* sf. ; *plaisantin* sm.
plaisir sm.
plan, e adj. *et* sm. ; *planage* sm. ; *planéité* sf.
planche sf. *planchéier* vt. ; *plancher* sm. ; *plancher* vi. ; *planchette* sf.
plan-concave adj. (pl. *plan-concaves*).
plan-convexe adj. (pl. *plan-convexes*).
plancton sm.
plane sf.
planer vi. (voler) *et* vt. (aplanir).
planétaire adj. ; *planétarium* sm. ; *planète* sf.
planeur sm.
planificateur sm. ; *planification* sf. ; *planifier* vt.
planimètre sm. ; *planimétrie* sf.
planisphère sm.
planning sm. (angl.).
planorbe sf.
planque sf ; *planquer* vt.
plant sm. ; *plantage* sm.
plantain sm.
plantaire adj. *et* sm.
plantation sf. ; *plante* sf. ; *planter* vt. ; *planteur, euse* s.
plantigrade adj. *et* sm.
plantoir sm.
planton sm.
plantureusement adv. ; *plantureux, euse* adj.
plaque sf. ; *plaqué* sm.
plaquemine sf. ; *plaqueminier* sm.
plaquage sm. ; *plaquer* vt.
plaquette sf.
plaqueur s. *et* adj. m.
plasma sm. ; *plasmatique* adj.
plastic sm. (explosif) ; *plasticage* sm.
plasticité sm.
plastifié, e adj. ; *plastifier* vt.
plastique adj. *(matière —)* ; *plastique* sm. (matière) *et* sf. (formes) ; *plastiquement* adv.
plastiquer vt.
plastron sm. ; *plastronner* vt. *et* vi.
plat, e adj. *et* sm.
platane sm.
plat-bord sm. (pl. *plats-bords*).
plateau sm.
plate-bande sf. (pl. *plates-bandes*).
platée sf.
plate-forme sf. (pl. *plates-formes*).
platement adv.
plateresque adj.
plathelminthes sm. pl.
platinage sm. ; *platine* sf. (plaque) *et* sm. (métal) ; *platiné* adj. ; *platiner* vt.
platitude sf.
platonicien, enne s. *et* adj. ; *platonique* adj. ; *platonisme* sm.
plâtrage sm. ; *plâtras* sm. ; *plâtre* sm. ; *plâtrer* vt. ; *plâtrerie* sf. ; *plâtreux, euse* adj. ; *plâtrier* sm. ; *plâtrière* sf.
platyrrhiniens sm. pl.
plausibilité sf. ; *plausible* adj. ; *plausiblement* adv.
plèbe sf. ; *plébéien, enne* adj. *et* s.
plébiscitaire adj. ; *plébiscite* sm. ; *plébisciter* vt.
plectre sm.
pléiade sf.
plein, e adj. *et* sm. ; *pleinement* adv.
plein-emploi sm.
plein-vent sm. *et* adj. inv.
plénier, ère adj.

plénipotentiaire sm. *et* adj.
plénitude sf.
plénum sm. (lat.).
pléonasme sm. ; *pléonastique* adj.
pléthore sf. ; *pléthorique* adj. *et* s.
pleur sm. (surtout pl.) ; *pleurage* sm.
pleural, e, aux adj.
pleurard, e adj. *et* s.
pleure-misère s. inv.
pleurer vi. *et* vt.
pleurésie sf. ; *pleurétique* adj. *et* s.
pleureur, euse s. *et* adj.
pleurite sf.
pleurnichement sm. *ou* **pleurnicherie** sf. ; *pleurnicher* vi. ; *pleurnicheur, euse* adj. *et* s.
pleutre sm. *et* adj. ; *pleutrerie* sf.
pleuvasser, pleuviner, pleuvoter v. imp. ; *pleuvoir* v. imp. *et* vi.
plèvre sf.
Plexiglas sm. (nom déposé).
plexus sm.
pli sm. ; *pliable* adj. ; *pliage* sm. ; *pliant, e* adj. *et* sm.
plie sf.
plié sm. ; *plier* vt. *et* vi. — *(se)* vpr. ; *plieur, euse* s.
plinthe sf.
pliocène adj. *et* sm.
plioir sm.
plissage sm. ; *plissé, e* adj. *et* sm. ; *plissement* sm. ; *plisser* vt. *et* vi. ; *plisseur, euse* s. ; *plissure* sf.
pliure sf.
ploiement sm.
plomb sm. ; *plombage* sm. ; *plombagine* sf. ; *plombé, e* adj. ; *plombée* sf. ; *plomber* vt. ; *plomberie* sf. ; *plombier* sm.
plombières sf.
plonge sf. ; *plongeant, e* adj. ; *plongée* sf. ; *plongeoir* sm. ; *plongeon* sm. ; *plonger* vt. *et* vi. ; *plongeur, euse* s.
plot sm.
ploutocrate sm. ; *ploutocratie* sf. ; *ploutocratique* adj.
ployable adj. ; *ployage* sm. ; *ployer* vt. *et* vi.
pluie sf.
plumage sm.
plumard sm.
plumasserie sf. ; *plumassier, ère* s.
plume sf. ; *plumeau* sm. ; *plumer* vt. ; *plumet* sm.
plumetis sm.
plumier sm.
plumitif sm.
plumule sf.
plupart (la) sf.
plural, e, aux adj. ; *pluralisme* sm. ; *pluraliste* adj. ; *pluralité* sf.
pluriannuel, elle adj.
pluricellulaire adj.
pluridisciplinaire adj. ; *pluridisciplinarité* sf.
pluriel, elle adj. *et* sm.
plurivalent, e adj.
plus adv.
plusieurs adj. *et* pr. indéf. pl.
plus-que-parfait sm. (pl. *plus-que-parfaits*).
plus-value sf. (pl. *plus-values*).
plutonium sm.
plutôt adv.
pluvial, e, aux adj.
pluvier sm.
pluvieux, euse adj.
pluviomètre sm. ; *pluviométrie* sf. ; *pluviométrique* adj.
pluviôse sm.
pluviosité sf.
pneu sm. ; *pneumatique* adj. *et* sm.
pneunoconiose sf.
pneumocoque sm.
pneumogastrique adj.
pneumologie sf.
pneumonectomie *ou* **pneumectomie** sf.
pneumonie sf. ; *pneumonique* adj.
pneumothorax sm.
pochade sf.
pochard, e s.
poche sf. ; *poché, e* adj. ; *pocher* vt. ; *pochetée* sf. ; *pochette* sf. ; *pocheuse* sf. ; *pochoir* sm.
podagre adj. *et* s.
podestat sm.
podium sm.
podomètre sm.
podzol sm. (russe).
poêle sm.
poêle sf. ; *poêlée* sf. ; *poêler* vt. ; *poêlon* sm.
poème sm. ; *poésie* sf. ; *poète* sm. ; *poétesse* sf. ; *poétique* adj. *et* sf. ; *poétiquement* adv. ; *poétiser* vt.
pognon sm.
pogrom *ou* **pogrome** sm.
poids sm.
poignant, e adj.
poignard sm. ; *poignarder* vt.

poigne sf. ; *poignée* sf. ; *poignet* sm.
poil sm. ; *poilu, e* adj. *et* sm.
poinçon sm. ; *poinçonnage ou poinçonnement* sm. ; *poinçonner* vt. ; *poinçonneur, euse* s.
poindre vi.
poing sm.
point sm. *et* adv.
pointage sm.
pointe sf. ; *pointeau* sm. ; *pointer* vt. *et* vi. ; *pointer* sm. ; *pointeur* sm. ; *pointeuse* sf.
pointillé sm. ; *pointiller* vi. *et* vt.
pointilleux, se adj.
pointillisme sm. ; *pointilliste* s. *et* adj.
pointu, e adj.
pointure sf.
poire sf. ; *poiré* sm.
poireau sm. ; *poireauter* vi.
poirée sf.
poirier sm.
pois sm.
poison sm.
poissard, e adj. *et* s.
poisse sf. ; *poisser* vt. ; *poisseux, euse* adj.
poisson sm.
poisson-chat sm. (pl. *poissons-chats*).
poissonnerie sf. ; *poissonneux, euse* adj. ; *poissonnier, ère* s. ; *poissonnière* sf.
poitrail sm.
poitrinaire adj. *et* s. ; *poitrine* sf.
poivrade sf. ; *poivre* sm. ; *poivré, e* adj. ; *poivrer* vt. ; *poivrier* sm. ; *poivrière* sf.
poivron sm.
poivrot sm.
poix sf.
poker sm.
polaire adj. ; *polarimètre* sm. ; *polarisable* adj. ; *polarisation* sf. ; *polarisé, e* adj. ; *polariser* vt. ; *polariseur* sm. ; *polarité* sf.
polder sm.
pôle sm.
polémique sf. *et* adj. ; *polémiquer* vi. ; *polémiste* sm. ; *polémologie* sf.
polenta sf.
poli, e adj. *et* sm.
police sf.
policer vt.
polichinelle sm.
policier, ère adj. *et* s.
policlinique sf. (sans hospitalisation).
poliment adv.
poliomyélite sf. ; *poliomyélitique* adj. *et* s.
polir vt. ; *polissable* adj. ; *polissage* sm. ; *polisseur, euse* s. ; *polissoir* sm.
polisson, onne adj. *et* s. ; *polissonner* vi. ; *polissonnerie* sf.
politesse sf.
politicard, e adj. *et* s. ; *politicien, enne* s. ; *politique* adj. *et* sf. ; *politiquement* adv.
politisation sf. ; *politiser* vt.
polka sf.
pollen sm.
pollicitation sf.
pollinisation sf.
polluant, e adj. ; *polluer* vt. ; *pollueur, euse* s. *et* adj. ; *pollution* sf.
polo sm.
polochon sm.
polonaise sf.
polonium sm.
poltron, onne adj. *et* s. ; *poltronnerie* sf.
polyacide adj.
polyamide sm.
polyandrie sf.
polychrome adj. ; *polychromie* sf.
polyclinique sf. (soins diversifiés).
polycopie sf. ; *polycopié* sm. ; *polycopier* vt.
polyculture sf.
polyèdre adj. *et* sm.
polygame adj. *et* s. ; *polygamie* sf.
polyglotte adj. *et* s.
polygonal, e, aux adj. ; *polygone* sm.
polygraphe sm.
polymère adj. *et* sm. ; *polymérisation* sf.
polymorphe adj. ; *polymorphisme* sm.
polynévrite sf.
polynôme sm.
polynucléaire adj.
polype sm.
polypeptide sm.
polyphasé, e adj.
polyphonie sf. ; *polyphonique* adj.
polypode sm.
polyptyque adj. *et* sm.
polysémie sf. ; *polysémique* adj.
polystyrène sm.
polysyllabe *ou* **polysyllabique** adj.
polytechnicien, enne s. ; *polytechnique* adj.

polythéisme sm. ; *polythéiste* s. *et* adj.
polyurie sf.
polyvalence sf. ; *polyvalent, e* adj.
pomélo sm.
pommade sf. ; *pommader* vt.
pommard sm.
pomme sf. ; *pommé, e* adj. ; *pommeau* sm. ; *pommelé, e* adj. ; *pommeler (se)* vpr.
pommelle sf.
pommer vi. ; *pommeraie* sf. ; *pommette* sf. ; *pommier* sm.
pompadour adj. inv.
pompage sm. ; *pompe* sf.
pompéien, enne s. *et* adj.
pomper vt.
pompette adj.
pompeusement adv. ; *pompeux, euse* adj.
pompier sm. *et* adj.
pompiste sm.
pompon sm. ; *pomponner* vt.
ponant sm.
ponçage sm.
ponce (pierre) sf.
ponceau adj. inv.
poncer vt.
poncho sm.
poncif sm.
ponction sf. ; *ponctionner* vt.
ponctualité sf.
ponctuation sf. ; *ponctué, e* adj.
ponctuel, elle adj. ; *ponctuellement* adv.
ponctuer vt.
pondérable adj. ; *pondéral, e, aux* adj.
pondérateur, trice adj. ; *pondération* sf. ; *pondéré, e* adj. ; *pondérer* vt. ; *pondéreux, euse* adj.
pondeuse adj. *et* s. ; *pondoir* sm. ; *pondre* vt.
poney sm.
pongé sm.
pongiste sm.
pont sm.
ponte sf. (œufs) *et* sm. (jeux).
ponté, e adj. ; *pontée* sf.
ponter vi. (jeux).
pontet sm.
pontier sm.
pontife sm. ; *pontifical, e, aux* adj. ; *pontificat* sm. ; *pontifier* vi.
pont-l'évêque sm. inv.
pont-levis sm.
ponton sm. ; *pontonnier* sm.
pool sm. (angl.).
pop adj. inv. (angl.).
pop-corn sm. (angl.).
pope sm.
popeline sf.
poplité, e adj.
popote sf.
populace sf. ; *populacier, ère* adj. ; *populaire* adj. *et* sm. ; *populairement* adv. ; *popularisation* sf. ; *populariser* vt. ; *popularité* sf. ; *population* sf. ; *populeux, euse* adj. ; *populisme* adj. *et* s. ; *populiste* adj. *et* s. ; *populo* sm.
porc sm.
porcelaine sf. ; *porcelainier, ère* adj. *et* sm.
porcelet sm.
porc-épic sm. (pl. *porcs-épics*).
porche sm.
porcher, ère s. ; *porcherie* sf.
porcin, e adj.
pore sm. ; *poreux, euse* adj.
pornographe s. *et* adj. ; *pornographie* sf. ; *pornographique* adj.
porosité sf.
porphyre sm. ; *porphyrique* adj.
porridge sm.
port sm.
portable adj. ; *portage* sm.
portail sm.
portance sf. ; *portant, e* adj. *et* sm. ; *portatif, ive* adj.
porte sf.
porte adj. f. *(veine —).*
porté, e adj.
porte-à-faux sm. inv.
porte-aiguille sm. inv. (chirurgie) ; *porte-aiguilles* sm. (boîtier).
porte-à-porte sm.
porte-avions sm. inv.
porte-bagages sm. inv.
porte-billets sm. inv.
porte-bonheur sm. inv.
porte-bouteilles sm. inv.
porte-cartes sm. inv.
porte-chapeaux sm. inv.
porte-cigares *et* **porte-cigarettes** sm. inv.
porte-clefs sm. inv.
porte-couteau sm. (pl. *porte-couteau(x)*).
porte-crayon sm. (pl. *porte-crayon(s)*).
porte-croix sm. inv.

porte-documents sm. inv.
porte-drapeau sm. (pl. *porte-drapeau(x)*).
portée sf.
porte-étendard sm. (pl. *porte-étendard(s)*).
portefaix sm.
porte-fanion sm. (pl. *porte-fanion(s)*).
porte-fenêtre sf. (pl. *portes-fenêtres*).
portefeuille sm.
porte-malheur sm. inv.
portemanteau sm.
portement sm.
portemine sm.
porte-monnaie sm. inv.
porte-musique sm. inv.
porte-outil sm. (pl. *porte-outil(s)*).
porte-parapluies sm. inv.
porte-parole sm. inv.
porte-plume sm. inv.
porter vt. *et* vi.
porte-savon sm. (pl. *porte-savon(s)*).
porte-serviettes sm. inv.
porteur, euse s.
porte-voix sm. inv.
portier, ère s. ; ***portière*** sf. ; ***portillon*** sm.
portion sf.
portique sm.
porto sm.
portrait sm. ; ***portraitiste*** sm. ; ***portraiturer*** vt.
portuaire adj.
portugais, aise adj. *et* s. ; ***portugaise*** sf. (huître).
portulan sm.
pose sf.
posé, e adj. ; ***posément*** adv.
posemètre sm.
poser vt. *et* vi. ; ***poseur, euse*** s. *et* adj.
positif, ve adj. *et* sm.
position sf.
positivement adv. ; ***positivisme*** sm. ; ***positiviste*** adj. *et* s. ; ***positivité*** sf.
position sm.
posologie sf.
possédé, e adj. *et* s. ; ***posséder*** vt. ; ***possesseur*** sm. ; ***possessif*** adj. *et* sm. ; ***possession*** sf. ; ***possessivité*** sf.
possibilité sf. ; ***possible*** adj., sm. *et* adv. *(le plus possible)*.
postage sm. ; ***postal, e, aux*** adj.
postcure sf.
postdater vt.
poste sf. *et* sm.
poster sm. (angl.).
poster vt.
postérieur, e adj. ; ***postérieurement*** adv.
posteriori (a) loc. adv. (lat.).
postériorité sf.
postérité sf.
postface sf.
posthume adj.
postiche adj.
postier, ère s.
postillon sm.
postopératoire adj.
postposer vt. ; ***postposition*** sf.
postscolaire adj.
post-scriptum sm. inv. (lat.).
postsynchronisation sf. ; ***postsynchroniser*** vt.
postulant, e s. ; ***postulat*** sm. ; ***postulation*** sf. ; ***postuler*** vt. *et* vi.
postural, e, aux adj. ; ***posture*** sf.
pot sm.
potable adj.
potache sm.
potage sm. ; ***potager, ère*** adj. *et* sm.
potamochère sm.
potard sm.
potasse sf.
potasser sf.
potassium sm.
pot-au-feu sm. inv.
pot-de-vin sm. (pl. *pots-de-vin*).
pote adj. f. *(main —)*.
pote sm.
poteau sm.
potée sf.
potelé, e adj.
potence sf.
potentat sm.
potentialité sf. ; ***potentiel, elle*** adj. *et* sm. ; ***potentiellement*** adv.
potentiomètre sm.
poterie sf.
poterne sf.
potiche sf.
potier sm.
potin sm. ; ***potiner*** vi.
potion sf.
potiron sm.
potlatch sm.
pot-pourri sm. (pl. *pots-pourris*).
potron-jaquet *ou* **potron-minet** sm.
pou sm. (pl. *poux*).
pouah ! intj.
poubelle sf.

pouce sm.
poudingue sm. (géol.).
poudre sf. ; *poudrer* vt. ; *poudrerie* sf. ; *poudrette* sf. ; *poudreux, euse* adj. ; *poudrier* sm. ; *poudrière* sf.
poudroiement sm. ; *poudroyer* vi.
pouf sm.
pouf ! intj.
pouffer vi.
pouffiasse sf.
pouilles sf. pl.
pouilleux, euse s. *et* adj.
poulailler sm.
poulain sm.
poulaine sf.
poularde sf.
poulbot sm.
poule sf. ; *poulet* sm. ; *poulette* sf. *et* adj. *(sauce —).*
pouliche sf.
poulie sf.
pouliner vi. ; *poulinière* adj. *et* sf.
poulpe sm.
pouls sm.
poumon sm.
poupard, e adj. *et* sm.
poupe sf.
poupée sf. ; *poupin, e* adj. ; *poupon, onne* s. ; *pouponner* vi. ; *pouponnière* sf.
pour prép.
pourboire sm.
pourceau sm.
pourcentage sm.
pourchasser vt.
pourfendeur sm. ; *pourfendre* vt.
pourlécher vt. — *(se)* vpr.
pourparlers sm. pl.
pourpier sm.
pourpoint sm.
pourpre sf. *et* sm. ; *pourpré, e* adj.
pourquoi adv. *et* sm.
pourri, e adj. *et* sm. ; *pourrir* vt. *et* vi. ; *pourrissable* adj. ; *pourrissage* sm. ; *pourrissement* sm. ; *pourrissoir* sm. ; *pourriture* sf.
poursuite sf. ; *poursuivant* sm. ; *poursuivre* vt.
pourtant adv.
pourtour sm.
pourvoi sm.
pourvoir vt. ind. *(à)* — *(se)* vpr. ; *pourvoyeur, euse* s.
pourvu que loc. conj.
poussage sm.
poussah sm.
pousse sf.
pousse-café sm. inv.
poussée sf.
pousse-pousse sm. inv.
pousser vt. *et* vi. ; *poussette* sf.
poussier sm. ; *poussière* sf. ; *poussiéreux, euse* adj.
poussif, ive adj.
poussin sm. ; *poussinière* sf.
poussoir sm.
poutrage sm. ; *poutre* sf. ; *poutrelle* sf.
pouvoir sm. ; *pouvoir* vt.
pouzzolane sf.
præsidium sm.
pragmatique adj. ; *pragmatisme* sm. ; *pragmatiste* s. *et* adj.
praire sf.
prairial sm. ; *prairie* sf.
prâkrit sm.
pralin sm. ; *pralinage* sm. ; *praline* sf. ; *praliner* vt.
praticabilité sf. ; *praticable* adj. *et* sm. ; *praticien, enne* s. ; *pratiquant, e* adj. *et* s. ; *pratique* sf. *et* adj. ; *pratiquement* adv. ; *pratiquer* vt.
pré sm.
préadamite adj. *et* s.
préalable adj. *et* sm. ; *préalablement* adv.
préalpin, e adj.
préambule sm.
préau sm.
préavis sm.
prébende sf. ; *prébendier* sm.
précaire adj. ; *précairement* adv.
précambrien sm.
précarité sf.
précaution sf. ; *précautionner (se)* vpr. ; *précautionneusement* adv. ; *précautionneux, euse* adj.
précédemment adv. ; *précédent, e* adj. *et* sm. ; *précéder* vt. *et* vi.
précepte sm.
précepteur, trice s. ; *préceptorat* sm.
précession sf.
préchambre sf.
préchauffage sm.
prêche sm. ; *prêcher* vt. *et* vi. ; *prêcheur, euse* s.
prêchi-prêcha sm. inv.
précieusement adv. ; *précieux, euse* adj. *et* sf. ; *préciosité* sf.
précipice sm.
précipitamment adv. ; *précipitation*

sf. ; *précipité* sm. ; *précipiter* vt. — *(se)* vpr.
préciput sm. ; *préciputaire* adj.
précis, e adj. *et* sm. ; *précisément* adv. ; *préciser* vt. ; *précision* sf.
précité, e adj.
précoce adj. ; *précocement* adv. ; *précocité* sf.
précolombien, enne adj.
précombustion sf.
précompte sm. ; *précompter* vt.
préconçu, e adj.
préconiser vt.
précontraint, e adj. *et* sm.
précurseur adj. m. *et* sm.
prédateur, trice adj. *et* sm.
prédécesseur sm.
prédelle sf.
prédestination sf. ; *prédestiné, e* adj. *et* s. ; *prédestiner* vt.
prédétermination sf. ; *prédéterminer* vt.
prédicat sm.
prédicateur sm. ; *prédication* sf.
prédiction sf.
prédilection sf.
prédire vt.
prédisposant, e adj. ; *prédisposer* vt. ; *prédisposition* sf.
prédominance sf. ; *prédominant, e* adj. ; *prédominer* vi. *et* vt.
prééminence sf. ; *prééminent, e* adj.
préemption sf.
préenquête sf.
préétablir vt.
préexistant, e adj. ; *préexistence* sf. ; *préexister* vi.
préfabriqué, e adj.
préface sf. ; *préfacer* vt. ; *préfacier* sm.
préfectoral, e, aux adj. ; *préfecture* sf.
préférable adj. ; *préféré, e* adj. *et* s. ; *préférence* sf. ; *préférentiel, elle* adj. ; *préférer* vt.
préfet sm. ; *préfète* sf.
préfiguration sf. ; *préfigurer* vt.
préfixal, e, aux adj. ; *préfixation* sf. ; *préfixe* adj. *et* sm. ; *préfixer* vt.
préformation sf.
préglaciaire adj.
prégnant, e adj.
préhenseur adj. m. ; *préhensile* adj. ; *préhension* sf.
préhistoire sf. ; *préhistorique* adj.
préhominiens sm. pl.
préjudice sm. ; *préjudiciable* adj. ; *préjudiciel, elle* adj.
préjugé sm. ; *préjuger* vt.
prélasser (se) vpr.
prélat sm. ; *prélature* sf.
prèle *ou* **prêle** sf.
prélèvement sm. ; *prélever* vt.
préliminaire adj. *et* sm.
prélogique adj.
prélude sm. ; *préluder* vi.
prématuré, e adj. ; *prématurément* adv.
préméditation sf. ; *prémédité, e* adj. ; *préméditer* vt.
prémices sf. pl. (débuts).
premier, ère adj. *et* s. ; *premièrement* adv. ; *premier-né* sm. (pl. *premiers-nés*).
prémisse sf. (argument).
prémolaire sf.
prémonition sf. ; *prémonitoire* adj.
prémontré sm.
prémunir vt. — *(se)* vpr.
prenable adj. ; *prenant, e* adj.
prénatal, e, als adj.
prendre vt. *et* vi. ; *preneur, euse* s. *et* adj.
prénom sm. ; *prénommé, e* s. *et* adj. ; *prénommer* vt. — *(se)* vpr.
prénuptial, e, aux adj.
préoccupation sf. ; *préoccupé, e* adj. ; *préoccuper* vt. — *(se)* vpr.
préparateur, trice s. ; *préparatif* sm. ; *préparation* sf. ; *préparatoire* adj. ; *préparer* vt. — *(se)* vpr.
prépayer vt.
prépondérance sf. ; *prépondérant, e* adj.
préposé, e adj. *et* s. ; *préposer* vt.
préposition sf.
prépuce sm.
préraphaélite sm.
prérogative sf.
préromantique adj. ; *préromantisme* sm.
près adv. *et* prép.
présage sm. ; *présager* vt.
pré-salé sm. (pl. *prés-salés*).
presbyte s. *et* adj.
presbytère sm.
presbytérien, enne s. *et* adj.
presbytie sf.
prescience sf.
prescriptible adj. ; *prescription* sf. ; *prescrire* vt. — *(se)* vpr. ; *prescrit, e* adj.

préséance sf.
présélection sf.
présence sf. ; *présent* sm. ; *présent, e* adj. *et* sm.
présentable adj. ; *présentateur, trice* s. ; *présentation* sf.
présentement adv.
présenter vt. — *(se)* vpr. ; *présentoir* sm.
préservateur, trice adj. ; *préservatif, ive* adj. *et* sm. ; *préservation* sf. ; *préserver* vt.
présidence sf. ; *président* sm. ; *présidente* sf. ; *présidentialisme* sm. ; *présidentialiste* adj. ; *présidentiel, elle* adj. ; *présider* vt. *et* vi.
présomptif, ive adj. ; *présomption* sf.
présomptueusement adv. ; *présomptueux, euse* adj. *et* s.
presque adv.
presqu'île sf.
pressage sm. ; *pressant, e* adj. ; *presse* sf. ; *pressé, e* adj. *et* sm.
presse-bouton adj. inv.
presse-citron *ou* **presse-citrons** sm. inv.
pressée sf.
presse-fruits sm. inv.
pressentiment sm. ; *pressentir* vt.
presse-papiers sm. inv.
presse-purée sm. inv.
presser vt. *et* vi. — *(se)* vpr.
pressier sm.
pressing sm. (angl.).
pression sf.
pressoir sm.
pressurage sm. ; *pressurer* vt. ; *pressureur* sm.
pressurisation sf. ; *pressuriser* vt.
prestance sf.
prestataire sm. ; *prestation* sf.
preste adj. ; *prestement* adv. ; *prestesse* sf.
prestidigitateur sm. ; *prestidigitation* sf.
prestige sm. ; *prestigieux, euse* adj.
presto, prestissimo adv. (ital.).
présumable adj. ; *présumer* vt. *et* vi.
présupposé sm. ; *présupposer* vt. ; *présupposition* sf.
présure sf.
prêt sm.
prêt, e adj.
pretantaine *ou* **pretentaine** sf. *(courir la —).*
prêt-à-porter sm. (pl. *prêts-à-porter*).
prêté sm.
prétendant, e s. ; *prétendre* vt. *et* vi. ; *prétendu, e* adj. *et* s. ; *prétendument* adv.
prête-nom sm. (pl. *prête-noms*).
prétentieusement adv. ; *prétentieux, euse* adj. *et* s. ; *prétention* sf.
prêter vt.
prétérit sm.
prétérition sf.
préteur sm. (magistrat).
prêteur, euse s. *et* adj. (bailleur).
prétexte sm. *et* sf. ; *prétexter* vt.
prétoire sm. ; *prétorien, enne* adj. *et* sm.
prêtraille sf. ; *prêtre* sm. ; *prêtresse* sf. ; *prêtrise* sf.
préture sf.
preuve sf.
preux sm. *et* adj. m.
prévaloir vi.
prévaricateur, trice s. *et* adj. ; *prévarication* sf. ; *prévariquer* vi.
prévenance sf. ; *prévenant, e* adj. ; *prévenir* vt. ; *préventif, ive* adj. ; *prévention* sf. ; *préventivement* adv. ; *préventorium* sm. ; *prévenu, e* adj. *et* s.
prévisibilité sf. ; *prévisible* adj. ; *prévision* sf. ; *prévisionnel, elle* adj. ; *prévoir* vt.
prévôt sm. ; *prévôté* sf.
prévoyance sf. ; *prévoyant, e* adj.
priapisme sm.
prie-Dieu sm. inv.
prier vt. ; *prière* sf. ; *prieur, e* s. ; *prieuré* sm.
prima donna sf. (pl. *prime donne*).
primaire adj. ; *primarité* sf.
primat sm.
primates sm. pl.
primauté sf.
prime adj. *(de — abord).*
prime sf. ; *primer* vi. *et* vt.
primesautier, ère adj.
primeur sf. ; *primeuriste* s.
primevère sf.
primipare adj. *et* sf.
primitif, ive adj. *et* sm. ; *primitivement* adv.
primo adv. (lat.)
primogéniture sf.
primo-infection sf.
primordial, e, aux adj.
prince sm.
princeps adj. *(édition —).*

princesse sf.
princier, ère adj. ; *princièrement* adv.
principal, e, aux adj. *et* sm. ; *principalement* adv.
principat sm.
principauté sf.
principe sm.
printanier, ère adj. ; *printemps* sm.
prioritaire adj. *et* s. ; *priorité* sf.
pris, e adj. ; *prise* sf.
priser vt.
prismatique adj. ; *prisme* sm.
prison sf. ; *prisonnier, ère* s. *et* adj.
privatif, ive adj.
privation sf.
privatisation sf. ; *privatiser* sf.
privauté sf.
privé, e adj. *et* sm.
priver vt. — *(se)* vpr.
privilège sm. ; *privilégié, e* adj. *et* s. ; *privilégier* vt.
prix sm.
probabilisme sm. ; *probabiliste* s. ; *probabilité* sf. ; *probable* adj. ; *probablement* adv.
probant, e adj.
probation sf.
probatique adj. f.
probatoire adj.
probe adj. ; *probité* sf.
problématique adj. *et* sf. ; *problématiquement* adv. ; *problème* sm.
proboscidiens sm. pl.
procédé sm. ; *procéder* vi.
procédure sf. ; *procédurier, ère* s. *et* adj.
procès sm.
procession sf.
processus sm.
procès-verbal sm. (pl. *procès-verbaux*).
prochain sm. ; *prochain, e* adj. ; *prochainement* adv. ; *proche* adj. *et* sm.
prochordés *ou* **procordés** sm. pl.
proclamation sf. ; *proclamer* vt.
proconsul sm. ; *proconsulaire* adj. ; *proconsulat* sm.
procrastination sf.
procréateur, trice s. *et* adj. ; *procréation* sf. ; *procréer* vt.
proctologie sf. ; *proctologue* s. *et* adj.
procurateur sm.
procuration sf.
procure sf.
procurer vt.
procureur sm.
prodigalité sf.
prodige sm. ; *prodigieusement* adv. ; *prodigieux, euse* adj.
prodigue adj. *et* s.
prodiguer vt.
prodrome sm.
producteur, trice adj. *et* s. ; *productif, ive* adj. ; *production* sf. ; *productivité* sf. ; *produire* vt. ; *produit* sm.
proéminence sf. ; *proéminent, e* adj.
profanateur, trice adj. *et* s. ; *profanation* sf.
profane adj. *et* s.
profaner vt.
proférer vt.
profès, esse adj. *et* s.
professer vt. ; *professeur* sm.
profession sf. ; *professionnalisme* sm. ; *professionnel, elle* adj. *et* s. ; *professionnellement* adv.
professoral, e, aux adj. ; *professorat* sm.
profil sm. ; *profiler* vt. — *(se)* vpr.
profit sm. ; *profitable* adj. ; *profitablement* adv. ; *profiter* vi.
profiterole sf.
profiteur, euse s. *et* adj.
profond, e adj. ; *profondément* adv. ; *profondeur* sf.
pro forma loc. inv. (lat.)
profusion sf.
progéniture sf.
progestatif sm.
prognathe adj. ; *prognathisme* sm.
programmateur, trice s. (radio) ; *programmation* sf. ; *programme* sm. ; *programmer* vt. ; *programmeur, euse* s. (informatique).
progrès sm. ; *progresser* vi. ; *progressif, ive* adj. ; *progression* sf. ; *progressisme* sm. ; *progressiste* s. *et* adj. ; *progressivement* adv. ; *progressivité* sf.
prohiber vt. ; *prohibitif, ive* adj. ; *prohibition* sf. ; *prohibitionnisme* sm. ; *prohibitionniste* sm. *et* adj.
proie sf.
projecteur sm. ; *projectif, ive* adj. ; *projectile* sm. ; *projection* sf.
projet sm. ; *projeter* vt.
prolapsus sm.
prolégomènes sm. pl.
prolepse sf.
prolétaire sm. ; *prolétariat* sm. ; *pro-*

létarien, enne adj. ; *prolétarisation* sf. ; *prolétariser* vt.
prolifération sf. ; *prolifère* adj. (en botanique) ; *proliférer* vi. ; *prolifique* adj.
prolixe adj. ; *prolixement* adv. ; *prolixité* sf.
prologue sm.
prolongation sf. ; *prolonge* sf. ; *prolongement* sm. ; *prolonger* vt.
promenade sf. ; *promener* vt. — *(se)* vpr. ; *promeneur, euse* s. ; *promenoir* sm.
promesse sf. ; *prometteur, euse* s. *et* adj. ; *promettre* vt. *et* vi. ; *promis, e* adj. *et* s.
promiscuité sf.
promontoire sm.
promoteur, trice s. ; *promotion* sf. ; *promotionnel, elle* adj. ; *promouvoir* vt.
prompt, e adj. ; *promptement* adv. ; *promptitude* sf.
promu, e adj.
promulgation sf. ; *promulguer* vt.
pronation sf.
prône sm. ; *prôner* vt. *et* vi.
pronom sm. ; *pronominal, e, aux* adj. ; *pronominalement* adv. ; *pronominalisation* sf.
prononçable adj. ; *prononcé, e* adj. *et* sm. ; *prononcer* vt. ; *prononciation* sf.
pronostic sm. ; *pronostiquer* vt. ; *pronostiqueur, euse* s.
pronunciamiento sm. (pl. *pronunciamientos*).
propagande sf. ; *propagandiste* s. *et* adj.
propagateur, trice s. *et* adj. ; *propagation* sf. ; *propager* vt.
propane sm.
proparoxyton sm.
propédeutique sf.
propension sf.
prophète sm. ; *prophétesse* sf. ; *prophétie* sf. ; *prophétique* adj. ; *prophétiquement* adv. ; *prophétiser* vt.
prophylactique adj. ; *prophylaxie* sf.
propice adj. ; *propitiation* sf. ; *propitiatoire* adj.
proportion sf. ; *proportionnalité* sf. ; *proportionné, e* adj. ; *proportionnel, elle* adj. ; *proportionnellement* adv. ; *proportionner* vt.
propos sm.
proposable adj. ; *proposer* vt. ; *proposition* sf.
propre adj. *et* sm. ; *proprement* adv. ; *propret, ette* adj. ; *propreté* sf.
propréteur sm. ; *propréture* sf.
propriétaire s. ; *propriété* sf.
propulser vt. ; *propulseur* s. *et* adj. m. ; *propulsif, ive* adj. ; *propulsion* sf.
propylées sm. pl.
prorata sm. inv.
prorogatif, ive adj. ; *prorogation* sf. ; *proroger* vt.
prosaïque adj. ; *prosaïquement* adv. ; *prosaïsme* sm. ; *prosateur* sm.
proscripteur sm. ; *proscription* sf. ; *proscrire* vt. ; *proscrit, e* s. *et* adj.
prose sf.
prosélyte s. ; *prosélytisme* sm.
prosodie sf. ; *prosodique* adj.
prosopopée sf.
prospecter vt. ; *prospecteur* sm. ; *prospectif, ive* adj. ; *prospection* sf. ; *prospective* sf.
prospectus sm.
prospère adj. ; *prospérer* vi. ; *prospérité* sf.
prostate sf. ; *prostatectomie* sf. ; *prostatite* sf.
prosternement sm. *ou* **prosternation** sf. ; *prosterner (se)* vpr.
prostituée sf. ; *prostituer* vt. — *(se)* vpr. ; *prostitution* sf.
prostration sf. ; *prostré, e* adj.
protagoniste sm.
prote sm.
protecteur, trice s. *et* adj. ; *protection* sf. ; *protectionnisme* sm. ; *protectionniste* s. *et* adj. ; *protectorat* sm.
protégé, e s. ; *protéger* vt.
protéiforme adj.
protéine sf. ; *protéique* adj.
protestable adj. *(effet).*
protestant, e s. *et* adj. ; *protestantisme* sm.
protestataire s. *et* adj. ; *protestation* sf. ; *protester* vt. *et* vi.
protêt sm.
prothalle sm.
prothèse sf. ; *prothésiste* sm.
protide sm.
protocolaire adj. ; *protocole* sm.
protohistoire sf. ; *protohistorique* adj.
proton sm.
protonotaire sm. *(— apostolique).*

prototype sm.
protozoaire sm.
protubérance sf. ; ***protubérant, e*** adj.
prou adv. *(peu ou —).*
proudhonien, enne adj.
proue sf.
prouesse sf.
prouvable adj. ; ***prouver*** vt.
provenance sf.
provende sf.
provenir vi.
proverbe sm. ; ***proverbial, e, aux*** adj. ; ***proverbialement*** adv.
providence sf. ; ***providentialisme*** sm. ; ***providentiel, elle*** adj. ; ***providentiellement*** adv.
provignement *ou* **provignage** sm. ; ***provigner*** vt. *et* vi. ; ***provin*** sm.
province sf. ; ***provincial, e, aux*** adj. *et* s. ; ***provincialisme*** sm.
proviseur sm.
provision sf. ; ***provisionnel, elle*** adj.
provisoire adj. *et* sm. ; ***provisoirement*** adv.
provocant, e adj. ; ***provocateur, trice*** s. *et* adj. ; ***provocation*** sf. ; ***provoquer*** vt.
proxénète s. ; ***proxénétisme*** sm.
proximité sf.
prude adj. *et* sf.
prudemment adv. ; ***prudence*** sf. ; ***prudent, e*** adj. *et* s.
pruderie sf.
prud'homal, e, aux adj. ; ***prud'homme*** sm.
prudhommesque adj.
prune sf. ; ***pruneau*** sm. ; ***prunelaie*** sf. ; ***prunelle*** sf. ; ***prunellier*** sm. ; ***prunier*** sm.
prunus sm.
prurigineux, euse adj. ; ***prurigo*** sm.
prurit sm.
prussien, enne adj. *et* s.
prussique adj.
prytanée sm.
psalliote sf.
psalmiste sm.
psalmodie sf. ; ***psalmodier*** vi. *et* vt.
psaltérion sm.
psaume sm. ; ***psautier*** sm.
pseudonyme adj. *et* sm.
pseudopode sm.
psi sm.
psittacisme sm. ; ***psittacose*** sf.
psoriasis sm.
pst ! intj.
psychanalyse sf. ; ***psychanalyser*** vt. ; ***psychanalyste*** sm.
psychasthénie sf. ; ***psychasthénique*** adj.
psyché sf.
psychédélique adj.
psychiatre sm. ; ***psychiatrie*** sf. ; ***psychiatrique*** adj.
psychique adj. ; ***psychisme*** sm.
psychodrame sm.
psycholinguistique sf.
psychologie sf. ; ***psychologique*** adj. ; ***psychologiquement*** adv. ; ***psychologisme*** sm. ; ***psychologue*** sm.
psychométrie sf.
psychomoteur, trice adj.
psychopathe s.
psychopathologie sf.
psychopédagogie sf.
psychophysiologie sf.
psychose sf.
psychosensoriel, elle adj.
psychosociologie sf.
psychosomatique adj.
psychotechnicien, enne s.
psychothérapie sf.
psychotique adj.
psychotrope adj. *et* sm.
ptérodactyle sm.
ptôse sf.
puant, e adj. ; ***puanteur*** sf.
pubère adj. *et* s. ; ***pubertaire*** adj. ; ***puberté*** sf.
pubescence sf. ; ***pubescent, e*** adj.
pubien, enne adj. ; ***pubis*** sm.
publiable adj. ; ***public, ique*** adj. *et* sm. ; ***publicain*** sm. ; ***publication*** sf. ; ***publiciste*** s. ; ***publicitaire*** adj. ; ***publicité*** sf. ; ***publier*** vt. ; ***publiquement*** adv.
puce sf.
puceau sm. ; ***pucelle*** s. *et* adj. f.
puceron sm.
pudding sm. (angl.).
puddlage sm.
pudeur sf.
pudibond, e adj. *et* s. ; ***pudibonderie*** sf.
pudique adj. ; ***pudiquement*** adv.
puer vi. *et* vt.
puéricultrice sf. ; ***puériculture*** sf.
puéril, e adj. ; ***puérilement*** adv. ; ***puérilisme*** sm. ; ***puérilité*** sf.
puerpéral, e, aux adj.
pugilat sm. ; ***pugiliste*** sm.
puîné, e adj. *et* s.

puis adv.
puisage sm. ; *puisard* sm. ; *puisatier* s. *et* adj. m. ; *puiser* vt.
puisque conj.
puissamment adv. ; *puissance* sf. ; *puissant, e* adj.
puits sm.
pullman sm.
pull-over sm. (pl. *pull-overs*).
pullulement sm. ; *pulluler* vi.
pulmonaire adj. *et* sf.
pulpe sf. ; *pulpeux, euse* adj.
pulsar sm.
pulsation sf.
pulsé adj. *(air)*.
pulsion sf. ; *pulsionnel, elle* adj.
pulvérisable adj. ; *pulvérisateur* sm. ; *pulvérisation* sf. ; *pulvériser* vt. ; *pulvériseur* sm. ; *pulvérulence* sf. ; *pulvérulent, e* adj.
puma sm.
punaise sf.
punch sm. (en boxe *et* boisson).
puncheur sm. ; *punching-ball* sm. (angl.).
punique adj.
punir vt. ; *punissable* adj. ; *punitif, ive* adj. ; *punition* sf.
pupillaire adj.
pupille s. (d'un tuteur) ; *pupille* sf. (centre de l'iris).
pupinisation sf.
pupitre sm. ; *pupitreur* sm.
pur, e adj.
pureau sm. (ardoise).
purée sf.
purement adv. ; *pureté* sf.
purgatif, ive adj. *et* sm. ; *purgation* sf. ; *purgatoire* sm. ; *purge* sf. ; *purger* vt. — *(se)* vpr. ; *purgeur* sm.
purifiant, e adj. ; *purificateur, trice* adj. *et* s. ; *purification* sf. ; *purificatoire* sm. *et* adj. ; *purifier* vt. — *(se)* vpr.
purin sm.
purisme sm. ; *puriste* s.
puritain, e s. *et* adj. ; *puritanisme* sm.
purot sm. (fosse) ; *purotin* sm.
purpurin, e adj.
pur-sang sm. inv.
purulence sf. ; *purulent, e* adj.
pus sm.
pusillanime adj. ; *pusillanimité* sf.
pustule sf. ; *pustulé, e* adj. ; *pustuleux, euse* adj.
puszta sf. (hongr.).
putain sf., adj. *et* intj. ; *putasser* vi. ; *putassier, ère* adj.
putatif, ive adj.
pute sf.
putois sm.
putréfaction sf. ; *putréfier* vt. — *(se)* vpr.
putrescible adj.
putride adj. ; *putridité* sf.
putsch sm. ; *putschiste* sm.
puy sm.
puzzle sm. (angl.).
pygmée s.
pyjama sm.
pylône sm.
pylore sm. ; *pylorique* adj.
pyrale sf.
pyramidal, e, aux adj. ; *pyramide* sf.
pyrénéen, enne adj. *et* s.
pyrex sm.
pyrique adj.
pyrite sf.
pyrogénation sf. ; *pyrogène* adj. *et* sm.
pyrogravure sf.
pyrolyse sf.
pyromane sm. *et* f. ; *pyromanie* sf.
pyromètre sm.
pyrotechnicien, enne s. ; *pyrotechnie* sf. ; *pyrotechnique* adj.
pyrrhonien, enne adj. *et* s. ; *pyrrhonisme* sm.
pythagoricien, enne adj. *et* s. ; *pythagorique* adj. ; *pythagorisme* sm.
pythie sf.
python sm. (serpent).
pythonisse sf.

Q

quadragénaire adj. *et* s.
quadragésimal, e, aux adj. ; *quadragésime* sf.
quadrangulaire adj.
quadrant sm.
quadratique adj.
quadrature sf.
quadriceps sm.
quadrichromie sf.
quadriennal, e, aux adj.
quadrige sm.
quadrilatéral, e, aux adj. ; *quadrilatère* sm.
quadrillage sm. ; *quadrille* sm. ; *quadrillé, e* adj. ; *quadriller* vt.
quadrimoteur adj. *et* sm.
quadripartite adj.
quadriréacteur adj. *et* sm.
quadrumane sm. *et* adj.
quadrupède sm. *et* adj.
quadruple adj. *et* sm. ; *quadrupler* vt.
quai sm.
quaker, eresse s. ; *quakerisme* sm.
qualifiable adj. ; *qualificateur* sm. ; *qualificatif, ive* adj. *et* sm. ; *qualification* sf. ; *qualifier* vt.
qualitatif, ive adj. ; *qualitativement* adv. ; *qualité* sf.
quand adv. *et* conj.
quant à loc. prép.
quant-à-moi sm. inv.
quant-à-soi sm. inv.
quantième adj. *et* sm.
quantifiable adj.
quantique adj.
quantitatif, ive adj. ; *quantitativement* adv.
quantité sf.
quantum sm. (pl. *quanta*).
quarantaine sf.
quarante adj. numéral ; *quarantenaire* adj. *et* sm. ; *quarantième* adj.
quart sm. ; *quarte* adj. *(fièvre —) et* sf.
quarteron sm. (poignée).
quarteron, onne sm. (demi-métis).
quartette sm.
quartier sm.
quartier-maître sm. (pl. *quartiers-maîtres*).
quarto adv. (lat.)
quartz sm. ; *quartzeux, euse* adj.
quasi sm.
quasi adv. ; *quasiment* adv.
quasimodo sf.
quassia *ou* **quassier** sm.
quaternaire adj. ; *quaterne* sm.
quatorze adj. numéral ; *quatorzième* adj. ; *quatorzièmement* adv.
quatrain sm.
quatre adj. numéral *et* sm.
quatre-épices sm. inv.
quatre-feuilles sm. inv.
quatre-huit sm. inv.
quatre-quarts sm. inv.
quatre-saisons sf. inv.
quatre-temps sm. pl.
quatre-vingtième adj.
quatre-vingts adj. numéral (mais *quatre-vingt-trois ; page quatre-vingt*).
quatrième adj. ; *quatrièmement* adv.
quattrocento sm. (ital.).
quatuor sm.
que pr. rel. *et* interrog., conj. *et* adv.
quel, quelle adj.
quelconque adj. indéfini.
quelque adj. indéfini *et* adv.
quelque chose sm.
quelquefois adv.
quelqu'un, une pr. indéfini (pl. *quelques-uns, quelques-unes*).
quémander vi. *et* vt. ; *quémandeur, euse* s.
qu'en-dira-t-on sm. inv.
quenelle sf.
quenotte sf.
quenouille sf. ; *quenouillée* sf.
querelle sf. ; *quereller* vt. — *(se)* vpr. ; *querelleur, euse* s. *et* adj.
quérir vt.
questeur sm.
question sf. ; *questionnaire* sm. ; *questionner* vt. ; *questionneur, euse* s.
questure sf.
quête sf. ; *quêter* vt. *et* vi. ; *quêteur, euse* s. *et* adj.
quetsche sf.
queue sf.
queue-d'aronde sf. (pl. *queues-d'aronde*).
queue-de-cheval sf. (pl. *queues-de-cheval*).
queue-de-morue sf. (pl. *queues-de-morue*).
queue-de-pie sf. (pl. *queues-de-pie*).
queue-de-rat sf. (pl. *queues-de-rat*).

queuter vi.
queux sm. *(maître —).*
qui pr. rel.
quiche sf.
quiconque pr. indéfini.
quidam sm. (pl. *quidams*).
quiescent, e adj.
quiet, ète adj.
quiétisme sm. ; ***quiétiste*** adj. *et* s.
quiétude sf.
quignon sm.
quille sf.
quincaillerie sf. ; ***quincaillier, ère*** s.
quinconce sm.
quine sm.
quinine sf.
quinquagénaire s. *et* adj.
quinquagésime sf.
quinquennal, e, aux adj.
quinquet sm.
quinquina sm.
quintal sm. (pl. *quintaux*).
quinte sf.
quintessence sf.
quintette sm.
quintidi sm.
quinto adv. (lat.).
quintuple adj. *et* sm. ; ***quintupler*** vt.
quinzaine sf.
quinze adj. numéral ; ***quinzième*** adj. *et* sm. ; ***quinzièmement*** adv.
quiproquo sm. (pl. *quiproquos*).
quittance sf. ; ***quittancer*** vt.
quitte adj.
quitter vt.
quitus sm.
qui-vive sm.
quoi pr. interrogatif *et* relatif.
quoique conj.
quolibet sm.
quorum sm. (lat.).
quota sm. (lat.).
quote-part sf. (pl. *quotes-parts*).
quotidien, enne adj. *et* sm. ; ***quotidiennement*** adv.
quotient sm.
quotité sf.

R

ra sm. inv.
rabâchage sm. ; *rabâcher* vt. *et* vi. ; *rabâcheur, euse* s.
rabais sm. ; *rabaissement* sm. ; *rabaisser* vt. — *(se)* vpr.
rabane sf.
rabat sm.
rabat-joie sm. inv.
rabattage sm. ; *rabattement* sm. ; *rabatteur* sm. ; *rabattre* vt. — *(se)* vpr.
rabbi sm. ; *rabbin* sm. ; *rabbinat* sm. ; *rabbinique* adj. ; *rabbinisme* sm. ; *rabbiniste* sm.
rabelaisien, enne adj.
rabibocher vt. — *(se)* vpr.
rabiot sm. ; *rabioter* vt.
rabique adj.
râble sm. ; *râblé, e* adj.
rabonnir vt.
rabot sm. ; *rabotage* sm. ; *raboter* vt. ; *raboteur, euse* sm. *et* sf. ; *raboteux, euse* adj.
rabougri, e adj. ; *rabougrir* vt. *et* vi. — *(se)* vpr. ; *rabougrissement* sm.
rabouilleur, euse s.
rabrouer vt.
racage sm.
racaille sf.
raccommodable adj. ; *raccommodage* sm. ; *raccommodement* sm. ; *raccommoder* vt. ; *raccommodeur, euse* s.
raccompagner vt.
raccord sm. ; *raccordement* sm. ; *raccorder* vt.
raccourci, e adj. *et* sm. ; *raccourcir* vt. *et* vi. ; *raccourcissement* sm.
raccroc sm. ; *raccrocher* vt. *et* vi. — *(se)* vpr. ; *raccrocheur, euse* s.
race sf. ; *racé, e* adj.
rachat sm. ; *rachetable* adj. ; *racheter* vt.
rachidien, enne adj. ; *rachis* sm. ; *rachitique* adj. *et* s. ; *rachitisme* sm.
racial, e, aux adj.
racinal sm.
racine sf.
racinien, enne adj.
racisme sm. ; *raciste* s. *et* adj.
racket sm. ; *racketteur* sm.
raclage sm. ; *raclée* sf. ; *raclement* sm. ; *racler* vt. ; *raclette* sf. ; *racleur* sm. ; *racloir* sm. ; *raclure* sf.
racolage sm. ; *racoler* vt. ; *racoleur, euse* s. *et* adj.
racontable adj. ; *racontar* sm. ; *raconter* vt. ; *raconteur, euse* s.
racornir vt. — *(se)* vpr. ; *racornissement* sm.
radar sm. ; *radariste* sm.
rade sf.
radeau sm.
rader vt.
radial, e, aux adj. *et* sm.
radiale sf.
radian sm.
radiateur sm.
radiation sf.
radical, e, aux adj. *et* sm. ; *radicalement* adv. ; *radicalisation* sf. ; *radicaliser* vt. ; *radicalisme* sm. ; *radical-socialisme* sm. ; *radical-socialiste* sm.
radicant, e adj. ; *radicelle* sf. ; *radiculaire* adj. ; *radicule* sf.
radier vt.
radiesthésie sf. ; *radiesthésiste* s.
radieux, euse adj.
radin, e s. *et* adj.
radio sf.
radioactif, ive adj. ; *radioactivité* sf.
radiobalisage sm.
radiodiffuser vt. ; *radiodiffusion* sf.
radioélément sm.
radiogoniomètre sm.
radiographie sf. ; *radiographier* vt.
radioguidage sm.
radiologie sf. ; *radiologue* sm.
radiophonie sf. ; *radiophonique* adj.
radiorécepteur sm.
radioreportage sm. ; *radioreporter* sm.
radioscopie sf.
radio-taxi sm.
radiotechnique sf.
radiotélégramme sm. ; *radiotélégraphie* sf.
radiotéléphonie sf.
radiotélévisé, e adj.
radiothérapie sf.
radis sm.
radium sm. ; *radiumthérapie* sf.
radius sm.
radon sm.
radotage sm. ; *radoter* vi. ; *radoteur, euse* adj. *et* s.

radoub sm. ; *radouber* vt.
radoucir vt. — *(se)* vpr. ; *radoucissement* sm.
rafale sf.
raffermir vt. ; *raffermissement* sm.
raffinage sm. (pétrole) ; *raffiné, e* adj. ; *raffinement* sm. (distinction) ; *raffiner* vt. *et* vi. ; *raffinerie* sf. ; *raffineur, euse* adj. *et* s.
raffoler vi.
raffut sm.
rafiot sm.
rafistolage sm. ; *rafistoler* vt.
rafle sf. ; *rafler* vt.
rafraîchir vt. *et* vi. ; *rafraîchissant, e* adj. ; *rafraîchissement* sm.
ragaillardir vt.
rage sf. ; *rageant, ante* adj. ; *rager* vi. ; *rageur, euse* adj. *et* s. ; *rageusement* adv.
raglan sm.
ragot sm. (sanglier *et* cancan).
ragot, e adj. *et* s. (cheval).
ragoût sm. ; *ragoûtant, e* adj.
rag-time sm. (angl.).
raguer vi.
rai sm.
raid sm.
raide adj. *et* adv. ; *raideur* sf. ; *raidillon* sm. ; *raidir* vt. *et* vi. — *(se)* vpr. ; *raidissement* sm. ; *raidisseur* sm.
raie sf.
raifort sm.
rail sm.
railler vt. *et* vi. ; *raillerie* sf. ; *railleur, euse* adj. *et* s.
rainer vt.
rainette sf. (grenouille).
rainure sf.
raiponce sf. (botanique).
raisin sm. ; *raisiné* sm.
raison sf. ; *raisonnable* adj. ; *raisonnablement* adv. ; *raisonné, e* adj. ; *raisonnement* sm. ; *raisonner* vi. *et* vt. ; *raisonneur, euse* adj. *et* s.
rajah *ou* **raja** sm.
rajeunir vt. *et* vi. ; *rajeunissement* sm.
rajout sm. ; *rajouter* vt.
rajustement *ou* **réajustement** sm. ; *rajuster* vt. — *(se)* vpr.
râle sm.
ralenti sm. ; *ralentir* vt. *et* vi. ; *ralentissement* sm. ; *ralentisseur* sm.
râleur, euse adj. *et* s. ; *râler* vi.
ralingue sf. ; *ralinguer* vt.
rallié, e adj. *et* s. ; *ralliement* sm. ; *rallier* vt.
rallonge sf. ; *rallongement* sm. ; *rallonger* vt.
rallumer vt.
rallye sm. (angl.).
ramadan sm. (arabe).
ramage sm. ; *ramager* vt. *et* vi.
ramassage sm. ; *ramassé, e* adj.
ramasse-miettes sm. inv.
ramasser vt. ; *ramasseur, euse* s. ; *ramassis* sm.
rambarde sf.
rame sf.
ramé, e adj. (cerf).
rameau sm. ; *ramée* sf.
ramender vt.
ramener vt.
ramequin sm.
ramer vt. *et* vi.
ramette sf.
rameur, euse s.
rameuter vt.
rameux, euse adj.
rami sm.
ramier sm.
ramification sf. ; *ramifiée, e* adj. ; *ramifier (se)* vpr.
ramolli, e adj. *et* s. ; *ramollir* vt. ; *ramollissable* adj. ; *ramollissant, e* adj. *et* sm. ; *ramollissement* sm.
ramonage sm. ; *ramoner* vt. ; *ramoneur* sm.
rampant, e adj.
rampe sf.
rampeau sm.
ramper vi.
ramponneau sm.
rams sm.
ramure sf.
ranatre sf.
rancart sm. (rebut).
rance adj. *et* sm.
ranch sm.
rancir vi. ; *rancissement* sm.
rancœur sf.
rançon sf. ; *rançonnement* sm. ; *rançonner* vt. ; *rançonneur, euse* s.
rancune sf. ; *rancunier, ère* adj. *et* s.
randonnée sf. ; *randonneur, euse* s.
rang sm. ; *rangé, e* adj. ; *rangée* sf. ; *rangement* sm. ; *ranger* vt. — *(se)* vpr.
ranimation *ou* **réanimation** sf. ; *ranimer ou réanimer* vt.

raout sm.
rapace adj. *et* sm. ; *rapacité* sf.
râpage sm.
rapatrié, e adj. *et* s. ; *rapatriement* sm. ; *rapatrier* vt.
râpe sf. ; *râpé* sm. ; *râpé, e* adj. ; *râper* vt. ; *râperie* sf.
rapetasser vt.
rapetissement sm. ; *rapetisser* vt. *et* vi.
râpeux, euse adj.
raphia sm. (malgache).
rapiat, e adj.
rapide adj. *et* sm. ; *rapidement* adv. ; *rapidité* sf.
rapiéçage *ou* **rapiècement** sm. ; *rapiécer* vt.
rapière sf.
rapin sm.
rapine sf. ; *rapiner* vt. *et* vi.
raplatir vt.
rappareiller vt. (réassortir).
rapparier vt. (joindre).
rappel sm. ; *rappelable* adj. ; *rappelé, e* s. *et* adj. ; *rappeler* vt.
rappliquer vt.
rapport sm. ; *rapportable* adj. ; *rapporter* vt. ; *rapporteur, euse* s.
rapprendre *ou* **réapprendre** vt.
rapprêter vt.
rapproché, e adj. ; *rapprochement* sm. ; *rapprocher* vt. — *(se)* vpr.
rapt sm.
raptus sm.
râpure sf.
raquette sf.
rare adj.
raréfaction sf. ; *raréfier* vt. — *(se)* vpr.
rarement adv. ; *rareté* sf. ; *rarissime* adj.
ras, e adj. *et* adv. ; *rasade* sf. ; *rasage* sm. ; *rasant, e* adj.
rascasse sf.
rase-mottes sm. inv.
raser vt.
rasette sf.
raseur, euse s.
rash sm.
rasibus adv.
rasoir sm.
rassasier vt. — *(se)* vpr.
rassemblement sm. ; *rassembler* vt.
rasseoir vt. — *(se)* vpr.
rasséréner vt. — *(se)* vpr.
rassir vi. ; *rassis, e* adj.
rassurant, e adj. ; *rassurer* vt.
rastaquouère sm.
rat sm.
rata sm.
ratafia sm.
ratage sm.
ratatiné, e adj. ; *ratatiner* vt. — *(se)* vpr.
ratatouille sf.
rate sf.
raté, e adj. *et* sm.
râteau sm. ; *râtelage* sm. ; *râtelée* sf. ; *râteler* vt. ; *râteleur, euse* s. ; *râtelier* sm. ; *râtelures* sf. pl.
rater vi. *et* vt.
ratiboiser vt.
raticide sm.
ratier s. *et* adj. m. ; *ratière* sf.
ratification sf. ; *ratifier* vt.
ratinage sm. ; *ratine* sf. ; *ratiner* vt.
ratiocination sf. ; *ratiociner* vi.
ration sf.
rationalisation sf. ; *rationaliser* vt. ; *rationalisme* sm. ; *rationaliste* adj. *et* s. ; *rationalité* sf.
rationnaire adj. *et* s.
rationnel, elle adj. ; *rationnellement* adv.
rationnement sm. ; *rationner* vt.
ratissage sm. ; *ratisser* vt.
ratissette sf.
raton sm.
rattachement sm. ; *rattacher* vt.
rattrapage sm. ; *rattraper* vt.
raturage sm. ; *rature* sf. ; *raturer* vt.
raucité sf. ; *rauque* adj.
ravage sm. ; *ravagé, e* adj. ; *ravager* vt. ; *ravageur, euse* adj. *et* s.
ravalement sm. ; *ravaler* vt. ; *ravaleur* sm.
ravaudage sm. ; *ravauder* vt. ; *ravaudeur, euse* s.
rave sf.
ravenelle sf.
ravi, e adj.
ravier sm.
ravière sf.
ravigote *(sauce)* adj. inv. ; *ravigoter* vt.
ravin sm. ; *ravine* sf. ; *ravinement* sm. ; *raviner* vt.
ravioli sm. (pl. *raviolis* ou *ravioli*).
ravir vt.
raviser (se) vpr.
ravissant, e adj. ; *ravissement* sm. ; *ravisseur, euse* s.

ravitaillement sm. ; *ravitailler* vt.
ravivage sm. ; *raviver* vt.
ravoir vt. (à l'infinitif seulement).
rayage sm. ; *rayé, e* adj. ; *rayer* vt.
rayon sm. ; *rayonnage* sm. ; *rayonnant, e* adj. ; *rayonne* sf. ; *rayonné, e* adj. ; *rayonnement* sm. ; *rayonner* vi.
rayure sf.
raz sm. (breton).
razzia sf. (pl. *razzias*) (arabe) ; *razzier* vt.
ré sm.
réabonnement sm. ; *réabonner* vt.
réabsorber vt. ; *réabsorption* sf.
réaccoutumer vt.
réacteur sm. ; *réactif, ive* adj. *et* sm. ; *réaction* sf. ; *réactionnaire* adj. *et* s. ; *réactionnel, elle* adj.
réactiver vt. ; *réactivité* sf.
réadaptation sf. ; *réadapter* vt.
réadmettre vt. ; *réadmission* sf.
réaffirmer vt.
réagir vi.
réalésage sm. ; *réaléser* vt.
réalisable adj. ; *réalisateur, trice* adj. *et* s. ; *réalisation* sf. ; *réaliser* vt.
réalisme sm. ; *réaliste* sm. *et* adj. ; *réalité* sf.
réanimateur sm. ; *réanimation* sf. ; *réanimer* vt.
réapparaître vt. ; *réapparition* sf.
réapprovisionnement sm. ; *réapprovisionner* vt.
réargenter vt.
réarmement sm. ; *réarmer* vt.
réassignation sf. ; *réassigner* vt.
réassortiment *ou* **rassortiment** sm. ; *réassortir ou rassortir* vt.
réassurance sf. ; *réassurer* vt.
rebaptiser vt.
rébarbatif, ive adj.
rebâtir vt.
rebattre vt. *(— les oreilles)* ; *rebattu, e* adj.
rebec sm.
rebelle adj. *et* s. ; *rebeller (se)* vpr. ; *rébellion* sf.
rebiffer (se) vpr.
reblochon sm.
reboisement sm. ; *reboiser* vt.
rebond sm. ; *rebondi, e* adj. ; *rebondir* vi. ; *rebondissement* sm.
rebord sm.
reboucher vt.
rebours (à) loc. adv.
rebouter vt. ; *rebouteur ou rebouteux, euse* s.
reboutonner vt.
rebrousse-poil (à) loc. adv.
rebrousser vt.
rebuffade sf.
rébus sm.
rebut sm. ; *rebutant, e* adj. ; *rebuter* vt.
recacheter vt.
recalcification sf.
récalcitrant, e adj. *et* s.
recaler vt.
récapitulatif, ive adj. *et* sm. ; *récapitulation* sf. ; *récapituler* vt.
recaser vt. — *(se)* vpr.
recauser vi.
recéder vt.
recel sm. ; *receler* vt. ; *receleur, euse* s.
récemment adv.
recensement sm. ; *recenser* vt. ; *recenseur* sm.
recension sf.
récent, e adj.
recépage *ou* **recepage** sm. ; *recéper ou receper* vt.
récépissé sm.
réceptacle sm. ; *récepteur, trice* adj. *et* sm. ; *réceptif, ive* adj. ; *réception* sf. ; *réceptionnaire* s. *et* adj. ; *réceptionner* vt. ; *réceptionniste* s. ; *réceptivité* sf.
recercler vt.
récessif, ive adj. ; *récession* sf. ; *récessivité* sf.
recette sf.
recevabilité sf. ; *recevable* adj. ; *receveur, euse* s. ; *recevoir* vt. *et* vi.
rechange sm. ; *rechanger* vt.
rechanter vt.
rechapage sm. ; *rechaper* vt. (pneu).
réchapper vi. (*en —* : guérir).
recharge sf. ; *rechargeable* adj. ; *rechargement* sm. ; *recharger* vt.
réchaud sm.
réchauffage sm. ; *réchauffé* sm. ; *réchauffé, e* adj. ; *réchauffement* sm. ; *réchauffer* vt. ; *réchauffeur* sm.
rechaussement sm. ; *rechausser* vt. — *(se)* vpr.
rêche adj.
recherche sf. ; *recherché, e* adj. ; *rechercher* vt.
rechigner vi.

rechristianiser vt.
rechute sf. ; *rechuter* vi.
récidive sf. ; *récidiver* vi. ; *récidiviste* s. *et* adj.
récif sm.
récipiendaire sm.
récipient sm.
réciprocité sf. ; *réciproque* adj. ; *réciproquement* adv.
récit sm.
récital sm. (pl. *récitals*).
récitant, e adj. *et* s. ; *récitatif* sm. ; *récitation* sf. ; *réciter* vt.
réclamant, e s. *et* adj. ; *réclamation* sf. ; *réclame* sf. ; *réclamer* vt.
reclassement sm. ; *reclasser* vt.
reclus, e adj. *et* s. ; *réclusion* sf. ; *réclusionnaire* s.
recoiffer vt.
recoin sm.
récolement sm. ; *récoler* vt. (droit).
recollage *ou* **recollement** sm. ; *recoller* vt.
récoltable adj. ; *récoltant, e* adj. *et* s. ; *récolte* sf. ; *récolter* vt.
recommandable adj. ; *recommandation* sf. ; *recommander* vt. — *(se)* vpr.
recommencement sm. ; *recommencer* vt. *et* vi.
récompense sf. ; *récompenser* vt.
recomposable adj. ; *recomposer* vt. ; *recomposition* sf.
recompter vt.
réconciliable adj. ; *réconciliateur, trice* adj. *et* s. ; *réconciliation* sf. ; *réconcilier* vt. — *(se)* vpr.
reconditionnement sm.
reconduction sf. ; *reconduire* vt.
réconfort sm. ; *réconfortant, e* adj. *et* sm. ; *réconforter* vt.
reconnaissable adj. ; *reconnaissance* sf. ; *reconnaissant, e* adj. ; *reconnaître* vt. ; *reconnu, e* adj.
reconquérir vt. ; *reconquête* sf.
reconsidérer vt.
reconstituant, e adj. *et* sm. ; *reconstituer* vt. ; *reconstitution* sf.
reconstruction sf. ; *reconstruire* vt.
reconversion sf. ; *reconvertir* vt. — *(se)* vpr.
recopier vt.
record sm. (angl.).
recorder vt.
recors sm.
recoucher vt. — *(se)* vpr.
recoudre vt.
recoupage sm. ; *recoupe* sf. ; *recoupement* sm. ; *recouper* vt.
recourbement sm. ; *recourber* vt.
recourir vi. ; *recours* sm.
recouvrable adj.
recouvrage sm.
recouvrement sm. ; *recouvrer* vt.
recouvrir vt.
recracher vt.
récréatif, ive adj. ; *récréation* sf. ; *récréer* vt. (distraire) — *(se)* vpr.
recréer vt. (refaire).
recrépir vt.
recrépissage sm.
recreuser vt.
récrier (se) vpr.
récriminateur, trice adj. ; *récrimination* sf. ; *récriminatoire* adj. ; *récriminer* vi.
récrire vi. *et* vt.
recroqueviller (se) vpr.
recru, e adj. *(— de fatigue).*
recrû sm. (de forêt).
recrudescence sf. ; *recrudescent, e* adj.
recrue sf. ; *recrutement* sm. ; *recruter* vt. ; *recruteur* sm.
recta adv. (lat.)
rectal, e, aux adj.
rectangle adj. *et* sm. ; *rectangulaire* adj.
recteur sm.
rectifiable adj. ; *rectificateur* sm. ; *rectificatif, ive* adj. *et* sm. ; *rectifier* vt. ; *rectifieur, euse* s. ; *rectifieuse* sf.
rectiligne adj.
rectitude sf.
recto sm.
rectoral, e, aux adj. ; *rectorat* sm.
rectum sm.
reçu sm.
recueil sm. ; *recueillement* sm. (méditation) ; *recueilli, e* adj. ; *recueillir* vt.
recuire vt. *et* vi. ; *recuit* sm.
recul sm. ; *reculade* sf. ; *reculée* sf. ; *reculé, e* adj. ; *reculer* vt. *et* vi. ; *reculons (à)* loc. adv.
récupérable adj. ; *récupérateur* sm. ; *récupération* sf. ; *récupérer* vt.
récurage sm. ; *récurer* vt.
récurrence sf. ; *récurrent, e* adj.
récursif, ive adj. ; *récursivité* sf.
récusable adj. ; *récusation* sf. ; *récu-*

ser vt. — *(se)* vpr.
recyclage sm. ; *recycler* vt. — *(se)* vpr.
rédacteur, trice s. ; *rédaction* sf. ; *rédactionnel, elle* adj.
redan *ou* **redent** sm.
reddition sf.
redécouvrir vt.
redéfinir vt.
redemander vt.
rédempteur, trice adj. *et* s. ; *rédemption* sf.
redescendre vi. *et* vt.
redevable adj. ; *redevance* sf.
redevenir vi.
rédhibition sf. ; *rédhibitoire* adj.
rédiger vt.
redingote sf.
redire vt.
redistribuer vt. ; *redistribution* sf.
redite sf.
redondance sf. ; *redondant, e* adj.
redonner vt.
redorer vt.
redoublant, ante s. ; *redoublé, e* adj. ; *redoublement* sm. ; *redoubler* vt.
redoutable adj.
redoute sf.
redouter vt.
redoux sm.
redresse (à la) loc. adv. ; *redressement* sm. ; *redresser* vt. — *(se)* vpr. ; *redresseur* sm.
réducteur, trice adj. ; *réductibilité* sf. ; *réductible* adj. ; *réductif, ive* adj. ; *réduction* sf. ; *réduire* vt. ; *réduit* sm.
réduplication sf.
réédification sf. ; *réédifier* vt.
rééditer vt. ; *réédition* sf.
rééducation sf. ; *rééduquer* vt.
réel, elle adj. *et* sm.
réélection sf. ; *rééligibilité* sf. ; *rééligible* adj. ; *réélire* vt.
réellement adv.
réensemencement sm. ; *réensemencer* vt.
réescompte sm. ; *réescompter* vt.
réévaluation sf. ; *réévaluer* vt.
réexaminer vt.
réexpédier vt. ; *réexpédition* sf.
réexportation sf. ; *réexporter* vt.
réfaction sf. (rabais) ; *refaire* vt. ; *refait, e* adj. ; *réfection* sf. (refonte).
réfectoire sm.
refend sm. *(mur de —)*.
référé sm.
référence sf.
référendaire adj. *et* sm. ; *référendum* sm.
référentiel sm. ; *référer* vi. *(en — à)* — *(se)* vpr.
refermer vt.
refiler vt.
réfléchi, e adj. ; *réfléchir* vt. (renvoyer) *et* vi. (penser) ; *réfléchissant, e* adj. ; *réflecteur* s. *et* adj. m.
reflet sm. ; *refléter* vt. — *(se)* vpr.
refleurir vi.
reflex adj. *et* sm. (photo).
réflexe adj. *et* sm. (physiol.).
réflexibilité sf. ; *réflexible* adj.
réflexif, ive adj. ; *réflexion* sf. ; *réflexivité* sf.
refluer vi. ; *reflux* sm.
refondre vt. ; *refonte* sf.
réformable adj. ; *réformateur, trice* s. *et* adj. ; *réformation* sf. (droit) ; *réforme* sf. ; *réformé, e* adj. ; *réformer* vt. ; *réformisme* sm. ; *réformiste* s. *et* adj.
reformuler vt.
refoulé, e adj. *et* sm. ; *refoulement* sm. ; *refouler* vt.
réfractaire adj. *et* sm.
réfracter vt. — *(se)* vpr. ; *réfraction* sf.
refrain sm.
réfrangibilité sf. ; *réfrangible* adj.
refréner vt.
réfrigérant, e adj. ; *réfrigérateur* sm. ; *réfrigération* sf. ; *réfrigérer* vt.
réfringence sf. ; *réfringent, e* adj.
refroidir vt. ; *refroidissement* sm. ; *refroidisseur* sm.
refuge sm. ; *réfugié, e* adj. *et* s. ; *réfugier (se)* vpr.
refus sm. ; *refusable* adj. ; *refuser* vt.
réfutable adj. ; *réfutation* sf. ; *réfuter* vt.
regagner vt.
regain sm.
régal sm.
régalade sf.
régaler vt. — *(se)* vpr.
régalien, enne adj.
regard sm. ; *regardant, e* adj. ; *regarder* vt.
regarnir vt.
régate sf.
regel sm. ; *regeler* vi. *et* vt.
régence sf.

régénérateur, trice s. *et* adj. ; ***régénération*** sf. ; ***régénéré, e*** adj. ; ***régénérer*** vt.
régent, e s. *et* adj. ; ***régenter*** vt. *et* vi.
régicide s. *et* adj.
régie sf.
regimber vi. ; ***regimbeur, euse*** s. *et* adj.
régime sm.
régiment sm. ; ***régimentaire*** adj.
région sf. ; ***régional, e, aux*** adj. *et* sm. ; ***régionalisation*** sm. ; ***régionaliser*** vt. ; ***régionalisme*** sm. ; ***régionaliste*** sm. *et* adj.
régir vt. ; ***régisseur*** sm.
registre sm.
réglable adj. ; ***réglage*** sm. ; ***règle*** sf. ; ***réglé, e*** adj. ; ***règlement*** sm. ; ***réglementaire*** adj. ; ***réglementairement*** adv. ; ***réglementation*** sf. ; ***réglementer*** vt. ; ***régler*** vt. ; ***réglette*** sf. ; ***régleur, euse*** s.
réglisse sf.
réglure sf.
régnant, e adj. ; ***règne*** sm. ; ***régner*** vi.
regonfler vt.
regorger vt. *et* vi.
regrattage sm. ; ***regratter*** vt.
régresser vi. ; ***régressif, ive*** adj. ; ***régression*** sf.
regret sm. ; ***regrettable*** adj. ; ***regretter*** vt.
regroupement sm. ; ***regrouper*** vt.
régularisation sf. ; ***régulariser*** vt. ; ***régularité*** sf. ; ***régulateur, trice*** adj. *et* sm. ; ***régulation*** sf.
régule sm.
régulier, ère adj. ; ***régulièrement*** adv.
régurgitation sf. ; ***régurgiter*** vt.
réhabilitation sf. ; ***réhabilité, e*** adj. *et* s. ; ***réhabiliter*** vt.
rehausser vt. ; ***rehaut*** sm. (peinture).
réification sf. ; ***réifier*** vt.
réimportation sf. ; ***réimporter*** vt.
réimpression sf. ; ***réimprimer*** vt.
rein sm.
réincarnation sf. ; ***réincarner (se)*** vpr.
reine sf.
reine-claude sf. (pl. *reines-claudes*).
reine-marguerite sf. (pl. *reines-marguerites*).
reinette sf. (pomme).
réinsérer vt. ; ***réinsertion*** sf.
réintégration sf. ; ***réintégrer*** vt.
réitérer vt.
rejaillir vi. ; ***rejaillissement*** sm.
rejet sm. ; ***rejetable*** adj. ; ***rejeter*** vt. ; ***rejeton*** sm.
rejoindre vt.
rejointoyer vt.
rejouer vt. *et* vi.
réjoui, e adj. ; ***réjouir*** vt. — ***(se)*** vpr. ; ***réjouissance*** sf. ; ***réjouissant, e*** adj.
relâche sm. (interruption) *et* sf. (marine) ; ***relâché, e*** adj. ; ***relâchement*** sm. ; ***relâcher*** vt. *et* vi.
relais sm.
relance sf. ; ***relancer*** vt.
relaps, e adj. *et* s.
relater vt.
relatif, ive adj. ; ***relation*** sf. ; ***relationnel, elle, els*** adj. ; ***relativement*** adv. ; ***relativisme*** sm. ; ***relativiste*** s. *et* adj. ; ***relativité*** sf.
relaxation sf. ; ***relaxe*** sf. ; ***relaxer*** vt. — ***(se)*** vpr.
relayer vt. — ***(se)*** vpr.
relecture sf.
reléguer vt.
relent sm.
relevailles sf. pl. ; ***relevé, e*** adj. *et* sm. ; ***relève*** sf. ; ***relèvement*** sm. ; ***relever*** vt. ; ***releveur, euse*** adj. *et* s.
relief sm.
relier vt. ; ***relieur, euse*** s. *et* adj.
religieusement adv. ; ***religieux, euse*** adj. *et* s. ; ***religion*** sf. ; ***religiosité*** sf.
reliquaire sm.
reliquat sm.
relique sf.
relire vt.
reliure sf.
relogement sm. ; ***reloger*** vt.
relouer vt.
réluctance sf.
reluire vi. ; ***reluisant, e*** adj.
reluquer vt.
remâcher vt.
remaillage *ou* **remmaillage** sm. ; ***remailler ou remmailler*** vt.
remake sm. (angl.).
rémanence sf. ; ***rémanent, e*** adj.
remaniable adj. ; ***remaniement*** sm. ; ***remanier*** vt.
remariage sm. ; ***remarier*** vt. — ***(se)*** vpr.
remarquable adj. ; ***remarquablement*** adv. ; ***remarque*** sf. ; ***remarquer*** vt.
remballage sm. ; ***remballer*** vt.
rembarquement sm. ; ***rembarquer*** vt. *et* vi.

rembarrer vt.
remblai sm. ; ***remblayage*** sm. ; ***remblayer*** vt. ; ***remblayeuse*** sf.
remboîtage sm. (livre) ; ***remboîtement*** sm. ; ***remboîter*** vt.
rembourrage sm. ; ***rembourrer*** vt.
remboursable adj. ; ***remboursement*** sm. ; ***rembourser*** vt.
rembrunir (se) vpr. ; ***rembrunissement*** sm.
remède sm. ; ***remédiable*** adj. ; ***remédier*** vi. ***(à).***
remêler vt.
remembrement sm. ; ***remembrer*** vt.
remémorer vt.
remerciement sm. ; ***remercier*** vt.
réméré sm.
remettre vt. — ***(se)*** vpr.
remeubler vt.
rémige sf.
remilitarisation sf. ; ***remilitariser*** vt.
réminiscence sf.
remisage sm. ; ***remise*** sf. ; ***remiser*** vt.
rémission sf. ; ***rémittent, e*** adj.
remmener vt.
remodeler vt.
remontage sm. ; ***remontant, ante*** adj. *et* sm. ; ***remontée*** sf. ; ***remonte-pente*** sm. (pl. *remonte-pentes*) ; ***remonter*** vi. *et* vt. ; ***remontoir*** sm.
remontrance sf.
remontrer vi. *(en — à qn).*
remords sm.
remorquage sm. ; ***remorque*** sf. ; ***remorquer*** vt. ; ***remorqueur, euse*** adj. *et* sm.
rémoulade sf.
rémouleur sm.
remous sm.
rempaillage sm. ; ***rempailler*** vt. ; ***rempailleur, euse*** s.
rempart sm.
rempiétement sm. ; ***rempiéter*** vt.
rempiler vt. *et* vi.
remplaçable adj. ; ***remplaçant, e*** s. ; ***remplacement*** sm. ; ***remplacer*** vt.
remplir vt. ; ***remplissage*** sm.
remploi *ou* **réemploi** sm. ; ***remployer*** *ou* ***réemployer*** vt.
remplumer (se) vpr.
rempocher vt.
remporter vt.
rempotage sm. ; ***rempoter*** vt.
remuant, e adj.
remue-ménage sm. inv.
remuement sm. ; ***remuer*** vt. *et* vi.
remugle sm.
rémunérateur, trice adj. *et* s. ; ***rémunération*** sf. ; ***rémunératoire*** adj. ; ***rémunérer*** vt.
renâcler vi.
renaissance sf. ; ***renaissant, e*** adj. ; ***renaître*** vi.
rénal, e, aux adj.
renard sm. ; ***renarde*** sf. ; ***renardeau*** sm. ; ***renardière*** sf.
rencaissage (plante) *ou* **rencaissement** (argent) sm. ; ***rencaisser*** vt.
rencard sm. (rendez-vous) ; ***rencarder*** vt.
renchérir vt. *et* vi. ; ***renchérissement*** sm. ; ***renchérisseur, euse*** s.
rencogner vt. — ***(se)*** vpr.
rencontre sf. ; ***rencontrer*** vt.
rendement sm.
rendez-vous sm. inv.
rendormir vt. — ***(se)*** vpr.
rendosser vt.
rendre vt. — ***(se)*** vpr. ; ***rendu, e*** adj. *et* sm.
rêne sf.
renégat, e s. *et* adj.
renfermé sm. ; ***renfermer*** vt. — ***(se)*** vpr.
renfiler vt.
renflé, e adj. ; ***renflement*** sm. ; ***renfler*** vi. *et* vt.
renflouage *ou* **renflouement** sm. ; ***renflouer*** vt.
renfoncement sm. ; ***renfoncer*** vt.
renforcement sm. ; ***renforcer*** vt. — ***(se)*** vpr. ; ***renfort*** sm.
renfrogner vt. — ***(se)*** vpr.
rengagé sm. ; ***rengagement*** sm. ; ***rengager*** vt. *et* vi. — ***(se)*** vpr.
rengaine sf. ; ***rengainer*** vt.
rengorger (se) vpr.
rengrener *ou* **rengréner** vt.
reniement sm. ; ***renier*** vt.
reniflard sm. ; ***reniflement*** sm. ; ***renifler*** vi.
renne sm.
renom sm. ; ***renommé, e*** adj. ; ***renommée*** sf. ; ***renommer*** vt.
renonce sf. ; ***renoncement*** sm. ; ***renoncer*** vi. *et* vt. ; ***renonciataire*** s. ; ***renonciateur, trice*** s. ; ***renonciation*** sf.
renonculacées sf. pl. ; ***renoncule*** sf.
renouée sf.
renouveau sm. ; ***renouvelable*** adj. ; ***renouveler*** vt. — ***(se)*** vpr. ; ***renou-***

vellement sm.
rénovateur, trice s. *et* adj. ; *rénovation* sf. ; *rénover* vt.
renseignement sm. ; *renseigner* vt. — *(se)* vpr.
rentabilisation sf. ; *rentabiliser* vt. ; *rentabilité* sf. ; *rentable* adj.
rente sf. ; *rentier, ère* s.
rentoilage sm. ; *rentoiler* vt. ; *rentoileur, euse* s.
rentrant, e adj. ; *rentré, e* adj. *et* sm. ; *rentrée* sf. ; *rentrer* vi. *et* vt.
renversant, e adj. ; *renverse (à la)* loc. adv. ; *renversé, e* adj. ; *renversement* sm. ; *renverser* vt.
renvoi sm. ; *renvoyer* vt.
réoccupation sf. ; *réoccuper* vt.
réorganisateur, trice s. *et* adj. ; *réorganisation* sf. ; *réorganiser* vt.
réorientation sf. ; *réorienter* vt.
réouverture sf.
repaire sm. (gîte).
repaître vt. — *(se)* vpr.
répandre vt. — *(se)* vpr. ; *répandu, e* adj.
réparable adj.
reparaître vi.
réparateur, trice s. *et* adj. ; *réparation* sf. ; *réparer* vt.
reparler vi.
repartie sf. ; *repartir* vt. *et* vi.
répartir vt. ; *répartiteur* sm. ; *répartition* sf.
repas sm.
repassage sm. ; *repasser* vi. *et* vt. ; *repasseur* sm. ; *repasseuse* sf.
repavage *ou* **repavement** sm. ; *repaver* vt.
repêchage sm. ; *repêcher* vt.
repeindre vt. ; *repeint* sm.
repenser vi. *et* vt.
repentance sf. ; *repentant, e* adj. ; *repenti, e* adj. *et* sf. ; *repentir* sm. ; *repentir (se)* vpr.
repérable adj. ; *repérage* sm.
répercussion sf. ; *répercuter* vt. — *(se)* vpr.
reperdre vt.
repère sm. (marque) ; *repérer* vt.
répertoire sm. ; *répertorier* vt.
répéter vt. — *(se)* vpr. ; *répéteur* sm. ; *répétitif, ive* adj. ; *répétiteur, trice* s. ; *répétition* sf.
repeuplement sm. ; *repeupler* vt.
repiquage sm. ; *repiquer* vt.
répit sm.
replacement sm. ; *replacer* vt.
replanter vt.
replâtrage sm. ; *replâtrer* vt.
replet, ète adj.
réplétion sf.
repli sm. ; *repliement* sm. ; *replier* vt. — *(se)* vpr.
réplique sf. ; *répliquer* vt.
reploiement sm.
replonger vt.
reployer vt.
repolir vt. ; *repolissage* sm.
répondant sm. ; *répondeur* sm. ; *répondeur, euse* adj. ; *répondre* vt. *et* vi. ; *répons* sm. ; *réponse* sf.
repopulation sf.
report sm.
reportage sm. ; *reporter* sm. (angl.).
reporter vt. — *(se)* vpr. ; *reporteur* sm.
repos sm. ; *reposant, ante* adj.
repose sf.
reposé, e adj. ; *reposer* vt. *et* vi. — *(se)* vpr. ; *reposoir* sm.
repoussant, e adj. ; *repousse* sf. ; *repoussé* sm. ; *repousser* vt. *et* vi. ; *repoussoir* sm.
répréhensible adj.
reprendre vt. *et* vi. — *(se)* vpr.
représailles sf. pl.
représentable adj. ; *représentant, e* s. ; *représentatif, ive* adj. ; *représentation* sf. ; *représentativité* sf. ; *représenter* vt. *et* vi.
répressible adj. ; *répressif, ive* adj. ; *répression* sf.
réprimande sf. ; *réprimander* vt.
réprimer vt.
repris sm.
reprise sf. ; *repriser* vt.
réprobateur, trice adj. ; *réprobation* sf.
reproche sm. ; *reprocher* vt. — *(se)* vpr.
reproducteur, trice adj. *et* s. ; *reproductibilité* sf. ; *reproductible* adj. ; *reproductif, ive* adj. ; *reproduction* sf. ; *reproduire* vt.
reprographie sf. ; *reprographier* vt.
réprouvé, e s. *et* adj. ; *réprouver* vt.
reps sm.
reptation sf. ; *reptile* sm. ; *reptilien, ienne* adj.
repu, e adj.
républicain, e adj. *et* s. ; *républicanisme* sm. ; *république* sf.

répudiation sf. ; ***répudier*** vt.
répugnance sf. ; ***répugnant, e*** adj. ; ***répugner*** vi.
répulsif, ive adj. ; ***répulsion*** sf.
réputation sf. ; ***réputé, e*** adj. ; ***réputer*** vt.
requérable adj. ; ***requérant, e*** s. *et* adj. ; ***requérir*** vt. ; ***requête*** sf.
requiem sm. inv. (lat.).
requin sm.
requinquer vt. — ***(se)*** vpr.
requis, e adj. *et* sm. ; ***réquisition*** sf. ; ***réquisitionner*** vt. ; ***réquisitoire*** sm.
rescapé, e adj. *et* s.
rescinder vt.
rescousse sf.
rescrit sm.
réseau sm.
résection sf.
réséda sm.
réséquer vt.
réservataire adj. *et* sm. ; ***réservation*** sf. ; ***réserve*** sf. ; ***réservé, e*** adj. ; ***réserver*** vt. ; ***réserviste*** sm. ; ***réservoir*** sm.
résidant, e adj. ; ***résidence*** sf. ; ***résident*** sm. ; ***résidentiel, elle*** adj. ; ***résider*** vi.
résidu sm. ; ***résiduel, elle*** adj.
résignataire sm. ; ***résignation*** sf. ; ***résigné, e*** adj. ; ***résigner*** vt. — ***(se)*** vpr.
résiliable adj. ; ***résiliation*** sf.
résilience sf.
résilier vt.
résille sf.
résine sf. ; ***résiné*** sm. ; ***résiner*** vt. ; ***résineux, euse*** adj. ; ***résinier, ère*** adj. ; ***résinifère*** adj.
résipiscence sf.
résistance sf. ; ***résistant, e*** adj. *et* s. ; ***résister*** vi. ; ***résistivité*** sf.
résolu, e adj. ; ***résoluble*** adj. ; ***résolument*** adv. ; ***résolutif, ive*** adj. ; ***résolution*** sf. ; ***résolutoire*** adj.
résonance sf. ; ***résonateur*** sm. ; ***résonner*** vi.
résorber vt. — ***(se)*** vpr.
résorcine sf.
résorption sf.
résoudre vt.
respect sm. ; ***respectabilité*** sf. ; ***respectable*** adj. ; ***respectablement*** adv. ; ***respecter*** vt. ; ***respectif, ive*** adj. ; ***respectivement*** adv. ; ***respectueusement*** adv. ; ***respectueux, euse*** adj.
respirable adj. ; ***respirateur*** adj. m. ; ***respiration*** sf. ; ***respiratoire*** adj. ; ***respirer*** vi. *et* vt.
resplendir vi. ; ***resplendissant, e*** adj. ; ***resplendissement*** sm.
responsabilité sf. ; ***responsable*** adj. *et* s.
resquille sf. ; ***resquiller*** vi. *et* vt. ; ***resquilleur, euse*** s.
ressac sm.
ressaigner vi.
ressaisir vt. — ***(se)*** vpr.
ressasser vt. ; ***ressasseur, euse*** s.
ressaut sm.
ressauter vi.
ressayer *ou* **réessayer** vt.
ressemblance sf. ; ***ressemblant, e*** adj. ; ***ressembler*** vi.
ressemelage sm. ; ***ressemeler*** vt.
ressentiment sm. ; ***ressentir*** vt.
resserre sf. ; ***resserré, e*** adj. ; ***resserrement*** sm. ; ***resserrer*** vt. — ***(se)*** vpr.
ressort sm. ; ***ressortir*** vi.
ressortir vi. ***(— à)*** ; ***ressortissant, e*** adj.
ressouder vt.
ressource sf.
ressouvenir sm.
ressouvenir (se) vpr.
ressuer vi.
ressusciter vt. *et* vi.
restant, e adj. *et* sm.
restaurant sm. ; ***restaurateur, trice*** s. ; ***restauration*** sf. ; ***restaurer*** vt. — ***(se)*** vpr.
reste sm. ; ***rester*** vi.
restituable adj. ; ***restituer*** vt. ; ***restitution*** sf. ; ***restitutoire*** adj.
restreindre vt. ; ***restreint,*** adj. ; ***restrictif, ive*** adj. ; ***restriction*** sf.
restructurer vt.
résultant, e adj. *et* sf. ; ***résultat*** sm. ; ***résulter*** vi.
résumé sm. ; ***résumer*** vt.
résurgence sf. ; ***résurgent, e*** adj. ; ***resurgir*** vi. ; ***résurrection*** sf.
retable sm.
rétablir vt. ; ***rétablissement*** sm.
retaille sf. ; ***retailler*** vt.
rétamage sm. ; ***rétamer*** vt. ; ***rétameur*** sm.
retape sf.
retaper vt. — ***(se)*** vpr.
retard sm. ; ***retardataire*** adj. *et* s. ;

retardateur, trice adj. ; *retardé, e* adj. ; *retardement* sm. ; *retarder* vt. *et* vi.
retendre vt.
retenir vt. ; *rétenteur, trice* adj. ; *rétention* sf.
retentir vi. ; *retentissant, e* adj. ; *retentissement* sm.
retenue sf.
rétiaire sm.
réticence sf. ; *réticent, e* adj.
réticulaire adj. ; *réticule* sm. ; *réticulé, e* adj.
rétif, ive adj.
rétine sf. ; *rétinien, enne* adj.
retirage sm.
retiré, e adj. ; *retirer* vt. — *(se)* vpr.
rétivité sf.
retombée sf. ; *retomber* vi.
retondre vt.
retordre vt.
rétorquer vt.
retors, e adj. *et* sm.
rétorsion sf.
retouche sf. ; *retoucher* vt. *et* vi. ; *retoucheur, euse* s.
retour sm. ; *retournage* sm. ; *retourne* sf. ; *retournement* sm. ; *retourner* vt. *et* vi.
retracer vt.
rétractable adj. ; *rétractation* sf. ; *rétracter* vt.
rétractile adj. ; *rétractilité* sf. ; *rétraction* sf.
retraduire vt.
retrait sm. ; *retraite* sf. ; *retraité, e* adj. *et* s. ; *retraiter* vt.
retranchement sm. ; *retrancher* vt. — *(se)* vpr.
retranscription sf. ; *retranscrire* vt.
retransmettre vt. ; *retransmission* sf.
retravailler vt. *et* vi.
retraverser vt. *et* vi.
rétréci, e adj. ; *rétrécir* vt. ; *rétrécissement* sm.
retremper vt.
rétribuer vt. ; *rétribution* sf.
rétro sm. (billard) ; sm. *et* adj. inv. (mode).
rétroactif, ive adj. ; *rétroaction* sf. ; *rétroactivement* adv. ; *rétroactivité* sf.
rétrocédant, e s. ; *rétrocéder* vt. ; *rétrocessif, ive* adj. ; *rétrocession* sf.
rétrogradation sf. ; *rétrograde* adj. ; *rétrograder* vi.
retropédalage sm.
rétrospectif, ive adj. *et* sf. ; *rétrospectivement* adv.
retroussé, e adj. ; *retroussement* sm. ; *retrousser* vt. ; *retroussis* sm.
retrouvaille sf. (surtout pl.) ; *retrouver* vt.
rétroversion sf.
rétroviseur sm.
rets sm.
réuni, e adj.
réunification sf. ; *réunifier* vt.
réunion sf. ; *réunir* vt.
réussi, e adj. ; *réussir* vi. *et* vt. ; *réussite* sf.
revacciner vt.
revaloir vt. *(je vous revaudrai cela).*
revalorisation sf. ; *revaloriser* vt.
revanchard, e adj. *et* s. ; *revanche* sf.
rêvasser vi. ; *rêvasserie* sf. ; *rêvasseur, euse* s.
rêve sm.
revêche adj.
réveil sm.
réveille-matin sm. inv.
réveiller vt. — *(se)* vpr.
réveillon sm. ; *réveillonner* vi.
révélateur, trice s. *et* adj. ; *révélation* sf. ; *révélé, e* adj. ; *révéler* vt. — *(se)* vpr.
revenant, e adj. *et* sm.
revendeur, euse s.
revendicatif, ive adj. ; *revendication* sf. ; *revendiquer* vt.
revendre vt.
revenez-y sm. inv.
revenir vi.
revente sf.
revenu sm.
rêver vi. *et* vt.
réverbération sf. ; *réverbère* sm. ; *réverbérer* vt. — *(se)* vpr.
reverdir vt. *et* vi. ; *reverdissement* sm.
révérence sf. ; *révérenciel, elle* adj. ; *révérencieusement* adv. ; *révérencieux, euse* adj. ; *révérend, e* adj. *et* s. ; *révérendissime* adj. ; *révérer* vt.
rêverie sf.
revers sm.
reversement sm. ; *reverser* vt.
reversi *ou* **reversis** sm.
réversibilité sf. ; *réversible* adj. ; *réversion* sf.
revêtement sm. ; *revêtir* vt.
rêveur, euse adj. *et* s. ; *rêveusement* adv.

revient sm. *(prix de —).*
revigorer vt.
revirement sm. ; *revirer* vi.
révisable adj. ; *réviser* vt. ; *réviseur* sm. ; *révision* sf. ; *révisionnisme* sm. ; *révisionniste* adj.
revitalisation sf. ; *revitaliser* vt.
revivification sf. ; *revivifier* vt.
reviviscence sf. ; *reviviscent, e* adj.
revivre vi.
révocabilité sf. ; *révocable* adj. ; *révocation* sf. ; *révocatoire* adj.
revoici prép.
revoilà prép.
revoir vt. *et* sm. *(au —).*
révoltant, e adj. ; *révolte* sf. ; *révolté, e* adj. *et* s. ; *révolter* vt. — *(se)* vpr.
révolu, e adj.
révolution sf. ; *révolutionnaire* adj. *et* s. ; *révolutionner* vt.
revolver sm. (angl.).
révoquer vt.
revue sf. ; *revuiste* sm.
révulser vt. ; *révulsif, ive* adj. *et* sm. ; *révulsion* sf.
rewriter sm. (angl.) ; *rewriter* vt. (francisé) ; *rewriting* sm.
rez-de-chaussée sm. inv.
rhabillage sm. ; *rhabiller* vt. — *(se)* vpr.
rhapsode sm. ; *rhapsodie* sf.
rhénan, e adj. *et* s.
rhénium sm.
rhéomètre sm.
rhéostat sm.
rhésus sm.
rhéteur sm. ; *rhétoricien* sm. ; *rhétorique* sf.
rhinite sf.
rhinocéros sm.
rhinolaryngite sf.
rhinolophe sm.
rhinopharyngite sf.
rhinopharynx sm.
rhinoplastie sf.
rhinoscopie sf.
rhizome sm.
rhodium sm.
rhododendron sm.
Rhodoïd sm. (nom déposé).
rhomboèdre sm.
rhubarbe sf.
rhum sm.
rhumatisant, e s. *et* adj. ; *rhumatismal, e, aux* adj. ; *rhumatisme* sm. ; *rhumatologie* sf. ; *rhumatologue* sm.
rhumb sm.
rhume sm.
rhumerie sf.
ria sf.
rial sm.
riant, e adj.
ribambelle sf.
ribaud, e s. *et* adj.
ribonucléique adj.
ribote sf.
ricanement sm. ; *ricaner* vi. ; *ricaneur, euse* s. *et* adj.
richard, e s. ; *riche* adj. *et* s. ; *richement* adv. ; *richesse* sf. ; *richissime* adj.
ricin sm. ; *riciné, e* adj.
ricocher vi. ; *ricochet* sm.
ric-rac adv.
rictus sm.
ride sf. ; *ridé, e* adj. ; *rideau* sm.
ridelle sf.
rider vt. — *(se)* vpr.
ridicule adj. *et* sm. ; *ridiculement* adv. ; *ridiculiser* vt.
rien sm. *et* pr. indéfini.
rieur, euse adj. *et* s.
riflard sm.
rifle sm.
rigaudon *ou* **rigodon** sm.
rigide adj. ; *rigidement* adv. ; *rigidifier* vt. ; *rigidité* sf.
rigolade sf.
rigolage sm. ; *rigole* sf.
rigoler vi. ; *rigolo, ote* adj. *et* s.
rigorisme sm. ; *rigoriste* s. *et* adj.
rigoureux, euse adj. ; *rigueur* sf.
rillettes sf. pl.
rillons sm. pl.
rimailler vi. *et* vt. ; *rimailleur* sm.
rime sf. ; *rimer* vi. *et* vt. ; *rimeur* sm.
rinçage sm.
rinceau sm.
rince-doigts sm. inv.
rincer vt. ; *rincette* sf. ; *rinceur, euse* s. ; *rinçure* sf.
rinforzando adv. (ital.).
ring sm.
ringard sm.
ripaille sf. ; *ripailler* vi.
ripe sf. ; *riper* vt.
riposte sf. ; *riposter* vi.
riquiqui *ou* **rikiki** adj. inv.
rire vi. *et* sm.
ris sm.
risée sf.

risette sf.
risible adj. ; *risiblement* adv.
risotto sm.
risque sm. ; *risquer* vt.
risque-tout sm. inv.
rissole sf. ; *rissoler* vt.
ristourne sf. ; *ristourner* vt.
rite sm.
ritournelle sf.
rituel, elle adj. *et* sm.
rivage sm.
rival, e, aux adj. *et* s. ; *rivaliser* vi. ; *rivalité* sf.
rive sf.
rivelaine sf.
river vt.
riverain, e adj. *et* s.
rivet sm. ; *rivetage* sm. ; *riveter* vt.
riveur, euse sm. *et* sf.
rivière sf.
rivoir sm. ; *rivure* sf.
rixe sf.
riz sm. ; *rizerie* sf. ; *riziculture* sf. ; *rizière* sf.
roadster sm. (angl.).
robe sf.
robinet sm. ; *robinetier* sm. ; *robinetterie* sf.
roboratif, ive adj.
robot sm.
robre sm.
robuste adj. ; *robustement* adv. ; *robustesse* sf.
roc sm.
rocade sf.
rocaillage sm. ; *rocaille* sf. ; *rocailleux, euse* adj.
rocambolesque adj.
roche sf. ; *rocher* sm.
rochet sm.
rocheux, euse adj.
rock sm.
rocking-chair sm. (angl.) (pl. *rocking-chairs*).
rococo adj. *et* sm. inv.
rodage sm.
rôdailler vi.
rodéo sm.
roder vt. (mécanique).
rôder vi. (errer) ; *rôdeur, euse* s.
rodomontade sf.
rogations sf. pl. ; *rogatoire* adj.
rogaton sm. (surtout pl.).
rogne sf.
rogner vt. ; *rogneur, euse* s.
rognon sm.
rognure sf.
rogomme sm.
rogue sf.
rogue adj.
roi sm.
roitelet sm.
rôle sm.
rollmops sm. inv.
romain, e adj. *et* s.
romaine sf.
roman sm.
roman, e adj. *et* sm.
romance sf.
romancer vt.
romancero sm. (esp.).
romanche sm.
romancier, ère s.
romand, e adj.
romanesque adj.
romanichel, elle s.
romanisation sf. ; *romaniser* vt.
romaniste sm.
romantique adj. ; *romantisme* sm.
romarin sm.
rombière sf.
rompre vt. — *(se)* vpr.
rompu, e adj.
romsteck *ou* **rumsteck** sm.
ronce sf. ; *ronceraie* sf. ; *ronceux, euse* adj.
ronchon s. ; *ronchonner* vi.
roncier sm. *ou* **roncière** sf.
rond, e adj. *et* sm.
rondache sf.
rond-de-cuir sm. (pl. *ronds-de-cuir*).
ronde sf.
rondeau sm. (poème *et* musique).
ronde-bosse (pl. *rondes-bosses*) *ou* **ronde bosse** sf.
rondelet, ette adj. ; *rondelle* sf. ; *rondement* adv. ; *rondeur* sf. ; *rondin* sm.
rondo sm. (musique).
rond-point sm. (pl. *ronds-points*).
ronéo sf. ; *ronéoter* *ou* *ronéotyper* vt. ; *ronéotypie* sf.
ronflant, e adj. ; *ronflement* sm. ; *ronfler* vi. ; *ronfleur, euse* s.
ronger vt. ; *rongeur, euse* adj. *et* sm.
ronron sm. ; *ronronnement* sm. ; *ronronner* vi.
röntgen sm.
roque sm.
roquefort sm.
roquer vi.
roquet sm.

roquette sf.
rosace sf.
rosacées sf. pl.
rosaire sm.
rosat adj. inv. ; ***rosâtre*** adj.
rosbif sm.
rose sf. ; ***rose*** adj. *et* sm. ; ***rosé, e*** adj. *et* sm.
roseau sm.
rose-croix sm. inv.
rosée sf.
roselier, ère adj. *et* s.
roséole sf.
roser vt. ; ***roseraie*** sf. ; ***rosette*** sf. ; ***rosier*** sm. ; ***rosière*** sf. ; ***rosiériste*** sm. ; ***rosir*** vi. ; ***rosissement*** sm.
rossard, e adj. *et* s. ; ***rosse*** sm.
rosser vt.
rosserie sf.
rossignol sm.
rostre sm.
rot sm. (gaz).
rôt sm. (rôti).
rotateur, trice adj. *et* sm. ; ***rotatif, ive*** adj. ; ***rotation*** sf. ; ***rotative*** sf. ; ***rotatoire*** adj.
rote sf.
roter vi.
rôti sm. ; ***rôtie*** sf.
rotin sm.
rôtir vt. *et* vi. ; ***rôtissage*** sm. ; ***rôtisserie*** sf. ; ***rôtisseur, euse*** s. ; ***rôtissoire*** sf.
rotonde sf. ; ***rotondité*** sf.
rotor sm.
rotule sf. ; ***rotulien, enne*** adj.
roture sf. ; ***roturier, ère*** adj. *et* s.
rouage sm.
rouan, anne adj. *et* s.
roubignoles sf. pl.
roublard, e s. *et* adj. ; ***roublardise*** sf.
rouble sm.
rouchi sm.
roucoulade sf. ; ***roucoulement*** sm. ; ***roucouler*** vi. *et* vt.
roue sf.
roué, e adj. *et* s.
rouelle sf.
rouer vt.
rouerie sf.
rouet sm.
rouf sm.
rouflaquette sf.
rouge adj. *et* sm. ; ***rougeâtre*** adj. ; ***rougeaud, e*** adj. *et* sm.
rouge-gorge sm. (pl. *rouges-gorges)*.
rougeoiement sm.
rougeole sf.
rougeoyant, e adj. ; ***rougeoyer*** vi.
rouge-queue sm. (pl. *rouges-queues*).
rouget sm.
rougeur sf. ; ***rougir*** vt. *et* vi. ; ***rougissant, e*** adj.
rouille sf. ; ***rouiller*** vt. *et* vi. ; ***rouillure*** sf.
rouir vt. *et* vi. ; ***rouissage*** sm. ; ***rouissoir*** sm.
roulade sf. (musique) ; ***roulage*** sm. (transport) ; ***roulant, e*** adj. ; ***rouleau*** sm. ; ***roulé-boulé*** sm. (pl. *roulés-boulés*) ; ***roulement*** sm. ; ***rouler*** vt. *et* vi. ; ***roulette*** sf. ; ***rouleur, euse*** adj. *et* sm. ; ***roulis*** sm. ; ***rouloir*** sm. ; ***roulotte*** sf. ; ***roulotter*** vt. ; ***roulure*** sf.
roumain, e adj. *et* s.
roumi sm.
round sm. (angl.).
roupie sf.
roupiller vi.
rouquin, e adj. *et* s.
rouspétance sf. ; ***rouspéter*** vi. ; ***rouspéteur, euse*** s.
roussâtre adj.
rousse sf.
rousserolle sf.
roussette sf.
rousseur sf. ; ***roussi*** sm.
roussin sm.
roussir vt. *et* vi.
rouste sf.
routage sm. ; ***route*** sf. ; ***router*** vt. ; ***routier, ère*** adj. *et* sm. ; ***routine*** sf. ; ***routinier, ère*** adj. *et* sm.
rouvraie sf. ; ***rouvre*** sm.
rouvrir vt.
roux, rousse adj. *et* s.
royal, e, aux adj. ; ***royalement*** adv. ; ***royalisme*** sm. ; ***royaliste*** adj. *et* s.
royalties sf. pl. (angl.).
royaume sm. ; ***royauté*** sf.
ru sm.
ruade sf.
ruban sm. ; ***rubanerie*** sf. ; ***rubanier, ère*** adj. *et* s.
rubato adv. (ital.) *et* sm.
rubéole sf.
rubescent, e adj.
rubican s. *et* adj. m.
rubicond, e adj.
rubidium sm.
rubigineux, euse adj.

rubis sm.
rubrique sf.
ruche sf. ; *ruché* sm. ; *rucher* sm. ; *rucher* vt.
rude adj. ; *rudement* adv.
rudenture sf.
rudesse sf.
rudiment sm. ; *rudimentaire* adj.
rudoiement sm. ; *rudoyer* vt.
rue sf.
ruée sf.
ruelle sf.
ruer vi. — *(se)* vpr.
rufian *ou* **ruffian** sm.
rugby sm. ; *rugbyman* sm.
rugine sf.
rugir vi. ; *rugissement* sm.
rugosité sf. ; *rugueux, euse* adj.
ruine sf. ; *ruiner* vt. ; *ruineux, euse* adj. ; *ruiniforme* adj.
ruisseau sm. ; *ruisselant, e* adj. ; *ruisseler* vi. ; *ruisselet* sm. ; *ruissellement* sm.
rumba sf.
rumen sm.
rumeur sf.
ruminant, e adj. *et* sm. ; *rumination* sf. ; *ruminer* vt. *et* vi.
rune sf. ; *runique* adj.
ruolz sm.
rupestre adj.
rupin, e adj.
rupteur sm. ; *rupture* sf.
rural, e, aux adj. *et* sm. pl.
ruse sf. ; *rusé, e* adj. *et* s. ; *ruser* vi.
rush sm. (angl.).
russe adj. *et* s. ; *russifier* vt. ; *russophile* adj. *et* s.
russule, e adj. *et* s.
rustaud, e adj. *et* s.
rusticité sf.
Rustine sf. (nom déposé).
rustique adj. ; *rustre* s. *et* adj.
rut sm.
rutabaga sm.
rutacées sf. pl.
ruthénium sm.
rutilance sf. ; *rutilant, e* adj. ; *rutiler* vi.
rythme sm. ; *rythmé, e* adj. ; *rythmer* vt. ; *rythmicien, enne* sm. *et* sf ; *rythmique* adj.

S

sa adj. possessif.
sabayon sm.
sabbat sm. ; ***sabbatique*** adj.
sabéen, enne adj. *et* s.
sabine sf.
sabir sm.
sablage sm. ; ***sable*** sm. ; ***sablé, e*** adj. *et* sm. ; ***sabler*** vt. ; ***sableur*** sm. ; ***sableuse*** sf. ; ***sableux, euse*** adj. ; ***sablier*** sm. ; ***sablière*** sf. ; ***sablon*** sm. ; ***sablonner*** vt. ; ***sablonneux, euse*** adj. ; ***sablonnière*** sf.
sabord sm. ; ***sabordage*** sm. ; ***saborder*** vt. — ***(se)*** vpr.
sabot sm. ; ***sabotage*** sm. ; ***saboter*** vi. *et* vt. ; ***saboterie*** sf. ; ***saboteur, euse*** s. ; ***sabotier, ère*** s.
sabre sm. ; ***sabrer*** vt. ; ***sabreur*** sm.
saburral, e, aux adj.
sac sm.
saccade sf. ; ***saccadé, e*** adj. ; ***saccader*** vt.
saccage sm. ; ***saccager*** vt. ; ***saccageur, euse*** s.
saccharimètre sm. ; ***saccharin, e*** adj. *et* sf. ; ***saccharose*** sm.
sacerdoce sm. ; ***sacerdotal, e, aux*** adj.
sachem sm.
sachet sm.
sacoche sf.
sacralisation sf. ; ***sacraliser*** vt.
sacramentel, elle adj.
sacre sm. ; ***sacré, e*** adj. ; ***sacrement*** sm. ; ***sacrément*** adv. ; ***sacrer*** vt. *et* vi. — ***(se)*** vpr.
sacrifiable adj. ; ***sacrificateur, trice*** s. ; ***sacrificatoire*** adj. ; ***sacrifice*** sm. ; ***sacrifier*** vt. *et* vi. — ***(se)*** vpr.
sacrilège adj. *et* s.
sacripant sm.
sacristain sm. ; ***sacristie*** sf.
sacro-saint, e adj.
sacrum sm.
sadique adj. ; ***sadiquement*** adv. ; ***sadisme*** sm. ; ***sadomasochisme*** adj. ; ***sadomasochiste*** sm.
safari sm.
safran sm. ; ***safrané, e*** adj.
saga sf.
sagace adj. ; ***sagacité*** sf.
sagaie sf.
sage adj. *et* s.
sage-femme sf. (pl. *sages-femmes*).
sagement adv. ; ***sagesse*** sf.
sagette sf.
sagittaire sm. *et* sf. ; ***sagittal, e, aux,*** adj. ; ***sagitté, e*** adj.
sagouin sm.
saharien, enne adj. *et* sf.
sahib sm. (arabe).
saignant, e adj. ; ***saignée*** sf. ; ***saignement*** sm. ; ***saigner*** vt. *et* vi.
saillant, e adj. ; ***saillie*** sf.
saillir vi. (ressortir) *et* vt. (couvrir).
sain, e adj.
saindoux sm.
sainement adv.
sainfoin sm.
saint, e adj. *et* s.
saint-bernard sm. inv.
saint-cyrien sm. (pl. *saint-cyriens*).
saintement adv.
sainte nitouche sf.
sainteté sf.
saint-frusquin sm. inv.
saint-glinglin (à la) loc. adv.
saint-honoré sm. inv.
saint-nectaire sm. inv.
saint-paulin sm. inv.
saint-pierre sm. inv.
saint-simonien, enne adj. *et* s. (pl. *saint-simoniens*) ; ***saint-simonisme*** sm.
saisie sf.
saisie-arrêt sf. (pl. *saisies-arrêts*).
saisie-exécution sf. (pl. *saisies-exécutions*).
saisine sf. (droit) ; ***saisir*** vt. — ***(se)*** vpr. ; ***saisissant, e*** adj. ; ***saisissement*** sm.
saison sf. ; ***saisonnier, ère*** adj. *et* sm.
saké sm. (jap.).
salade sf. ; ***saladier*** sm.
salage sm.
salaire sm.
salaison sf.
salamalec sm. (surtout pl.).
salamandre sf.
salami sm.
salant adj. m.
salarial, e, aux adj. ; ***salariat*** sm. ; ***salarié, e*** adj. *et* s. ; ***salarier*** vt.
salaud adj. *et* sm.
sale adj.
salé, e adj. *et* sm.
salement adv.

saler vt. ; *saleron* vt.
salésien, enne adj. *et* s.
saleté sf.
saleur, euse s.
salicylate sm. ; *salicylique* adj.
salière sf.
saligaud, e s.
salin, e adj. *et* sm. ; *saline* sf. ; *salinité* sf.
salique adj.
salir vt. ; *salissant, e* adj. ; *salissure* sf.
salivaire adj. ; *salivation* sf. ; *salive* sf. ; *saliver* vi.
salle sf.
salmigondis sm.
salmis sm.
salmonellose sf.
salmoniculture sf. ; *salmonidés* sm. pl.
saloir sm.
salon sm. ; *salonnard, e* adj. ; *salonnier* sm.
salopard sm. ; *salope* sf. ; *saloper* vt. ; *saloperie* sf. ; *salopette* sf.
salpêtrage sm. ; *salpêtre* sm. ; *salpêtrer* vt. ; *salpêtreux, euse* adj. ; *salpêtrière* sf.
salpingite sf.
salsepareille sf.
salsifis sm.
saltimbanque sm.
salubre adj. ; *salubrité* sf.
saluer vt.
salure sf.
salut sm. ; *salutaire* adj. ; *salutairement* adv. ; *salutation* sf. ; *salutiste* s.
salvateur, trice adj.
salve sf.
samaritain, e s. *et* adj.
samarium sm.
samba sf.
samedi sm.
samole sm.
samouraï *ou* **samurai** sm. (jap.).
samovar sm. (russe).
sampan sm. (malais).
sana sm. *ou* **sanatorium** sm. (pl. *sanatoriums*).
sanctifiant, e adj. ; *sanctificateur, trice* adj. *et* s. ; *sanctification* sf. ; *sanctifier* vt.
sanction sf. ; *sanctionner* vt.
sanctuaire sm. ; *sanctus* sm. (lat.).
sandale sf. ; *sandalette* sf.
Sandow sm. (nom déposé).
sandwich sm. (pl. *sandwichs*).
sang sm.
sang-froid sm.
sanglant, e adj.
sangle sf. ; *sanglé, e* adj. ; *sangler* vt.
sanglier sm.
sanglot sm. ; *sanglotement* sm. ; *sangloter* vi.
sang-mêlé s. inv.
sangria sf. (esp.).
sangsue sf,
sanguin, e adj. ; *sanguinaire* adj. ; *sanguine* sf. ; *sanguinolent, e* adj.
sanhédrin sm. (araméen).
sanie sf. ; *sanieux, euse* adj.
sanitaire adj.
sans prép.
sans-abri sm. inv.
sans-cœur s. inv.
sans-culotte sm. (pl. *sans-culottes*).
sans-façon sm. inv.
sans-gêne sm. inv.
sanskrit, e adj. *et* s. ; *sanskritiste* s.
sans-logis sm. inv.
sansonnet sm.
sans-souci adj. *et* s. inv.
santal sm.
santé sf.
santon sm. (figurine).
sanve sf.
sapajou sm.
sape sf. ; *saper* vt. — *(se)* vpr.
sapeur sm. ; *sapeur-pompier* sm. (pl. *sapeurs-pompiers*).
saphique adj.
saphir sm.
saphisme sm.
sapide adj. ; *sapidité* sf.
sapientiaux adj. *(livres —) et* sm. pl.
sapin sm. ; *sapine* sf. ; *sapinière* sf.
saponification sf. ; *saponifier* vt.
saponine sf.
sapotille sf. ; *sapotillier* sm.
saprophage adj. ; *saprophyte* sm.
saquer vt.
sarabande sf.
sarbacane sf.
sarcasme sm. ; *sarcastique* adj.
sarcelle sf.
sarclage sm. ; *sarcler* vt. ; *sarcloir* sm.
sarcome sm.
sarcomycète adj.
sarcophage sm.
sarcopte sm.
sardane sf.

sardine sf. ; *sardinerie* sf. ; *sardinier, ère* s. *et* adj.
sardoine sf.
sardonique *ou* **sardonien, enne** adj.
sargasse sf.
sari sm.
sarigue sf.
sarment sm. ; *sarmenteux, euse* adj.
sarrasin, e adj. *et* n. ; *sarrasin* sm. (céréale) ; *sarrasine* sf. (herse).
sarrau sm. (pl. *sarraus*).
sarriette sf.
sas sm.
sassafras sm.
sasser vt. ; *sasseur* sm.
satané, e adj. ; *satanique* adj.
satellisation sf. ; *satellisé, e* adj. ; *satelliser* vt. ; *satellite* sm.
satiété sf.
satin sm. ; *satinage* sm. ; *satiné, e* adj. *et* sm. ; *satiner* vt. ; *satinette* sf.
satire sf. (critique) ; *satirique* adj. ; *satiriquement* adv. ; *satiriser* vt.
satisfaction sf. ; *satisfaire* vt. *et* vi. — *(se)* vpr. ; *satisfaisant, e* adj. ; *satisfait, e* adj.
satisfecit sm. inv. (lat.).
satrape sm. ; *satrapie* sf.
saturateur sm. ; *saturation* sf. ; *saturer* vt.
saturnales sf. pl. ; *saturnien, enne* adj. ; *saturnin, e* adj. ; *saturnisme* sm.
satyre sm. (pervers) ; *satyriasis* sm. ; *satyrique* adj.
sauce sf. ; *saucer* vt. ; *saucier, ère* sm. *et* sf.
saucisse sf. ; *saucisson* sm. ; *saucissonner* vi.
sauf prép.
sauf, sauve adj.
sauf-conduit sm. (pl. *sauf-conduits*).
sauge sf.
saugrenu, e adj.
saulaie *ou* **saussaie** sf. ; *saule* sm. ; *saulée* sf.
saumâtre adj.
saumon sm. ; *saumoné, e* adj. ; *saumoneau* sm.
saumurage sm. ; *saumure* sf. ; *saumuré, e* adj.
sauna sm. *ou* f.
saunier sm. *(faux —).*
saupiquet sm.
saupoudrage sm. ; *saupoudrer* vt. ; *saupoudreur, euse* adj. *et* sf.
saur adj. m. *(hareng) ; saurer* vt.
saurien sm.
saut sm. ; *saute* sf. ; *sauté* sm. ; *saute-mouton* sm. inv. ; *sauter* vi. *et* vt.
sautereau sm.
sauterelle sf.
sauterie sf.
sauternes sm.
saute-ruisseau sm. inv.
sauteur, euse adj. *et* sf.
sautillant, e adj. ; *sautillement* sm. ; *sautiller* vi.
sautoir sm.
sauvage adj. *et* s. ; *sauvagement* adv. ; *sauvageon* sm. (arbre) *et sauvageon, onne* s. (caractère) ; *sauvagerie* sf.
sauvegarde sf. ; *sauvegarder* vt.
sauve-qui-peut sm. inv.
sauver vt. — *(se)* vpr. ; *sauvetage* sm. ; *sauveteur* sm. *et* adj. m. ; *sauvette (à la)* loc. adv. ; *sauveur* sm.
savamment adv.
savane sf.
savant, e adj. *et* s.
savarin sm.
savate sf. ; *savetier* sm.
saveur sf.
savoir vt. *et* sm.
savoir-faire sm. inv.
savoir-vivre sm. inv.
savon sm. ; *savonnage* sm. ; *savonner* vt. ; *savonnerie* sf. ; *savonnette* sf. ; *savonneux, euse* adj.
savourer vt. ; *savoureusement* adv. ; *savoureux, euse* adj.
savoyard, e adj. *et* s.
saxe sm.
saxhorn sm.
saxifrage sf.
saxon, onne adj. *et* s.
saxophone sm. ; *saxophoniste* sm.
saynète sf.
sbire sm.
scabieuse sf. ; *scabieux, euse* adj.
scabreux, euse adj.
scaferlati sm.
scalaire sm. *et* adj.
scalène adj.
scalp sm. (angl.).
scalpel sm.
scalper vt.
scandale sm. ; *scandaleusement* adv. ; *scandaleux, euse* adj. ; *scandaliser*

vt.
scander vt.
scandinave adj. *et* s.
scandium sm.
scansion sf.
scaphandre sm. ; *scaphandrier* sm.
scapulaire sm. *et* adj.
scarabée sm.
scarificateur sm. ; *scarification* sf. ; *scarifier* vt.
scarlatine sf.
scarole sf.
scatologie sf. ; *scatologique* adj. ; *scatophile* adj.
sceau sm. (cachet).
scélérat, e adj. *et* s. ; *scélératesse* sf.
scellage sm. ; *scellement* sm. ; *sceller* vt. ; *scellés* sm. pl.
scénario sm. (pl. *scénarios*) ; *scénariste* s.
scène sf. ; *scénique* adj. ; *scéniquement* adv. ; *scénographie* sf.
scepticisme sm. ; *sceptique* adj. *et* s. (incrédule).
sceptre sm.
schéma sm. ; *schématique* adj. ; *schématisation* sf. ; *schématiser* vt. ; *schématisme* sm.
schème sm.
schérif *ou* **chérif** sm. (arabe).
scherzo adv. *et* sm. (pl. *scherzos*).
schilling sm. (Autriche).
schismatique adj. *et* s. ; *schisme* sm.
schiste sm. ; *schisteux, euse* adj.
schizoïde adj. *et* s. ; *schizophrène* s. ; *schizophrénie* sf.
schlague sf.
schlittage sm. ; *schlitte* sf. ; *schlitter* vt. ; *schlitteur* sm.
schnaps sm. (all.).
schuss sm. (all.).
sciable adj. ; *sciage* sm.
sciatique adj., sm. *et* sf.
scie sf.
sciemment adv.
science sf.
science-fiction sf. inv.
scientifique adj. ; *scientifiquement* adv. ; *scientisme* sm. ; *scientiste* s.
scier vt. ; *scierie* sf. ; *scieur* sm. ; *scieuse* sf.
scinder vt.
scintillant, e adj. ; *scintillation* sf. ; *scintillement* sm. ; *scintiller* vi.
scion sm.
sciotte sf.
scissile adj. ; *scission* sf. ; *scissionnaire* adj. *et* s. ; *scissipare* adj. ; *scissure* sf.
sciure sf.
scléreux, euse adj. ; *sclérose* sf. ; *scléroser (se)* vpr. ; *sclérotique* sf.
scolaire adj. ; *scolairement* adv. ; *scolarisation* sf. ; *scolarisé, e* adj. ; *scolariser* vt. ; *scolarité* sf.
scolastique adj. *et* s.
scoliaste sm. ; *scolie* sf. *et* sm.
scoliose sf.
scolopendre sf.
scooter sm. (angl.). ; *scootériste* s.
scopie sf.
scopolamine sf.
scorbut sm. ; *scorbutique* adj.
score sm.
scorie sf.
scorpion sm.
scorsonère sf.
scotch sm. (whisky).
Scotch sm. (nom déposé) ; *scotcher* vt.
scotome sm.
scout, e s. *et* adj. ; *scoutisme* sm.
scribe sm. ; *scribouillard* sm.
script sm. ; *scripte* sf. ; *scripteur* sm. ; *scriptural, e, aux* adj.
scrofulaire sf. ; *scrofule* sf. ; *scrofuleux, euse* adj. *et* s.
scrotum sm.
scrupule sm. ; *scrupuleusement* adv. ; *scrupuleux, euse* adj.
scrutateur, trice adj. *et* s. ; *scruter* vt. ; *scrutin* sm.
sculpter vt. ; *sculpteur* sm. ; *sculptural, e, aux* adj. ; *sculpture* sf.
se pr. personnel (2 genres, 2 nombres).
séance sf. ; *séant, e* adj. *et* sm.
seau sm. (récipient).
sébacé, e adj.
sébile sf.
séborrhée sf. ; *sébum* sm.
sec, sèche adj.
sécable adj. ; *sécant, e* adj. ; *sécante* sf. ; *sécateur* sm.
sécession sf. ; *sécessionniste* adj. *et* s.
séchage sm. ; *sèchement* adv. ; *sécher* vt. *et* vi. ; *sécheresse* sf. ; *sécherie* sf. ; *sécheur* sm. ; *sécheuse* sf. ; *séchoir* sm.
second, e adj. *et* sm. ; *secondaire* adj. *et* sm. ; *secondairement* adv. ; *secondarité* sf. ; *seconde* sf. ; *secon-*

dement adv. ; *seconder* vt.
secouer vt. — *(se)* vpr.
secourable adj. ; *secourir* vt. ; *secourisme* sm. ; *secouriste* s. ; *secours* sm.
secousse sf.
secret, ète adj. *et* sm. ; *secrétaire* s. ; *secrétairerie* sf. ; *secrétariat* sm. ; *secrètement* adv.
sécréter vt. ; *sécréteur, trice* adj. ; *sécrétion* sf. ; *sécrétoire* adj.
sectaire adj. *et* sm. ; *sectarisme* sm. ; *sectateur* sm. ; *secte* sf.
secteur sm. ; *section* sf. ; *sectionnement* sm. ; *sectionner* vt. ; *sectoriel, elle* adj. ; *sectorisation* sf.
séculaire adj. ; *sécularisation* sf. ; *séculariser* vt. ; *sécularité* sf. ; *séculier, ère* adj. *et* sm.
secundo adv. (lat.).
sécurisant, e adj. ; *sécurisation* sf. ; *sécuriser* vt. ; *sécurité* sf.
sédatif, ive adj. *et* sm. ; *sédation* sf.
sédentaire s. *et* adj. ; *sédentairement* adv. ; *sédentarisation* sf. ; *sédentariser* vt.
sédiment sm. ; *sédimentaire* adj. ; *sédimentation* sf.
séditieusement adv. ; *séditieux, euse* s. *et* adj. ; *sédition* sf.
séducteur, trice s. ; *séduction* sf. ; *séduire* vt. ; *séduisant, e* adj.
séfarad, sepharad, sefardi *ou* **sefaraddi** adj. *et* sm. (pl. *sefardim* ou *sefaraddim*).
segment sm. ; *segmentaire* adj. ; *segmentation* sf. ; *segmenter* vt.
ségrégatif, ive adj. ; *ségrégation* sf. ; *ségrégationnisme* sm. ; *ségrégationniste* adj.
séguedille sf.
seiche sf.
séide sm.
seigle sm.
seigneur sm. ; *seigneurial, e, aux* adj. ; *seigneurie* sf.
sein sm.
seine *ou* **senne** sf. (filet).
seing sm.
séisme sm.
seize adj. numéral ; *seizième* adj. *et* sm. ; *seizièmement* adv.
séjour sm. ; *séjourner* vi.
sel sm.
select adj. inv. (angl.) *ou* **sélect, e, s** adj.
sélecteur sm. ; *sélectif, ive* adj. ; *sélection* sf. ; *sélectionner* vt. ; *sélectionneur, euse* s. ; *sélectivité* sf.
sélénite sm. ; *sélénium* sm.
self sf. (angl.).
self-service sm. (angl.).
selle sf. ; *seller* vt. ; *sellerie* sf. ; *sellette* sf. ; *sellier* sm.
selon prép.
selve sf.
semailles sf. pl.
semaine sf. ; *semainier, ère* s.
sémantique adj. *et* sf.
sémaphore sm.
semblable adj. ; *semblablement* adv. ; *semblant* sm. ; *sembler* vi.
semelle sf.
semence sf.
semen-contra sm. inv. (lat.).
semer vt.
semestre sm. ; *semestriel, elle* adj.
semeur, euse s.
semi-automatique adj.
semi-conducteur sm.
sémillant, e adj.
séminaire sm.
séminal, e, aux adj.
séminariste sm.
sémiologie sf. ; *sémiologue* s. ; *sémioticien, enne* adj. ; *sémiotique* sf.
semi-public, ique adj.
semi-remorque sf. *et* adj. (*par abrév.* sm.).
semis sm.
sémite s. ; *sémitique* adj.
semoir sm.
semonce sf.
semoule sf.
semper virens adj. inv. *et* sm. inv. (lat.).
sempiternel, elle adj.
sénat sm. ; *sénateur* sm. ; *sénatorial, e, aux* adj.
séné sm.
sénéchal, aux sm. ; *sénéchaussée* sf.
séneçon sm.
sénescence sf. ; *sénescent, e* adj.
sénevé sm.
sénile adj. ; *sénilité* sf.
senior sm. (lat.).
sens sm. ; *sensation* sf. ; *sensationnel, elle* adj. ; *sensé, e* adj.
sensibilisateur, trice adj. *et* s. ; *sensibilisation* sf. ; *sensibiliser* vt. ; *sensibilité* sf. ; *sensible* adj. ; *sensiblement* adv. ; *sensiblerie* sf.

sensitif, ive adj. *et* sf.
sensoriel, elle adj.
sensualisme sm. ; ***sensualiste*** adj. *et* s.
sensualité sf. ; ***sensuel, elle*** adj. ; ***sensuellement*** adv.
sente sf.
sentence sf. ; ***sentencieusement*** adv. ; ***sentencieux, euse*** adj.
senteur sf.
sentier sm.
sentiment sm. ; ***sentimental, e, aux*** adj. ; ***sentimentalement*** adv. ; ***sentimentalisme*** sm. ; ***sentimentalité*** sf.
sentine sf.
sentinelle sf.
sentir vt.
seoir vi.
sep sm. (charrue).
sépale sm.
séparable adj. ; ***séparateur, trice*** adj. ; ***séparation*** sf. ; ***séparatisme*** sm. ; ***séparatiste*** s. *et* adj. ; ***séparé, e*** adj. ; ***séparément*** adv. ; ***séparer*** vt.
sépia sf.
sept adj. numéral.
septante adj. numéral.
septembre sm. ; ***septembriseur*** sm.
septennat sm.
septentrion sm. ; ***septentrional, e, aux*** adj.
septicémie sf. ; ***septicémique*** adj.
septidi sm.
septième adj. *et* s. ; ***septièmement*** adv.
septique adj. (microbien).
septuagénaire adj. *et* s.
septuagésime sf.
septuor sm.
sépulcral, e, aux adj. ; ***sépulcre*** sm.
sépulture sf.
séquelle sf.
séquence sf. ; ***séquentiel, elle*** adj.
séquestration sf. ; ***séquestre*** sm. ; ***séquestrer*** vt.
sequin sm.
séquoia sm.
sérail sm.
séraphin sm. ; ***séraphique*** adj.
serbe adj. *et* s. ; ***serbo-croate*** sm. *et* adj.
serein sm. (soir).
serein, e adj.
sérénade sf.
sérénissime adj.
sérénité sf.
séreux, euse adj. *et* sf.
serf, serve adj. *et* s.
serfouette sf. ; ***serfouir*** vt. ; ***serfouissage*** sm.
serge sf.
sergé sm.
sergent sm. (*sergent-major*, pl. *sergents-majors*).
séricicole adj. ; ***sériciculture*** sf.
série sf. ; ***sériel, elle*** adj. ; ***sérier*** vt.
sérieusement adv. ; ***sérieux, euse*** adj.
sérigraphie sf.
serin sm. (fém. *serine*) (oiseau) ; ***seriner*** vt.
seringa *ou* **seringat** sm.
seringue sf. ; ***seringuer*** vt.
sérique adj.
serment sm.
sermon sm. ; ***sermonnaire*** sm. ; ***sermonner*** vt. ; ***sermonneur, euse*** s.
sérodiagnostic sm.
sérosité sf.
sérothérapie sf.
sérovaccination sf.
serpe sf.
serpent sm.
serpentaire sm. *et* sf.
serpenteau sm. ; ***serpenter*** vi. ; ***serpentin*** sm.
serpette sf.
serpillière sf.
serpolet sm.
serrage sm. ; ***serre*** sf. ; ***serré, e*** adj. ; ***serrement*** sm. ; ***serrer*** vt.
serrure sf. ; ***serrurerie*** sf. ; ***serrurier*** sm.
sertir vt. ; ***sertissage*** sm. ; ***sertisseur*** sm. ; ***sertissure*** sf.
sérum sm.
servage sm.
serval sm. (pl. *servals*).
servant sm. *et* adj. m. ; ***servante*** sf. ; ***serveur, euse*** s. ; ***serviabilité*** sf. ; ***serviable*** adj. ; ***service*** sm.
serviette sf.
servile adj. ; ***servilement*** adv. ; ***servilité*** sf.
servir vt. *et* vi. — ***(se)*** vpr. ; ***serviteur*** sm. ; ***servitude*** sf.
servofrein sm.
servomécanisme sm.
servomoteur sm.
ses adj. poss. pl. de *son, sa.*
sésame sm.
sessile adj.

session sf.
setter sm. (angl.).
seuil sm.
seul, seule adj. *et* sm. ; ***seulement*** adv.
sève sf.
sévère adj. ; ***sévèrement*** adv. ; ***sévérité*** sf.
sévices sm. pl.
sévir vi.
sevrage sm. ; ***sevrer*** vt.
sèvres sm.
sexagénaire adj. *et* s. ; ***sexagésimal, e, aux*** adj. ; ***sexagésime*** sf.
sex-appeal sm. (angl.).
sexe sm. ; ***sexisme*** sm. ; ***sexiste*** adj. *et* s. ; ***sexologie*** sf. ; ***sexologue*** sm.
sextant sm.
sexte sf.
sextidi sm.
sexto adv. (lat.).
sextolet sm.
sextuor sm.
sextuple adj. *et* sm. ; ***sextupler*** vt.
sexualité sf. ; ***sexué, e*** adj. ; ***sexuel, elle*** adj.
seyant, e adj.
sforzando adv. (ital.).
shah *ou* **chah** sm.
shaker sm. (angl.).
shakespearien, enne adj.
shako sm. (hongr.).
shampooiner vt. ; ***shampooineur, euse*** s. ; ***shampooing*** sm.
shérif sm. (angl.).
sherpa sm.
sherry sm.
shilling sm. (Angleterre).
shimmy sm. (angl.).
shinto *ou* **shintoïsme** sm.
shipchandler sm. (angl.).
shoot sm. (angl.) ; ***shooter*** vi. — ***(se)*** vpr.
shopping sm. (angl.).
short sm. (angl.).
show sm. (angl.).
shrapnel sm. (angl.).
shunt sm. (angl.) ; ***shunter*** vt.
si conj. *et* sm. inv. *(avec des — !)*.
si adv.
si sm. inv. (musique).
siamois, e adj. *et* s.
sibérien, enne adj. *et* s.
sibilant, e adj.
sibylle sf. ; ***sibyllin, e*** adj.
sic adv. (lat.).
sicaire sm.
siccatif, ive adj.
side-car sm. (angl.).
sidéral, e, aux adj. ; ***sidérant, e*** adj. ; ***sidéré, e*** adj. ; ***sidérer*** vt.
sidérurgie sf. ; ***sidérurgique*** adj.
siècle sm.
siège sm. ; ***siéger*** vi.
siemens sm.
sien, sienne, adj. *et* pr. possessif.
sierra sf.
sieste sf.
sieur sm.
sifflant, e adj. *et* sf. ; ***sifflement*** sm. ; ***siffler*** vi. *et* vt. ; ***sifflet*** sm. ; ***siffleur, euse*** adj. *et* s. ; ***sifflotement*** sm. ; ***siffloter*** vt.
sigillaire adj. *et* sf. ; ***sigillé, e*** adj. ; ***sigillographie*** sf. ; ***sigillographique*** adj.
sigisbée sm.
sigle sm.
sigma sm. ; ***sigmoïde*** adj.
signal sm. ; ***signalé, e*** adj. ; ***signalement*** sm. ; ***signaler*** vt. ; ***signalétique*** adj. ; ***signalisation*** sf.
signataire s. ; ***signature*** sf.
signe sm.
signer vt. — ***(se)*** vpr.
signet sm.
signifiance sf. ; ***signifiant, e*** adj. *et* sm. ; ***significatif, ive*** adj. *et* sm. ; ***signification*** sf. ; ***signifié*** sm. ; ***signifier*** vt.
sil sm.
silence sm. ; ***silencieusement*** adv. ; ***silencieux, euse*** adj. *et* sm.
silène sm.
silex sm.
silhouette sf. ; ***silhouetter*** vt.
silicate sm. ; ***silice*** sf. ; ***siliceux, euse*** adj. ; ***silicique*** adj. m. ; ***silicium*** sm. ; ***siliciure*** sm. ; ***silicone*** sf. ; ***silicose*** sf.
silique sf.
sillage sm.
sillet sm.
sillon sm. ; ***sillonner*** vt.
silo sm. (esp.).
silure sm.
silurien, enne adj. *et* sm.
simagrée sf. (surtout pl.).
simarre sf.
simien, enne adj. ; ***simiesque*** adj.
similaire adj. ; ***similarité*** sf. ; ***simili*** sm. ; ***similigravure*** sf. ; ***similitude***

sf.
simoniaque adj. *et* s. ; *simonie* sf.
simoun sm.
simple adj. *et* sm. ; *simplement* adv. ; *simplet, ette* adj. ; *simplicité* sf. ; *simplifiable* adj. ; *simplificateur, trice* adj. *et* s. ; *simplification* sf. ; *simplifier* vt. ; *simplisme* sm. ; *simpliste* s. *et* adj.
simulacre sm.
simulateur, trice s. ; *simulation* sf. ; *simulé, e* adj. ; *simuler* vt.
simultané, e adj. ; *simultanéisme* sm. ; *simultanéité* sf. ; *simultanément* adv.
sinanthrope sm.
sinapisé, e adj. ; *sinapisme* sm.
sincère adj. ; *sincèrement* adv. ; *sincérité* sf.
sinciput sm.
sinécure sf.
singalette sf.
singe sm. ; *singer* vt. ; *singerie* sf.
single sm. (angl.).
singleton sm. (angl.).
singulariser vt. — *(se)* vpr. ; *singularité* sf. ; *singulier, ère* adj. *et* s. ; *singulièrement* adv.
sinistre adj. *et* sm. ; *sinistré, e* adj. *et* s. ; *sinistrement* adv.
sinologie sf. ; *sinologue* sm.
sinon conj.
sinople sm.
sinoque, sinoc *ou* **cinoque** adj.
sinueux, euse adj. ; *sinuosité* sf.
sinus sm. ; *sinusite* sf. ; *sinusoïdal, e, aux* adj. ; *sinusoïde* sf.
sionisme sm. ; *sioniste* s. *et* adj.
siphon sm. ; *siphonné, e* adj. ; *siphonner* vt.
sire sm.
sirène sf.
sirocco sm.
sirop sm. ; *siroter* vt. *et* vi. ; *sirupeux, euse* adj.
sis, e adj.
sisal sm.
sismique adj. ; *sismographe* sm. ; *sismologie* sf.
sistre sm.
site sm.
sitôt adv.
situation sf. ; *situer* vt.
six adj. numéral *et* sm. ; *sixième* adj. *et* sm. ; *sixièmement* adv. ; *six-quatre-deux (à la)* loc. adv. ; *sixte* sf. ; *sizain ou sixain* sm.
skaï sm.
sketch sm. (angl.).
ski sm. ; *skier* vt. ; *skieur, euse* s.
skiff sm. (angl.).
skunks *ou* **sconse** sm.
slalom sm. (norvég.) ; *slalomeur, euse* adj.
slave adj. *et* s. ; *slavisant, e* s. ; *slaviser* vt. ; *slavistique* sf.
sleeping-car sm. (pl. *sleeping-cars*) (angl.).
slip sm. (angl.).
slogan sm. (angl.).
sloop sm. (angl.).
sloughi sm. (arabe).
slovaque adj.
slovène adj.
slow sm. (angl.).
smalah *ou* **smala** sf. (arabe).
smaragdin, e adj.
smash sm. (angl.) (pl. *smashes*) ; *smasher* vi.
smicard, e adj.
smocks sm. pl.
smoking sm.
snack-bar (pl. *snack-bars*) *ou* **snack** sm. (pl. *snacks*) (angl.).
snob s. *et* adj. ; *snober* vt. ; *snobisme* sm.
sobre adj. ; *sobrement* adv. ; *sobriété* sf.
sobriquet sm.
soc sm.
sociabilité sf. ; *sociable* adj.
social, e, aux adj.
social-démocrate s. *et* adj. ; *social-démocratie* sf.
socialement adv.
socialisant, e adj. ; *socialisation* sf. ; *socialiser* vt. ; *socialisme* sm. ; *socialiste* adj. *et* s.
sociétaire s. *et* adj. ; *sociétariat* sm. ; *société* sf.
sociodrame sm.
sociogramme sm.
sociolinguistique sf.
sociologie sf. ; *sociologique* adj. ; *sociologiquement* adv. ; *sociologue* sm.
socle sm.
socque sm. ; *Socquette* sf. (nom déposé).
socratique adj.
soda sm.
sodé, e adj. ; *sodique* adj. ; *sodium*

sm.
sodomie sf. ; *sodomiser* vt. ; *sodomite* sm.
sœur sf. ; *sœurette* sf.
sofa sm.
soi pr. pers. 3e pers. 2 genres.
soi-disant adj. inv.
soie sf. ; *soierie* sf.
soif sf.
soigner vt. ; *soigneur* sm. ; *soigneusement* adv. ; *soigneux, euse* adj. ; *soin* sm.
soir sm. ; *soirée* sf.
soit conj. *et* adv.
soixantaine sf. ; *soixante* adj. numéral ; *soixantième* adj. *et* s.
soja *ou* **soya** sm.
sol sm. (musique : inv.).
solaire adj.
solanacées sf. pl.
solarium sm. (pl. *solariums*).
soldat sm. ; *soldatesque* sf. *et* adj.
solde sf. (salaire) *et* sm. (reste) ; *solder* vt. ; *soldeur, euse* s.
sole sf.
solécisme sm.
soleil sm.
solennel, elle adj. ; *solennellement* adv. ; *solenniser* vt. ; *solennité* sf.
solénoïde sm.
solfatare sm. (ital.).
solfège sm. ; *solfier* vt.
solidaire adj. ; *solidairement* adv. ; *solidariser* vt. — *(se)* vpr. ; *solidarité* sf.
solide adj. *et* sm. ; *solidement* adv. ; *solidification* sf. ; *solidifier* vt. ; *solidité* sf.
soliloque sm.
solipède adj. *et* sm.
solipsisme sm.
soliste s.
solitaire adj. *et* sm. ; *solitairement* adv. ; *solitude* sf.
solive sf. ; *soliveau* sm.
sollicitation sf. ; *solliciter* vt. ; *solliciteur, euse* s. *et* adj.
sollicitude sf.
solo sm. (ital.) (pl. *solos* ou *soli*).
solstice sm. ; *solsticial, e, aux* adj.
solubiliser vt. ; *solubilité* sf. ; *soluble* adj.
soluté sm. ; *solution* sm.
solvabilité sf. ; *solvable* adj.
solvant sm.
soma sm. (grec) ; *somatique* adj. ; *somatisation* sf. ; *somatiser* vt.
sombre adj.
sombrer vi. *et* vt.
sombrero sm. (esp.) (pl. *sombreros*).
sommaire adj. *et* sm. ; *sommairement* adv.
sommation sf.
somme sf. (total) *et* sm. (dormir).
sommeil sm. ; *sommeiller* vi.
sommelier, ère s.
sommer vt.
sommet sm.
sommier sm.
sommité sf.
somnambule s. *et* adj. ; *somnambulique* adj. ; *somnambulisme* sm.
somnifère adj. *et* sm.
somnolence sf. ; *somnolent, e* adj. ; *somnoler* vi.
somptuaire adj. *(loi —)*.
somptueusement adv. ; *somptueux, euse* adj. ; *somptuosité* sf.
son sm.
son, sa, ses adj. pos.
sonar sm.
sonate sf. ; *sonatine* sf.
sondage sm. ; *sonde* sf. ; *sonder* vt. ; *sondeur, euse* s. ; *sondeuse* sf.
songe sm. ; *songe-creux* sm. inv. ; *songer* vi. ; *songerie* sf. ; *songeur, euse* s. *et* adj.
sonique adj.
sonnaille sf. ; *sonnailler* sm. ; *sonnailler* vi. ; *sonnant, e* adj. ; *sonné, e* adj. ; *sonner* vi. *et* vt. ; *sonnerie* sf.
sonnet sm.
sonnette sf. ; *sonneur* sm.
sonore adj. ; *sonorisation* sf. ; *sonoriser* vt. ; *sonorité* sf. ; *sonothèque* sf.
sophisme sm. ; *sophiste* sm. ; *sophistication* sf. ; *sophistique* adj. ; *sophistiqué, e* adj. ; *sophistiquer* vt. *et* vi.
sophora sm.
soporifique adj. *et* sm.
sopraniste sm. ; *soprano* sm. (ital.) (pl. *sopranos* ou *soprani*).
sorbe sf.
sorbet sm. ; *sorbetière* sf.
sorbier sm.
sorbonnard, e s. *et* adj.
sorcellerie sf. ; *sorcier, ère* s. *et* adj.
sordide adj. ; *sordidement* adv. ; *sordidité* sf.
sorgho sm.

sornette sf. (surtout pl.).
sort sm.
sortable adj. ; *sortant, e* adj.
sorte sf.
sortie sf.
sortilège sm.
sortir vi. *et* vt.
sosie sm.
sot, sotte adj. *et* s.
sotie sf.
sot-l'y-laisse sm. inv.
sottement adv. ; *sottise* sf. ; *sottisier* sm.
sou sm. (pl. *sous*).
soubassement sm.
soubresaut sm.
soubrette sf.
souche sf.
souchet sm.
souchong *ou* **sou-chong** sm.
souci sm. ; *soucier (se)* vpr. ; *soucieux, euse* adj.
soucoupe sf.
soudable adj. ; *soudage* sm.
soudain adv. ; *soudain, e* adj. ; *soudainement* adv. ; *soudaineté* sf.
soudanais, e adj. *et* s.
soudard sm.
soude sf.
souder vt. ; *soudeur, euse* s.
soudoyer vt.
soudure sf.
soue sf.
soufflage sm. ; *soufflant, ante* adj. ; *souffle* sm. ; *soufflé, e* adj. *et* sm. ; *souffler* vt. *et* vi. ; *soufflerie* sf. ; *soufflet* sm. ; *souffleter* vt. ; *souffleur, euse* s. ; *soufflure* sf.
souffrance sf. ; *souffrant, e* adj. ; *souffre-douleur* sm. inv. ; *souffreteux, euse* adj. ; *souffrir* vi. *et* vt.
soufrage sm. ; *soufre* sm. ; *soufré, e* adj. ; *soufrer* vt. ; *soufreur, euse* s. ; *soufrière* sf.
souhait sm. ; *souhaitable* adj. ; *souhaiter* vt.
souillard sm. ; *souillarde* sf. ; *souille* sf. ; *souiller* vt. ; *souillon* s. ; *souillure* sf.
souk sm. (arabe).
soûl, e adj. *et* sm.
soulagement sm. ; *soulager* vt.
soûlard, e s. ; *soûlaud, e* adj. *et* s. ; *soûler* vt. ; *soûlerie* sf.
soulèvement sm. ; *soulever* vt.
soulier sm.
soulignement sm. ; *souligner* vt.
soûlographie sf.
soulte sf.
soumettre vt. ; *soumis, e* adj. ; *soumission* sf. ; *soumissionnaire* sm. ; *soumissionner* vt.
soupape sf.
soupçon sm. ; *soupçonnable* adj. ; *soupçonner* vt. ; *soupçonneux, euse* adj.
soupe sf.
soupente sf.
souper vi. *et* sm.
soupeser vt.
soupière sf.
soupir sm.
soupirail sm. (pl. *soupiraux*).
soupirant, e s. ; *soupirer* vi.
souple adj. ; *souplement* adv. ; *souplesse* sf.
souquer vt. *et* vi.
source sf. ; *sourcier* sm.
sourcil sm. ; *sourcilier, ère* adj. ; *sourciller* vt. ; *sourcilleux, euse* adj.
sourd, e adj. *et* s. ; *sourdement* adv. ; *sourdine* sf. ; *sourd-muet, sourde-muette* s. *et* adj.
sourdre vi.
souriant, e adj.
souriceau sm. ; *souricière* sf.
sourire vi. *et* sm.
souris sf.
sournois, e adj. *et* s. ; *sournoisement* adv. ; *sournoiserie* sf.
sous prép.
sous-admissible adj.
sous-alimentation sf. ; *sous-alimenté, e* adj. ; *sous-alimenter* vt.
sous-bois sm.
sous-brigadier sm.
sous-chef sm.
sous-clavier, ère adj.
sous-commission sf.
sous-consommation sf.
souscripteur sm. ; *souscription* sf. ; *souscrire* vt. *et* vi.
sous-cutané, e adj.
sous-développé, e adj. ; *sous-développement* sm.
sous-diaconat sm. ; *sous-diacre* sm.
sous-directeur, trice s.
sous-dominante sf.
sous-emploi sm.
sous-ensemble sm.
sous-entendre vt. ; *sous-entendu* sm.

sous-équipé, e adj.
sous-estimer vt.
sous-évaluer vt.
sous-exposé, e adj.
sous-fifre sm.
sous-gouverneur sm.
sous-inspecteur sm.
sous-intendant sm.
sous-jacent, e adj.
sous-lieutenant sm.
sous-locataire sm. ; *sous-location* sf. ; *sous-louer* vt.
sous-main sm. inv.
sous-maître, sous-maîtresse s.
sous-marin, e adj. *et* sm.
sous-maxillaire adj.
sous-multiple adj. *et* sm.
sous-officier sm.
sous-pied sm.
sous-préfecture sf. ; *sous-préfet* sm.
sous-production sf. ; *sous-produit* sm.
sous-prolétaire sm. ; *sous-prolétariat* sm.
sous-secrétaire sm. ; *sous-secrétariat* sm.
soussigné, e adj. *et* s.
sous-sol sm.
sous-station sf.
sous-tendre vt. ; *sous-tension* sf.
sous-titre sm. ; *sous-titrer* vt.
soustraction sf. ; *soustraire* vt.
sous-traitant sm. ; *sous-traiter* vt.
sous-ventrière sf.
sous-verge sm. inv.
sous-verre sm.
sous-vêtement sm.
soutache sf.
soutane sf.
soute sf.
soutenable adj. ; *soutenance* sf. ; *soutènement* sm. ; *souteneur* sm. ; *soutenir* vt. ; *soutenu, e* adj.
souterrain, e adj. *et* sm. ; *souterrainement* adv.
soutien sm.
soutien-gorge sm. (pl. *soutiens-gorge*).
soutier sm.
soutirage sm. ; *soutirer* vt.
souvenir sm. ; *souvenir (se)* vpr.
souvent adv.
souverain, e adj. *et* s. ; *souverainement* adv. ; *souveraineté* sf.
soviet sm. ; *soviétique* adj. *et* s. ; *soviétisation* sf. ; *soviétiser* vt. ; *soviétologue* sm.
sovkhose sm. (russe).
soyeux, se adj. *et* sm.
spacieusement adv. ; *spacieux, euse* adj.
spadassin sm.
spaghetti sm. pl. (ital.).
spahi sm.
sparadrap sm.
spardeck sm.
spartakisme sm. ; *spartakiste* adj.
sparterie sf.
spartiate adj. *et* s.
spasme sm. ; *spasmodique* adj.
spath sm. (all.).
spatial, e, aux adj. ; *spatialisation* sf. ; *spationaute* s.
spatio-temporel, elle adj.
spatule sf.
speaker, erine s.
spécial, e, aux adj. ; *spécialement* adv. ; *spécialisation* sf. ; *spécialiser* vt. ; *spécialiste* s. *et* adj. ; *spécialité* sf.
spécieusement adv. ; *spécieux, euse* adj.
spécification sf. ; *spécificité* sf. ; *spécifier* vt. ; *spécifique* adj. ; *spécifiquement* adv.
spécimen sm.
spéciosité sf.
spectacle sm. ; *spectaculaire* adj. ; *spectateur, trice* s.
spectral, e, aux adj. ; *spectre* sm. ; *spectrogramme* sm. ; *spectromètre* sm. ; *spectroscope* sm. ; *spectroscopie* sf. ; *spectroscopique* adj.
spéculaire adj.
spéculateur, trice s. ; *spéculatif, ive* adj. ; *spéculation* sf. ; *spéculativement* adv. ; *spéculer* vt.
spéculum sm. (pl. *spéculums*).
speech sm. (angl.) (pl. *speeches*).
spéléologie sf. ; *spéléologique* adj. ; *spéléologue* sm.
spencer sm.
spermatique adj. ; *spermatogenèse* sm. ; *spermatozoïde* sm. ; *sperme* sm. ; *spermicide* sm.
sphénoïde adj. *et* sm.
sphère sf. ; *sphéricité* sf. ; *sphérique* adj. ; *sphéroïdal, e, aux* adj. ; *sphéroïde* sm. ; *sphéromètre* sm.
sphincter sm.
sphinx sm.
sphygmomanomètre *ou* **sphygmoten-**

siomètre sm.
spider sm. (angl.).
spin sm. (angl.).
spinal, e, aux adj.
spinozisme *ou* **spinosisme** sm. ; *spinoziste ou spinosiste* s.
spirale sf. ; *spire* sf. ; *spirille* sm.
spirite s. *et* adj. ; *spiritisme* sm.
spiritualisation sf. ; *spiritualiser* vt. ; *spiritualisme* sm. ; *spiritualiste* s. *et* adj. ; *spiritualité* sf. ; *spirituel, elle* adj. *et* sm. ; *spirituellement* adv. ; *spiritueux, euse* adj. *et* sm. (boisson).
spirochète sm.
spiroïdal, e, aux adj.
spiromètre sm.
splanchnique adj. *(nerf —).*
spleen sm. (angl.).
splendeur sf. ; *splendide* adj.
splénique adj. ; *splénite* sf.
spoliateur, trice s. *et* adj. ; *spoliation* sf. ; *spolier* vt.
spondée sm.
spongiaires sm. pl. ; *spongieux, euse* adj. ; *spongiosité* sf.
spontané, e adj. ; *spontanéisme* sm. ; *spontanéiste* adj. ; *spontanéité* sf. ; *spontanément* adv.
sporadicité sf. ; *sporadique* adj. ; *sporadiquement* adv.
sporange sm. ; *spore* sf. (biol.).
sport sm. (activité physique) *et* adj. inv. ; *sportif, ive* adj. ; *sportivité* sf.
sportule sf.
spot sm. (angl.).
spoutnik sm. (russe).
sprat sm. (angl.).
spray sm. (angl.).
springbok sm.
sprint sm. ; *sprinter* sm. (angl.) ; *sprinter* vi.
spumescent, e adj. ; *spumeux, euse* adj. ; *spumosité* sf.
squale sm.
squame sf. ; *squameux, euse* adj. ; *squamule* sf.
square sm.
squatter sm. (angl.).
squaw sf.
squelette sm. ; *squelettique* adj.
stabilisateur, trice adj. *et* sm. ; *stabilisation* sf. ; *stabiliser* vt. ; *stabilité* sf. ; *stable* adj.
stabulation sf.
staccato adv. *et* sm. (ital.).
stade sm.
staff sm. ; *staffeur* sm.
stage sm. ; *stagiaire* s. *et* adj.
stagnant, e adj. ; *stagnation* sf. ; *stagner* vi.
stakhanovisme sm. ; *stakhanoviste* s.
stalactite sf.
stalag sm.
stalagmite sf.
stalinien, enne s. *et* adj. ; *stalinisme* sm.
stalle sf.
stance sf.
stand sm. (angl.).
standard sm. *et* adj. ; *standardisation* sf. ; *standardiser* vt. ; *standardiste* s.
standing sm. (angl.).
stanneux, euse adj. ; *stannifère* adj. ; *stannique* adj.
staphylococcie sf. ; *staphylocoque* sm.
star sf. ; *starlette* sf.
starter sm. (angl.).
starting-block sm. (angl.).
starting-gate sm. (angl.).
stase sf.
statice sm.
station sf. ; *stationnaire* adj. *et* sm. ; *stationnement* sm. ; *stationner* vi. ; *station-service* sf. (pl. *stations-service*).
statique adj. *et* sf.
statisticien, enne s. ; *statistique* sf. *et* adj.
statuaire sm., sf. *et* adj. ; *statue* sf.
statuer vt.
statuette sf. ; *statufier* vt.
statu quo sm. inv. (lat.).
stature sf.
statut sm. ; *statutaire* adj. ; *statutairement* adv.
steak sm.
steamer sm. (angl.).
stéarine sf. ; *stéarique* adj.
stéatite sf.
stéatopyge adj.
steeple-chase sm. (angl.) (pl. *steeple-chases*).
stèle sf.
stellaire adj.
stencil sm. (angl.).
stendhalien, ienne adj.
sténodactylo s. ; *sténodactylographie* sf.

sténogramme sm.
sténographe s. ; *sténographie* sf. ; *sténographier* vt. ; *sténographique* adj.
sténose sf.
sténotype sf. ; *sténotypie* sf. ; *sténotypiste* s.
stentor sm.
steppe sf. ; *steppique* adj.
stercoraire adj. *et* sm. ; *stercoral, e, aux* adj. ; *stercorite* sf.
stère sm.
stéréo sf. ; *stéréophonie* sf. ; *stéréophonique* adj.
stéréoscope sm. ; *stéréoscopique* adj.
stéréotype sm. ; *stéréotypé, e* adj.
stérile adj. ; *stérilement* adv. ; *stérilet* sm. ; *stérilisateur* sm. ; *stérilisation* sf. ; *stériliser* vt. ; *stérilité* sf.
sterling sm. inv.
sternal, e, aux adj. ; *sternum* sm.
sternutation sf.
stéthoscope sm.
steward sm. (angl.).
sthène sm.
stibié, e adj.
stick sm. (angl.).
stigmate sm. ; *stigmatique* adj. ; *stigmatisation* sf. ; *stigmatiser* vt.
stillation sf. ; *stillatoire* adj. ; *stilligoutte* sm.
stimulant, e adj. *et* sm. ; *stimulateur, trice* adj. ; *stimulation* sf. ; *stimuler* vt. ; *stimuline* sf. ; *stimulus* sm. (pl. *stimulus* ou *stimuli*).
stipe sm.
stipendier vt.
stipulation sf.
stipule sf.
stipuler vt.
stochastique adj.
stock sm. ; *stockage* sm. ; *stocker* vt.
stockfisch sm.
stoïcien, enne adj. *et* s. ; *stoïcisme* sm. ; *stoïque* adj. ; *stoïquement* adv.
stolon sm.
stomacal, e, aux adj.
stomatite sf. ; *stomatologie* sf. ; *stomatologiste ou stomatologue* s. ; *stomatoscope* sm.
stop intj. *et* sm.
stoppage sm. ; *stopper* vt. *et* vi. ; *stoppeur, euse* s.
store sm.
stout sm. (angl.).
strabisme sm.
strangulation sf.
strapontin sm.
strass sm.
stratagème sm.
strate sf.
stratège sm. ; *stratégie* sf. ; *stratégique* adj. ; *stratégiquement* adv.
stratification sf. ; *stratifié, e* adj. ; *stratifier* vt. ; *stratigraphie* sf.
strato-cumulus sm. ; *stratographie* sf. ; *stratosphère* sf. ; *stratosphérique* adj. ; *stratus* sm.
strelitzia sf.
streptocoque sm. ; *streptomycine* sf.
stress sm. (angl.) ; *stressant, e* adj. ; *stresser* vt.
striation sf.
strict, e adj. ; *strictement* adv.
strident, e adj. ; *stridulation* sf. ; *striduler* vi. ; *striduleux, euse* adj.
strie sf. ; *strié, e* adj. ; *strier* vt.
strige sf.
strip-tease sm. ; *strip-teaseuse* sf.
striure sf.
stroboscope sm. ; *stroboscopie* sf.
strontium sm.
strophe sf.
structural, e, aux adj. ; *structuralisme* sm. ; *structuraliste* adj.
structurant, e adj. ; *structure* sf. ; *structurel, elle* adj. ; *structurer* vt.
strychnine sf.
stuc sm. ; *stucage* sm.
studieusement adv. ; *studieux, euse* adj.
studio sm.
stupéfaction sf. ; *stupéfait, e* adj. ; *stupéfiant, e* adj. *et* sm. ; *stupéfier* vt. ; *stupeur* sf.
stupide adj. ; *stupidement* adv. ; *stupidité* sf.
stupre sm.
stuquer vt.
style sm. ; *stylé, e* adj.
stylet sm.
stylisation sf. ; *styliser* vt. ; *stylisme* sm. ; *styliste* s. ; *stylistique* sf.
stylite s. *et* adj.
stylo sm.
stylobate sm.
stylobille sm.
stylographe sm.
styrène sm.
su (au vu et au) loc. adv.
suaire sm.

suant, e adj.
suave adj. ; *suavement* adv. ; *suavité* sf.
subaigu, ë adj.
subalterne adj. *et* s.
subconscient, e adj. *et* sm.
subdélégué sm.
subdiviser vt. ; *subdivision* sf. ; *subdivisionnaire* adj.
subéreux, euse adj.
subir vt.
subit, e adj. ; *subitement* adv. ; *subito* adv. (lat.).
subjectif, ive adj. ; *subjectivement* adv. ; *subjectivisme* sm. ; *subjectiviste* s. *et* adj. ; *subjectivité* sf.
subjonctif, ive adj. *et* sm.
subjuguer vt.
sublimation sf.
sublime adj. *et* sm.
sublimé sm.
sublimement adv.
sublimer vt.
subliminal, e, aux adj.
sublimité sf.
sublingual, e, aux adj.
submerger vt. ; *submersible* adj. *et* sm. ; *submersion* sf.
subodorer vt.
subordination sf. ; *subordonné, e* adj. *et* s. ; *subordonner* vt.
suborner vt. ; *suborneur, euse* s. *et* adj.
subreptice adj. ; *subrepticement* adv.
subrogation sf. ; *subrogatoire* adj. ; *subrogé, e* adj. (subrogé tuteur sm.) ; *subroger* vt.
subséquemment adv. ; *subséquent, e* adj.
subside sm.
subsidiaire adj. ; *subsidiairement* adv.
subsistance sf. ; *subsister* vi.
subsonique adj.
substance sf. ; *substantialisme* sm. ; *substantialiste* adj. ; *substantialité* sf. ; *substantiel, elle* adj. ; *substantiellement* adv. ; *substantif* sm. ; *substantivement* adv. ; *substantiver* vt.
substituer vt. ; *substitut* sm. ; *substitution* sf.
subterfuge sm.
subtil, e adj. ; *subtilement* adv.
subtilisation sf. ; *subtiliser* vt.
subtilité sf.
subtropical, e, aux adj.
suburbain, e adj.
subvenir vi. ; *subvention* sf. ; *subventionnel, elle* adj. ; *subventionner* vt.
subversif, ive adj. ; *subversion* sf. ; *subversivement* adv.
suc sm.
succédané, e adj. *et* sm.
succéder vi.
succès sm.
successeur sm. ; *successibilité* sf. ; *successible* adj. ; *successif, ive* adj. ; *succession* sf. ; *successivement* adv. ; *successoral, e, aux* adj.
succinct, e adj. ; *succinctement* adv.
succion sf.
succomber vi.
succube sm.
succulence sf. ; *succulent, e* adj.
succursale sf.
sucement sm. ; *sucer* vt. ; *sucette* sf. ; *suceur, euse* s. *et* adj. ; *suçoir* sm. ; *suçon* sm. ; *suçoter* vt.
sucrage sm. ; *sucre* sm. ; *sucré, e* adj. ; *sucrer* vt. ; *sucrerie* sf. ; *sucrier, ère* adj. *et* sm.
sud sm.
sud-africain, e adj. *et* s.
sud-américain, e adj. *et* s.
sudation sf. ; *sudatoire* adj.
sud-est sm.
sudiste sm.
sudoral, e, aux adj. ; *sudorifique* adj. *et* sm. ; *sudoripare* adj.
sud-ouest sm.
sud-vietnamien, ienne adj. *et* s.
suédine sf. ; *suédois, e* adj. *et* s.
suée sf. ; *suer* vi. *et* vt. ; *sueur* sf.
suffire vi. ; *suffisamment* adv. ; *suffisance* sf. ; *suffisant, e* adj.
suffixation sf. ; *suffixe* sm.
suffocant, e adj. ; *suffocation* sf. ; *suffoquer* vt. *et* vi.
suffragant s. *et* adj. m.
suffrage sm. ; *suffragette* sf.
suggérer vt. ; *suggestibilité* sf. ; *suggestif, ive* adj. ; *suggestion* sf. ; *suggestionner* vt. ; *suggestivité* sf.
suicidaire adj. ; *suicide* sm. ; *suicidé, e* s. ; *suicider (se)* vpr.
suidés sm. pl.
suie sf.
suif sm. ; *suiffer* vt. ; *suiffeux, euse* adj.
suint sm. ; *suintant, e* adj. ; *suinte-*

ment sm. ; *suinter* vi.
suisse adj., sm. *et* sf.
suisse, suissesse s.
suite sf.
suivant prép. ; *suivant, e* adj. *et* s. ; *suiveur* sm. ; *suivi, e* adj. ; *suivisme* sm. ; *suiviste* adj. ; *suivre* vt. *et* vi. — *(se)* vpr.
sujet sm.
sujet, ette adj. *et* s. ; *sujétion* sf.
sulciforme adj.
sulfamide sm.
sulfatage sm. ; *sulfate* sm. ; *sulfaté, e* adj. ; *sulfater* vt. ; *sulfateur, euse* s.
sulfure sm. ; *sulfuré, e* adj. ; *sulfurer* vt. ; *sulfureux, euse* adj. ; *sulfurique* adj. ; *sulfurisé, e* adj.
sulky sm. (angl.).
sultan sm. ; *sultanat* sm. ; *sultane* sf.
sumac sm.
summum sm.
sunlight sm. (angl.).
sunnite adj.
superbe adj., sm. *et* sf. ; *superbement* adv.
supercarburant sm.
supercherie sf.
superfétatoire adj.
superficie sf. ; *superficiel, elle* adj. ; *superficiellement* adv.
superflu, e adj. ; *superfluité* sf.
super-huit sm.
supérieur, e adj. *et* s. ; *supérieurement* adv. ; *supériorité* sf.
superlatif, ive adj. *et* sm. ; *superlativement* adv.
supermarché sm.
superposable adj. ; *superposer* vt. ; *superposition* sf.
superpréfet sm.
superproduction sf.
supersonique adj.
superstitieusement adv. ; *superstitieux, euse* adj. *et* s. ; *superstition* sf.
superstructure sf.
superviser vt.
supin sm.
supination sf.
supplantation sf. ; *supplanter* vt.
suppléance sf. ; *suppléant, e* adj. *et* s. ; *suppléer* vt. *et* vi.
supplément sm. ; *supplémentaire* adj.
supplétif, ive adj. *et* sm. ; *supplétoire* adj.
suppliant, e adj. *et* s. ; *supplication* sf.
supplice sm. ; *supplicié, e* s. ; *supplicier* vt.
supplier vt. ; *supplique* sf.
support sm. ; *supportable* adj. ; *supporter* vt.
supposable adj. ; *supposé, e* adj. ; *supposer* vt. ; *supposition* sf.
suppositoire sm.
suppôt sm.
suppression sf. ; *supprimer* vt.
suppurant, e adj. ; *suppuration* sf. ; *suppurer* vi.
supputation sf. ; *supputer* vt.
supraconductivité sf.
supranational, e, aux adj.
suprasensible adj.
suprématie sf. ; *suprême* adj. *et* sm. ; *suprêmement* adv.
sur prép.
sur, sure adj. (acide).
sûr, sûre adj. (certain).
surabondamment adv. ; *surabondance* sf. ; *surabondant, e* adj. ; *surabonder* vi.
suractivé, e adj.
suraigu, ë adj.
surajouter vt.
suralimentation sf. ; *suralimenter* vt.
suranné, e adj.
surate *ou* **sourate** sf.
surbaissé, e adj. ; *surbaisser* vt.
surcharge sf. ; *surcharger* vt.
surchauffe sf. ; *surchauffer* vt.
surchoix sm.
surclasser vt.
surcomposé, e adj.
surcompression sf. ; *surcomprimé, e* adj. ; *surcomprimer* vt.
surcontrer vt.
surcouper vt. *et* vi.
surcroît sm.
surdétermination sf.
surdi-mutité sf.
surdité sf.
surdoué, e adj. *et* s.
sureau sm.
surélévation sf. ; *surélever* vt.
sûrement adv.
surenchère sf. ; *surenchérir* vi. ; *surenchérissement* sm. ; *surenchérisseur, euse* s. *et* adj.
surentraînement sm. ; *surentraîner* vt.
surestimation sf. ; *surestimer* vt.
sûreté sf.

surexcitant, e adj. *et* sm. ; *surexcitation* sf. ; *surexciter* vt.
surexposer vt. ; *surexposition* sf.
surf sm. (angl.).
surface sf.
surfaire vt. *et* vi. ; *surfait, e* adj.
surfer vi.
surfilage sm. ; *surfiler* vt.
surfin, e adj.
surfusion sf.
surgélation sf. ; *surgelé, e* adj. *et* sm.
surgeon sm.
surgir vi. ; *surgissement* sm.
surhaussement sm. ; *surhausser* vt.
surhomme sm. ; *surhumain, e* adj.
surimposer vt. ; *surimposition* sf.
surin sm.
surintendance sf. ; *surintendant, e* s.
surintensité sf.
surir vi.
surjet sm. ; *surjeter* vt.
sur-le-champ loc. adv.
surlendemain sm.
surmenage sm. ; *surmener* vt.
sur-moi sm. ; *surmoïque* adj.
surmontable adj. ; *surmonter* vt.
surmulet sm.
surmulot sm.
surnager vi.
surnaturel, elle adj. *et* sm.
surnom sm.
surnombre sm.
surnommer vt.
surnuméraire adj.
suroît sm.
surpasser vt.
surpayer vt.
surpeuplé, e adj. ; *surpeuplement* sm.
surplis sm.
surplomb sm. ; *surplomber* vi. *et* vt.
surplus sm.
surpopulation sf.
surprenant, e adj. ; *surprendre* vt.
surpression sf.
surprise sf.
surprise-partie sf. (pl. *surprises-parties*).
surproduction sf.
surréalisme sm. ; *surréaliste* adj. *et* s.
surrection sf.
surrénal, e, aux adj.
sursalaire sm.
sursaturation sf. ; *sursaturer* vt.
sursaut sm. ; *sursauter* vi.
surseoir vi. *(— à)*.
sursis sm. ; *sursitaire* sm.
surtaxe sf. ; *surtaxer* vt.
surtension sf.
surtout sm.
surtout adv.
surveillance sf. ; *surveillant, e* s. ; *surveiller — (se)* vpr.
survenir vi.
survêtement sm.
survie sf. ; *survivance* sf. ; *survivant, e* s. *et* adj. ; *survivre* vi.
survol sm. ; *survoler* vt.
survoltage sm. ; *survolté, e* adj. ; *survolter* vt.
sus prép. *et* intj.
susceptibilité sf. ; *susceptible* adj.
susciter vt.
suscription sf.
susdit, e adj. *et* s.
susmentionné, e adj.
susnommé, e adj. *et* s.
suspect, e adj. *et* s. ; *suspecter* vt.
suspendre vt. ; *suspendu, e* adj. ; *suspens* adj. m. ; *suspense* sm. *et* sf. ; *suspenseur* adj. m. ; *suspensif, ive* adj. ; *suspension* sf. ; *suspensoir* sm.
suspicieux, euse adj. ; *suspicion* sf.
sustentation sf. ; *sustenter* vt.
susurrement sm. ; *susurrer* vi. *et* vt.
susvisé, e adj.
suture sf. ; *suturer* vt.
suzerain, e s. *et* adj. ; *suzeraineté* sf.
svastika sm. (sanskrit).
svelte adj. ; *sveltesse* sf.
sweater sm. (angl.).
sweepstake sm. (angl.).
swing sm. (angl.).
sybarite s. ; *sybaritisme* sm.
sycomore sm.
sycophante sm.
syllabaire sm. ; *syllabation* sf. ; *syllabe* sf. ; *syllabique* adj. ; *syllabisme* sm.
syllepse sf.
syllogisme sm. ; *syllogistique* adj.
sylphe sm. ; *sylphide* sf.
sylvestre adj. ; *sylvicole* adj. ; *sylviculteur* sm. ; *sylviculture* sf.
symbiose sf.
symbole sm. ; *symbolique* adj. ; *symboliquement* adv. ; *symbolisation* sf. ; *symboliser* vt. ; *symbolisme* sm. ; *symboliste* adj.
symétrie sf. ; *symétrique* adj. ; *symétriquement* adv.
sympathie sf. ; *sympathique* adj. ;

sympathiquement adv. ; *sympathiser* vi.
symphonie sf. ; *symphonique* adj. ; *symphoniste* s.
symphyse sf.
symposium sm.
symptomatique adj. ; *symptomatologie* sf. ; *symptôme* sm.
synagogue sf.
synapse sf.
synchronie sf. ; *synchronique* adj.
synchronisation sf. ; *synchroniser* vt. ; *synchroniseur, euse* sm. *et* f. ; *synchronisme* sm.
synclinal, e, aux adj.
syncopal, e, aux adj. ; *syncope* sf. ; *syncoper* vt. *et* vi.
syncrétisme sm.
syndic sm. ; *syndical, e, aux* adj. ; *syndicalisation* sf. ; *syndicalisme* sm. ; *syndicaliste* s. *et* adj. ; *syndicat* sm. ; *syndicataire* adj. ; *syndiqué, e* adj. *et* s. ; *syndiquer* vt. — *(se)* vpr.
syndrome sm.
synecdoque sf.
synérèse sf.
synergie sf.
synesthésie sf.
synode sm.
synonyme adj. *et* sm. ; *synonymie* sf. ; *synonymique* adj.
synopsis sf.
synoptique adj.
synovial, e, aux adj. ; *synovie* sf. ; *synovite* sf.
syntagme sm.
syntaxe sf. ; *syntaxique* adj.
synthèse sf. ; *synthétique* adj. ; *synthétiquement* adv. ; *synthétiser* vt. ; *synthétiseur* sm.
syphilis sf. ; *syphilitique* adj. *et* s.
syriaque sm. *et* adj. ; *syrien, enne* adj. *et* s.
syrinx sf.
systématique adj. ; *systématiquement* adv. ; *systématisation* sf. ; *systématiser* vt. ; *système* sm.
systole sf.
syzygie sf.

T

ta adj. possessif (f. de *ton*).
tabac sm. ; *tabagie* sf. ; *tabagique* adj. ; *tabagisme* sm.
tabassée sf. ; *tabasser* vt.
tabatière sf.
tabellion sm.
tabernacle sm.
tabès sm. ; *tabétique* adj.
tabla sm.
tablature sf. ; *table* sf. ; *tableau* sm. ; *tableautin* sm. ; *tablée* sf. ; *tabler* vi. ; *tabletier, ère* s. ; *tablette* sf. ; *tabletterie* sf. ; *tablier* sm.
tabou sm. *et* adj. *(nourritures taboues).*
tabouret sm.
tabulateur sm.
tacaud sm. (poisson).
tachant, e adj. ; *tache* sf. (salissure).
tâche sf. (ouvrage).
tacher vt.
tâcher vi. ; *tâcheron* sm.
tacheté, e adj. ; *tacheter* vi.
tachisme sm. ; *tachiste* s.
tachycardie sf.
tachymètre sm.
tacite adj. ; *tacitement* adv. ; *taciturne* adj. ; *taciturnité* sf.
tacot sm. (guimbarde).
tact sm.
tacticien sm.
tactile adj.
tactique sf.
tactisme sm.
taffetas sm.
tagalog sm.
taïaut ! *ou* **tayaut !** intj.
taie sf.
taïga sf. (russe).
taillable adj.
taillade sf. ; *taillader* vt.
taillage sm.
taillanderie sf. ; *taillandier* sm.
taille sf.
taillé, e adj. *et* sm.
taille-crayon *ou* **taille-crayons** sm.
taille-douce sf. (pl. *tailles-douces*).
tailler vt. ; *taillerie* sf. ; *tailleur* sm. ; *taillis* sm. ; *tailloir* sm.
tain sm.
taire vt. — *(se)* vpr.
talc sm.
talé, e adj.
talent sm. ; *talentueusement* adv. ; *talentueux, euse* adj.
taler vt. — *(se)* vpr.
talion sm.
talisman sm.
talmudique adj. ; *talmudiste* sm.
taloche sf.
talon sm. ; *talonnage* sm. ; *talonnement* sm. ; *talonner* vt. *et* vi. ; *talonnette* sf. ; *talonneur* sm. ; *talonnière* sf.
talquer vt. ; *talqueux, euse* adj.
talus sm.
tamanoir sm.
tamarin sm. ; *tamarinier* sm.
tamaris *ou* **tamarix** sm.
tambouille sf.
tambour sm. ; *tambourin* sm. ; *tambourinage* sm. ; *tambourinaire* sm. ; *tambouriner* vi. *et* vt. ; *tambourineur* sm. ; *tambour-major* sm. (pl. *tambours-majors*).
tamis sm. ; *tamisage* sm. ; *tamiser* vt. ; *tamiseur* sm. ; *tamiseuse* sf.
tampon sm. ; *tamponnement* sm. ; *tamponner* vt. ; *tamponneur, euse* s. *et* adj. ; *tamponnoir* sm.
tam-tam sm. (pl. *tam-tams*).
tan sm. (écorce).
tancer vt.
tanche sf.
tandem sm.
tandis que loc. conj.
tangage sm.
tangara sm.
tangence sf. ; *tangent, e* adj. ; *tangente* sf. ; *tangentiel, elle* adj. ; *tangentiellement* adv.
tangibilité sf. ; *tangible* adj.
tango sm.
tanguer vi.
tanière sf.
tanin *ou* **tannin** sm. ; *tanisage* sm. ; *taniser* vt.
tank sm. (angl.).
tanker sm. (angl.).
tankiste sm.
tannage sm. ; *tannant, e* adj. ; *tanne* sf. ; *tanné, e* adj. ; *tannée* sf. ; *tanner* vt. ; *tannerie* sf. ; *tanneur* sm.
tannique adj.
tant adv.
tante sf.
tantième sm.

tantinet sm.
tantôt adv.
taoïsme sm. ; *taoïste* adj. *et* s.
taon sm. (insecte).
tapage sm. ; *tapageur, euse* s. *et* adj. ; *tapageusement* adv.
tape sf. ; *tapé, e* adj. *et* sf. ; *tapecul* sm. ; *taper* vt. ; *tapette* sf. ; *tapeur, euse* adj. ; *tapin* sm.
tapinois (en) loc. adv.
tapioca sm.
tapir sm.
tapir (se) vpr.
tapis sm. ; *tapisser* vt. ; *tapisserie* sf. ; *tapissier, ère* s.
tapon sm.
tapoter vt.
taquer vt.
taquet sm.
taquin, e adj. *et* s. ; *taquiner* vt. *et* vi. ; *taquinerie* sf.
taquoir sm.
tarabiscoter vt.
tarabuster vt.
tarasque sf.
taraud sm. ; *taraudage* sm. ; *tarauder* vt. ; *taraudeuse* sf.
tarbouch(e) sm.
tard adv. ; *tarder* vi. ; *tardif, ive* adj. ; *tardivement* adv.
tare sf. ; *taré, e* adj.
tarentelle sf.
tarentule sf.
tarer vt.
taret sm.
targette sf.
targuer (se) vpr.
targui, e adj. *et* s. (arabe) (pl. *touareg, targuies*).
tarière sf.
tarif sm. ; *tarifaire* adj. ; *tarifer* vt. ; *tarification* sf.
tarin sm.
tarir vt. *et* vi. — *(se)* vpr. ; *tarissable* adj. ; *tarissement* sm.
tarots sm. pl.
tarse sm. ; *tarsien, enne* adj.
tartan sm.
tartane sf.
tartare adj. *et* s.
tarte sf. ; *tartelette* sf.
tartine sf. ; *tartiner* vt.
tartrate sm. ; *tartre* sm. ; *tartré, e* adj. ; *tartreux, euse* adj. ; *tartrique* adj.
tartufe *ou* **tartuffe** sm. ; *tartuferie ou tartufferie* sf.
tas sm.
tasse sf.
tasseau sm.
tassement sm. ; *tasser* vi. *et* vt. — *(se)* vpr.
tâter vt.
tâte-vin *ou* **taste-vin** sm. inv.
tatillon, onne adj. *et* s.
tâtonnement sm. ; *tâtonner* vi. ; *tâtons (à)* loc. adv.
tatou sm.
tatouage sm. ; *tatouer* vt.
tau sm.
taudis sm.
taule sf. ; *taulier, ère* s.
taupe sf. ; *taupé* sm. ; *taupière* sf. ; *taupinière ou taupinée* sf.
taureau sm. ; *taurillon* sm. ; *taurin, ine* adj. ; *tauromachie* sf. ; *tauromachique* adj.
tautologie sf. ; *tautologique* adj.
taux sm.
taveler vt. ; *tavelure* sf.
taverne sf. ; *tavernier, ère* s.
taxable adj. ; *taxateur* s. *et* adj. m. ; *taxation* sf. ; *taxe* sf. ; *taxer* vt.
taxi sm.
taxidermie sf.
taximètre sm.
taxinomie *ou* **taxonomie** sf.
Taxiphone sm. (nom déposé).
taylorisation sf. ; *tayloriser* vt. ; *taylorisme* sm.
tchécoslovaque adj. ; *tchèque* adj. *et* s.
tchernoziom sm. (russe).
te pr. personnel 2e pers. sing.
té sm. (règle).
technicien, enne s. *et* adj. ; *technicité* sf. ; *technique* adj. *et* sf. ; *techniquement* adv. ; *technocrate* sm. ; *technocratie* sf. ; *technocratisation* sf. ; *technologie* sf. ; *technologique* adj.
teck *ou* **tek** sm.
teckel sm. (all.).
tectonique sf.
teenager s. (angl.).
tee-shirt sm. (angl.) (pl. *tee-shirts*).
tégénaire sf.
tégument sm. ; *tégumentaire* adj.
teigne sf. ; *teigneux, euse* adj. *et* s.
teindre vt. ; *teint* sm. ; *teinte* sf. ; *teinter* vt. ; *teinture* sf. ; *teinturerie* sf. ; *teinturier, ère* s. *et* adj.

tel, telle adj.
télébenne, télécabine sf.
télécommande sf. ; *télécommander* vt.
télécommunication sf.
téléférique adj. *et* sm.
télégénique adj.
télégramme sm. ; *télégraphe* sm. ; *télégraphie* sf. ; *télégraphier* vi. *et* vt. ; *télégraphique* adj. ; *télégraphiquement* adv. ; *télégraphiste* s.
téléguider vt.
télématique sf.
télémètre sm.
téléobjectif sm.
téléologie sf. ; *téléologique* adj.
télépathie sf.
téléphone sm. ; *téléphoner* vi. *et* vt. ; *téléphonie* sf. ; *téléphonique* adj. ; *téléphoniste* s.
télescopage sm. ; *télescope* sm. ; *télescoper* vt. — *(se)* vpr. ; *télescopique* adj.
téléscripteur sm.
télésiège sm.
téléski sm.
téléspectateur, trice s.
télévisé, e adj. ; *téléviser* vt. ; *téléviseur* sm. ; *télévision* sf.
télex sm.
tellement adv.
tellure sm. ; *tellureux, euse* adj. ; *tellurhydrique* adj. ; *tellurien, enne* adj. ; *tellurique* adj. ; *tellurisme* sm. ; *tellurure* sm.
télophase sf.
téméraire adj. *et* s. ; *témérairement* adv. ; *témérité* sf.
témoignage sm. ; *témoigner* vt. *et* vi. ; *témoin* sm.
tempe sf.
tempérament sm.
tempérance sf. ; *tempérant, e* adj.
température sf.
tempéré, e adj. ; *tempérer* vt.
tempête sf. ; *tempêter* vi. ; *tempétueux, euse* adj.
temple sm. ; *templier* sm.
tempo (a) loc. adv. (ital.).
temporaire adj. (provisoire) ; *temporairement* adv.
temporal, e, aux adj.
temporalité sf. ; *temporel, elle* adj. *et* sm. (terrestre) ; *temporellement* adv.
temporisateur, trice adj. *et* s. ; *temporisation* sf. ; *temporiser* vi.
temps sm. (époque).
tenable adj.
tenace adj. ; *ténacité* sf.
tenaille sf. ; *tenailler* vt.
tenancier, ère s.
tenant, e adj. *et* sm.
tendance sf. ; *tendanciel, ielle* adj. ; *tendancieux, euse* adj.
tender sm. (angl.).
tendeur, euse s.
tendineux, euse adj. ; *tendon* sm.
tendre vt. *et* vi. — *(se)* vpr.
tendre adj. *et* sm. ; *tendrement* adv. ; *tendresse* sf. (affection) ; *tendreté* sf. (viande).
tendron sm.
tendu, e adj.
ténèbres sf. pl. ; *ténébreusement* adv. ; *ténébreux, euse* adj.
teneur sf. ; *teneur, euse* s.
ténia sm. ; *ténifuge* adj. *et* sm.
tenir vt. *et* vi. — *(se)* vpr.
tennis sm. (angl.).
tenon sm.
ténor sm. ; *ténorino* sm. ; *ténorisant, e* adj. ; *ténoriser* vi.
ténotomie sf.
tenseur adj. *et* sm.
tensio-actif, ive adj.
tension sf.
tensoriel, elle adj.
tentaculaire adj. ; *tentacule* sm.
tentant, e adj. ; *tentateur, trice* s. *et* adj. ; *tentation* sf. ; *tentative* sf.
tente sf.
tente-abri sf. (pl. *tentes-abris*).
tenter vt.
tenture sf.
tenu, e adj.
ténu, e adj.
tenue sf.
ténuité sf.
téorbe *ou* **théorbe** sm.
ter adv.
tératogène adj. ; *tératologie* sf. ; *tératologique* adj.
terbium sm.
tercet sm.
térébelle sf.
térébenthine sf.
térébinthe sm.
térébrant, e adj.
tergal sm.
tergiversation sf. ; *tergiverser* vi.
terme sm. ; *terminaison* sf. ; *termi-*

nal, e, aux adj. ; *terminer* vt. ; *terminologie* sf. ; *terminus* sm.
termite sm. ; *termitière* sf.
ternaire adj. ; *terne* sm. (jeux).
terne adj. ; *ternir* vt. — *(se)* vpr. ; *ternissure* sf.
terpène sm.
terrage sm.
terrain sm.
terrasse sf. ; *terrassement* sm. ; *terrasser* vt. ; *terrassier* sm.
terre sf. ; *terreau* sm. ; *terreauter* vt.
terre-neuve sm. inv.
terre-neuvas sm. inv. *ou* **terre-neuvier** sm. (pl. *terre-neuviers*).
terre-plein sm. (pl. *terre-pleins*).
terrer vt. *et* vi. — *(se)* vpr.
terrestre adj.
terreur sf.
terreux, euse adj.
terrible adj. ; *terriblement* adv.
terrien, enne s. *et* adj. ; *terrier* sm.
terrifier vt.
terrigène adj.
terril *ou* **terri** sm.
terrine sf.
territoire sm. ; *territorial, e, aux* adj., sf. *et* sm. ; *territorialité* sf. ; *terroir* sm.
terroriser vt. ; *terrorisme* sm. ; *terroriste* adj. *et* s.
tertiaire adj.
tertio adv. (lat.).
tertre sm.
tes adj. possessif pl. m. *et* f.
tesla sm.
tessère sf.
tessiture sf.
tesson sm.
test sm.
testament sm. ; *testamentaire* adj. ; *testateur, trice* s. ; *tester* vi.
tester vt. (essayer).
testicule sm.
testimonial, e, aux adj.
testostérone sf.
têt sm.
tétanie sf. ; *tétanique* adj. ; *tétaniser* vt. ; *tétanos* sm.
têtard sm.
tête sf.
tête-à-queue sm. inv.
tête-à-tête sm. inv.
tête-bêche adv.
tête-de-loup sf. (pl. *têtes-de-loup*).
tête-de-nègre adj. inv.
tétée sf. ; *téter* vt. *et* vi.
têtière sf.
tétin sm. ; *tétine* sf. ; *téton* sm.
tétrachlorure sm.
tétracorde sm.
tétraèdre sm. ; *tétraédrique* adj.
tétragone adj. *et* sf. (plante).
tétralogie sf.
tétramère adj. *et* s.
tétramètre sm.
tétrapode adj. *et* sm.
tétras sm.
tétrodon sm.
têtue, e s. *et* adj.
teuton, onne adj. *et* s. ; *teutonique* adj.
texte sm.
textile adj. *et* sm.
textuel, elle adj. ; *textuellement* adv.
texture sf.
thalamus sm.
thalassothérapie sf.
thalle sm.
thallium sm.
thallophytes sf. pl.
thalweg *ou* **talweg** sm. (all.).
thaumaturge sm. ; *thaumaturgie* sf.
thé sm. (plante).
théâtral, e, aux adj. ; *théâtralement* adv. ; *théâtralisme* sm. ; *théâtralité* sf. ; *théâtre* sm.
thébaïde sf.
thébaïque adj. ; *thébaïsme* sm.
théier sm. ; *théière* sf.
théisme sm. ; *théiste* s. *et* adj.
thématique adj. *et* sf. ; *thème* sm.
théobromine sf.
théocratie sf. ; *théocratique* adj.
théodicée sf.
théodolite sm.
théogonie sf. ; *théogonique* adj.
théologal, e, aux adj. ; *théologie* sf. ; *théologien* sm. ; *théologique* adj. ; *théologiquement* adv.
théorbe *ou* **téorbe** sm.
théorème sm.
théoricien, enne s. ; *théorie* sf. ; *théorique* adj. ; *théoriquement* adv. ; *théoriser* vi.
théosophe sm. ; *théosophie* sf.
thérapeute sm. ; *thérapeutique* adj. *et* sf.
thériaque sf.
thermal, e, aux adj. ; *thermalisme* sm. ; *thermalité* sf. ; *thermes* sm. pl.

thermidor sm. ; ***thermidorien, enne*** adj. *et* sm.
thermie sf. ; ***thermique*** adj.
thermocautère sm.
thermochimie sf.
thermodynamique sf.
thermoélectricité sf. ; ***thermoélectrique*** adj.
thermogène adj.
thermographe sm.
thermoluminescence sf.
thermolyse sf.
thermomètre sm. ; ***thermométrie*** sf. ; ***thermométrique*** adj.
thermonucléaire adj.
thermoplastique adj.
thermopropulsion sf.
thermorégulation sf.
thermorésistant, ante adj. *ou* sm.
thermos sf.
thermosphère sf.
thermostat sm.
thermothérapie sf.
thésaurisation sf. ; ***thésauriser*** vi. ; ***thésauriseur, euse*** s. ; ***thésaurus ou thesaurus*** sm.
thèse sf.
thesmophories sf. pl.
thêta sm.
thiazine sf.
thibaude sf.
thionime sf.
thomisme sm. ; ***thomiste*** adj. *et* s.
thon sm. ; ***thonaire*** sm. ; ***thonier*** sm.
thonine sf.
thora *ou* **torah** sf. (hébr.).
thoracenthèse sf. ; ***thoracique*** adj. ; ***thorax*** sm.
thorium sm.
thrène sm.
thriller sm. (angl.).
thrombose sf.
thulium sm.
thune sf.
thuriféraire sm.
thuya sm.
thym sm. ; ***thymol*** sm.
thymus sm.
thyroïde adj. ; ***thyroïdectomie*** sf. ; ***thyroïdien, enne*** adj. ; ***thyroxine*** sf.
thyrse sm.
tiare sf.
tibia sm. ; ***tibial, e, aux*** adj.
tic sm. (manie).
ticket sm.
tic-tac sm. inv.
tiède adj. ; ***tièdement*** adv. ; ***tiédeur*** sf. ; ***tiédir*** vt. *et* vi.
tien, enne adj. *et* pr. possessif.
tierce sf.
tiercelet sm.
tierceron sm.
tiers, tierce adj. *et* s.
tiers-point sm. (pl. *tiers-points*).
tif sm.
tige sf. ; ***tigelle*** sf. (botanique) ; ***tigette*** sf. (architecture).
tignasse sf.
tigre sm. ; ***tigré, e*** adj. ; ***tigrer*** vt. ; ***tigresse*** sf.
tilbury sm. (pl. *tilburys*).
tilde sm. (esp.).
tillac sm.
tilleul sm.
tilt sm. (angl.).
timbale sf.
timbrage sm. ; ***timbre*** sm. ; ***timbré, e*** adj. ; ***timbre-poste*** sm. (pl. *timbres-poste*) ; ***timbrer*** vt.
timide adj. ; ***timidement*** adv. ; ***timidité*** sf.
timon sm. ; ***timonerie*** sf. ; ***timonier*** sm.
timoré, e adj.
tinctorial, e, aux adj.
tinette sf.
tintamarre sm.
tintement sm. ; ***tinter*** vt. *et* vi.
tintinnabuler vi.
tintouin sm.
tique sf. (parasite).
tiquer vi.
tiqueté, e adj. ; ***tiqueture*** sf.
tiqueur, euse s.
tir sm. ; ***tirade*** sf. ; ***tirage*** sm.
tiraillement sm. ; ***tirailler*** vt. ; ***taillerie*** sf. (artillerie) ; ***tirailleur*** sm.
tirant sm. ; ***tire*** sf. ; ***tiré, e*** adj. *et* sm. ; ***tirée*** sf.
tire-au-flanc sm. inv.
tire-bouchon sm. (pl. *tire-bouchons*).
tire-d'aile (à) loc. adv.
tire-fesses sm. inv.
tire-lait sm. inv.
tire-larigot (à) loc. adv.
tire-ligne sm. (pl. *tire-lignes*).
tirelire sf.
tirer vt. *et* vi.
tiret sm. ; ***tirette*** sf. ; ***tireur, euse*** s. ; ***tiroir*** sm.
tiroir-caisse sf. (pl. *tiroirs-caisses*).

tisane sf. ; *tisanière* sf.
tison sm. ; *tisonné, e* adj. ; *tisonner* vt. *et* vi. ; *tisonnier* sm.
tissage sm. ; *tisser* vt. ; *tisserand, e* s. ; *tisseur, euse* s. *et* adj. ; *tissu* sm.
tissu-éponge sm. (pl. *tissus-éponges*).
tissulaire adj.
titan sm.
titane sm.
titanesque adj.
titi sm.
titillation sf. ; *titiller* vt. *et* vi.
titrage sm. ; *titre* sm. ; *titré, e* adj. ; *titrer* vt.
titubant, e adj. ; *tituber* vi.
titulaire s. *et* adj. ; *titularisation* sf. ; *titulariser* vt.
tmèse sf.
toast sm. (angl.) (pl. *toasts*).
toboggan sm.
toc sm. ; *tocard, e* adj. *et* sm.
toccata sm. (ital.).
tocsin sm.
toge sf.
tohu-bohu sm. inv.
toi pr. personnel 2e pers. sing.
toile sf. ; *toilerie* sf.
toilettage sm. ; *toilette* sf. ; *toiletter* vt.
toise sf. ; *toiser* vt.
toison sf.
toit sm. ; *toiture* sf.
tokai *ou* **tokay** sm.
tokharien, enne adj. *et* s.
tôle sf.
tolérable adj. ; *tolérance* sf. ; *tolérant, e* adj. ; *tolérantisme* sm. ; *tolérer* vt.
tôlerie sf. ; *tôlier* sm.
tolite sf.
tollé sm. (pl. *tollés*).
tolu sm.
toluène sm.
tomahawk sm. (algonkin).
tomaison sf.
tomate sf.
tombal, e adj.
tombant, e adj.
tombe sf. ; *tombeau* sm.
tombée sf. ; *tomber* vi. *et* vt.
tombereau sm.
tombeur s. *et* adj. m.
tombola sm.
tome sm. (livre) ; *tomer* vt.
tomme sf. (fromage).
tomographie sf.
ton sm.
ton, ta, tes adj. possessifs.
tonal, e, als adj. ; *tonalité* sf.
tondeuse sf. ; *tondre* vt. ; *tondu, e* adj.
toni-cardiaque adj.
tonicité sf.
tonifiant, ante adj. ; *tonifier* vt. ; *tonique* adj. ; *tonique* sm. (fortifiant) *et* sf. (note).
tonitruant, e adj.
tonnage sm.
tonnant, e adj.
tonne sf.
tonneau sm. ; *tonnelet* sm. ; *tonnelier* sm.
tonnelle sf.
tonnellerie sf.
tonner v. imp. *et* vi. ; *tonnerre* sm.
tonsure sf. ; *tonsurer* vt.
tonte sf.
tontine sf.
tonus sm. (lat.).
top sm.
topaze sf.
toper vi.
topinambour sm.
topique adj. *et* s.
topo sm. ; *topographe* sm. ; *topographie* sf. ; *topographique* adj. ; *topologie* sf. ; *topologique* adj. ; *toponymie* sf.
toquade *ou* **tocade** sf.
toquante *ou* **tocante** sf.
toque sf.
toqué, e adj. *et* s. ; *toquer* vt. — *(se)* vpr.
torche sf. ; *torcher* vt. ; *torchère* sf. ; *torchis* sm. ; *torchon* sm. ; *torchonner* vt.
tordant, e adj.
tord-boyaux sm. inv.
tordre vt. ; *tordu, e* adj. *et* s.
tore sm. (géométrie).
toréador sm. ; *toréer* vi. ; *torero* sm. (esp.).
torgnole sf.
toril sm.
tornade sf.
toron sm.
torpédo sf.
torpeur sf. ; *torpide* adj.
torpillage sm. ; *torpille* sf. ; *torpiller* vt. ; *torpilleur* sm.
torréfacteur sm. ; *torréfaction* sf. ; *torréfier* vt.

torrent sm. ; ***torrentiel, elle*** adj. ; ***torrentueux, euse*** adj.
torride adj.
tors, torse adj. ; ***torsade*** sf.
torse sm.
torsion sf.
tort sm. (faute).
torticolis sm.
tortillard adj. *et* sm. ; ***tortillement*** sm. ; ***tortiller*** vt. *et* vi. ; ***tortillon*** sm.
tortionnaire adj. *et* sm.
tortis sm.
tortu, e adj.
tortue sf.
tortueusement adv. ; ***tortueux, euse*** adj.
torturant, e adj. ; ***torture*** sf. ; ***torturer*** vt.
torve adj.
tory sm. *et* adj. (pl. *tories*).
toscan, e adj. *et* s.
tôt adv.
total, e, aux adj. ; ***totalement*** adv. ; ***totalisant, ante*** adj. ; ***totalisateur, trice*** adj. *et* sm. ; ***totalisation*** sf. ; ***totaliser*** vt. ; ***totalitaire*** adj. ; ***totalitarisme*** sm. ; ***totalité*** sf.
totem sm. ; ***totémisme*** sm.
tôt-fait sm. (pl. *tôt-faits*).
toton sm.
toucan sm.
touchant prép. ; ***touchant, e*** adj. *et* sm. ; ***touche*** sf. ; ***touche-à-tout*** sm. inv. ; ***toucher*** vt. ; ***toucher*** sm. ; ***toucheur*** sm.
toue sf. ; ***touée*** sf. ; ***touer*** vt.
touffe sf.
touffeur sf.
touffu, e adj.
touillage sm. ; ***touiller*** vt.
toujours adv.
toundra sf.
toupet sm.
toupie sf. ; ***toupiller*** vt. *et* vi.
touque sf.
tour sf. (édifice) *et* sm. (outil ; parcours ; malice).
tourbe sf. ; ***tourbeux, euse*** adj. ; ***tourbier*** sm. ; ***tourbière*** sf.
tourbillon sm. ; ***tourbillonnant, e*** adj. ; ***tourbillonnement*** sm. ; ***tourbillonner*** vi.
tourelle sf.
touret sm.
tourillon sm.
tourisme sm. ; ***touriste*** s. ; ***touristique*** adj.
tourmaline sf.
tourment sm. ; ***tourmente*** sf. ; ***tourmenter*** vt. ; ***tourmenteur, euse*** s. *et* adj. ; ***tourmentin*** sm.
tournage sm.
tournailler vi.
tournant, e adj. *et* sm.
tourné, e adj.
tourne-à-gauche sm. inv.
tournebouler vt.
tournebroche sm.
tourne-disque sm. (pl. *tourne-disques*).
tournedos sm.
tournée sf.
tournemain (en un) loc. adv.
tourner vt. *et* vi.
tournesol sm.
tourneur, euse s. *et* adj.
tournevis sm.
tourniquet sm.
tournis sm.
tournoi sm.
tournoiement sm. ; ***tournoyer*** vt.
tournure sf.
touron sm.
tourte sf.
tourteau sm.
tourtereau sm. ; ***tourterelle*** sf.
tourtière sf.
tousser vi. ; ***tousseur, euse*** s.
tout adj. *et* sm.
tout-à-l'égout sm. inv.
toutefois adv.
toutim(e) sm.
toute-puissance sf.
toutou sm.
tout-puissant, toute-puissante adj. (pl. *tout-puissants, toutes-puissantes*).
tout-terrain adj. inv.
tout-venant sm.
toux sf.
toxémie sf.
toxicité sf.
toxicologie sf. ; ***toxicologique*** adj. ; ***toxicologue*** sm. ; ***toxicomane*** adj. *et* s. ; ***toxicomanie*** sf. ; ***toxicose*** sf. ; ***toxine*** sf. ; ***toxique*** sm.
trac sm.
traçage sm. ; ***traçant, e*** adj.
tracas sm. ; ***tracasser*** vt. — ***(se)*** vpr. ; ***tracasserie*** sf. ; ***tracassier, ère*** s. *et* adj. ; ***tracassin*** sm.

trace sf. ; ***tracé*** sm. ; ***tracer*** vt. ; ***traceret*** sm. ; ***traceur, euse*** s. *et* adj.
trachéal, e, aux adj. ; ***trachée*** sf. ; ***trachée-artère*** sf. (pl. *trachées-artères*) ; ***trachéen, enne*** adj. ; ***trachéite*** sf. ; ***trachéotomie*** sf.
trachome sm.
tract sm.
tractation sf.
tracteur sm. ; ***traction*** sf.
tractus sm.
tradition sf. ; ***traditionalisme*** sm. ; ***traditionaliste*** s. *et* adj. ; ***traditionnel, elle*** adj. ; ***traditionnellement*** adv.
traducteur, trice s. ; ***traduction*** sf. ; ***traduire*** vt. ; ***traduisible*** adj.
trafic sm. ; ***trafiquant, e*** s. ; ***trafiquer*** vt.
tragédie sf. ; ***tragédien, enne*** s. ; ***tragi-comédie*** sf. (pl. *tragi-comédies*) ; ***tragi-comique*** adj.; ***tragique*** adj. ; ***tragiquement*** adv.
trahir vt. ; ***trahison*** sf.
traille sf.
train sm.
traînage sm. ; ***traînant, e*** adj. ; ***traînard, e*** adj. *et* s. ; ***traînasser*** vt. *et* vi. ; ***traîne*** sf. ; ***traîneau*** sm. ; ***traînée*** sf. ; ***traîner*** vt. — ***(se)*** vpr.
trainglot *ou* **tringlot** sm.
traintrain, train-train *ou* **trantran** sm.
traire vt.
trait sm.
traitable adj. ; ***traitant*** sm.
traite sf.
traité sm. ; ***traitement*** sm. ; ***traiter*** vt. *et* vi. ; ***traiteur*** sm.
traître, esse s. *et* adj. ; ***traîtreusement*** adv. ; ***traîtrise*** sf.
trajectoire sf. ; ***trajet*** sm.
tralala sm.
tramail *ou* **trémail** sm. (pl. *tramails* ou *trémails*).
trame sf. ; ***tramer*** vt. ; ***trameur, euse*** s.
traminot sm.
tramontane sf.
tramway sm. (pl. *tramways*).
tranchage sm. ; ***tranchant, e*** adj. *et* sm. ; ***tranche*** sf. ; ***tranché, e*** adj. ; ***tranchée*** sf.
tranchelard sm.
tranche-montagne sm. (pl. *tranche-montagnes*).
trancher vt. *et* vi. ; ***tranchet*** sm. ; ***trancheur, euse*** s. ; ***tranchoir*** sm.
tranquille adj. ; ***tranquillement*** adv. ; ***tranquillisant, e*** adj. *et* sm. ; ***tranquilliser*** vt. ; ***tranquillité*** sf.
transaction sf. ; ***transactionnel, elle*** adj.
transafricain, e adj.
transalpin, e adj.
transatlantique adj. *et* sm.
transbordement sm. ; ***transborder*** vt. ; ***transbordeur*** sm. *et* adj. m.
transcendance sf. ; ***transcendant, e*** adj. ; ***transcendantal, e, aux*** adj. ; ***transcender*** vt.
transcontinental, e, aux adj.
transcripteur sm. ; ***transcription*** sf. ; ***transcrire*** vt.
transe sf.
transept sm.
transfèrement sm. (de détenu) ; ***transférer*** vt. ; ***transfert*** sm. (de fonds).
transfiguration sf. ; ***transfigurer*** vt. — ***(se)*** vpr.
transformable adj. ; ***transformateur, trice*** adj. *et* sm. ; ***transformation*** sf. ; ***transformationnel, elle*** adj. ; ***transformer*** vt. ; ***transformisme*** sm. ; ***transformiste*** adj. *et* s.
transfuge s.
transfuser vt. ; ***transfusion*** sf.
transgresser vt. ; ***transgresseur*** sm. ; ***transgression*** sf.
transhumance sf. ; ***transhumant, e*** adj. ; ***transhumer*** vt. *et* vi.
transi, e adj.
transiger vi.
transir vi. *et* vt.
transistor sm.
transit sm. ; ***transitaire*** adj. *et* sm. ; ***transiter*** vt. *et* vi.
transitif, ive adj.
transition sf.
transitivement adv. ; ***transitivité*** sf.
transitoire adj. ; ***transitoirement*** adv.
translater vt. ; ***translatif, ive*** adj. ; ***translation*** sf.
translittération *ou* **translitération** sf.
translucide adj. ; ***translucidité*** sf.
transmetteur s. *et* adj. m. ; ***transmettre*** vt.
transmigration sf. ; ***transmigrer*** vi.
transmissibilité sf. ; ***transmissible*** adj. ; ***transmission*** sf.
transmuable adj. ; ***transmuer*** *ou* ***transmuter*** vt. ; ***transmutabilité*** sf. ; ***transmutation*** sf.

transocéanique adj.
transparaître vi.
transparence sf. ; *transparent, e* adj. ; *et* sm.
transpercer vt.
transpiration sf. ; *transpirer* vi.
transplant sm. ; *transplantable* adj. ; *transplantation* sf. ; *transplanter* vt.
transport sm. ; *transportable* adj. ; *transporté, e* adj. *et* s. ; *transporter* vt. ; *transporteur* sm.
transposable adj. ; *transposer* vt. ; *transpositeur, trice* s. *et* adj. ; *transposition* sf.
transpyrénéen, enne adj.
transrhénan, e adj.
transsaharien, enne adj.
transsibérien, enne adj.
transsubstantiation sf.
transvasement sm. ; *transvaser* vt.
transversal, e, aux adj. ; *transversalement* adv.
transvider vt.
trapèze sm. ; *trapéziste* s. ; *trapézoïdal, e, aux* adj.
trappe sf. ; *trappeur* sm. ; *trappiste* sm. ; *trappistine* sf.
trapu, e adj.
traque sf. ; *traquenard* sm. ; *traquer* vt. ; *traquet* sm. ; *traqueur* sm.
trauma sm. ; *traumatique* adj. ; *traumatisant, ante* adj. ; *traumatiser* vt. ; *traumatisme* sm. ; *traumatologie* sf.
travail (appareil à ferrer) sm. (pl. *travails*) ; *travail* sm. (pl. *travaux*) ; *travaillé, e* adj. ; *travailler* vi. *et* vt. ; *travailleur, euse* s. ; *travaillisme* sm. ; *travailliste* sm. *et* adj.
travée sf.
travelling sm. (angl.).
travers sm. ; *traversable* adj. ; *traverse* sf. ; *traversée* sf. ; *traverser* vt. ; *traversier, ère* adj. ; *traversin* sm. ; *traversine* sf.
travertin sm.
travesti, e adj. *et* sm. ; *travestir* vt. — *(se)* vpr. ; *travestisme* sm. ; *travestissement* sm.
traviole (de) loc. adv.
trayeur, euse s. ; *trayon* sm.
trébuchant, e adj. ; *trébuchement* sm. ; *trébucher* vi. ; *trébuchet* sm.
tréfilage sm. ; *tréfiler* vt. ; *tréfilerie* sf. ; *tréfileur* sm.
trèfle sm. ; *tréflière* sf.
tréfonds sm.
treillage sm. ; *treillager* vt. ; *treille* sf. ; *treillis* sm.
treize adj. numéral ; *treizième* adj. *et* s. ; *treizièmement* adv.
tréma sm.
trématage sm. ; *trémater* vt.
trématodes sm. pl.
tremblaie sf. ; *tremblant, e* adj. ; *tremble* sm. ; *tremblé, e* adj. ; *tremblement* sm. ; *trembler* vi. ; *trembleur, euse* s. ; *tremblote* sf. ; *tremblotement* sm. ; *trembloter* vi.
trémelle sf.
trémie sf.
trémière adj. *(rose —).*
trémolo sm.
trémoussement sm. ; *trémousser (se)* vpr.
trempage sm. ; *trempe* sf. ; *trempé, e* adj. ; *trempée* sf. ; *tremper* vt. *et* vi. ; *trempette* sf. ; *trempeur* sm.
tremplin sm.
trémulation sf.
trentaine sf. ; *trente* adj. numéral ; *trente-et-quarante* sm. inv. ; *trentenaire* adj. ; *trentième* adj. *et* s.
trépan sm. ; *trépanation* sf. ; *trépaner* vt.
trépas sm. ; *trépassé, e* adj. *et* s. ; *trépasser* vi.
trépidant, e adj. ; *trépidation* sf.
trépied sm.
trépignement sm. ; *trépigner* vi.
trépointe sf.
tréponème sm.
très adv.
trésaille sf.
trésor sm. ; *trésorerie* sf. ; *trésorier, ère* s.
tressage sm.
tressaillement sm. ; *tressaillir* vi.
tressautement sm. ; *tressauter* vi.
tresse sf. ; *tresser* vt.
tréteau sm.
treuil sm.
trêve sf.
tri sm.
triacide sm.
triade sf.
triage sm.
triangle sm. ; *triangulaire* adj. ; *triangulation* sf. ; *trianguler* vt.
trias sm. ; *triasique* adj.
triatomique adj.

tribal, e adj.
tribasique adj.
tribo-électricité sf.
tribord sm.
triboulet sm.
tribu sf. (groupe).
tribulation sf.
tribun sm.
tribunal sm.
tribunat sm.
tribune sf.
tribut sm. (impôt) ; *tributaire* adj. *et* s.
tricentenaire sm.
tricéphale adj.
triceps sm.
tricher vi. ; *tricherie* sf. ; *tricheur, euse* s.
trichine sf. ; *trichinose* sf.
trichloracétique adj.
trichocéphale sm.
tricholome sm.
trichome sm.
trichomonas sm.
trick sm.
tricolore adj.
tricorne adj. *et* sm.
tricot sm. ; *tricotage* sm. ; *tricoter* vt. *et* vi. ; *tricoteur, euse* s.
trictrac sm.
tricuspide adj.
tricycle sm.
trident sm. ; *tridenté, e* adj.
tridi sm.
tridimensionnel, elle adj.
trièdre adj. *et* sm.
triennal, e, aux adj.
trier vt.
trière (Grecs) *ou* **trirème** (Romains) sf.
trieur, euse adj. *et* sf.
trifide adj.
trifoliolé, e adj.
triforium sm.
trifouiller vi.
trigonométrie sf. ; *trigonométrique* adj.
trijumeau adj. *et* sm.
trille sm. ; *triller* vt.
trillion sm.
trilobé, e adj.
trilogie sf.
trimaran sm.
trimard sm. ; *trimarder* vi. ; *trimardeur* sm.
trimbalage *ou* **trimbalement** sm. ; *trimbaler* vt.
trimer vi.
trimestre sm. ; *trimestriel, elle* adj. ; *trimestriellement* adv.
triméthylamine sf.
trimoteur adj. *et* s.
tringle sf.
trinitaire s. ; *trinité* sf.
trinitrotoluène sm.
trinôme sm.
trinquer vi.
trinquette sf.
trio sm. (pl. *trios*).
triode sf.
triolet sm.
triomphal, e, aux adj. ; *triomphalement* adv. ; *triomphalisme* sm. ; *triomphaliste* adj. ; *triomphant, e* adj. ; *triomphateur, trice* s. ; *triomphe* sm. (victoire) *et* sf. (jeu) ; *triompher* vi.
triparti, e *ou* **tripartite** adj. ; *tripartisme* sm. ; *tripartition* sf.
tripatouillage sm. ; *tripatouiller* vt.
tripe sf. ; *triperie* sf. ; *tripette* sf.
triphasé, e adj.
triphtongue sf.
tripier, ère s.
triplace adj.
triplan sm.
triple adj. *et* sm. ; *triplé* sm. ; *triplement* sm. *et* adv. ; *tripler* vt. *et* vi. ; *triplés, triplées* s. pl. ; *triplette* sf.
triplicata sm. inv. (lat.).
triplure sf.
triporteur sm.
tripot sm. ; *tripotage* sm. ; *tripotée* sf. ; *tripoter* vt. *et* vi. ; *tripoteur, euse* s.
triptyque sm.
trique sf.
trisaïeul, eule s.
trisannuel, elle adj.
trisection sf.
trismus *ou* **trisme** sm.
trisoc sm.
trisomie sf.
trisser vi.
triste adj. ; *tristement* adv. ; *tristesse* sf.
tritium sm.
triton sm.
trituration sf. ; *triturer* vt. ; *tritureuse* sf.
triumvir sm. (lat.) ; *triumvirat* sm.
trivial, e, aux adj. ; *trivialement*

adv. ; *trivialité* sf.
troc sm.
trocart sm.
trochée sm. (vers).
trochet sm. (grappe).
troène sm.
troglodyte sm. ; *troglodytique* adj.
trogne sf.
trognon sm.
troïka sf. (russe).
trois adj. numéral *et* s. ; *trois-deux* sm. ; *trois-huit* sm. ; *troisième* adj. *et* s. ; *troisièmement* adv.
trois-mâts sm. inv.
troll sm.
trolley sm. ; *trolleybus* sm.
trombe sf.
trombidion sm.
trombine sf.
tromblon sm.
trombone sm.
trompe sf.
trompe-l'œil sm. inv.
tromper vt. — *(se)* vpr. ; *tromperie* sf.
trompeter vt. *et* vi. ; *trompette* sf. (instrument) *et* sm. (interprète) ; *trompettiste* s.
trompeur, euse s. *et* adj. ; *trompeusement* adv.
tronc sm.
troncature sf.
tronche sf.
tronçon sm.
tronconique adj.
tronçonner vt. ; *tronçonneuse* sf.
trône sm. ; *trôner* vi.
tronquer vt.
trop adv.
trope sm.
trophée sm.
trophique adj.
trophonévrose sf.
tropical, e, aux adj. ; *tropique* sm. *et* adj.
tropisme sm.
troposphère sf.
trop-perçu sm. (pl. *trop-perçus*).
trop-plein sm. (pl. *trop-pleins*).
troquer vt.
troquet sm.
trot sm.
trotskisme sm. ; *trotskiste* s. *et* adj.
trotte sf. ; *trotter* vi. ; *trotteur, euse* s. *et* adj. ; *trottin* sm. ; *trottiner* vi. ; *trottinette* sf. ; *trottoir* sm.
trou sm. (pl. *trous*).
troubadour sm.
troublant, e adj. ; *trouble* adj. *et* sm. ; *trouble-fête* sm. inv. ; *troubler* vt. — *(se)* vpr.
trouée sf. ; *trouer* vt.
troufion sm.
trouille sf.
troupe sf. ; *troupeau* sm. ; *troupier* sm.
troussage sm.
trousse sf. ; *trousseau* sm.
troussequin sm.
trousser vt.
trou-trou sm. (pl. *trou-trous*).
trouvable adj. ; *trouvaille* sf. ; *trouver* vt.
trouvère sm.
truand, e s. ; *truander* vt.
trublion sm.
truc sm. ; *trucage ou truquage* sm.
truchement sm.
trucider vt.
truculence sf. ; *truculent, e* adj.
truelle sf. ; *truellée* sf.
truffe sf. ; *truffé, e* adj. ; *truffer* vt. ; *trufficulture* sf. ; *truffier, ère* adj. *et* sf.
truie sf.
truisme sm.
truite sf. ; *truité, e* adj.
trumeau sm.
truquer vt. *et* vi. ; *truqueur, euse* s.
trusquin sm.
trust sm. (angl.) ; *truster* vt. ; *trusteur* sm.
trypanosome sm. ; *trypanosomiase* sf.
trypsine sf.
tsar sm. ; *tsarévitch* sm. ; *tsarine* sf. ; *tsarisme* sm. ; *tsariste* adj. *et* sm.
tsé-tsé sf.
tsigane adj.
tsunami sm. (jap.).
tu pr. personnel 2e pers. sing.
tuant, e adj.
tub sm. (angl.).
tuba sm.
tubage sm. ; *tubaire* adj. ; *tube* sm. ; *tuber* vt.
tubercule sm. ; *tuberculeux, euse* adj. *et* s. ; *tuberculine* sf. ; *tuberculose* sf.
tubéreux, euse adj. *et* sf. ; *tubérosité* sf.
tubulaire adj. ; *tubulé, e* adj. ; *tubu-*

leux, euse adj. ; *tubulure* sf.
tudesque adj. *et* sm.
tudieu ! intj.
tue-mouche sm. inv. (champignon) ; *tue-mouches* adj.
tuer vt. ; *tuerie* sf. ; *tue-tête (à)* loc. adv. ; *tueur, euse* s.
tuf sm. ; *tuffeau* sm. ; *tufier, ère* adj.
tuile sf. ; *tuileau* sm. ; *tuilerie* sf. ; *tuilier* sm.
tulipe sf. *tulipier* sm.
tulle sm. ; *tullerie* sf. ; *tulliste* s.
tuméfaction sm. ; *tuméfier* vt.
tumescence sf. ; *tumescent, e* adj.
tumeur sf. ; *tumoral, ale, aux* adj.
tumulte sm. ; *tumultueusement* adv. ; *tumultueux, euse* adj.
tumulus sm. inv. (lat.).
tuner sm. (angl.).
tungstène sm.
tunique sf.
tunisien, enne s. *et* adj.
tunnel sm.
turban sm.
turbidité sf.
turbin sm. ; *turbinage* sm. ; *turbine* sf. ; *turbiné, e* adj. ; *turbiner* vi.
turbo-alternateur sm.
turbocompresseur sm.
turbomachine sf.
turbomoteur sm.
trubopompe sf.
turbopropulseur sm.
turboréacteur sm.
turbosoufflante sf.
turbot sm. ; *turbotière* sf. ; *turbotin* sm.
turbotrain sm.
turbulence sf. ; *turbulent, e* adj.
turc, turque adj. *et* s.
turf sm. (angl.) ; *turfiste* s.
turgescence sf. ; *turgescent, e* adj.
turkmène adj. *et* s.
turlupiner vt.
turne sf.
turpitude sf.
turquerie sf.
turquette sf.
turquin adj. *(marbre —).*
turquoise sf.
tussilage sm.
tussor sm.
tutélaire adj. ; *tutelle* sf. ; *tuteur, trice* s. ; *tuteurage* sm. ; *tuteurer* vt.
tutoiement sm. ; *tutoyer* vt.
tutti sm. ; *tutti quanti* loc. inv. (ital.).
tutu sm.
tuyau sm. ; *tuyautage* sm. ; *tuyauté* sm. ; *tuyauter* vt. ; *tuyauterie* sf. ; *tuyère* sf.
tweed sm. (angl.).
twin-set sm. (angl.) (pl. *twin-sets*).
twist sm. (angl.).
tympan sm. ; *tympanal, e, aux* adj. *et* sm. ; *tympanique* adj. ; *tympaniser* vt. ; *tympanisme* sm. ; *tympanite* sf. ; *tympanon* sm.
type sm. ; *typer* vt.
typhique adj. ; *typhoïde* adj. ; *typhoïdique* adj. ; *typhoïque* adj.
typhon sm.
typhus sm.
typique adj. ; *typiquement* adv.
typographe s. *et* adj. ; *typographie* sf. ; *typographique* adj.
typologie sf. ; *typologique* adj.
typomètre sm.
tyran sm. ; *tyranneau* sm. ; *tyrannicide* sm. ; *tyrannie* sf. ; *tyrannique* adj. ; *tyranniquement* adv. ; *tyranniser* vt.
tyrolien, enne adj., sm. *et* sf.
tyrosine sf.
tyrothricine sf.
tyrrhénien, enne adj. *et* s.

U

ubac sm.
ubiquiste s. *et* adj. ; ***ubiquité*** sf.
ubuesque adj.
uhlan sm.
ukase sm.
ukrainien, enne adj. *et* s.
ulcération sf. ; ***ulcère*** sm. ; ***ulcéré, e*** adj. ; ***ulcérer*** vt. ; ***ulcéreux, euse*** adj.
uléma *ou* **ouléma** sm.
ultérieur, eure adj. ; ***ultérieurement*** adv.
ultimatum sm. (lat.) (pl. *ultimatums*).
ultime adj.
ultra sm. (pl. *ultras*).
ultracentrifugation sf. ; ***ultracentrifugeuse*** sf.
ultrafiltration sf.
ultramicroscope sm. ; ***ultramicroscopie*** sf.
ultramontain, e adj. *et* s. ; ***ultramontanisme*** sm.
ultraroyaliste s. *et* adj.
ultra-sensible adj.
ultra-son (pl. *ultra-sons*) *ou* (mieux) **ultrason** sm.
ultraviolet, ette adj.
ululement sm. ; ***ululer*** vi.
ulve sf.
un, une article *et* adj. numéral ; ***unième*** adj. *(et —)* ; ***uns, unes (les)*** pr. indéfini.
unanime adj. ; ***unanimement*** adv. ; ***unanimisme*** sm. ; ***unanimiste*** adj. ; ***unanimité*** sf.
unguéal, e, aux adj.
uni, e adj.
uniate sm. *et* adj.
unicellulaire adj.
unicité sf.
unicolore adj.
unidirectionnel, elle adj.
unificateur, trice adj. ; ***unification*** sf. ; ***unifier*** vt.
uniforme adj. *et* sm. ; ***uniformément*** adv. ; ***uniformisation*** sf. ; ***uniformiser*** vt. ; ***uniformité*** sf.
unijambiste s. *et* adj.
unilatéral, e, aux adj. ; ***unilatéralement*** adv.
unilingue adj.
uniment adv.
union sf. ; ***unionisme*** sm. ; ***unioniste*** sm.
unipare adj.
unique adj. ; ***uniquement*** adv.
unir vt. — ***(s')*** vpr.
unisexuel, elle *ou* **unisexué, e** adj.
unisson sm.
unitaire sm. *et* adj. ; ***unitarisme*** sm. ; ***unité*** sf.
unitif, ive adj.
univalve adj.
univers sm. ; ***universalisation*** sf. ; ***universaliser*** vt. ; ***universalisme*** sm. ; ***universaliste*** sm. ; ***universalité*** sf. ; ***universaux*** sm. pl. ; ***universel, elle*** adj. *et* sm. ; ***universellement*** adv. ; ***universitaire*** adj. *et* s. ; ***université*** sf.
univitellin, e adj.
univocité sf. ; ***univoque*** adj.
uppercut sm. (angl.).
upsilon sm.
uranie sf.
uranifère adj.
uranisme sm.
uranium sm.
urate sm.
urbain, e s. *et* adj. ; ***urbanisation*** sf. ; ***urbaniser*** vt. ; ***urbanisme*** sm. ; ***urbaniste*** sm. ; ***urbanité*** sf.
urée sf. ; ***urémie*** sf. ; ***urémique*** adj.
uretère sm.
urétral, e, aux adj. ; ***urètre*** sm. ; ***urétrite*** sf.
urgence sf. ; ***urgent, e*** adj.
urinaire adj. ; ***urinal*** sm. ; ***urine*** sf. ; ***uriner*** vi. ; ***urineux, euse*** adj. ; ***urinifère*** adj. ; ***urinoir*** sm.
urique adj.
urne sf.
urodèles sm. pl.
urogénital, e, aux adj.
urographie sf.
urologie sf. ; ***urologue*** sm.
uropygien, ienne adj.
ursidés sm. pl.
ursuline sf.
urticaire sf. ; ***urticant, e*** adj.
urubu sm.
urus *ou* **ure** sm.
us sm. pl. *(— et coutumes)* ; ***usage*** sm. ; ***usagé, e*** adj. ; ***usager, ère*** adj. *et* sm.
usant, e adj. ; ***usé, e*** adj. ; ***user*** vt. *et* vi.

usinage sm. ; *usine* sf. ; *usiner* vt. ; *usinier, ère* s. *et* adj.
usité, e adj.
ustensile sm.
usuel, elle adj. ; *usuellement* adv.
usufructuaire adj. ; *usufruit* sm. ; *usufruitier, ère* s.
usuraire adj. ; *usure* sf. ; *usurier, ère* s.
usurpateur, trice s. ; *usurpation* sf. ; *usurpatoire* adj. ; *usurper* vt.
ut sm. inv.
utérin, e adj. ; *utérus* sm.
utile adj. ; *utilement* adv. ; *utilisable* adj. ; *utilisateur, trice* s. ; *utilisation* sf. ; *utiliser* vt. ; *utilitaire* adj. ; *utilitarisme* sm. ; *utilité* sf.
utopie sf. ; *utopique* adj. ; *utopiste* s.
utricule sm.
uval, ale, aux adj.
uvée sf.
uvulaire adj. et sf. ; *uvule* sf.

V

va intj. (de *aller*).
vacance sf. ; *vacancier* sm. ; *vacant, e* adj.
vacarme sm.
vacataire s. ; *vacation* sf.
vaccin sm. ; *vaccinal, e, aux* adj. ; *vaccination* sf. ; *vaccine* sf. ; *vacciner* vt. ; *vaccinostyle* sm. ; *vaccinothérapie* sf.
vache sf. ; *vacher, ère* s. ; *vacherie* sf. ; *vacherin* sm. ; *vachette* sf.
vacillant, e adj. ; *vacillation* sf. *ou* *vacillement* sm. ; *vaciller* vi.
vacuité sf.
vacuolaire adj. ; *vacuole* sf.
vade-mecum sm. inv. (lat.).
vadrouille sf. ; *vadrouiller* vi. ; *vadrouilleur, euse* s.
va-et-vient sm. inv.
vagabond, e adj. *et* s. ; *vagabondage* sm. ; *vagabonder* vi.
vagin sm. ; *vaginal, e, aux* adj. ; *vaginisme* sm. ; *vaginite* sf.
vagir vi. ; *vagissement* sm.
vague sf.
vague adj. *et* sm. ; *vaguement* adv.
vaguemestre sm.
vaguer vi.
vahiné sf.
vaillamment adv. ; *vaillance* sf. ; *vaillant, e* adj. *et* sm.
vain, e adj. ; *vain (en)* loc. adv.
vaincre vt. ; *vaincu, e* adj. *et* s.
vainement adv.
vainqueur sm. *et* adj. m.
vair sm. ; *vairon* adj. m. *(yeux vairons)*.
vairon sm. (poisson).
vaisseau sm.
vaisselier sm. ; *vaisselle* sf. ; *vaisselerie* sf.
val sm. (pl. *vaux*).
valable adj. ; *valablement* adv.
valence sf.
valenciennes sf.
valériane sf. ; *valérianelle* sf.
valet sm. ; *valetaille* sf.
valétudinaire s. *et* adj.
valeur sf. ; *valeureusement* adv. ; *valeureux, euse* adj.
validation sf. ; *valide* adj. ; *validement* adv. ; *valider* vt. ; *validité* sf.
valine sf.
valise sf.
valkyrie *ou* **walkyrie** sf.
vallée sf. ; *vallon* sm. ; *vallonné, e* adj. ; *vallonnement* sm.
valoir vi.
valorisant, e adj. ; *valorisation* sf. ; *valoriser* vt.
valse sf. ; *valser* vi. ; *valseur, euse* s.
valvaire adj. ; *valve* sf.
valvulaire adj. ; *valvule* sf.
vamp sf. (angl.).
vampire sm. (all.) ; *vampirisme* sm.
van sm.
vanadium sm.
vandale sm. ; *vandalisme* sm.
vanesse sf.
vanille sf. ; *vanillé, e* adj. ; *vanillier* sm. ; *vanilline* sf.
vanité sf. ; *vaniteusement* adv. ; *vaniteux, euse* s. *et* adj.
vannage sm.
vanne sf.
vanneau sm.
vannelle sf.
vanner vt.
vannerie sf.
vannet sm.

vanneur, euse s.
vannier sm.
vannure sf.
vantail sm. (pl. *vantaux*).
vantard, e s. *et* adj. ; *vantardise* sf. ; *vanter* vt. — *(se)* vpr.
va-nu-pieds s. inv.
vapeur sf. *et* sm.
vaporeux, euse adj.
vaporisage sm. ; *vaporisateur* sm. ; *vaporisation* sf. ; *vaporiser* vt.
vaquer vi.
varan sm.
varangue sf.
varappe sf.
varech sm.
vareuse sf.
variabilité sf. ; *variable* adj. *et* s. ; *variablement* adv.
variance sf. ; *variant, e* adj. ; *variante* sf. ; *variateur* sm. ; *variation* sf.
varice sf.
varicelle sf.
varié, e adj. ; *varier* vt. *et* vi. ; *variété* sf.
variole sf. ; *variolé, e* adj. ; *varioleux, euse* adj. *et* s. ; *variolique* adj.
variomètre sm.
variqueux, euse adj.
varlope sf. ; *varloper* vt.
vasculaire adj. ; *vascularisation* sf. ; *vascularisé, e* adj.
vase sf. *et* sm.
vaseline sf.
vaseux, euse adj. ; *vasière* sf.
vasistas sm.
vaso-constricteur adj. m. ; *vaso-dilatateur* adj. m. ; *vaso-moteur, trice* adj. *et* sm.
vasque sf.
vassal, e, aux s. *et* adj. ; *vassaliser* vt. ; *vassalité* sf. ; *vasselage* sm.
vaste adj. ; *vastement* adv.
vaticinateur, trice s. ; *vaticination* sf. ; *vaticiner* vi.
va-tout sm. inv.
vaudeville sm. ; *vaudevillesque* adj. ; *vaudevilliste* sm.
vaudois, e adj. *et* s.
vaudou sm.
vau-l'eau (à) loc. adv.
vaurien, enne s. *et* adj.
vautour sm.
vautrer (se) vpr.
va-vite (à la) loc. adv.
veau sm.
vecteur adj. m. ; *vectoriel, elle* adj.
vécu, e adj. *et* sm.
véda sm. (sanskrit) (pl. *védas*).
vedettariat sm. ; *vedette* sf.
védique adj. ; *védisme* sm.
végétal sm. (pl. *végétaux*) ; *végétal, e, aux* adj. ; *végétalisme* sm. ; *végétarien, enne* s. *et* adj. ; *végétarisme* sm. ; *végétatif, ive* adj. ; *végétation* sf. ; *végéter* vi.
véhémence sf. ; *véhément, e* adj. ; *véhémentement* adv.
véhiculaire adj. ; *véhicule* sm. ; *véhiculer* vt.
veille sf. ; *veillée* sf. ; *veiller* vt. *et* vi. ; *veilleur, euse* s. ; *veilleuse* sf.
veinard, e s. *et* adj. ; *veine* sf. ; *veiné, e* adj. ; *veiner* vt. ; *veinette* sf. ; *veineux, euse* adj. ; *veinule* sf. ; *veinure* sf.
vêlage *ou* **vêlement** sm.
vélaire adj. *et* sf.
veld sm. (néerl.).
vêler vi.
vélin sm. *et* adj. m. *(papier —)*.
véliplanchiste s.
vélique adj.
velléitaire adj. *et* s. ; *velléité* sf.
vélo sm.
véloce adj.
vélocipède sm.
vélocité sf.
vélodrome sm.
vélomoteur sm. ; *vélomotoriste* adj. *et* s.
velot sm.
velours sm. ; *velouté, e* adj. *et* sm. ; *velouter* vi. ; *velouteux, euse* adj. ; *veloutier* sm. ; *veloutine* sf.
velu, e adj.
vélum sm. (pl. *vélums*).
velvet sm.
venaison sf.
vénal, e, aux adj. ; *vénalement* adv. ; *vénalité* sf.
vendable adj.
vendange sf. ; *vendangeoir* sm. ; *vendanger* vt. *et* vi. ; *vendangeur, euse* s. ; *vendémiaire* sm.
vendetta sf.
vendeur, euse s. ; *vendeur, deresse* s. (droit) ; *vendre* vt.
vendredi sm.
vendu, e adj. *et* s.
venelle sf.
vénéneux, euse adj. (toxique).

vénérable adj. ; *vénérablement* adv. ; *vénération* sf. ; *vénérer* vt.
vénerie sf.
vénérien, enne adj. ; *vénérologie* sf.
veneur sm.
vengeance sf. ; *venger* vt. — *(se)* vpr. ; *vengeur, eresse* s. *et* adj.
véniel, elle adj.
venimeux, euse adj. ; *venin* sm.
venir vi.
vent sm.
vente sf.
venter v. imp. ; *venteux, euse* adj. ; *ventilateur* sm. ; *ventilation* sf. ; *ventiler* vt. ; *ventis* sm. pl. ; *ventôse* sm.
ventouse sf.
ventral, e, aux adj. ; *ventre* sm. ; *ventrée* sf.
ventriculaire adj. ; *ventricule* sm.
ventrière sf.
ventriloque s. *et* adj. ; *ventriloquie* sf.
ventripotent, e adj.
ventru, e adj.
venue sf.
vénus sf.
vénusien, enne adj.
vénusté sf.
vêpres sf. pl.
ver sm. (invertébré).
véracité sf.
véranda sf. (portug.).
verbal, e, aux adj. ; *verbalement* adv. ; *verbalisation* sf. ; *verbaliser* vi. ; *verbalisme* sm.
verbe sm. ; *verbeux, euse* adj. ; *verbiage* sm. ; *verbosité* sf.
verdâtre adj.
verdelet, ette adj.
verdeur sf.
verdict sm.
verdier sm.
verdir vt. *et* vi. ; *verdissage* sm. (rendre vert) ; *verdissant, e* adj. ; *verdissement* sm. (devenir vert).
verdoiement sm. ; *verdoyant, e* adj. ; *verdoyer* vi.
verdure sf.
véreux, euse adj.
verge sf. ; *vergé, e* adj.
verger sm.
vergetures sf. pl.
verglacé, e adj. ; *verglas* sm.
vergne *ou* **verne** sm.
vergogne sf.
vergue sf.
véridicité sf. ; *véridique* adj. ; *véridiquement* adv.
vérifiable adj. ; *vérificateur, trice* s. ; *vérificatif, ive* adj. ; *vérification* sf. ; *vérifier* vt.
vérin sm.
vérisme sm. ; *vériste* sm.
véritable adj. ; *véritablement* adv. ; *vérité* sf.
verjus sm.
vermeil, elle adj. *et* sm.
vermicelier, ère s. ; *vermicelle* sm. ; *vermicellerie* sf.
vermicide adj. *et* sm. ; *vermiculaire* adj. ; *vermiculé, e* adj. ; *vermiculure* sf. ; *vermiforme* adj. ; *vermifuge* adj. *et* sm.
vermillon sm. ; *vermillonner* vt.
vermillonner vi. (animaux).
vermine sf. ; *vermineux, euse* adj.
vermis sm.
vermisseau sm.
vermouler (se) vpr. ; *vermoulu, e* adj. ; *vermoulure* sf.
vermout *ou* **vermouth** sm.
vernaculaire adj.
vernal, e, aux adj. ; *vernalisation* sf.
vernier sm. *et* adj.
vernir vt. ; *vernis* sm. ; *vernissage* sm. ; *vernissé, e* adj. ; *vernisser* vt. (poterie) ; *vernisseur, euse* s.
vérole sf. ; *vérolé, e* adj.
véronal sm.
véronique sf.
verrat sm.
verre sm. ; *verré, e* adj. ; *verrée* sf. ; *verrerie* sf. ; *verrier* sm. ; *verrière* sf. ; *verroterie* sf.
verrou sm. (pl. *verrous*) ; *verrouillage* sm. ; *verrouiller* vt. — *(se)* vpr.
verrucosité sf. ; *verrue* sf. ; *verruqueux, euse* adj.
vers sm. (poésie).
vers prép.
versant sm.
versatile adj. ; *versatilité* sf.
verse (à) loc. adv.
versé, e adj.
verseau sm.
versement sm. ; *verser* vt. *et* vi.
verset sm.
verseur sm. ; *verseuse* sf.
versicolore adj.
versificateur sm. ; *versification* sf. ; *versifier* vi. *et* vt.
version sf.

verso sm. (pl. *versos*).
versoir sm.
verste sf.
vert, e adj. *et* sm.
vert-de-gris sm. (pl. *verts-de-gris*) ; *vert-de-grisé, e* adj.
vertébral, e, aux adj. ; *vertèbre* sf. ; *vertébré, e* adj. *et* sm.
vertement adv.
vertical, e, aux adj. ; *verticalement* adv. ; *verticalité* sf.
verticille sm. ; *verticillé, e* adj.
vertige sm. ; *vertigineux, euse* adj.
vertigo sm.
vertu sf. ; *vertueusement* adj. ; *vertueux, euse* adj.
vertugadin sm.
verve sf.
verveine sf.
verveux sm.
vésanie sf.
vesce sf. (plante).
vésical, e, aux adj.
vésicant, e adj. ; *vésication* sf. ; *vésicatoire* sm. *et* adj.
vésiculaire adj. ; *vésicule* sf.
vespasienne sf.
vespéral, e, aux adj.
verpertilion sm.
vesse sf. (gaz) ; *vesse-de-loup* sf. (pl. *vesses-de-loup*) ; *vesser* vi.
vessie sf.
vestale sf.
veste sf. ; *vestiaire* sm.
vestibulaire adj. ; *vestibule* sm.
vestige sm.
vestimentaire adj.
veston sm.
vêtement sm.
vétéran sm.
vétérinaire adj. *et* s.
vétille sf. ; *vétilleux, euse* adj.
vêtir vt.
vétiver *ou* **vétyver** sm.
veto sm. inv. (lat.).
vétuste adj. ; *vétusté* sf.
veuf, veuve s. *et* adj.
veule adj. ; *veulerie* sf.
veuvage sm.
veuve sf. (oiseau).
vexant, e adj. ; *vexation* sf. ; *vexatoire* adj. ; *vexer* vt. — *(se)* vpr.
vexille sm.
via prép.
viabiliser vt. ; *viabilité* sf. ; *viable* adj.
viaduc sm.
viager, ère adj. *et* sm.
viande sf.
viander vi.
viatique sm.
vibrant, e adj. *et* sf.
vibraphone sm. ; *vibraphoniste* s.
vibrateur sm. ; *vibratile* adj. ; *vibration* sf. ; *vibrato* sm. ; *vibratoire* adj. ; *vibrer* vi. ; *vibrion* sm. ; *vibrionner* vi.
vibrisse sf.
vibromasseur sm.
vicaire sm. ; *vicarial, e, aux* adj. ; *vicariant, e* adj. ; *vicariat* sm.
vice sm.
vice-amiral sm. (pl. *vice-amiraux*).
vice-consul sm. (pl. *vice-consuls*).
vicennal, e, aux adj.
vice-présidence sf. ; *vice-président, e* s (pl. *vice-président(e)s*).
vice-recteur sm. (pl. *vice-recteurs*).
vice-roi (pl. *vice-rois*).
vicésimal, e, aux adj.
vice versa loc. adv. (lat.).
vichy sm.
viciation sf. ; *vicier* vt.
vicieusement adv. ; *vicieux, euse* adj. *et* s.
vicinal, e, aux adj. ; *vicinalité* sf.
vicissitude sf.
vicomte sm. ; *vicomté* sf. ; *vicomtesse* sf.
victime sf.
victoire sf.
victoria sf.
victorieusement adv. ; *victorieux, euse* adj.
victuailles sf. pl.
vidage sm.
vidame sm.
vidange sf. ; *vidanger* vt. ; *vidangeur* sm.
vide adj. *et* sm.
vide-bouteille sm. (pl. *vide-bouteilles*).
vide-cave sm. inv.
vide-gousset sm. (pl. *vide-goussets*).
vidéo adj. *et* s.
vide-ordures sm. inv.
vide-poches sm. inv.
vide-pomme sm. inv.
vider vt. ; *videur, euse* s.
viduité sf.
vie sf.
vieil *ou* **vieux, vieille** adj. *et* s. ; *vieillard* sm. ; *vieillerie* sf. ; *vieillesse*

sf. ; *vieilli, e* adj. ; *vieillir* vt. ; *vieillissant, e* adj. ; *vieillissement* sm. ; *vieillot, otte* adj. *et* s.
vielle sf. ; *vieller* vi. ; *vielleur, euse* s.
vierge sf. *et* adj.
vietnamien, enne adj. *et* s.
vif, vive adj. *et* sm.
vif-argent sm.
vigie sf.
vigilance sf. ; *vigilant, e* adj. ; *vigile* sf. (office) *et* sm. (garde).
vigne sf. ; *vigneron, onne* s.
vignette sf. ; *vignettiste* sm. ; *vigneture* sf.
vignoble sm.
vigogne sf.
vigoureusement adv. ; *vigoureux, euse* adj. ; *vigueur* sf.
vil, vile adj.
vilain, e adj. *et* sm. ; *vilainement* adv.
vilebrequin sm.
vilenie sf.
vilipender vt.
villa sf.
village sm. ; *villageois, e* s.
villanelle sf.
ville sf.
villégiature sf.
villeux, euse adj. ; *villosité* sf.
vin sm. ; *vinage* sm.
vinaigre sm. ; *vinaigré, e* adj. ; *vinaigrer* vt. ; *vinaigrerie* sf. ; *vinaigrette* sf. ; *vinaigrier* sm.
vinasse sf.
vindicatif, ive adj. ; *vindicativement* adv. ; *vindicte* sf.
vinée sf. ; *viner* vt. ; *vineux, euse* adj.
vingt adj. numéral ; *vingtaine* sf. ; *vingtième* adj. n. o. *et* s. ; *vingtièmement* adv.
vinicole adj. ; *vinifère* adj. ; *vinification* sf. ; *vinifier* vt. ; *vinosité* sf.
vinyle sm. ; *vinylique* adj.
viol sm. (attentat).
violacé, e adj. ; *violacer* vi. — *(se)* vpr.
violateur, trice s. ; *violation* sf.
viole sf. (instrument).
violemment adv. ; *violence* sf. ; *violent, e* adj. *et* sm. ; *violenter* vt.
violer vt.
violet, ette adj. *et* sm. ; *violette* sf.
violeur sm.
violine sf.
violiste sm.
violon sm.
violoncelle sm. ; *violoncelliste* s.
violoneux sm. ; *violoniste* s.
viorne sf.
vipère sf. ; *vipereau* sm. ; *vipérin, e* adj.
virage sm.
virago sf. (lat.).
viral, e adj.
virée sf.
virelai sm.
virement sm. ; *virer* vi. *et* vt.
vireux, euse adj.
virevolte sf. ; *virevolter* vi.
virginal, e, aux adj.
virginie sm.
virginité sf.
virgule sf.
viril, e adj. ; *virilement* adv. ; *virilisation* sf. ; *viriliser* vt. ; *virilité* sf.
virole sf. ; *viroler* vt.
virologie sf. ; *virose* sf.
virtualité sf. ; *virtuel, elle* adj. ; *virtuellement* adv.
virtuose s. ; *virtuosité* sf.
virulence sf. ; *virulent, e* adj.
virus sm.
vis sf.
visa sm. (lat.).
visage sm. ; *Visagiste* s. (nom déposé).
vis-à-vis loc. prép. *et* sm.
viscéral, e, aux adj. ; *viscère* sm.
viscose sf. ; *viscosimètre* sm. ; *viscosité* sf.
visé sm. ; *visée* sf. ; *viser* vt. *et* vi. ; *viseur, euse* s.
visibilité sf. ; *visible* adj. ; *visiblement* adv.
visière sf.
vision sf. ; *visionnaire* s. *et* adj. ; *visionner* vt. ; *visionneuse* sf.
visitation sf. ; *visite* sf. ; *visiter* vt. ; *visiteur, euse* s.
vison sm.
visqueux, euse adj.
vissage sm. ; *visser* vt.
visu (de) loc. adv. (lat.).
visualisation sf. ; *visualiser* vt. ; *visuel, elle* adj.
vit sm.
vital, e, aux adj. ; *vitalisme* sm. ; *vitaliste* adj. *et* s. ; *vitalité* sf.
vitamine sf. ; *vitaminé, e* adj.
vite adj. *et* adv.
vitellin, e adj. ; *vitellus* sm. inv. (lat.).
vitelotte sf.

vitesse sf.
viticole adj. ; *viticulteur* sm. ; *viticulture* sf.
vitrage sm. ; *vitrail* sm. (pl. *vitraux*) ; *vitre* sf. ; *vitré, e* adj. ; *vitrer* vt. ; *vitrerie* sf. ; *vitreux, euse* adj. ; *vitrier* sm.
vitrifiable adj. ; *vitrification* sf. ; *vitrifier* vt.
vitrine sf.
vitriol sm. ; *vitriolage* sm. ; *vitrioler* vt. ; *vitrioleur, euse* s.
vitupération sf. ; *vitupérer* vt.
vivace adj. ; *vivacité* sf.
vivandier, ère s.
vivant, e adj. *et* sm.
vivat intj. *et* sm. (lat.) (pl. *vivats*).
vive sf.
vivement adv. *et* intj.
viveur, euse s.
vivier sm.
vivifiant, e adj. ; *vivifier* vt.
vivipare s. *et* adj. ; *viviparité* sf.
vivisecteur s. *et* adj. m. ; *vivisection* sf.
vivoter vi.
vivre vi., vt. *et* sm. ; *vivres* sm. pl. ; *vivrier, ère* adj. *et* sm.
vizir sm. (turc).
vocable sm. ; *vocabulaire* sm.
vocal, e, aux adj. ; *vocalement* adv. ; *vocalique* adj. ; *vocalisateur, trice* s. ; *vocalisation* sf. ; *vocalise* sf. ; *vocaliser* vi. ; *vocalisme* sm.
vocatif sm. ; *vocation* sf.
vocero sm. (corse) (pl. *voceri*).
vociférateur, trice s. ; *vociférations* sf. pl. ; *vociférer* vi.
vodka sf. (russe).
vœu sm. (pl. *vœux*).
vogue sf. ; *voguer* vi.
voici prép.
voie sf.
voilà prép.
voile sm. *et* sf. ; *voilé, e* adj. ; *voiler* vt. ; *voilerie* sf. ; *voilette* sf. ; *voilier* sm. ; *voilure* sf.
voir vt. *et* vi.
voire adv.
voirie sf.
voisin, e adj. *et* s. ; *voisinage* sm. ; *voisiner* vi.
voiturage sm. ; *voiture* sf. ; *voiturée* sf. ; *voiturer* vt. ; *voiturette* sf. ; *voiturier* sm.
voix sf.
vol sm.
volable adj.
volage adj.
volaille sf. ; *volailler* sm.
volant sm.
volant, e adj.
volapük sm.
volatil, e adj. ; *volatile* sm.
volatilisable adj. ; *volatilisation* sf. ; *volatiliser* vt. — *(se)* vpr. ; *volatilité* sf.
vol-au-vent sm. inv.
volcan sm. ; *volcanique* adj. ; *volcanisme* sm. ; *volcanologie* sf. ; *volcanologique* adj. ; *volcanologue* adj. *et* s.
volée sf.
voler vt. *et* vi.
volet sm.
voleter vi. (voltiger) ; *volettement* sm.
voleur, euse s.
volière sf.
volige sf. ; *voliger* vt.
volitif, ive adj. ; *volition* sf.
volley-ball sm. (angl.) ; *volleyeur, euse* s.
volontaire adj. *et* s. ; *volontairement* adv. ; *volontariat* sm. ; *volontarisme* sm. ; *volontariste* adj. *et* s. ; *volonté* sf. ; *volontiers* adv.
volt sm. (électricité) ; *voltage* sm.
voltaïque adj.
voltaire sm. ; *voltairianisme* sm. ; *voltairien, enne* adj. *et* s.
voltamètre sm.
voltampère sm.
volte sf. (équitation) ; *volte-face* sf. inv. ; *volter* vi. (tourner).
voltige sf. ; *voltiger* vi. ; *voltigeur* sm.
voltmètre sm.
volubile adj.
volubilis sm.
volubilité sf.
volume sm. ; *volumétrique* adj. ; *volumineux, euse* adj.
volupté sf. ; *voluptueusement* adv. ; *voluptueux, euse* adj. *et* s.
volute sf.
volvaire sf. ; *volve* sf.
vomi sm. ; *vomique* adj. *et* sf. ; *vomir* vt. ; *vomissement* sm. ; *vomissure* sf. ; *vomitif, ive* adj. *et* sm. ; *vomitoire* sm.
vorace adj. ; *voracement* adv. ; *voracité* sf.
vorticelle sf.

vos adj. possessif (pl. de *votre*).
votant, e adj. *et* s. ; *vote* sm. ; *voter* vi. *et* vt.
votif, ive adj.
votre adj. possessif (pl. *vos*).
vôtre pr. possessif (pl. *vôtres*).
vouer vt. — *(se)* vpr.
vouloir vt. *et* sm.
vous pr. personnel.
voussoiement *ou* **vouvoiement** sm.
voussoir *ou* **vousseau** sm.
voussoyer *ou* **vouvoyer** vt.
voussure sf. ; *voûte* sf. ; *voûté, e* adj. ; *voûter* vt. — *(se)* vpr.
voyage sm. ; *voyager* vi. ; *voyageur, euse* s. *et* adj.
voyance sf. ; *voyant, e* adj. *et* s.
voyelle sf.
voyer adj. *et* sm.
voyeur, euse adj. *et* s. ; *voyeurisme* sm.
voyou sm. (pl. *voyous*).
vrac sm. (*en* — loc. adv.).
vrai, e adj. *et* sm. ; *vraiment* adv.
vraisemblable adj. ; *vraisemblablement* adv. ; *vraisemblance* sf.
vrillage sm. ; *vrille* sf. ; *vrillé, e* adj. ; *vriller* vi. *et* vt. ; *vrillette* sf.
vrombir vi. ; *vrombissement* sm.
vu, e adj. *et* sm. ; *vu* prép. ; *vue* sf.
vulcain sm.
vulcanisation sf. ; *vulcanisé, e* adj. ; *vulcaniser* vt.
vulgaire adj. *et* sm. ; *vulgairement* adv. ; *vulgarisateur, trice* s. *et* adj. ; *vulgarisation* sf. ; *vulgariser* vt. ; *vulgarité* sf. ; *vulgate* sf.
vulgum pecus sm. inv. (lat.).
vulnérabilité sf. ; *vulnérable* adj. ; *vulnéraire* sm.
vulpin sm.
vulvaire sf. *et* adj. ; *vulve* sf. ; *vulvite* sf.

W

wagnérien, enne adj. *et* s.
wagon sm. ; *wagon-bar* sm. (pl. *wagons-bars*) ; *wagon-citerne* sm. (pl. *wagons-citernes*) ; *wagon-lit* sm. (pl. *wagons-lits*) ; *wagonnet* sm. ; *wagonnier* sm. ; *wagon-poste* sm. (pl. *wagons-poste*) ; *wagon-restaurant* sm. (pl. *wagons-restaurants*) ; *wagon-trémie* (pl. *wagons-trémies*).
walkyrie sf.
wallon, onne adj. *et* s.
wapiti sm.
warrant sm. ; *warrantage* sm. ; *warranter* vt.
wassingue sf. (flamand).
water-ballast sm. (angl.) (pl. *water-ballasts*).
water-closet sm. (pl. *water-closets*).
water-polo sm.
waterproof sm. *et* adj. inv. (angl.).
waters sm. pl.
watt sm. ; *watt-heure* sm. (pl. *watts-heures*) ; *wattman* sm. (pl. *wattmen* ou *wattmans*) ; *wattmètre* sm.
weber sm.
week-end sm. (angl.) (pl. *week-ends*).
welter sm. (angl.).
western sm. (angl.).
wharf sm. (angl.).
whig sm. *et* adj. (angl.).
whisky sm. (angl.).
whist sm. (angl.).
wigwam sm.
williamine sf.
windsurf sm. (angl.).
wisigoth, othe adj.
würmien, enne adj.

X

xanthie sf.
xanthine sf.
xénon sm.
xénophile adj. ; *xénophilie* sf. ; *xénophobe* adj. ; *xénophobie* sf.
xéranthème sm.
xérès sm.
xérodermie sf.
Xérographie sf. (nom déposé).
xérophile adj.
xérophtalmie sf.
xi sm.

ximénie *ou* **ziménia** sf.
xiphoïde adj. *et* sm. ; *xiphoïdien, enne* adj.
xylographe sm. ; *xylographie* sf. ; *xylographique* adj.
xylophage sm. *et* adj.
xylophone sm.

Y

y adv. *et* pr. personnel.
yacht sm. (néerl.) ; *yacht-club* sm. ; *yachting* sm. ; *yachtman* sm. (pl. *yachtmen*).
yack *ou* **yak** sm.
yang sm.
yankee s. *et* adj. (pl. *yankees*).
yaourt *ou* **yogourt** sm. (bulgare).
yard sm. (angl.).
yatagan sm. (turc).
yearling sm. (angl.).
yen sm. (jap.).
yeoman sm. (pl. *yeomen*).
yeuse sf.
yiddish sm.
yin sm.
yod sm.
yoga sm. ; *yogi* sm.
yole sf.
yougoslave adj. *et* s.
yourte *ou* **iourte** sf.
youyou sm.
Yo-Yo sm. inv. (nom déposé).
ypérite sf.
ytterbium sm.
yttrium sm.
yuan sm.
yucca sm.

Z

zain adj. *et* sm.
zaïrois, oise adj. *et* s.
zakouski sm. pl. (russe).
zambien, enne adj. *et* s.
zani *ou* **zanni** sm.
zanzibar sm.
zazou s. (pl. *zazous*).
zèbre sm. ; *zébré, e* adj. ; *zébrer* vt. ; *zébrure* sf.
zébu sm.
zée sm.
zef sm.
zélateur, trice s. *et* adj. ; *zèle* sm. ; *zélé, e* adj. *et* s.
zélote sm.
zemstvo sm.
zen adj. *et* sm.
zénith sm. ; *zénithal, e, aux* adj.
zéphyr sm.
zeppelin sm.
zéro sm.
zest sm. *(entre le zist et le —).*
zeste sm. (écorce).
zêta sm.
zeugma sm.
zézaiement sm. ; *zézayer* vi. *et* vt.
zibeline sf.
zieuter vt.
zig *ou* **zigue** sm.
ziggourat sf.
zigouiller vt.
zigzag sm. ; *zigzaguer* vi.
zinc sm. ; *zingage* sm.
zingaro sm. (ital.) (pl. *zingari*).
zinguer vt. ; *zingueur* sm.
zinnia sm.
zinzolin, e adj. *et* sm.
zirconium sm.
zist sm. (V. *zest*).
zizanie sf.
zloty sm.
zodiacal, e, aux adj. ; *zodiaque* sm.
zoïle sm.
zombi (e) sm.
zona sm.
zonage sm. ; *zonal, e, aux* adj. ; *zonard* sm. ; *zone* sf. ; *zoné, e* adj.
zoo sm.
zoolithe sm.
zoologie sf. ; *zoologique* adj. ; *zoologiquement* adv. ; *zoologiste ou zoologue* sm.
zoom sm. (angl.).
zoomorphe adj. ; *zoomorphisme* sm.
zoophile adj. ; *zoophilie* sf.
zoophobie sf.
zoophyte sm.

zootaxie sf.
zootechnicien, enne s.
zorille sf.
zoroastrien, enne adj. ; *zoroastrisme* sm.
zostère sf.
zostérien, enne adj.
zouave sm.
zozoter vi.
zut ! intj. ; *zutique* adj. ; *zutiste* adj. *et* s.
zygoma sm. ; *zygomatique* adj.
zygomycètes sm. pl.
zygote sm.
zymotique adj.
zwinglianisme sm. ; *zwinglien, enne* adj.

TABLE DES ANNEXES

1. ADJECTIF

A) SONT INVARIABLES APRÈS UN VERBE

bas (parler, répondre)	fort (parler)
cher (revenir)	grand (voir)
clair (voir, parler)	haut (parler)
court (s'habiller)	juste (chanter, raisonner, viser)

Dans le contexte du verbe *faire*, sont également invariables

cher ; compliqué ; court ; drôle ; long ; simple

(mais bien écrire *elles font jeunes ; ils font chics* au sens de « paraître »).

B) SONT INVARIABLES DEVANT UN NOM

— **nu, demi, feu** (dans toute autre position, ces mots sont soumis à l'accord) :

aller nu-pieds ; reprendre une demi-louche ; feu la reine.
aller tête nue ; une fois et demie son prix ; la feue douairière.

— **nouveau** : on écrit *des nouveau-mariés, des nouveau-nés,* mais on dit et l'on écrit *les nouveaux arrivants, la nouvelle mariée* (sans trait d'union).

— **possible** est adverbe dans le contexte *le plus, le moins* ou l'équivalent :

Pourquoi avez-vous pris les moins chères possible, quand je voulais les meilleures possible ?

Le sens indique ailleurs que *possible* n'est pas adverbe (on le remplacera par « éventuel ») :

Quels sont les meilleurs itinéraires possibles ?

— **quelques participes** : placés devant le groupe nom, sont invariables

accepté	compris	non composé
admis	considéré	ôté
approuvé	entendu	ouï
attendu	envoyé	paraphé
autorisé	étant donné	passé
certifié	étant entendu	reçu
ci-annexé	eu égard à	signé
ci-annoncé	examiné	soustrait
ci-épinglé	excepté	supposé
ci-inclus	expédié	vérifié
ci-joint	lu	visé
collationné	mis à part	vu
communiqué	non compris	y compris

Dans toute autre position, ils s'accordent *(les enfants exceptés ; taxes non comprises ; vous trouverez ci-incluses les pièces demandées).*

C) SONT INVARIABLES DANS QUELQUES MOTS COMPOSÉS

haut (haut-parleurs) ; long (long-courriers) ; menu (la gent trotte-menu) ; moyen (moyen-courriers ; moyen-orientaux) ; petit (les gagne-petit).

2. ALPHABET GREC

Minuscule	Majuscule	Nom	Remarques
α	Α	alpha	« Alpha du Centaure » (astronomie).
β, ϐ	Β	bêta	Avec *alpha*, est à l'origine du mot « alphabet ».
γ	Γ	gamma	« Rayons gamma » (physique).
δ	Δ	delta	Mot devenu nom commun (géographie).
ε	Ε	epsilon	Symbole de l'infiniment petit (mathématiques).
ζ	Ζ	zêta	
η	Η	êta	
θ	Θ	thêta	A donné le *th* français des mots venus du grec.
ι	Ι	iota	La lettre la plus simple a fourni l'expression : « Ne pas changer un iota ».
κ	Κ	kappa	
λ	Λ	lambda	Familièrement, un « individu lambda » ne se signale par aucune caractéristique saillante.
μ	Μ	mu	Symbole du micron, dit aussi *micromètre*, ou millième de millimètre.
ν	Ν	nu	
ξ	Ξ	xi	Simple façon commode d'écrire *k* + *s*.
ο	Ο	omicron	
π	Π	pi	Symbole du rapport du cercle au diamètre (3,14...).
ρ	Ρ	rho	A donné les mots français ayant *rh* à l'initiale.
σ, ς	Σ	sigma	
τ	Τ	tau	Correspond au *t* simple, sans aspiration.

Minuscule	Majuscule	Nom	Remarques
υ	Υ	upsilon	Vraisemblablement prononcé -i-, c'est l'origine du fameux « i grec », qui, à l'initiale des mots venant du grec, est toujours précédé d'un *h*.
φ	Φ	phi	C'est la lettre « aspirée » qui correspond à /p/. Le français l'a transcrite *ph*.
χ	Χ	khi	A donné la prononciation /k/ liée à l'orthographe *ch* dans les mots d'origine grecque, que ce son se trouve à l'initiale *(chlore, chrome)* ou en médiane *(écho, tachymètre)*. Noter **chirurgie** à côté de **chiromancie** (ki-).
ψ	Ψ	psi	Écriture de *p* + *s*.
ω	Ω	oméga	L'*alpha et l'oméga* symbolisent la totalité, notamment dans le vocabulaire religieux.

3. ANGLAIS

Ont conservé leur forme anglaise au pluriel les mots suivants, notamment :

baby	*babies*	nursery	*nurseries*
barman	*barmen*	policeman	*policemen*
box	*boxes*	punch	*punches*
clergyman	*clergymen*	recordman	*recordmen*
dandy	*dandies*	sandwich	*sandwiches*
garden-party	*garden-parties*	self-made-man	*self-made-men*
gentleman	*gentlemen*	sketch	*sketches*
hobby	*hobbies*	speech	*speeches*
lady	*ladies*	sportsman	*sportsmen*
lobby	*lobbies*	tory	*tories*
lunch	*lunches*	whisky	*whiskies*
match	*matches*	yachtman	*yachtmen*

4. ANT ou ENT ?

Forme verbale	*Forme adjectivale (ou nominalisée)*	*Forme nominale dérivée*
adhérant	adhérent	adhérence
coïncidant	coïncident	coïncidence
communiquant	communicant	
convainquant	convaincant	
convergeant	convergent	convergence
différant	différent	différence
divergeant	divergent	divergence
équipollant	équipollent	équipollence
équivalant	équivalent	équivalence
excédant	excédent	
extravaguant	extravagant	extravagance
fabriquant	fabricant	
fatiguant	fatigant	
intriguant	intrigant	
naviguant	navigant	
négligeant	négligent	négligence
précédant	précédent	
présidant	président	présidence
provoquant	provocant	
résidant	résident	résidence
somnolant	somnolent	somnolence
suffoquant	suffocant	
vaquant	vacant	vacance
violant	violent	violence

Dans le tableau ci-dessus est appelée forme verbale toute forme susceptible de refuser la variation au féminin ou au pluriel : outre l'ensemble *en* + forme verbale *(en me communiquant ce renseignement, vous m'avez fait gagner du temps)*, on a coutume aujourd'hui de considérer comme invariables les formes en **-ANT** capables d'être suivies d'un complément *(les personnes négligeant cette recommandation s'exposeraient à des déboires)*. Il convient cependant de noter deux formes fossilisées qui, par archaïsme, échappent à cette règle : *des ayants-droit, des ayants-cause*.

La forme adjectivale est le plus souvent à mettre en regard avec la « qualité » exprimée par le nom : un violent est quelqu'un qui a de la violence (et non quelqu'un qui viole). Dans cet exemple et dans d'autres, la forme adjectivale est en mesure d'être prise comme nom. C'est ce qu'il faut entendre par « forme nominalisée » *(un président ; un intrigant...)*. Son complément n'est jamais direct *(des raisonnements convainquant les sceptiques ; des raisonnements convaincants pour les sceptiques)*.

5. CIRCONFLEXE

1. Voici quelques anomalies de la langue à propos de l'accent circonflexe : celui que porte le mot racine ne se retrouve pas dans certains de ses dérivés.

On écrit	*Mais*
âcre	acrimonie, acrimonieux
arôme	aromate, aromatiser
câble	encablure
cône	conifère
côte	coteau
crâne, crânien	craniologie
diplôme	diplomate
drôle	drolatique
dû	indu, due, dus, dues
extrême	extrémité
fantôme	fantomatique
fût	futaille
Gênes	génois, génoise
grâce	gracier, gracieux
icône	iconique, iconoclaste, iconographie
impôt	imposer
infâme	infamie
jeûne, jeûner	déjeuner
pôle	polaire, polarisé
râteau	ratisser
soûl	dessouler
sûr	assurer
symptôme	symptomatique
tâter	tatillon
trône	introniser

2. Il y a deux catégories d'adverbes formés à partir d'adjectifs en *-u* :

Avec accent circonflexe	*Sans accent circonflexe*
assidûment	
congrûment	
continûment	absolument
crûment	ambigument
drûment	éperdument
dûment	ingénument
goulûment	prétendument
incongrûment	résolument
indûment	
nûment	

3. On ne mettra pas d'accent circonflexe à *boiter, chapitre, cime, idiome, mitre, pitre, toit, zone* **pas plus qu'au suffixe médical** *-iatre.*

6. CONSONNES DOUBLES ou CONSONNES SIMPLES ?

Prennent un *f*		Prennent deux *f*	
agrafe	gonfler	baffle	insuffler
bâfrer	mafia	buffle	joufflu
boursoufler	maroufler	échauffourée	mafflu
emmitoufler	moufle	empiffrer	siffler
enfler	mufle	engouffrer	souffler
érafler	persifler	essouffler (s')	
esbroufe	rafler		
gaufre	rifle		
gifle			

Prennent un *l*		Prennent deux *l*	
accolade	cajoler	allaiter	dentellière
accoler	colophane	allégeance	imbécillité
aliter	imbécile	alléger	interpeller
alourdir	racoler	ballade	pulluler
appeler	vaisselier	*(poème)*	vaisselle
(se) balader	vélocité	ballottage	velléité

Prennent un *m*		Prennent deux *m*	
bonhomie	pantomime	bonhomme	mammifère
concomitant	prud'homal	dilemme	sommité
mamelle		immanent	

Prennent un *n*		Prennent deux *n*	
anoblir	pané	cannelle	honneur
artisanat	panonceau	cantonnement	panne
assonance	parrainage	détonner	panneau
cantonade	patronal	*(jurer)*	patronner
consonance	rabane	ennoblir	paysannat
dessiner	rationalisme	enrubanné	rationnel
détoner *(bruit)*	résonance	entonner	suranné
dissonance	rubané	fanfaronnade	tanner
s'enamourer	rubanerie	fibranne	
enivrer	saumoné		
s'enorgueillir	tanin		
s'époumoner	tonal		
erroné	tonalité		
honorer	trombone		

Prennent un *p*		Prennent deux *p*	
chape	friper	achoppement	japper
chausse-trape	laper	échoppe	lippu
chope	taper	happer	opprobre
choper	trapu	hippique	trappe

Prennent un *r*	**Prennent deux *r***
chariot harassé irascible	amerrir carrosse carrousel charrette charrue concurrence embarrasser irriter myrrhe occurrence récurrent susurrer
Prennent un *t*	**Prennent deux *t***
allitération (mais **littérature** en a deux) combatif (mais **combattant** en a deux) courbatu (mais **battu** en a deux) gargote paillote trompeter (mais **trompette** en a deux) **les féminins en** ote, **sauf** boulotte, maigriotte, pâlotte, sotte, vieillotte **quelques féminins en** ète, **comme** complète, concrète, désuète, discrète, inquiète, replète, secrète **la plupart des noms en** terie (ex. : **papeterie**).	a) les verbes ballotter botter boulotter boycotter caillebotter calotter carotter crotter culotter dansotter débotter décalotter décrotter déculotter déhotter émotter flotter frisotter frotter garrotter glaviotter gobelotter grelotter gringotter mangeotter marcotter marmotter motter (se) reculotter roulotter trotter b) les noms en **terie** suivants : billetterie coquetterie lunetterie moquetterie robinetterie tabletterie

7. CORRECTIONS TYPOGRAPHIQUES

Dans le plaine rase, sous la nuis sans	*Lettres à changer*
étoiles, d'une obscurité et d'une épaisseur	*Espacement irrégulier*
d'ncre, un homme suivait seul la grande	*Lettre manquante*
route de Marchiennes à Montsou,	*Lettres à supprimer*
dix kilomètres de pavé coupant tout droit, à	*Faire suivre*
travers les champs de betteraves. Devant	*Blanc à diminuer*
lui, il ne voyait même pas le sol noir, et il	*Blanc à ajouter*
n'avait l a sensation d e l'immense horizon	*Désespacer*
plat que par les souffles du vent de mars	*Virgule à ajouter*
glacées d'avoir balayé des lieues de marais	*Deux lignes à transposer*
des rafales larges comme sur une mer,	
etde terresnues. Aucune ombre d'arbre ne	*Mots à espacer*
tachait le ciel, le pavé déroulait se avec la	*Mots à transposer*
rectitude d'une jetée, au milieu des *ténèbres.*	*Mettre en romains*
L'homme était parti de Marchiennes vers	*Alinéa à créer*
deux heures. Il marchait d'un allongé, grelot-	*Mot manquant*
tant sous le coton aminci de sa veste et de	*Rentré à supprimer*
son pantalon de velours. Un petit colis, noué	*Mot à changer*
dans un MOUchoir à carreaux, le gênait	*Composer en minuscules*
beaucoup. une seule idée occupait sa tête vide	*Composer en majuscules*
d'ouvrire sans travail et sans gîet, l'espoir que	*Lettres à transposer*
le froid serait moins vif après le lever du jour.	*Lettres à retourner*
Depuis une heure, il avançait ainsi, lorsque	*Lettres qui chevauchent*
sur la gauche, à deux kilomètres de Montsou,	*Lettres qui ne sont pas du corps*
il aperçut des feux rouges.	*Italiques demandées, puis demande annulée*

8. COULEURS

1. Se comportent comme des adjectifs, variables, les désignations de couleurs suivantes :

beige
bis
blanc
bleu
blond
brun
châtain
cramoisi
écarlate
fauve
glauque
gris
incarnat
incolore
infrarouge
jaune
mauve
noir
pers
pourpre
rose
rouge
roux
ultraviolet
vermeil
vert
violet
zinzolin

auxquelles il convient d'ajouter les dérivés, véritablement adjectifs, de noms comme

ardoisé
azurin
basané
blanchâtre
blondasse
corallin
doré
éburnéen
incarnadin
mordoré
noiraud
olivâtre
orangé
purpurin
rosé
rougeaud
rouquin
roussâtre
rubicond
terreux
vineux
violacé
violine
etc.

2. Sont invariables les désignations de couleur issues, comme celles-ci, de noms :

acajou
acier
amande
amarante
ambre
anthracite
ardoise
argent
aubergine
auburn
azur
bistre
bordeaux
brique
bronze
cadmium
café
canari
caramel
carmin
cassis
céladon
cendre
cerise
chair
chamois
champagne
chocolat
ciel
citron
clémentine
cobalt
cognac
coquelicot
corail
crème
cuivre
cyclamen
ébène
écrevisse
églantine
émeraude
épinard
feu
filasse
fraise
framboise
fuchsia
garance
géranium
grènat
groseille
havane
horizon
indigo
isabelle
ivoire
jonquille
kaki
lavande
lilas
mandarine
marine
marron
mastic
miel
moutarde
nacre
noisette
ocre
olive
ombre
opale
or
orange
outremer
paille
parme
pastel
pêche
perle
pervenche
pétrole
pie
pistache
platine
pomme
ponceau
potiron
praline
prune
puce

réséda	sanguine	souris	topaze
rouille	saphir	tabac	tourterelle
rubis	saumon	tango	turquoise
sable	sépia	thé	vermillon
safran	serin	tilleul	vison
sang	soufre	tomate	zinc

3. Restent invariables des séquences complexes qualifiant un substantif unique :

des chemisiers vert pomme ; une limousine noir métallisé, etc.

9. ELER - ETER

Verbes en **eler** et en **eter** ne redoublant pas la consonne dans les formes conjuguées comportant un **è** ouvert :

celer (déceler, receler)	acheter
ciseler	bégueter
démanteler	corseter
écarteler	crocheter
geler *(et ses composés)*	fileter
marteler	fureter
modeler	haleter
peler	racheter

(ex. : *tu halètes ; nous écartèlerons,* etc.). Les autres verbes de cette catégorie suivent le modèle de **j'appelle** ou de **je jette.**

10. GENRE

a) Sont masculins notamment les mots :

abîme ; abysse ; albâtre ; alcool ; amalgame ; ambre ; amiante ; ampère ; anathème ; antipode ; antre ; aphte ; apogée ; arcane ; armistice ; asphalte ; asphodèle ; astérisque ; astragale ; auspice ; azote ; baffle ; balustre ; cinnamone ; cothurne ; effluve ; élytre ; encéphale ; encombre ; enzyme (*malgré l'usage scientifique*) ; épeautre ; épilogue ; équinoxe ; esclandre ; exode ; exorde ; gamète ; grèbe ; haltère ; hémisphère ; hyménée ; insigne ; interstice ; intervalle ; iode ; ivoire ; jade ; jujube ; jute ; libelle ; lignite ; limbe ; malvoisie ; méandre ; mégalithe ; ménisque ; minuit ; muge ; myrte ; naphte ; obélisque ; ocarina ; ocelle ; opercule ; opprobre ; ovule ; pampre ; parage ; pétale ; phanère ; planisphère ; porphyre ; poulpe ; psoriasis ; remugle ; sépale ; sésame ; solstice ; spirille ; spirochète ; stère ; stigmate ; svastika (*ou* swastika) ; tellure ; tentacule ; termite ; théorbe ; tournebroche ; trille ; trope ; uretère ; urètre ; vexille ; viscère ; zygote.

b) Sont féminins notamment les mots :

abaque ; abside ; acanthe ; acmé (*mais pas* acné) ; anagramme ; anche ; apothéose ; arrhes ; aspirine ; asymptote ; autoroute ; avant-scène ; aviso ; azalée ; bakélite ; baryte ; basane ; bauxite ; bougainvillée ; cardamome ; caténaire ; chevêche ; clepsydre ; clovisse ; coriandre ; dendrit ; durit ; dyne ; ébène ; échappatoire ; écritoire ; encaisse ; énigme ; éphémérides ; épice ; épigramme ; épigraphe ; épitaphe ; épithète ; équivoque ; esbroufe ; escarre ; esse ; ficaire ; giroflée (*mais pas* girofle) ; guelte ; hysope ; immondice ; interview ; isobare ; isotherme ; oasis ; obole ; octave ; omoplate ; orbite ; orchidée ; oriflamme ; palabres ; passiflore ; patère ; pechblende ; renoncule ; russule ; scolopendre ; sépiole ; sigillaire ; silice ; silicone ; simarre ; spore ; squame ; topaze ; urticaire ; uvule ; vertèbre.
Prendre garde à dire : *une espèce de* lorsque suit un mot masculin.

c) Ont des sens différents selon leur genre notamment les mots :

aide ; aigle ; cache ; cartouche ; critique ; enseigne ; faune ; foudre ; garde ; guide ; mémoire ; merci ; œuvre ; office ; pendule ; période ; remise ; solde ; trompette.

d) Mots désignant des métiers et qui n'ont pas de masculin :

bonne ; lavandière ; lingère ; modiste ; nourrice ; repasseuse ; sage-femme ; soubrette.

e) Mots désignant des femmes et qui sont au masculin :

bas-bleu ; chaperon ; laideron ; mannequin ; succube ; tendron ; trottin.

f) Mots désignant des hommes et qui sont au féminin :

estafette ; ordonnance ; recrue ; sentinelle ; vigie.

g) Féminins impossibles autrement que par « périphrase » *(une femme censeur)*, ou par maintien du titre après *Madame le ;* l'attribut est invariable en genre :

acquéreur
amateur
apôtre
assassin
auteur
bandit
bâtonnier
bourreau
censeur
charlatan
chef
chevalier
cocher
commandeur
contradicteur
contrefacteur
défenseur
détracteur
dictateur
échevin
écrivain
escroc
fat
flandrin
garnement
gourmet
grognon
homme d'État
imposteur
imprimeur
ingénieur
instructeur
intercesseur
jockey
littérateur
lutin
maire
malandrin
malfrat
manant
margoulin
marin
massacreur
médecin
médium
mercanti
modèle
monstre
motard
offenseur
oppresseur
pâtre
penseur
plaisantin
pleutre
possesseur
prédécesseur
procureur
professeur
proviseur
recteur
régisseur
sauveteur
sauveur
souteneur
successeur
témoin
titan
tyran
vainqueur
valet
voyou

11. LA GRAMMAIRE AU SALON
OU
LES PIÈGES A COMPIÈGNE

Voici le texte de la fameuse dictée de Mérimée à laquelle nos têtes couronnées, paraît-il, n'obtinrent pas le meilleur score :

Pour parler sans ambiguïté, ce dîner à Sainte-Adresse, près du Havre, malgré les effluves embaumés de la mer, malgré les vins de très bons crus, les cuisseaux de veau et les cuissots de chevreuil prodigués par l'amphitryon, fut un vrai guêpier.

Quelles que soient et quelque exiguës qu'aient pu paraître, à côté de la somme due, les arrhes qu'étaient censés avoir données la douairière et le marguillier à maint et maint fusilier subtil, bien que lui ou elle soit censée les avoir refusées et s'en soit repentie, va-t'en les réclamer pour telle ou telle bru jolie par qui tu les diras redemandées, quoiqu'il ne lui siée pas de dire qu'elle se les est laissé arracher par l'adresse desdits fusiliers et qu'on les leur aurait suppléées pour des motifs de toutes sortes.

Il était infâme d'en vouloir pour cela à ces fusiliers jumeaux et malbâtis et de leur infliger une raclée, alors qu'ils ne songeaient qu'à prendre des rafraîchissements avec leurs coreligionnaires.

Quoi qu'il en soit, c'est bien à tort que la douairière, par un contresens exorbitant, s'est laissé entraîner à prendre un râteau et qu'elle s'est cru obligée de frapper l'exigeant marguillier sur son omoplate vieillie.

Deux alvéoles furent brisés, une dysenterie se déclara, suivie d'une phtisie.

« Par saint Martin, quelle hémorragie ! » s'écria ce bélître. A cet événement, saisissant son goupillon, ridicule excédent de bagage, il la poursuivit dans l'église tout entière.

12. H

Ne comportent pas de *h* les mots suivants, parfois écrits fautivement :

agate ; astrakan (*mais* la ville d'Astrakhan) ; auspices (*mais* un haruspice) ; azimut (*mais* bismuth) ; bernard-l'ermite ; blennorragie ; datura ; ermite ; étymologie ; hypoténuse ; lazaret ; liturgie ; mélancolie ; métempsycose (*mais* psychose) ; scatologie (*mais* eschatologie) ; scolastique ; troène ; yogourt.

On prendra garde à bien placer le *h* dans :

abhorrer
apothéose
catarrhe *(rhume)*
cathare *(hérétique)*
dahlia
léthargie
rhapsodie
rhétorique
rhinite
rhododendron
rhumatisme
stéthoscope
thaumaturge
théâtral
thérapeute
thésauriser

13. I ou Y ?

Voici quelques mots savants qui présentent une difficulté :

antinomie
antonymie
asphyxie
cochylis
cystite
cytise
dialyse
dionysiaque
diptyque
dissymétrie
dithyrambe
dysenterie
dysfonctionnement
dyslexie
dytique
glycérine
glycine
hiéroglyphe
hippique
hypnotiser
hystérie
idyllique
laryngite
libyen
métonymie
myopathie
myrtille
panégyrique
pénicilline
poliomyélite
polyptyque
polystyrène
presbytie
prophylaxie
pythonisse
satire (une) = *critique ;*
satirique, satiriser.
satyre (un) = *faune ;*
satyriasis.
saynète
sibyllin
strychnine
sylphide
synarchie
syncrétisme
synopsis
synovie
syphilis
syzygie
triptyque
vinyle

14. ILLOGISMES

En face du mot	on trouve	En face du mot	on trouve
absorber	absorption	irascible	irrité
agrandir	aggraver	lapereau	levraut
alléger	alourdir	littéraire	allitération
antisepsie	antiseptique	mamelle	mammifère
artisanat	paysannat	nommer	nomination
asepsie	aseptique	nourrice	nourrisson
atterrir	amerrir	nullité	annuler
attrouper	atermoyer	panneau	panonceau
avènement	événement	patronage	patronner
barrique	baril	pontonnier	timonier
battu	courbatu	poulain	pouliner
bonhomme	bonhomie	prud'homme	prud'homal
cantonal	cantonnier	psychose	métempsycose
carbone	charbonnier	relais	délai
ciller	dessiller	résorber	résorption
citronnade	limonade	rubané	enrubanné
clôture	claustration	siffler	persifler
collerette	encolure	souffler	boursoufler
combattant	combatif	sonner	dissoner
concourir	concurrence	spacieux	spatial
connexion	connecter	tâtonner	tatillonner
consonne	consonance	tonnerre	détonation
coreligionnaire	corrélation	trappe	chausse-trape
coureur	courrier	tutelle	tutélaire
donner	donation	vaisselle	vaisselier
exclu	inclus	vallée	avalanche
faisane	paysanne	verglas	verglacer
imbécile	imbécillité	vermisseau	souriceau
invaincu	invincible	vraiment	gaiement

15. MAJUSCULE

Sont considérés comme noms propres, et prennent une majuscule :

1. le prénom, le nom, le surnom d'un être animé : Médor ; Enrico Caruso ; l'Incorruptible ;

2. les noms génériques de peuples : *les Huns ; les Argentins ; les Sémites.* On laissera la minuscule aux noms de langues : *parler le japonais,* aux noms désignant une croyance religieuse : *les juifs, les mahométans,* et naturellement à ces mots quand ils sont adjectifs : *la campagne romaine, les hiéroglyphes égyptiens ;*

3. les abstractions et allégories de la religion et de la croyance : *l'Éternel, le Ciel, le Prophète Mahomet, la Passion.* Un adjectif

intercalé entre l'article et un nom de cette sorte prend la majuscule, et garde sa minuscule dans le cas contraire : *la Divine Providence, les Écritures saintes.* Cependant, sont exclus de la catégorie des noms propres des mots comme *un dieu* (mythologie païenne), *une église* (bâtiment, par opposition à *l'Église,* institution), etc. ;

4. les noms de lieux : *Ottawa, l'Odéon, la Manche, l'Inde.* Entrent dans cette catégorie les noms de voies : *avenue de l'Indépendance, rue Basse ;*

5. les noms d'événements historiques, ou d'époques : *le Moyen Age, l'Entente cordiale ;*

6. les raisons sociales : *les Nouveaux Établissements Vernier ; le Crédit national coopératif ;*

7. les institutions, à condition qu'elles soient uniques : *l'École polytechnique,* mais *l'école maternelle du 7e arrondissement ; la Cour des comptes* mais *la cour d'assises du Gard ;*

8. les titres et fonctions de personnages dans les en-têtes, suscriptions et formules de politesse de la correspondance : *le Syndic à Monsieur le Secrétaire-Trésorier ; pour le Président, le Directeur, A. Dupont.* En dehors de la correspondance, il convient de conserver la minuscule à ces mots, surtout s'ils sont suivis du nom de la personne : *le roi Henri* (mais *le Roi,* aux échecs) ; *le ministre de la Coopération et du Développement ; la princesse de Guermantes ;*

9. les planètes référées à l'astronomie, les noms scientifiques d'espèces, ordres, etc., les points cardinaux (quand le contexte est scientifique) : *avoir le Soleil en Taureau ; les cétacés sont des Mammifères ; l'Amérique du Nord.* On recourt à la minuscule dans un contexte banalisé : *le soleil luisait ; les insectes bourdonnaient ; Lyon est au sud de Paris.*

Remarques : — L'adjectif *saint* garde sa minuscule devant un nom propre (et on se gardera de l'abréger) : *saint Augustin ; saint Thomas d'Aquin.* Toutefois, si cet adjectif précède un nom porteur de majuscule (cas 3. ci-dessus), il prend aussi la majuscule : *les Saintes Écritures ; le Saint Esprit.* On écrit *Saint* (qu'on peut abréger en *St*) devant les noms de voies, de quartiers, d'églises, de fêtes, et toujours avec un trait d'union : *Saint-Germain-des-Prés ; Saint-Nom-la-Bretèche ; la Saint-Sylvestre.*

— Dans des séquences valant nom propre, les éléments grammaticaux conservent la minuscule : *Charles le Chauve ; Pointe-à-Pitre ; le Tasse.* Naturellement, *La Bruyère* ne comporte pas d'article, mais *La* y fait partie du patronyme. *De,* particule, reste le plus souvent en minuscule. Pour *Du/du* ou *Des/des,* un dictionnaire des noms propres tranchera, les usages étant capricieux.

16. MOTS COMPOSÉS

1. Les remarques ci-dessous ne concernent que les mots composés comportant un trait d'union. Pour les autres, que l'usage les ait condensés en un seul mot (portefeuille) ou les ait adoptés sans trait d'union (chemin de fer), le passage au pluriel n'offre en principe aucune difficulté, le bon sens traitant par exemple portefeuille(s) et chemin(s) comme les seuls éléments susceptibles de variation.

2. C'est la nature des éléments accolés qui dicte généralement les règles de variabilité des mots composés. Un adverbe ou un verbe en première position ne varient pas, un nom aura tendance à varier, sauf s'il indique une quantification toujours singulière, et un adjectif véritable se comportera comme partout, c'est-à-dire que la marque du pluriel l'affectera. Néanmoins, beaucoup de faits mal identifiables viennent parfois brouiller ces règles.

3. Voici les principales structures se composant pour donner des mots complexes :

a) Nom + nom

appui-bras
balai-brosse
ballon-sonde
bien-fonds
bloc-moteur
bloc-notes
bracelet-montre
café-concert
café-théâtre
camion-citerne
carton-pâte
chassé-croisé
chaud-froid
chef-lieu
chêne-liège
chou-fleur
chou-rave
clair-obscur
compère-loriot
décret-loi
frou-frou
homme-grenouille
jupe-culotte
laurier-rose
loup-garou
machine-outil
mandat-carte
mandat-lettre
marie-salope
marteau-pilon
martin-pêcheur
méli-mélo
oiseau-mouche
pie-mère
porte-fenêtre
reine-claude
reine-marguerite
saisie-arrêt
saisie-exécution
tambour-major
tiroir-caisse
tissu-éponge
wagon-bar
wagon-citerne
wagon-lit

Ces assemblages prennent un *s* à chacun des deux mots ; il faut ajouter ici deux particularités de l'oral :

des guets-apens ; des porcs-épics

se prononcent rigoureusement comme au singulier.

b) Nom + préposition omise + nom
ou Nom + préposition exprimée + nom

arc-en-ciel
bec-de-cane
bec-de-lièvre
belle-de-nuit
boule-de-neige
chef-d'œuvre
cou-de-pied
coup-de-poing
crête-de-coq

croc-en-jambe	eau-de-vie	langue-de-bœuf
cul-de-jatte	face-à-main	mont-de-piété
cul-de-sac	gueule-de-loup	pied-de-biche
dent-de-lion	haut-de-chausses	tête-de-loup
dent-de-loup	hôtel-Dieu	timbre-poste

Ces assemblages ne prennent de *s* qu'au premier des deux mots ; on ne fait jamais de liaison. Dans *œil-de-bœuf* et *œil-de-perdrix,* le pluriel du premier élément est *œils*. Exceptions notables :

coq-à-l'âne ; pied-à-terre ; pot-au-feu ; tête-à-tête

sont invariables.

c) Adjectif + nom

L'ensemble est variable (un *s* sur chaque élément), sauf pour

blue-jeans (mot anglais)
court-vêtu (*court* est adverbe)
demi- (voir annexe n° 1)
grand *suivi d'un mot féminin*
haut-parleur (*haut* est adverbe)
mort-né ; nouveau-né
saint-cyrien ; saint-simonien
sauf-conduit

Dans ces assemblages, seul le deuxième élément porte le pluriel. *Pur-sang* est invariable, ainsi que les autres composés avec *saint* comme premier élément.

d) Verbe + nom

Le premier élément reste en général invariable

des bouche-trous ; des cale-pieds ; des chauffe-plats ; des passe-plats ; des vide-bouteilles, etc.

Quant au second, l'usage hésite. On écrit au singulier

un serre-file ; un serre-fils ; un serre-frein *ou* un serre-freins ; un serre-joint *ou* un serre-joints ; un serre-livres ; un serre-papiers ; un serre-tête.

Le premier et le dernier mot de cette liste pourraient seuls poser problème. Le bon sens décide qu'ils peuvent rester invariables, comme *garde-manger* par exemple.

Cependant les mots comportant *aide* ou *garde* voient cet élément prendre un *s* au pluriel (ce sont des *aides,* des *gardes*) si sont désignées les personnes.
Si ce sont des choses *(garde-manger, aide-mémoire),* le mot est invariable.

Ont leur deuxième élément variable

accroche-cœur
attrape-nigaud
bouche-trou
chauffe-bain ; chauffe-biberon ;
chauffe-lit
couvre-chef ; couvre-feu ;
couvre-lit ; couvre-livre ;
couvre-pied(s) ; couvre-plat
croque-mitaine ; croque-mort
essuie-glace ;
grippe-sou
hausse-col
lave-glace
passe-droit ; passe-lacet ;
passe-montagne ; passe-plat
pense-bête
perce-oreille
remonte-pente
tire-balle ; tire-botte ;
tire-bouchon ; tire-bouton ;
tire-ligne ; tire-pied
vide-bouteille ; vide-gousset

Sont invariables

abaisse-langue
abat-jour ; abat-son ; abat-vent ;
abat-voix
aide-mémoire
allume-feu ; allume-gaz
amuse-gueule
bat-flanc
boute-en-train
branle-bas
brise-glace ; brise-tout ;
brise-vent
brûle-parfum
cache-col ; cache-nez ;
cache-pot ; cache-sexe
caille-lait
casse-cou ; casse-croûte ;
casse-noisette ; casse-noix ;
casse-tête
chasse-neige
chauffe-eau
coupe-chou ; coupe-circuit ;
coupe-coupe ; coupe-feu ;
coupe-file ; coupe-gorge ;
coupe-jarret ;
coupe-légumes ;
coupe-papier ; coupe-vent
croque-monsieur
fourre-tout
gâte-sauce
gratte-ciel ; gratte-papier
grille-pain
hache-viande
monte-charge
passe-temps
perce-neige
pèse-alcool ; pèse-lait ;
pèse-sirop
porte-aiguille *(instrument)* ;
porte-bonheur ;
porte-greffe ;
porte-malheur ;
porte-monnaie ;
porte-musique ;
porte-papier ; porte-parole ;
porte-plume ; porte-vent
pousse-café
prie-Dieu
rabat-joie
remue-ménage
risque-tout
souffre-douleur
tâte-vin
trompe-la-mort ; trompe-l'œil
trouble-fête

L'accord est facultatif pour

un, des cure-dent(s), ongle(s), oreille(s), pied(s), pipe(s) ; des pèse-bébé(s) ; des pèse-lettre(s) ; des pèse-personne(s) ; des porte-bannière(s), copie(s), couteau(x), drapeau(x), lame(s), objet(s), savon(s) ; des taille-crayon(s).

Naturellement, les mots composés de cette catégorie dont le second élément est déjà affecté d'un pluriel ne se modifient pas en passant eux-mêmes au pluriel. C'est par exemple le cas de attrape-mouches ; chasse-mouches ; compte-gouttes ; coupe-cigares ; hache-légumes ; lance-(flammes, fusées, grenades, pierres, torpilles) ; lave-mains ; monte-plats ; porte-aiguilles *(étui)* ; porte-(avions, bagages, billets, bouteilles, cartes, cigares, cigarettes, clefs, documents, jarretelles, parapluies, serviettes) ; ramasse-miettes ; rince-doigts ; taille-légumes ; tord-boyaux ; tue-mouches.

17. PARTICIPE PASSÉ

1. S'il suit le verbe **être, paraître, demeurer, rester, passer pour,** etc., le participe se comporte comme n'importe quel adjectif et s'accorde avec le sujet du verbe :

Elles sont fatiguées par leurs courses.
Jeanne et Marie semblent choisies pour nous représenter.
Alors, grand-mère, on est bien soignée ?
Ces jardins passent pour bien entretenus.

2. S'il suit le verbe **avoir**, le participe est invariable dans une phrase simple où l'ordre est normal :

Avez-vous vu ces films ? En avez-vous apprécié les couleurs ?

Mais il peut se trouver que le verbe soit précédé de son complément d'objet et que celui-ci se rapporte très étroitement au participe qu'on accordera. On distinguera alors :

Jeanne, l'avez-vous appelée ?

qui signifie : « Vous avez bien appelé cette personne Jeanne ? », de

Jeanne, l'avez-vous appelé ?

qui signifie : « Mademoiselle, je vous ai demandé de téléphoner à Untel. Est-ce fait ? »

On voit qu'il y a certaines situations où l'accord du participe est discriminant. Mais il faut pour cela que la réponse à *Qui ?* ou à *Quoi ?* soit explicite et qu'elle anticipe le verbe comportant un participe :

Accord	**Pas d'accord**	**Explication**
C'est nous qu'elle a envoyés.		— *Elle a envoyé un homme et une femme, ou plusieurs hommes.*
	C'est nous qu'elle a préféré envoyer.	— *Elle a préféré quoi ? pas* **nous**, *en tout cas.*
	Éléonore m'a désobéi, à moi sa mère.	— *On ne désobéit pas quelqu'un.*

Accord	Pas d'accord	Explication
Éléonore ne m'a jamais écoutée, moi sa mère.		*— On écoute quelqu'un.*
	Messieurs, vous avez menti.	*— Quoi ? question impossible après* **mentir.**
Les mensonges que vous avez proférés.		*— On profère des mensonges.*
	Vous en avez proféré, des mensonges !	*— L'accord est toléré, mais une vieille habitude veut que* **en** *ne réponde pas à la question* **quoi ?** mais à la question **de quoi ?** *(ex. : j'en veux — de quoi ? — du beurre).*
	Cette auberge est moins bruyante que je l'avais pensé.	*— J'avais pensé quoi ? Pas l'auberge...*
On la disait intelligente ; je l'avais crue.	On la disait intelligente ; je l'avais cru.	*— On accorde si on croit la personne ; on n'accorde pas, parce qu'on croit la rumeur.*
Les enfants ! Je les ai entendus pleurer, va voir.		*— J'ai entendu qui ? Les enfants, et ils pleuraient.*
	Cette rengaine, je l'ai entendu chanter mille fois...	*— J'ai entendu qui ? Des gens, et ils chantaient cette rengaine.*
Vends-moi une des toiles que tu as peintes.		*— Tu as peint des toiles.*
Un de tes romans que j'ai lu m'a bien plu.		*— Je n'ai pas lu tous tes romans, mais l'un d'eux.*
Le peu d'aide que tu m'as manifestée.	Le peu d'aide que tu m'as manifesté.	*— Comme on veut : on peut considérer qu'on manifeste de l'aide, ou une quantité d'aide.*

La quantité de vin qu'il a bu(e) l'empêche de conduire/La quantité de vins qu'il a bus fait de lui un expert.		— *Subtil ! Mais le bon sens s'y retrouve…*
Les soixante colis qu'il a pesés…	Les soixante kilos qu'il a pesé…	— *Peser quoi ? et peser combien ?*
La médaille que ça lui a value…	Les 1 000 F que ça lui a valu…	*etc.*

3. S'il s'agit d'un **verbe pronominal,** deux cas sont à envisager :

— ou le pronom vaut pour *à soi,* et dans ce cas le complément d'objet sera généralement exprimé (*se laver la tête, se faire les ongles, s'adresser des reproches,* etc.). On appliquera alors la règle du verbe *avoir* :

Elles se sont lavé les cheveux.
Ma mère et ma sœur se sont adressé les plus vifs reproches.
Cette voiture, il se l'est offerte à Noël.

— ou le pronom fait partie intégrante du verbe pour le sens et sert de complément d'objet, et l'on applique alors la règle du verbe *être* :

Les salades se sont desséchées.
Louise s'est donnée à Albert.

On n'accordera pas, dès lors qu'on pourra suppléer l'adverbe *réciproquement* avec la valeur « l'un à l'autre » (*elles se sont souri, succédé, ressemblé…,* catégorie très limitée), mais on accordera lorsque *réciproquement* vaut pour « l'un l'autre » (*elles se sont observées, soutenues, encouragées,* etc.).

Enfin, un certain nombre de verbes pronominaux demandent toujours l'accord ; il s'agit de :

s'absenter ; s'abstenir ; s'accointer ; s'accouder ; s'accroupir ; s'acheminer ; s'adonner ; s'agenouiller ; s'apercevoir ; s'attabler ; s'attaquer ; s'attendre ; s'avachir ; se bagarrer ; se balader ; se blottir ; se cabrer ; se dédire ; se démener ; se désister ; se douter ; s'ébattre ; s'ébrouer ; s'écrier ; s'écrouler ; s'efforcer ; s'élancer ; s'emparer ; s'empresser ; s'en aller ; s'enfuir ; s'ennuyer ; s'enquérir ; s'entraider ; s'envoler ; s'éprendre ; s'esclaffer ; s'évader ; s'évanouir ; s'évertuer ; s'exclamer ; s'extasier ; se formaliser ; se gargariser ; se gendarmer ; s'immiscer ; s'infiltrer ; s'ingénier ; s'ingérer ; s'insurger ; se jouer ; se méfier ; se méprendre ; se moquer ; s'obstiner ; s'opiniâtrer ; se parjurer ; se pavaner ; se plaindre ; se prévaloir ; se prosterner ; se ratatiner ; se raviser ; se rebeller ; se rebéquer ; se rebiffer ; se récrier ; se recroqueviller ; se réfugier ; se renfrogner ; se rengorger ; se repentir ; se rire ; se saisir ; se servir (de) ; se soucier ; se souvenir ; se suicider ; se taire ; se targuer.

18. LE *S* FINAL

Avec			**Sans**
appentis	frimas	puits	brai
aurochs	galetas	rebours	cancrelat
bris	galimatias	reclus	chai
canevas	glas	relais	déblai
cervelas	grès	remords	délai
chasselas	hachis	salmigondis	étai
clafoutis	haras	salmis	exclu
dais	hormis	tréfonds	falbala
échalas	inclus		fond *(bas)*
entrelacs	intrus		muid
entremets	judas		parmi
fatras	mets		rai
fonds	panaris		remblai
(capitaux)	plâtras		salami

19. TITRES

Toutes les œuvres portant un titre (littéraires, cinématographiques, picturales, etc.), ainsi que les noms de journaux et de revues sont désignés dans un texte ou en notes selon des principes de présentation unifiés : on les souligne, en dactylographie, et on les imprime en italiques. On écrira donc :

Tartuffe, de Molière
Musset, *On ne badine pas avec l'amour*
La Création du Monde, par Michel-Ange
A. Hitchcock, *la Mort aux trousses*
Le Monde, 13 octobre 1977
Carmina Burana (C. Orff),

etc. Les titres d'articles d'une revue ainsi que les parties d'œuvres sont donnés avec des guillemets et sans italiques (ou soulignement) :

Baudelaire, *Les Fleurs du mal,* « Spleen et Idéal »
Études musicologiques, « Polyphonie et dodécaphonie », sept. 82, n° 31.

On doit mettre une majuscule à l'initiale du titre et on la répète après une coordination s'il s'agit d'un titre double :

A la recherche du temps perdu
Amanda ou Comment l'esprit vient aux filles.

La règle veut qu'on mette une majuscule à tous les mots jusqu'au premier nom, lorsque le titre commence par *le, la* ou *les* :

Les Mille et Une Nuits (la coordination reste sans majuscule)
La Divine Comédie (mais *la Comédie humaine*).

Du reste, dans le corps d'un texte, l'article défini peut ne pas prendre la majuscule (il faudra alors choisir un usage constant) et il ne viendra en italiques (ou souligné) que s'il fait partie intégrante du titre :

Nous avons beaucoup aimé *la Traviata* et *la Tosca,* mais pas le *Rigoletto* de ce chef.

Si le titre comporte un article, l'accord du verbe se fera ; il se fera aussi quand le sujet est un nom propre féminin. L'accord ne se fait pas dans les autres cas :

Les Quatre cents Coups sont un film de F. Truffaut
Phèdre fut sifflée ce soir-là
Mémoires d'une jeune fille rangée est encore un succès de librairie.

Les mots composés demandent deux majuscules *(Poil-de-Carotte ; l'Après-Midi d'un faune).*

On doit contracter *à* et *de* avec le premier article d'un titre seulement :

Une excellente interprétation du *Rouge et le Noir*
Applaudir au « Corbeau et le Renard »
Prendre du plaisir aux *Dieux ont soif.*

20. TOUT

I. Invariable dans les positions suivantes

A. Au sens de *chaque chose*

1. Directement rattaché à un verbe comme sujet ou objet :

Tout a été dit.
As-tu tout pris ?

2. Après une préposition :

envers et contre tout ; en tout et pour tout ; touche-à-tout.

B. Au sens de *complètement*

1. Devant un adjectif commençant par une voyelle ou, s'il est masculin, par une consonne ou une voyelle :

Leurs robes étaient tout affriolantes.
Ils défendaient une tout autre opinion.
Ton veston est tout taché et tout élimé.
Tout avare qu'elle soit, elle sort beaucoup.

2. Devant un adverbe :

tout doucement ; tout bas.

3. Devant une préposition :

Tout en mâchant du chewing-gum, elle était tout à sa lecture. (*On admet toutefois :* elle était toute à sa lecture.)

II. S'accorde dans les positions suivantes

1. Devant un article, un possessif, un démonstratif :

toute la ville ; tous mes livres ; tous ces tracas ; toutes les opinions.

2. Devant un nom singulier :

Toute jeune fille, toute femme vous le dira.

3. Devant un adjectif féminin ayant une consonne à l'initiale :

toute jeune qu'elle soit ; elles en furent toutes frappées.

4. Devant autre, avec le sens de *n'importe quel* (singulier seulement) :

Toute autre heure me conviendrait mieux.

5. Dans le contexte d'un pronom personnel exprimé ou non (pluriel) :

Toutes (elles) avaient quelque chose à dire.
Tous pour un, un pour tous.

III. On écrit au singulier

à toute bride ; en tout cas ; de toute façon ; à toute force ; en tout genre ; à tout hasard ; à toute heure ; en tout lieu ; en tout point ; à tout propos ; en toute saison ; à toute vitesse ; de tout temps.

Les expressions *à tout moment ; de toute part ; de toute sorte ; en tout temps* peuvent aussi s'écrire au pluriel.

21. TRÉMA

1. Outre les quelques formes d'adjectifs féminins où le tréma permet de conserver la prononciation /u/,

aiguë(s) ; ambiguë(s) ; contiguë(s) ; exiguë(s),

ainsi que pour les trois formes du singulier du présent (indicatif et subjonctif) du verbe *arguer,*

j'arguë, tu arguës, il arguë,

on rencontre le tréma

- dans les suffixes scientifiques *oïde, oïdal, oïque*

alcaloïde, trapézoïdal, benzoïque

- dans les mots en *-ïté* issus de trois des quatre adjectifs cités plus haut :

ambiguïté, contiguïté, exiguïté,

à l'exclusion des autres (*acuité, ténuité, incongruité...)*

- dans des mots courants dont quelques-uns sont donnés ici :

aïe
aïeul
androïde
archaïque, archaïsme
baïonnette
caïd
caïman
caïque
camaïeu
canoë
capharnaüm
caraïbe
celluloïd
ciguë
coïncidence
égoïne
égoïsme, égoïste
faïence
glaïeul
haïkai
haïr, haïssable, haï, etc.
hébraïque
héroïne, héroïque, héroïsme
ïambe
inouï
laïc, laïciser, laïque
maïeutique
maïs
mosaïque
naïade
naïf
oïdium
ouï-dire, ouïe
païen
paranoïa
stoïcien, stoïcisme, stoïque
taïga
thébaïde
troïka
zaïrois

2. Ne portent pas de tréma les mots suivants, notamment :

goéland, goélette, goémon, israélite, moelle, moellon, paella, poêle, poème, séquoia, troène.

22. UNITÉS SCIENTIFIQUES

A. Unités simples

Unités	Grandeurs mesurées	Abréviations	Multiples et sous-multiples
ampère	Intensité du courant électrique	A	kA (kiloampère = 10^3 A)
angle droit	Angle plan	D	
angström	Longueur d'onde	Å	
are	Superficie	a	ha (hectare = 10^2 a)
bar	Pression	bar	cbar (centibar = 10^{-2} bar) mbar (millibar = 10^{-3} bar) μbar (microbar = 10^{-6} bar)
barn	Section efficace	b	mb (millibarn = 10^{-3} b)
becquerel	Activité de rayonnement	Bq	
bel	Intensité sonore	B	dB (décibel = 10^{-1} B)
candela	Intensité lumineuse	cd	
coulomb	Quantité d'électricité	C	kC (kilocoulomb = 10^3 C) mC (millicoulomb = 10^{-3} C)
degré Celsius	Température	°C	
degré d'angle	Angle plan	°	′ (minute = 1/60 de °) ″ (seconde = 1/3 600 de °)
dioptrie	Vergence optique	δ	
dyne	Force	dyn	
erg	Travail	erg	
farad	Capacité électrique	F	μF (microfarad = 10^{-6} F) pF (picofarad = 10^{-12} F)
gal	Accélération	Gal	
gramme	Masse	g	dag (décagramme = 10 g) hg (hectogramme = 10^2 g) kg (kilogramme = 10^3 g) q (quintal = 10^2 kg) t (tonne = 10^3 kg)

Unités	Grandeurs mesurées	Abréviations	Multiples et sous-multiples
			dg (décigramme = 10^{-1} g) cg (centigramme = 10^{-2} g) mg (milligramme = 10^{-3} g) μg (microgramme = 10^{-6} g)
gray	Dose de rayonnements absorbés	Gy	
henry	Inductance électrique	H	
hertz	Fréquence	Hz	kHz (kilohertz = 10^3 Hz) MHz (mégahertz = 10^6 Hz) GHz (gigahertz = 10^9 Hz)
joule	Travail	J	kJ (kilojoule = 10^3 J) MJ (mégajoule = 10^6 J)
kelvin	Température	K	
litre	Capacité	l	dal (décalitre = 10 l) hl (hectolitre = 10^2 l) dl (décilitre = 10^{-1} l) cl (centilitre = 10^{-2} l) ml (millilitre = 10^{-3} l)
lumen	Flux lumineux	lm	
lux	Éclairement lumineux	lx	
mètre	longueur	m	dam (décamètre = 10 m) hm (hectomètre = 10^2 m) km (kilomètre = 10^3 m) dm (décimètre = 10^{-1} m) cm (centimètre = 10^{-2} m) mm (millimètre = 10^{-3} m) μm ou μ (micromètre ou micron = 10^{-6} m)
mètre carré	Superficie	m^2	dam^2 (décamètre carré = 10^2 m^2) hm^2 (hectomètre carré = 10^4 m^2) km^2 (kilomètre carré = 10^6 m^2) dm^2 (décimètre carré = 10^{-2} m^2)

Unités	Grandeurs mesurées	Abréviations	Multiples et sous-multiples
			cm^2 (centimètre carré $= 10^{-4}\ m^2$) mm^2 (millimètre carré $= 10^{-6}\ m^2$)
mètre cube	Capacité	m^3	dm^3 (décimètre cube $= 10^{-3}\ m^3$) cm^3 (centimètre cube $= 10^{-6}\ m^3$) mm^3 (millimètre cube $= 10^{-9}\ m^3$)
mole	Quantité de matière	mol	
newton	Force	N	daN (décanewton = 10 N)
ohm	Résistance électrique	Ω	MΩ (mégohm $= 10^6$ Ω) μΩ (microhm $= 10^{-6}$ Ω)
pascal	Pression	Pa	
poise	Viscosité dynamique	P	
radian	Angle plan	rad	
seconde	Temps	s	mn (minute = 60 s) h (heure = 3 600 s)
siemens	Conductance électrique	S	
stéradian	Angle solide	sr	
stokes	Viscosité cinématique	St	
tesla	Induction magnétique	T	
tex	Masse linéique	tex	dtex (décitex $= 10^{-1}$ tex) ctex (centitex $= 10^{-2}$ tex)
volt	Tension	V	kV (kilovolt $= 10^3$ V) MV (mégavolt $= 10^6$ V) mV (millivolt $= 10^{-3}$ V) μV (microvolt $= 10^{-6}$ V)
weber	Flux d'induction magnétique	Wb	

B. Unités dérivées

Elles s'obtiennent souvent à l'aide de deux unités simples reliées par la préposition par, et leurs symboles s'écrivent de part et d'autre d'une barre de fraction. Exemples :

ampère par mètre (A/m) ; candela par mètre carré (cd/m^2) ; gramme par centimètre cube (g/cm^3) ; joule par kelvin (J/K), etc.

IMPRIMÉ EN FRANCE PAR BRODARD ET TAUPIN
7, bd Romain-Rolland - Montrouge.
Usine de La Flèche, le 14-10-1982.
1768-5 - N° d'Editeur 1919, octobre 1982.